FRENCH

SHORT STORIES

EDITED WITH INTRODUCTIONS,
VOCABULARY AND NOTES BY

E. C. HILLS and R. T. HOLBROOK

WITH NEW-TYPE EXERCISES BY

H. L. HUMPHREYS
University of Toronto

A B R I D G E D
E D I T I O N

D. C. HEATH AND COMPANY

BOSTON

PREFACE

IN preparing the original collection of *French Short Stories* the aim of the editors was to bring together in one volume some of the best modern French stories. The seventeen stories that were chosen, after wide reading and consultation with teachers of French, represented perhaps the best narrative art of twelve well-known authors. The scenes, actions, and characters described by them are extremely varied, instructive, and entertaining. Furthermore, these stories, which are of real importance for students of French literature, are also of great value for students of the French language, since nearly all the words and locutions found in them belong to living French and are in everyday use.

The present abridged edition comprises ten of the original seventeen stories. To meet the special needs of certain classes of students who combine reading with conversation, grammar drill and composition, a set of new-type exercises and passages for translation has been added.

Each story is here carefully reprinted from the best original French edition available. Certain omissions that seemed necessary are indicated by asterisks.

There is no separate division of the book devoted to Notes. The explanation of nearly all the linguistic difficulties, and information as to persons, places, and events, have been put in the Vocabulary. Throughout the stories, at the bottom of the pages, there are occasional notes in French and references to the key words of difficult expressions. By turning to these key words in the Vocabulary, the explanation of the difficulties will be found.

It is hoped that the Vocabulary of this book is not only as complete as good judgment and practical requirements warrant, but also both accurate and idiomatic. Most of the work on it was done by Mr. Holbrook.

TABLE OF CONTENTS

*The letters in parentheses are used in the *Vocabulary and Notes* to refer to the stories as indicated above. See also note at top of p. 189.

ALPHONSE DAUDET

ALPHONSE DAUDET est né à Nîmes en 1840. Des revers de fortune que subirent ses parents l'obligèrent, ses études à peine terminées, à se faire répétiteur de collège (1855–1857). En 1857 il alla à Paris. Il débuta dans la littérature par un volume de vers, *Les Amoureuses* (1858), qui lui attira la faveur de l'Impératrice. Ce sont ses romans et ses nouvelles qui lui assurèrent une grande popularité. Dans *Le Petit Chose* (1868) il a retracé avec une sensibilité émue les pénibles aventures de sa jeunesse. Dans *Les Lettres de mon Moulin* (1869), d'où est extraite la nouvelle que nous donnons ici, il a fait revivre avec verve et bonne humeur les mœurs et les histoires de sa Provence natale. Dans *Tartarin de Tarascon* (1872) il a créé un type de méridional ingénument hâbleur qui est resté légendaire.

Alphonse Daudet ne consentit jamais à se présenter à l'Académie Française. Après une longue maladie il mourut à Paris en 1897.

LES ÉTOILES

RÉCIT D'UN BERGER PROVENÇAL

Du temps que je gardais les bêtes sur le Luberon, je restais des semaines entières sans voir âme qui vive, seul dans le pâturage avec mon chien Labri et mes ouailles. De temps en temps, l'ermite du Mont-de-l'Ure passait par là pour chercher des sim-
5 ples ou bien j'apercevais la face noire de quelque charbonnier du Piémont; mais c'étaient des gens naïfs, silencieux à force de solitude, ayant perdu le goût de parler et ne sachant rien de ce qui se disait en bas dans les villages et les villes. Aussi, tous les quinze jours, lorsque j'entendais, sur le chemin qui monte, les
10 sonnailles du mulet de notre ferme m'apportant les provisions de quinzaine, et que je voyais apparaître peu à peu, au-dessus de la côte, la tête éveillée du petit *miarro* (garçon de ferme), ou la coiffe rousse de la vieille tante Norade, j'étais vraiment bien heureux. Je me faisais raconter les nouvelles du pays d'en bas,
15 les baptêmes, les mariages; mais ce qui m'intéressait surtout, c'était de savoir ce que devenait la fille de mes maîtres, notre demoiselle Stéphanette, la plus jolie qu'il y eût à dix lieues à la ronde. Sans avoir l'air d'y prendre trop d'intérêt, je m'informais si elle allait beaucoup aux fêtes, aux veillées, s'il lui venait
20 toujours de nouveaux galants; et à ceux qui me demanderont ce que ces choses-là pouvaient me faire, à moi pauvre berger de la montagne, je répondrai que j'avais vingt ans et que cette Stéphanette était ce que j'avais vu de plus beau dans ma vie.

Or, un dimanche que j'attendais les vivres de quinzaine, il
25 se trouva qu'ils n'arrivèrent que très tard. Le matin je me disais: « C'est la faute de la grand'messe »; puis, vers midi, il vint un gros orage, et je pensai que la mule n'avait pas pu se mettre en

---

16. v. **devenir.**   19. **il** est impersonnel; remarquez que le verbe est au singulier.

route à cause du mauvais état des chemins. Enfin, sur les trois
heures, le ciel étant lavé, la montagne luisante d'eau et de soleil,
j'entendis parmi l'égouttement des feuilles et le débordement
des ruisseaux gonflés les sonnailles de la mule, aussi gaies, aussi
alertes qu'un grand carillon de cloches un jour de Pâques. 5
Mais ce n'était pas le petit *miarro*, ni la vieille Norade qui la
conduisait. C'était . . . devinez qui ! . . . notre demoiselle, mes
enfants ! notre demoiselle en personne, assise droite entre les
sacs d'osier, toute rose de l'air des montagnes et du rafraîchissement de l'orage. 10
Le petit était malade, tante Norade en vacances chez ses
enfants. La belle Stéphanette m'apprit tout ça, en descendant
de sa mule, et aussi qu'elle arrivait tard parce qu'elle s'était
perdue en route; mais à la voir si bien endimanchée, avec son
ruban à fleurs, sa jupe brillante et ses dentelles, elle avait 15
plutôt l'air de s'être attardée à quelque danse que d'avoir
cherché son chemin dans les buissons. O la mignonne créature!
Mes yeux ne pouvaient se lasser de la regarder. Il est vrai que
je ne l'avais jamais vue de si près. Quelquefois l'hiver, quand
les troupeaux étaient descendus dans la plaine et que je rentrais 20
le soir à la ferme pour souper, elle traversait la salle vivement,
sans guère parler aux serviteurs, toujours parée et un peu
fière . . . Et maintenant je l'avais là devant moi, rien que
pour moi; n'était-ce pas à en perdre la tête?
Quand elle eut tiré les provisions du panier, Stéphanette se 25
mit à regarder curieusement autour d'elle. Relevant un peu sa
belle jupe du dimanche qui aurait pu s'abîmer, elle entra dans le
parc, voulut voir le coin où je couchais, la crèche de paille avec
la peau de mouton, ma grande cape accrochée au mur, ma
crosse, mon fusil à pierre. Tout cela l'amusait. 30
— Alors, c'est ici que tu vis, mon pauvre berger? Comme tu
dois t'ennuyer d'être toujours seul! Qu'est-ce que tu fais? A
quoi penses-tu? . . .
J'avais envie de répondre: « A vous, maîtresse », et je n'aurais pas menti; mais mon trouble était si grand que je ne 35

23. v. rien. 24. v. à.

pouvais pas seulement trouver une parole. Je crois bien qu'elle
s'en apercevait, et que la méchante prenait plaisir à redoubler
mon embarras avec ses malices:

— Et ta bonne amie, berger, est-ce qu'elle monte te voir
5 quelquefois?... Ça doit être bien sûr la chèvre d'or, ou cette
fée Estérelle qui ne court qu'à la pointe des montagnes...

Et elle-même, en me parlant, avait bien l'air de la fée Estérelle,
avec le joli rire de sa tête renversée et sa hâte de s'en aller qui
faisait de sa visite une apparition.
10   — Adieu, berger.

— Salut, maîtresse.

Et la voilà partie, emportant ses corbeilles vides.

Lorsqu'elle disparut dans le sentier en pente, il me semblait
que les cailloux, roulant sous les sabots de la mule, me tombaient
15 un à un sur le cœur. Je les entendis longtemps, longtemps; et
jusqu'à la fin du jour je restai comme ensommeillé, n'osant bouger, de peur de faire en aller mon rêve. Vers le soir, comme le
fond des vallées commençait à devenir bleu et que les bêtes se
serraient en bêlant l'une contre l'autre pour rentrer au *parc*,
20 j'entendis qu'on m'appelait dans la descente, et je vis paraître
notre demoiselle, non plus rieuse ainsi que tout à l'heure, mais
tremblante de froid, de peur, de mouillure. Il paraît qu'au
bas de la côte elle avait trouvé la Sorgue grossie par la pluie
d'orage, et qu'en voulant passer à toute force elle avait risqué
25 de se noyer. Le terrible, c'est qu'à cette heure de nuit il ne
fallait plus songer à retourner à la ferme; car le chemin par la
traverse, notre demoiselle n'aurait jamais su s'y retrouver toute
seule, et moi je ne pouvais pas quitter le troupeau. Cette idée
de passer la nuit sur la montagne la tourmentait beaucoup,
30 surtout à cause de l'inquiétude des siens. Moi, je la rassurais
de mon mieux:

— En juillet, les nuits sont courtes, maîtresse... Ce n'est
qu'un mauvais moment.

Et j'allumai vite un grand feu pour sécher ses pieds et sa
35 robe toute trempée de l'eau de la Sorgue. Ensuite j'apportai

5. v. chèvre.   6. v. Estérelle.   17. v. aller.   20. v. dans.

devant elle du lait, des fromageons; mais la pauvre petite ne songeait ni à se chauffer, ni à manger, et de voir les grosses larmes qui montaient dans ses yeux, j'avais envie de pleurer, moi aussi.

Cependant la nuit était venue tout à fait. Il ne restait plus 5 sur la crête des montagnes qu'une poussière de soleil, une vapeur de lumière du côté du couchant. Je voulus que notre demoiselle entrât se reposer dans le *parc*. Ayant étendu sur la paille fraîche une belle peau toute neuve, je lui souhaitai la bonne nuit, et j'allai m'asseoir dehors devant la porte... Dieu 10 m'est témoin que, malgré le feu d'amour qui me brûlait le sang, aucune mauvaise pensée ne me vint; rien qu'une grande fierté de songer que dans un coin du *parc*, tout près du troupeau curieux qui la regardait dormir, la fille de mes maîtres, — comme une brebis plus précieuse et plus blanche que toutes les autres, 15 — reposait, confiée à ma garde. Jamais le ciel ne m'avait paru si profond, les étoiles si brillantes... Tout à coup, la claire-voie du *parc* s'ouvrit et la belle Stéphanette parut. Elle ne pouvait pas dormir. Les bêtes faisaient crier la paille en remuant, ou bêlaient dans leurs rêves. Elle aimait mieux venir près du 20 feu. Voyant cela, je lui jetai ma peau de bique sur les épaules, j'activai la flamme, et nous restâmes assis l'un près de l'autre sans parler. Si vous avez jamais passé la nuit à la belle étoile, vous savez qu'à l'heure où nous dormons, un monde mystérieux s'éveille dans la solitude et le silence. Alors les sources chantent 25 bien plus clair, les étangs allument des petites flammes. Tous les esprits de la montagne vont et viennent librement; et il y a dans l'air des frôlements, des bruits imperceptibles, comme si l'on entendait les branches grandir, l'herbe pousser. Le jour, c'est la vie des êtres; mais la nuit, c'est la vie des choses. 30 Quand on n'en a pas l'habitude, ça fait peur... Aussi notre demoiselle était toute frissonnante et se serrait contre moi au moindre bruit. Une fois, un cri long, mélancolique, parti de l'étang qui luisait plus bas, monta vers nous en ondulant. Au

26. **des petites flammes,** comme s'il s'agissait d'un composé tel que **des petits pains,** *rolls.*

même instant une belle étoile filante glissa par-dessus nos têtes
dans la même direction, comme si cette plainte que nous venions
d'entendre portait une lumière avec elle.

— Qu'est-ce que c'est ? me demanda Stéphanette à voix basse.

5   — Une âme qui entre en paradis, maîtresse; et je fis le signe
de la croix.

Elle se signa aussi, et resta un moment la tête en l'air, très
recueillie. Puis elle me dit:

— C'est donc vrai, berger, que vous êtes sorciers, vous autres?

10   — Nullement, notre demoiselle. Mais ici nous vivons plus
près des étoiles, et nous savons ce qui s'y passe mieux que des
gens de la plaine.

Elle regardait toujours en haut, la tête appuyée dans la
main, entourée de la peau de mouton comme un petit pâtre

15 céleste:

— Qu'il y en a ! Que c'est beau ! Jamais je n'en avais tant
vu . . . Est-ce que tu sais leurs noms, berger?

— Mais oui, maîtresse . . . Tenez ! juste au-dessus de nous,
voilà le *Chemin de saint Jacques* (la voie lactée).   Il va de

20 France droit sur l'Espagne.   C'est saint Jacques de Galice
qui l'a tracé pour montrer sa route au brave Charlemagne
lorsqu'il faisait la guerre aux Sarrasins.   Plus loin, vous avez le
Char des âmes (la grande Ourse) avec ses quatre essieux re-
splendissants.   Les trois étoiles qui vont devant sont les *Trois*

25 *bêtes*, et cette toute petite contre la troisième c'est le *Charretier*.
Voyez-vous tout autour cette pluie d'étoiles qui tombent? Ce
sont les âmes dont le bon Dieu ne veut pas chez lui . . . Un peu
plus bas, voici le *Râteau* ou les *Trois rois* (Orion).   C'est ce qui
nous sert d'horloge, à nous autres.   Rien qu'en les regardant, je

30 sais maintenant qu'il est minuit passé.   Un peu plus bas, toujours vers le midi, brille *Jean de Milan*, le flambeau des astres
(Sirius).   Sur cette étoile-là, voici ce que les bergers racontent.

---

5. v. en (1).   10. v. notre.   19. Tous ces détails d'astronomie populaire
sont traduits de l'*Almanach provençal* qui se publie en Avignon. (Note de
l'auteur.) v. Jacques, char, bêtes, charretier, râteau, Pléiade, étoile, etc.
27. veut: v. vouloir.   29. v. rien.

Il paraît qu'une nuit *Jean de Milan*, avec les *Trois rois* et la
Poussinière (la Pléiade), furent invités à la noce d'une étoile
de leurs amies. La *Poussinière*, plus pressée, partit, dit-on, la
première, et prit le chemin haut. Regardez-la, là-haut, tout au
fond du ciel. Les *Trois rois* coupèrent plus bas et la rattra- 5
pèrent; mais ce paresseux de *Jean de Milan*, qui avait dormi
trop tard, resta tout à fait derrière, et furieux, pour les arrêter,
leur jeta son bâton. C'est pourquoi les *Trois rois* s'appellent
aussi le *Bâton de Jean de Milan*. Mais la plus belle de toutes
les étoiles, maîtresse, c'est la nôtre, c'est l'*Étoile du berger*, qui 10
nous éclaire à l'aube quand nous sortons le troupeau, et aussi
le soir quand nous le rentrons. Nous la nommons encore *Maguelonne*, la belle Maguelonne qui court après *Pierre de Provence*
(Saturne) et se marie avec lui tous les sept ans.

— Comment! berger, il y a donc des mariages d'étoiles? 15
— Mais oui, maîtresse.

Et comme j'essayais de lui expliquer ce que c'était que ces
mariages, je sentis quelque chose de frais et de fin peser légèrement sur mon épaule. C'était sa tête alourdie de sommeil qui
s'appuyait contre moi avec un joli froissement de rubans, de 20
dentelles et de cheveux ondés. Elle resta ainsi sans bouger
jusqu'au moment où les astres du ciel pâlirent, effacés par le jour
qui montait. Moi, je la regardais dormir, un peu troublé au
fond de mon être, mais saintement protégé par cette claire nuit
qui ne m'a jamais donné que de belles pensées. Autour de 25
nous, les étoiles continuaient leur marche silencieuse, dociles
comme un grand troupeau; et par moments je me figurais
qu'une de ces étoiles, la plus fine, la plus brillante, ayant perdu
sa route, était venue se poser sur mon épaule pour dormir.

ALPHONSE DAUDET

3. de leurs amies = qui était une de leurs amies. 13. v. Pierre.
14. v. marier. 17. v. que (1, *c*).

GUY DE MAUPASSANT

GUY DE MAUPASSANT (1850–1893) naquit en Normandie et y passa son enfance. Après avoir fait ses études à Rouen, il vint à Paris, où il occupa quelque temps des postes de fonctionnaire aux Ministères de la Marine et de l'Instruction Publique.

Il a écrit des romans, dont les plus connus sont *Pierre et Jean* (1880), *Une Vie* (1883), et *Fort comme la Mort* (1889); mais il doit sa réputation surtout à ses nombreux contes, qui sont tenus pour des modèles du genre. Comme son maître et ami Flaubert, Maupassant appartient à l'école réaliste. C'est un observateur pénétrant, cruel et pessimiste des paysans de sa Normandie (*La Ficelle*), des petits bourgeois, des employés (*La Parure*). La guerre franco-prussienne de 1870–1871, pendant laquelle il servit comme soldat, lui a fourni un certain nombre de sujets (*L'Aventure de Walter Schnaffs*). A plusieurs reprises il a analysé l'horreur de la mort, et le sentiment de la peur (*La Peur*), avec une intensité qui laisse soupçonner manque d'équilibre mental. Après une période de brillante activité (1880–1890), pendant laquelle il publia une trentaine de volumes, il devint fou et mourut à Paris, à l'âge de quarante-trois ans.

L'AVENTURE DE WALTER
SCHNAFFS

DEPUIS son entrée en France avec l'armée d'invasion, Walter Schnaffs se jugeait le plus malheureux des hommes. Il était gros, marchait avec peine, soufflait beaucoup et souffrait affreusement des pieds qu'il avait fort plats et fort gras. Il était
5 en outre pacifique et bienveillant, nullement magnanime ou sanguinaire, père de quatre enfants qu'il adorait et marié avec une jeune femme blonde, dont il regrettait désespérément

---

1. **l'armée d'invasion:** pendant la guerre franco-prussienne (1870–1871).

8

chaque soir les tendresses, les petits soins et les baisers. Il aimait
se lever tard et se coucher tôt, manger lentement de bonnes
choses et boire de la bière dans les brasseries. Il songeait en
outre que tout ce qui est doux dans l'existence disparaît avec
la vie; et il gardait au cœur une haine épouvantable, instinctive 5
et raisonnée en même temps, pour les canons, les fusils, les
revolvers et les sabres, mais surtout pour les baïonnettes, se
sentant incapable de manœuvrer assez vivement cette arme
rapide pour défendre son gros ventre.

Et, quand il se couchait sur la terre, la nuit venue, roulé dans 10
son manteau à côté des camarades qui ronflaient, il pensait
longuement aux siens laissés là-bas et aux dangers semés sur sa
route: « S'il était tué, que deviendraient les petits? Qui donc
les nourrirait et les élèverait?» A l'heure même, ils n'étaient
pas riches, malgré les dettes qu'il avait contractées en partant 15
pour leur laisser quelque argent. Et Walter Schnaffs pleurait
quelquefois.

Au commencement des batailles il se sentait dans les jambes
de telles faiblesses qu'il se serait laissé tomber, s'il n'avait songé
que toute l'armée lui passerait sur le corps. Le sifflement des 20
balles hérissait le poil sur sa peau.

Depuis des mois il vivait ainsi dans la terreur et dans l'angoisse.

Son corps d'armée s'avançait vers la Normandie; et il fut
un jour envoyé en reconnaissance avec un faible détachement 25
qui devait simplement explorer une partie du pays et se replier
ensuite. Tout semblait calme dans la campagne; rien n'indiquait une résistance préparée.

Or, les Prussiens descendaient avec tranquillité dans une
petite vallée que coupaient des ravins profonds, quand une 30
fusillade violente les arrêta net, jetant bas une vingtaine des
leurs; et une troupe de francs-tireurs, sortant brusquement d'un
petit bois grand comme la main, s'élança en avant, la baïonnette
au fusil.

Walter Schnaffs demeura d'abord immobile, tellement surpris 35
et éperdu qu'il ne pensait même pas à fuir. Puis un désir fou

de détaler le saisit; mais il songea aussitôt qu'il courait comme
une tortue en comparaison des maigres Français qui arrivaient
en bondissant comme un troupeau de chèvres. Alors, apercevant à six pas devant lui un large fossé plein de broussailles
5 couvertes de feuilles sèches, il y sauta à pieds joints, sans songer
même à la profondeur, comme on saute d'un pont dans une
rivière.

Il passa, à la façon d'une flèche, à travers une couche épaisse
de lianes et de ronces aiguës qui lui déchirèrent la face et les
10 mains, et il tomba lourdement assis sur un lit de pierres.

Levant aussitôt les yeux, il vit le ciel par le trou qu'il avait
fait. Ce trou révélateur le pouvait dénoncer, et il se traîna avec
précaution, à quatre pattes, au fond de cette ornière, sous le
toit de branchages enlacés, allant le plus vite possible, en s'éloi-
15 gnant du lieu du combat. Puis il s'arrêta et s'assit de nouveau,
tapi comme un lièvre au milieu des hautes herbes sèches.

Il entendit pendant quelque temps encore des détonations,
des cris et des plaintes. Puis les clameurs de la lutte s'affai-
blirent, cessèrent. Tout redevint muet et calme.

20 Soudain quelque chose remua contre lui. Il eut un sursaut
épouvantable. C'était un petit oiseau qui, s'étant posé sur
une branche, agitait des feuilles mortes. Pendant près d'une
heure, le cœur de Walter Schnaffs en battit à grands coups
pressés.

25 La nuit venait, emplissant d'ombre le ravin. Et le soldat se
mit à songer. Qu'allait-il faire? Qu'allait-il devenir? Rejoindre son armée?... Mais comment? Mais par où? Et il lui
faudrait recommencer l'horrible vie d'angoisses, d'épouvantes,
de fatigues et de souffrances qu'il menait depuis le commence-
30 ment de la guerre! Non! Il ne se sentait plus ce courage.
Il n'aurait plus l'énergie qu'il fallait pour supporter les marches
et affronter les dangers de toutes les minutes.

Mais que faire? Il ne pouvait rester dans ce ravin et s'y
cacher jusqu'à la fin des hostilités. Non, certes. S'il n'avait

12. le pouvait dénoncer = pouvait le dénoncer.   13. Ici fond signifie « le
lieu le plus reculé » et non « le lieu le plus bas ».   23. v. en (2).

pas fallu manger, cette perspective ne l'aurait pas trop atterré;
mais il fallait manger, manger tous les jours.

Et il se trouvait ainsi tout seul, en armes, en uniforme, sur
le territoire ennemi, loin de ceux qui le pouvaient défendre. Des
frissons lui couraient sur la peau.   5

Soudain il pensa: « Si seulement j'étais prisonnier! » Et
son cœur frémit de désir, d'un désir violent, immodéré, d'être
prisonnier des Français. Prisonnier! Il serait sauvé, nourri,
logé, à l'abri des balles et des sabres, sans appréhension
possible, dans une bonne prison bien gardée. Prisonnier! Quel 10
rêve!

Et sa résolution fut prise immédiatement:

— Je vais me constituer prisonnier.

Il se leva, résolu à exécuter ce projet sans tarder d'une
minute. Mais il demeura immobile, assailli soudain par des 15
réflexions fâcheuses et par des terreurs nouvelles.

Où allait-il se constituer prisonnier? Comment? De quel
côté? Et des images affreuses, des images de mort, se précipitèrent dans son âme.

Il allait courir des dangers terribles en s'aventurant seul, avec 20
son casque à pointe, par la campagne.

S'il rencontrait des paysans? Ces paysans, voyant un Prussien perdu, un Prussien sans défense, le tueraient comme un
chien errant! Ils le massacreraient avec leurs fourches, leurs
pioches, leurs faux, leurs pelles! Ils en feraient une bouillie, 25
une pâtée, avec l'acharnement des vaincus exaspérés.

S'il rencontrait des francs-tireurs? Ces francs-tireurs, des
enragés sans loi ni discipline, le fusilleraient pour s'amuser, pour
passer une heure, histoire de rire en voyant sa tête. Et il se
croyait déjà appuyé contre un mur en face de douze canons de 30
fusils, dont les petits trous ronds et noirs semblaient le
regarder.

S'il rencontrait l'armée française elle-même? Les hommes
d'avant-garde le prendraient pour un éclaireur, pour quelque
hardi et malin troupier parti seul en reconnaissance, et ils lui 35

_____
25. v. en (2); par exception, en se rapporte ici à une seule personne.

tireraient dessus. Et il entendait déjà les détonations irrégu-
lières des soldats couchés dans les broussailles, tandis que lui,
debout au milieu d'un champ, s'affaissait, troué comme une
écumoire par les balles qu'il sentait entrer dans sa chair.

5   Il se rassit, désespéré. Sa situation lui paraissait sans issue.
La nuit était tout à fait venue, la nuit muette et noire. Il ne
bougeait plus, tressaillant à tous les bruits inconnus et légers
qui passent dans les ténèbres. Un lapin, tapant du cul au bord
d'un terrier, faillit faire s'enfuir Walter Schnaffs. Les cris des
10 chouettes lui déchiraient l'âme, le traversant de peurs soudaines,
douloureuses comme des blessures. Il écarquillait ses gros yeux
pour tâcher de voir dans l'ombre; et il s'imaginait à tout
moment entendre marcher près de lui.

   Après d'interminables heures et des angoisses de damné, il
15 aperçut, à travers son plafond de branchages, le ciel qui devenait clair. Alors, un soulagement immense le pénétra; ses
membres se détendirent, reposés soudain; son cœur s'apaisa :
ses yeux se fermèrent. Il s'endormit.

   Quand il se réveilla, le soleil lui parut arrivé à peu près
20 au milieu du ciel; il devait être midi. Aucun bruit ne troublait
la paix morne des champs; et Walter Schnaffs s'aperçut qu'il
était atteint d'une faim aiguë.

   Il bâillait, la bouche humide à la pensée du saucisson, du bon
saucisson des soldats; et son estomac lui faisait mal.

25   Il se leva, fit quelques pas, sentit que ses jambes étaient faibles,
et se rassit pour réfléchir. Pendant deux ou trois heures encore,
il établit le pour et le contre, changeant à tout moment de
résolution, combattu, malheureux, tiraillé par les raisons les
plus contraires.

30   Une idée lui parut enfin logique et pratique, c'était de guetter
le passage d'un villageois seul, sans armes, et sans outils de
travail dangereux, de courir au-devant de lui et de se remettre en
ses mains en lui faisant bien comprendre qu'il se rendait.

   Alors il ôta son casque, dont la pointe le pouvait trahir, et il
35 sortit sa tête au bord de son trou, avec des précautions infinies.

    1. v. dessus. — il entendait déjà = il s'imaginait entendre déjà.

Aucun être isolé ne se montrait à l'horizon. Là-bas, à droite, un petit village envoyait au ciel la fumée de ses toits, la fumée des cuisines! Là-bas à gauche, il apercevait, au bout des arbres d'une avenue, un grand château flanqué de tourelles.

Il attendit jusqu'au soir, souffrant affreusement, ne voyant 5 rien que des vols de corbeaux, n'entendant rien que les plaintes sourdes de ses entrailles.

Et la nuit encore tomba sur lui.

Il s'allongea au fond de sa retraite et il s'endormit d'un sommeil fiévreux, hanté de cauchemars, d'un sommeil d'homme 10 affamé.

L'aurore se leva de nouveau sur sa tête. Il se remit en observation. Mais la campagne restait vide comme la veille; et une peur nouvelle entrait dans l'esprit de Walter Schnaffs, la peur de mourir de faim! Il se voyait étendu au fond de son trou, 15 sur le dos, les deux yeux fermés. Puis des bêtes, des petites bêtes de toute sorte s'approchaient de son cadavre et se mettaient à le manger, l'attaquant partout à la fois, se glissant sous ses vêtements pour mordre sa peau froide. Et un grand corbeau lui piquait les yeux de son bec effilé. 20

Alors, il devint fou, s'imaginant qu'il allait s'évanouir de faiblesse et ne plus pouvoir marcher. Et déjà, il s'apprêtait à s'élancer vers le village, résolu à tout oser, à tout braver, quand il aperçut trois paysans qui s'en allaient aux champs avec leurs fourches sur l'épaule, et il se replongea dans sa 25 cachette.

Mais, dès que le soir obscurcit la plaine, il sortit lentement du fossé, et se mit en route, courbé, craintif, le cœur battant, vers le château lointain, préférant entrer là-dedans plutôt qu'au village qui lui semblait redoutable comme une tanière pleine 30 de tigres.

Les fenêtres d'en bas brillaient. Une d'elles était même ouverte; et une forte odeur de viande cuite s'en échappait, une odeur qui pénétra brusquement dans le nez et jusqu'au fond du ventre de Walter Schnaffs, qui le crispa, le fit haleter, l'attirant 35 irrésistiblement, lui jetant au cœur une audace désespérée.

Et brusquement, sans réfléchir, il apparut, casqué, dans le cadre de la fenêtre.

Huit domestiques dînaient autour d'une grande table. Mais soudain une bonne demeura béante, laissant tomber son verre, 5 les yeux fixes. Tous les regards suivirent le sien!

On aperçut l'ennemi!

Seigneur! les Prussiens attaquaient le château!...

Ce fut d'abord un cri, un seul cri, fait de huit cris poussés sur huit tons différents, un cri d'épouvante horrible, puis une levée 10 tumultueuse, une bousculade, une mêlée, une fuite éperdue vers la porte du fond. Les chaises tombaient, les hommes renversaient les femmes et passaient dessus. En deux secondes, la pièce fut vide, abandonnée, avec la table couverte de mangeaille en face de Walter Schnaffs stupéfait, toujours debout dans sa 15 fenêtre.

Après quelques instants d'hésitation, il enjamba le mur d'appui et s'avança vers les assiettes. Sa faim exaspérée le faisait trembler comme un fiévreux: mais une terreur le retenait, le paralysait encore. Il écouta. Toute la maison sem- 20 blait frémir; des portes se fermaient, des pas rapides couraient sur le plancher du dessus. Le Prussien inquiet tendait l'oreille à ces confuses rumeurs; puis il entendit des bruits sourds comme si des corps fussent tombés dans la terre molle, au pied des murs, des corps humains sautant du premier étage.

25 Puis tout mouvement, toute agitation cessèrent, et le grand château devint silencieux comme un tombeau.

Walter Schnaffs s'assit devant une assiette restée intacte, et il se mit à manger. Il mangeait par grandes bouchées comme s'il eût craint d'être interrompu trop tôt, de n'en pouvoir engloutir 30 assez. Il jetait à deux mains les morceaux dans sa bouche ouverte comme une trappe; et des paquets de nourriture lui descendaient coup sur coup dans l'estomac, gonflant sa gorge en passant. Parfois, il s'interrompait, prêt à crever à la façon d'un tuyau trop plein. Il prenait alors la cruche au cidre et se 35 déblayait l'œsophage comme on lave un conduit bouché.

Il vida toutes les assiettes, tous les plats et toutes les bouteilles;

puis, saoul de liquide et de mangeaille, abruti, rouge, secoué par
des hoquets, l'esprit troublé et la bouche grasse, il déboutonna
son uniforme pour souffler, incapable d'ailleurs de faire un pas.
Ses yeux se fermaient, ses idées s'engourdissaient; il posa son
front pesant dans ses bras croisés sur la table, et il perdit douce- 5
ment la notion des choses et des faits.

Le dernier croissant éclairait vaguement l'horizon au-dessus
des arbres du parc. C'était l'heure froide qui précède le jour.
Des ombres glissaient dans les fourrés, nombreuses et muettes;
et parfois, un rayon de lune faisait reluire dans l'ombre une 10
pointe d'acier.
Le château tranquille dressait sa grande silhouette noire.
Deux fenêtres seules brillaient encore au rez-de-chaussée.
Soudain, une voix tonnante hurla:
— En avant! nom d'un nom! à l'assaut! mes enfants! 15
Alors, en un instant, les portes, les contrevents et les vitres
s'enfoncèrent sous un flot d'hommes qui s'élança, brisa, creva
tout, envahit la maison. En un instant cinquante soldats armés
jusqu'aux cheveux, bondirent dans la cuisine où reposait
pacifiquement Walter Schnaffs, et, lui posant sur la poitrine 20
cinquante fusils chargés, le culbutèrent, le roulèrent, le saisirent,
le lièrent des pieds à la tête.
Il haletait d'ahurissement, trop abruti pour comprendre,
battu, crossé et fou de peur.
Et tout d'un coup, un gros militaire chamarré d'or lui planta 25
son pied sur le ventre en vociférant:
— Vous êtes mon prisonnier, rendez-vous!
Le Prussien n'entendit que ce seul mot « prisonnier », et il
gémit: « ya, ya, ya ».
Il fut relevé, ficelé sur une chaise, et examiné avec une vive 30
curiosité par ses vainqueurs qui soufflaient comme des baleines.
Plusieurs s'assirent, n'en pouvant plus d'émotion et de fatigue.
Il souriait, lui, il souriait maintenant, sûr d'être enfin prison-
nier!
Un autre officier entra et prononça: 35

— Mon colonel, les ennemis se sont enfuis; plusieurs sem-
blent avoir été blessés.   Nous restons maîtres de la place.

Le gros militaire qui s'essuyait le front vociféra: « Victoire ! »
Et il écrivit sur un petit agenda de commerce tiré de sa
5 poche:

« Après une lutte acharnée, les Prussiens ont dû battre en
retraite, emportant leurs morts et leurs blessés, qu'on évalue à
cinquante hommes hors de combat.   Plusieurs sont restés entre
nos mains. »

10   Le jeune officier reprit:

— Quelles dispositions dois-je prendre, mon colonel?

Le colonel répondit:

— Nous allons nous replier pour éviter un retour offensif avec
de l'artillerie et des forces supérieures.

15   Et il donna l'ordre de repartir.

La colonne se reforma dans l'ombre, sous les murs du château,
et se mit en mouvement, enveloppant de partout Walter
Schnaffs garrotté, tenu par six guerriers le revolver au poing.

Des reconnaissances furent envoyées pour éclairer la route.
20 On avançait avec prudence, faisant halte de temps en temps.

Au jour levant, on arrivait à la sous-préfecture de la Roche-
Oysel, dont la garde nationale avait accompli ce fait d'armes.

La population anxieuse et surexcitée attendait.   Quand on
aperçut le casque du prisonnier, des clameurs formidables
25 éclatèrent.   Les femmes levaient les bras; des vieilles pleuraient;
un aïeul lança sa béquille au Prussien et blessa le nez d'un de ses
gardiens.

Le colonel hurlait.

— Veillez à la sûreté du captif.

30   On parvint enfin à la maison de ville.   La prison fut ouverte,
et Walter Schnaffs jeté dedans, libre de liens.   Deux cents
hommes en armes montèrent la garde autour du bâtiment.

Alors, malgré des symptômes d'indigestion qui le tourmen-
taient depuis quelque temps, le Prussien, fou de joie, se mit à
35 danser, à danser éperdument, en levant les bras et les jambes, à

2. v. **place** (*mil.*).   6. v. **devoir** (1) *verbe.*   22. v. **Roche-Oysel.**

danser en poussant des cris frénétiques, jusqu'au moment où il tomba, épuisé, au pied d'un mur.

Il était prisonnier ! Sauvé !

C'est ainsi que le château de Champignet fut repris à l'ennemi après six heures seulement d'occupation. 5

Le colonel Ratier, marchand de drap, qui enleva cette affaire à la tête des gardes nationaux de la Roche-Oysel, fut décoré.

GUY DE MAUPASSANT

6. v. Ratier.

LA PARURE

C'ÉTAIT une de ces jolies et charmantes filles, nées, comme par
une erreur du destin, dans une famille d'employés. Elle
n'avait pas de dot, pas d'espérances, aucun moyen d'être
connue, comprise, aimée, épousée par un homme riche et dis-
5 tingué; et elle se laissa marier avec un petit commis du ministère de l'Instruction publique.

Elle fut simple, ne pouvant être parée, mais malheureuse
comme une déclassée; car les femmes n'ont point de caste ni
de race, leur beauté, leur grâce et leur charme leur servant de
10 naissance et de famille. Leur finesse native, leur instinct
d'élégance, leur souplesse d'esprit sont leur seule hiérarchie, et
font des filles du peuple les égales des plus grandes dames.

Elle souffrait sans cesse, se sentant née pour toutes les déli-
catesses et tous les luxes. Elle souffrait de la pauvreté de son
15 logement, de la misère des murs, de l'usure des sièges, de la
laideur des étoffes. Toutes ces choses, dont une autre femme
de sa caste ne se serait même pas aperçu, la torturaient et
l'indignaient. La vue de la petite Bretonne qui faisait son
humble ménage éveillait en elle des regrets désolés et des rêves
20 éperdus. Elle songeait aux antichambres muettes, capitonnées
avec des tentures orientales, éclairées par de hautes torchères de
bronze, et aux deux grands valets en culotte courte qui dorment
dans les larges fauteuils, assoupis par la chaleur lourde du
calorifère. Elle songeait aux grands salons vêtus de soie an-
25 cienne, aux meubles fins portant des bibelots inestimables, et
aux petits salons coquets, parfumés, faits pour la causerie de
cinq heures avec les amis les plus intimes, les hommes connus
et recherchés dont toutes les femmes envient et désirent l'attention.

30 Quand elle s'asseyait pour dîner, devant la table ronde cou-

verte d'une nappe de trois jours, en face de son mari qui décou-
vrait la soupière en déclarant d'un air enchanté: « Ah ! le bon
pot-au-feu ! je ne sais rien de meilleur que cela. . . . », elle songeait
aux dîners fins, aux argenteries reluisantes, aux tapisseries
peuplant les murailles de personnages anciens et d'oiseaux 5
étranges au milieu d'une forêt de féerie; elle songeait aux plats
exquis servis en des vaisselles merveilleuses, aux galanteries
chuchotées et écoutées avec un sourire de sphinx, tout en mangeant la chair rose d'une truite ou des ailes de gelinotte.

Elle n'avait pas de toilettes, pas de bijoux, rien. Et elle 10
n'aimait que cela; elle se sentait faite pour cela. Elle eût tant
désiré plaire, être enviée, être séduisante et recherchée.

Elle avait une amie riche, une camarade de couvent qu'elle
ne voulait plus aller voir, tant elle souffrait en revenant. Et
elle pleurait pendant des jours entiers, de chagrin, de regret, de 15
désespoir et de détresse.

Or, un soir, son mari rentra, l'air glorieux et tenant à la main
une large enveloppe.

— Tiens, dit-il, voici quelque chose pour toi.

Elle déchira vivement le papier et en tira une carte imprimée 20
qui portait ces mots:

« Le ministre de l'Instruction publique et Mme Georges
Ramponneau prient M. et Mme Loisel de leur faire l'honneur
de venir passer la soirée à l'hôtel du ministère, le lundi 18
janvier. »   25

Au lieu d'être ravie, comme l'espérait son mari, elle jeta avec
dépit l'invitation sur la table, murmurant:

— Que veux-tu que je fasse de cela ?

— Mais, ma chérie, je pensais que tu serais contente. Tu ne
sors jamais, et c'est une occasion, cela, une belle ! J'ai eu une 30
peine infinie à l'obtenir. Tout le monde en veut; c'est très
recherché et on n'en donne pas beaucoup aux employés. Tu
verras là tout le monde officiel.

Elle le regardait d'un œil irrité, et elle déclara avec impatience:

— Que veux-tu que je me mette sur le dos pour aller là ?

Il n'y avait pas songé ; il balbutia :

— Mais la robe avec laquelle tu vas au théâtre. Elle me semble très bien, à moi. . .

5   Il se tut, stupéfait, éperdu, en voyant que sa femme pleurait. Deux grosses larmes descendaient lentement des coins des yeux vers les coins de la bouche ; il bégaya :

— Qu'as-tu ? qu'as-tu ?

Mais, par un effort violent, elle avait dompté sa peine et elle 10 répondit d'une voix calme en essuyant ses joues humides :

— Rien. Seulement je n'ai pas de toilette et par conséquent je ne peux aller à cette fête. Donne ta carte à quelque collègue dont la femme sera mieux nippée que moi.

Il était désolé. Il reprit :

15   — Voyons, Mathilde. Combien cela coûterait-il, une toilette convenable, qui pourrait te servir encore en d'autres occasions, quelque chose de très simple ?

Elle réfléchit quelques secondes, établissant ses comptes et songeant aussi à la somme qu'elle pouvait demander sans s'at-20 tirer un refus immédiat et une exclamation effarée du commis économe.

Enfin, elle répondit en hésitant :

— Je ne sais pas au juste, mais il me semble qu'avec quatre cents francs je pourrais arriver.

25   Il avait un peu pâli, car il réservait juste cette somme pour acheter un fusil et s'offrir des parties de chasse, l'été suivant, dans la plaine de Nanterre, avec quelques amis qui allaient tirer des alouettes, par là, le dimanche.

Il dit cependant :

30   — Soit. Je te donne quatre cents francs. Mais tâche d'avoir une belle robe.

Le jour de la fête approchait, et Mme Loisel semblait triste, inquiète, anxieuse. Sa toilette était prête cependant. Son mari lui dit un soir :

35   — Qu'as-tu ? Voyons, tu es toute drôle depuis trois jours.

Et elle répondit:

— Cela m'ennuie de n'avoir pas un bijou, pas une pierre, rien à mettre sur moi. J'aurai l'air misère comme tout. J'aimerais presque mieux ne pas aller à cette soirée.

Il reprit: 5

— Tu mettras des fleurs naturelles. C'est très chic en cette saison-ci. Pour dix francs tu auras deux ou trois roses magnifiques.

Elle n'était point convaincue.

— Non... il n'y a rien de plus humiliant que d'avoir l'air 10 pauvre au milieu de femmes riches.

Mais son mari s'écria:

— Que tu es bête! Va trouver ton amie Mme Forestier et demande-lui de te prêter des bijoux. Tu es bien assez liée avec elle pour faire cela.   15

Elle poussa un cri de joie.

— C'est vrai. Je n'y avais point pensé.

Le lendemain, elle se rendit chez son amie et lui conta sa détresse.

Mme Forestier alla vers son armoire à glace, prit un large 20 coffret, l'apporta, l'ouvrit, et dit à Mme Loisel:

— Choisis, ma chère.

Elle vit d'abord des bracelets, puis un collier de perles, puis une croix vénitienne, or et pierreries, d'un admirable travail. Elle essayait les parures devant la glace, hésitait, ne pouvait se 25 décider à les quitter, à les rendre. Elle demandait toujours:

— Tu n'as plus rien autre?

— Mais si. Cherche. Je ne sais pas ce qui peut te plaire.

Tout à coup elle découvrit, dans une boîte de satin noir, une superbe rivière de diamants; et son cœur se mit à battre d'un 30 désir immodéré. Ses mains tremblaient en la prenant. Elle l'attacha autour de sa gorge, sur sa robe montante, et demeura en extase devant elle-même.

Puis, elle demanda, hésitante, pleine d'angoisse:

— Peux-tu me prêter cela, rien que cela?   **35**

13. que...! = comme...!

— Mais oui, certainement.

Elle sauta au cou de son amie, l'embrassa avec emportement,
puis s'enfuit avec son trésor.

Le jour de la fête arriva.   Mme Loisel eut un succès.   Elle
5 était plus jolie que toutes, élégante, gracieuse, souriante et
folle de joie.   Tous les hommes la regardaient, demandaient
son nom, cherchaient à être présentés.   Tous les attachés du
cabinet voulaient valser avec elle.   Le ministre la remarqua.

Elle dansait avec ivresse, avec emportement, grisée par le
10 plaisir, ne pensant plus à rien, dans le triomphe de sa beauté,
dans la gloire de son succès, dans une sorte de nuage de bonheur
fait de tous ces hommages, de toutes ces admirations, de tous
ces désirs éveillés, de cette victoire si complète et si douce au
cœur des femmes.

15   Elle partit vers quatre heures du matin.   Son mari, depuis
minuit, dormait dans un petit salon désert avec trois autres
messieurs dont les femmes s'amusaient beaucoup.

Il lui jeta sur les épaules les vêtements qu'il avait apportés
pour la sortie, modestes vêtements de la vie ordinaire, dont la
20 pauvreté jurait avec l'élégance de la toilette de bal.   Elle le
sentit et voulut s'enfuir, pour ne pas être remarquée par les
autres femmes qui s'enveloppaient de riches fourrures.

Loisel la retenait:

— Attends donc.   Tu vas attraper froid dehors.   Je vais
25 appeler un fiacre.

Mais elle ne l'écoutait point et descendait rapidement
l'escalier.   Lorsqu'ils furent dans la rue, ils ne trouvèrent pas de
voiture; et ils se mirent à chercher, criant après les cochers
qu'ils voyaient passer de loin.

30   Ils descendaient vers la Seine, désespérés, grelottants.   Enfin
ils trouvèrent sur le quai un de ces vieux coupés noctambules
qu'on ne voit dans Paris que la nuit venue, comme s'ils eussent
été honteux de leur misère pendant le jour.

Il les ramena jusqu'à leur porte, rue des Martyrs, et ils
35 remontèrent tristement chez eux.   C'était fini, pour elle.   Et

il songeait, lui, qu'il lui faudrait être au Ministère à dix heures.

Elle ôta les vêtements dont elle s'était enveloppé les épaules, devant la glace, afin de se voir encore une fois dans sa gloire. Mais soudain elle poussa un cri. Elle n'avait plus sa rivière 5 autour du cou.

Son mari, à moitié dévêtu déjà, demanda :

— Qu'est-ce que tu as ?

Elle se tourna vers lui, affolée :

J'ai . . . j'ai . . . je n'ai plus la rivière de Mme Forestier.   10

Il se dressa, éperdu :

— Quoi ! . . . comment ! . . . Ce n'est pas possible !

Et ils cherchèrent dans les plis de la robe, dans les plis du manteau, dans les poches, partout. Ils ne la trouvèrent point.

Il demandait :   15

— Tu es sûre que tu l'avais encore en quittant le bal ?

— Oui, je l'ai touchée dans le vestibule du Ministère.

— Mais si tu l'avais perdue dans la rue, nous l'aurions entendue tomber. Elle doit être dans le fiacre.

— Oui. C'est probable. As-tu pris le numéro ?   20

— Non. Et toi, tu ne l'as pas regardé ?

— Non.

Ils se contemplaient atterrés. Enfin Loisel se rhabilla.

— Je vais, dit-il, refaire tout le trajet que nous avons fait à pied, pour voir si je ne la retrouverai pas.   25

Et il sortit. Elle demeura en toilette de soirée, sans force pour se coucher, abattue sur une chaise, sans feu, sans pensée.

Son mari rentra vers sept heures. Il n'avait rien trouvé.

Il se rendit à la Préfecture de police, aux journaux, pour faire 30 promettre une récompense, aux compagnies de petites voitures, partout enfin où un soupçon d'espoir le poussait.

Elle attendit tout le jour, dans le même état d'effarement devant cet affreux désastre.

Loisel revint le soir, avec la figure creusée, pâlie ; il n'avait 35 rien découvert.

— Il faut, dit-il, écrire à ton amie que tu as brisé la fermeture de sa rivière et que tu la fais réparer. Cela nous donnera le temps de nous retourner.

Elle écrivit sous sa dictée.

5 Au bout d'une semaine, ils avaient perdu toute espérance.

Et Loisel, vieilli de cinq ans, déclara:

— Il faut aviser à remplacer ce bijou.

Ils prirent, le lendemain, la boîte qui l'avait renfermé, et se rendirent chez le joaillier, dont le nom se trouvait dedans. Il
10 consulta ses livres:

— Ce n'est pas moi, madame, qui ai vendu cette rivière; j'ai dû seulement fournir l'écrin.

Alors ils allèrent de bijoutier en bijoutier, cherchant une parure pareille à l'autre, consultant leurs souvenirs, malades
15 tous deux de chagrin et d'angoisse.

Ils trouvèrent, dans une boutique du Palais-Royal, un chapelet de diamants qui leur parut entièrement semblable à celui qu'ils cherchaient. Il valait quarante mille francs. On le leur laisserait à trente-six mille.

20 Ils prièrent donc le joaillier de ne pas le vendre avant trois jours. Et ils firent condition qu'on le reprendrait pour trente-quatre mille francs, si le premier était retrouvé avant la fin de février.

Loisel possédait dix-huit mille francs que lui avait laissés son
25 père. Il emprunterait le reste.

Il emprunta, demandant mille francs à l'un, cinq cents à l'autre, cinq louis par-ci, trois louis par-là. Il fit des billets, prit des engagements ruineux, eut affaire aux usuriers, à toutes les races de prêteurs. Il compromit toute la fin de son existence,
30 risqua sa signature sans savoir même s'il pourrait y faire honneur, et, épouvanté par les angoisses de l'avenir, par la noire misère qui allait s'abattre sur lui, par la perspective de toutes les privations physiques et de toutes les tortures morales, il alla chercher la rivière nouvelle, en déposant sur le comptoir du
35 marchand trente-six mille francs.

Quand Mme Loisel reporta la parure à Mme Forestier, celle-ci lui dit, d'un air froissé:

— Tu aurais dû me la rendre plus tôt, car je pouvais en avoir besoin.

Elle n'ouvrit pas l'écrin, ce que redoutait son amie. Si elle 5 s'était aperçue de la substitution, qu'aurait-elle pensé? qu'aurait-elle dit? Ne l'aurait-elle pas prise pour une voleuse?

Mme Loisel connut la vie horrible des nécessiteux. Elle prit son parti, d'ailleurs, tout d'un coup, héroïquement. Il fallait payer cette dette effroyable. Elle payerait. On renvoya la bonne; on 10 changea de logement; on loua sous les toits une mansarde.

Elle connut les gros travaux du ménage, les odieuses besognes de la cuisine. Elle lava la vaisselle, usant ses ongles roses sur les poteries grasses et le fond des casseroles. Elle savonna le linge sale, les chemises et les torchons, qu'elle faisait sécher sur 15 une corde; elle descendit à la rue, chaque matin, les ordures, et monta l'eau, s'arrêtant à chaque étage pour souffler. Et, vêtue comme une femme du peuple, elle alla chez le fruitier, chez l'épicier, chez le boucher, le panier au bras, marchandant, injuriée, défendant sou à sou son misérable argent. 20

Il fallait chaque mois payer des billets, en renouveler d'autres, obtenir du temps.

Le mari travaillait, le soir, à mettre au net les comptes d'un commerçant, et la nuit, souvent, il faisait de la copie à cinq sous la page. 25

Et cette vie dura dix ans.

Au bout de dix ans, ils avaient tout restitué, tout, avec le taux de l'usure, et l'accumulation des intérêts superposés.

Mme Loisel semblait vieille, maintenant. Elle était devenue la femme forte, et dure, et rude, des ménages pauvres. Mal 30 peignée, avec les jupes de travers et les mains rouges, elle parlait haut, lavait à grande eau les planchers. Mais parfois, lorsque son mari était au bureau, elle s'asseyait auprès de la fenêtre, et elle songeait à cette soirée d'autrefois, à ce bal où elle avait été si belle et si fêtée. 35

Que serait-il arrivé si elle n'avait point perdu cette parure?
Qui sait? qui sait? Comme la vie est singulière, changeante!
Comme il faut peu de chose pour vous perdre ou vous
sauver!

5 Or, un dimanche, comme elle était allée faire un tour aux
Champs-Élysées pour se délasser des besognes de la semaine,
elle aperçut tout à coup une femme qui promenait un enfant.
C'était Mme Forestier, toujours jeune, toujours belle, toujours séduisante. Mme Loisel se sentit émue. Allait-elle lui
10 parler? Oui, certes. Et maintenant qu'elle avait payé, elle
lui dirait tout. Pourquoi pas?
    Elle s'approcha.
    — Bonjour, Jeanne.
    L'autre ne la reconnaissait point, s'étonnant d'être appelée
15 ainsi familièrement par cette bourgeoise. Elle balbutia:
    — Mais . . . madame! . . . Je ne sais . . . Vous devez vous
tromper.
    — Non. Je suis Mathilde Loisel.
    Son amie poussa un cri:
20   — Oh! . . . ma pauvre Mathilde, comme tu es changée! . . .
    — Oui, j'ai eu des jours bien durs, depuis que je ne t'ai vue;
et bien des misères . . . et cela à cause de toi! . . .
    — De moi . . . Comment ça?
    — Tu te rappelles bien cette rivière de diamants que tu m'as
25 prêtée pour aller à la fête du Ministère.
    — Oui. Eh bien?
    — Eh bien, je l'ai perdue.
    — Comment! puisque tu me l'as rapportée.
    — Je t'en ai rapporté une autre toute pareille. Et voilà dix
30 ans que nous la payons. Tu comprends que ça n'était pas aisé
pour nous, qui n'avions rien . . . Enfin c'est fini, et je suis rudement contente.
    Mme Forestier s'était arrêtée.
    — Tu dis que tu as acheté une rivière de diamants pour
35 remplacer la mienne?

— Oui. Tu ne t'en étais pas aperçue, hein? Elles étaient bien pareilles.

Et elle souriait d'une joie orgueilleuse et naïve.

Mme Forestier, fort émue, lui prit les deux mains.

— Oh! ma pauvre Mathilde! Mais la mienne était fausse. 5 Elle valait au plus cinq cents francs!...

GUY DE MAUPASSANT

LA FICELLE

Sur toutes les routes autour de Goderville, les paysans et leurs femmes s'en venaient vers le bourg, car c'était jour de marché. Les mâles allaient, à pas tranquilles, tout le corps en avant à chaque mouvement de leurs longues jambes torses, 5 déformées par les rudes travaux, par la pesée sur la charrue qui fait en même temps monter l'épaule gauche et dévier la taille, par le fauchage des blés qui fait écarter les genoux pour prendre un aplomb solide, par toutes les besognes lentes et pénibles de la campagne. Leur blouse bleue, empesée, brillante, comme 10 vernie, ornée au col et aux poignets d'un petit dessin de fil blanc, gonflée autour de leur torse osseux, semblait un ballon prêt à s'envoler, d'où sortaient une tête, deux bras et deux pieds.

Les uns tiraient au bout d'une corde une vache, un veau. Et leurs femmes, derrière l'animal, lui fouettaient les reins d'une 15 branche encore garnie de feuilles, pour hâter sa marche. Elles portaient au bras de larges paniers d'où sortaient des têtes de poulets par-ci, des têtes de canards par-là. Et elles marchaient d'un pas plus court et plus vif que leurs hommes, la taille sèche, droite et drapée dans un petit châle étriqué, 20 épinglé sur leur poitrine plate, la tête enveloppée d'un linge blanc collé sur les cheveux et surmontée d'un bonnet.

Puis, un char à bancs passait, au trot saccadé d'un bidet, secouant étrangement deux hommes assis côte à côte et une femme dans le fond du véhicule, dont elle tenait le bord pour 25 atténuer les durs cahots.

Sur la place de Goderville, c'était une foule, une cohue d'humains et de bêtes mélangés. Les cornes des bœufs, les hauts chapeaux à longs poils des paysans riches et les coiffes des paysannes émergeaient à la surface de l'assemblée. Et les 30 voix criardes, aiguës, glapissantes, formaient une clameur

28

continue et sauvage que dominait parfois un grand éclat poussé
par la robuste poitrine d'un campagnard en gaieté, ou le long
meuglement d'une vache attachée au mur d'une maison.

Tout cela sentait l'étable, le lait et le fumier, le foin et la sueur,
dégageait cette saveur aigre, affreuse, humaine et bestiale, 5
particulière aux gens des champs.

Maître Hauchecorne, de Bréauté, venait d'arriver à Goderville, et il se dirigeait vers la place, quand il aperçut par terre
un petit bout de ficelle. Maître Hauchecorne, économe en vrai
Normand, pensa que tout était bon à ramasser qui peut servir; 10
et il se baissa péniblement, car il souffrait de rhumatismes. Il
prit, par terre, le morceau de corde mince, et il se disposait à le
rouler avec soin, quand il remarqua, sur le seuil de sa porte,
maître Malandain, le bourrelier, qui le regardait. Ils avaient
eu des affaires ensemble au sujet d'un licol, autrefois, et ils 15
étaient restés fâchés, étant rancuniers tous deux. Maître Hauchecorne fut pris d'une sorte de honte d'être vu ainsi, par son
ennemi, cherchant dans la crotte un bout de ficelle. Il cacha
brusquement sa trouvaille sous sa blouse, puis dans la poche de
sa culotte; puis il fit semblant de chercher encore par terre quel- 20
que chose qu'il ne trouvait point, et il s'en alla vers le marché,
la tête en avant, courbé en deux par ses douleurs.

Il se perdit aussitôt dans la foule criarde et lente, agitée par
les interminables marchandages. Les paysans tâtaient les
vaches, s'en allaient, revenaient, perplexes, toujours dans la 25
crainte d'être mis dedans, n'osant jamais se décider, épiant
l'œil du vendeur, cherchant sans fin à découvrir la ruse de
l'homme et le défaut de la bête.

Les femmes, ayant posé à leurs pieds leurs grands paniers,
en avaient tiré leurs volailles qui gisaient par terre, liées par les 30
pattes, l'œil effaré, la crête écarlate.

Elles écoutaient les propositions, maintenaient leurs prix,
l'air sec, le visage impassible, ou bien tout à coup, se décidant au
rabais proposé, criaient au client qui s'éloignait lentement:

— C'est dit, maît' Anthime. J' vous l' donne. 35

Puis, peu à peu, la place se dépeupla, et l'angélus sonnant

midi, ceux qui demeuraient trop loin se répandirent dans les
auberges.

Chez Jourdain, la grande salle était pleine de mangeurs,
comme la vaste cour était pleine de véhicules de toute race,
5 charrettes, cabriolets, chars à bancs, tilburys, carrioles innom-
mables, jaunes de crotte, déformées, rapiécées, levant au ciel,
comme deux bras, leurs brancards, ou bien le nez par terre et le
derrière en l'air.

Tout contre les dîneurs attablés, l'immense cheminée, pleine
10 de flamme claire, jetait une chaleur vive dans le dos de la rangée
de droite. Trois broches tournaient, chargées de poulets, de
pigeons et de gigots; et une délectable odeur de viande rôtie
et de jus ruisselant sur la peau rissolée, s'envolait de l'âtre,
allumait les gaietés, mouillait les bouches.

15   Toute l'aristocratie de la charrue mangeait là, chez maît'
Jourdain, aubergiste et maquignon, un malin qui avait des
écus.

Les plats passaient, se vidaient comme les brocs de cidre
jaune. Chacun racontait ses affaires, ses achats et ses ventes.
20 On prenait des nouvelles des récoltes. Le temps était bon pour
les verts, mais un peu mucre pour les blés.

Tout à coup, le tambour roula dans la cour, devant la maison.
Tout le monde aussitôt fut debout, sauf quelques indifférents,
et on courut à la porte, aux fenêtres, la bouche encore pleine
25 et la serviette à la main.

Après qu'il eut terminé son roulement, le crieur public lança
d'une voix saccadée, scandant ses phrases à contretemps:

— Il est fait assavoir aux habitants de Goderville, et en
général à toutes — les personnes présentes au marché, qu'il a
30 été perdu ce matin, sur la route de Beuzeville, entre — neuf
heures et dix heures, un portefeuille en cuir noir, contenant
cinq cents francs et des papiers d'affaires. On est prié de le
rapporter — à la mairie, incontinent, ou chez maître Fortuné
Houlbrèque, de Manneville. Il y aura vingt francs de récom-
35 pense.

Puis l'homme s'en alla. On entendit encore une fois au loin

des battements sourds de l'instrument et la voix affaiblie du crieur.

Alors on se mit à parler de cet événement, en énumérant les chances qu'avait maître Houlbrèque de retrouver ou de ne pas retrouver son portefeuille.   5

Et le repas s'acheva.

On finissait le café, quand le brigadier de gendarmerie parut sur le seuil.

Il demanda:

— Maître Hauchecorne, de Bréauté, est-il ici?   10

Maître Hauchecorne, assis à l'autre bout de la table, répondit:

— Me v'là.

Et le brigadier reprit:

— Maître Hauchecorne, voulez-vous avoir la complaisance de m'accompagner à la mairie. M. le maire voudrait vous 15 parler.

Le paysan, surpris, inquiet, avala d'un coup son petit verre, se leva et, plus courbé encore que le matin, car les premiers pas après chaque repos étaient particulièrement difficiles, il se mit en route en répétant: 20

— Me v'là, me v'là.

Et il suivit le brigadier.

Le maire l'attendait, assis dans un fauteuil. C'était le notaire de l'endroit, homme gros, grave, à phrases pompeuses.

— Maître Hauchecorne, dit-il, on vous a vu ce matin 25 ramasser, sur la route de Beuzeville, le portefeuille perdu par maître Houlbrèque, de Manneville.

Le campagnard, interdit, regardait le maire, apeuré déjà par ce soupçon qui pesait sur lui, sans qu'il comprît pourquoi.

— Mé, mé, j'ai ramassé çu portafeuille?   30

— Oui, vous-même.

— Parole d'honneur, je n'en ai seulement point eu connaissance.

— On vous a vu.

— On m'a vu, mé? Qui ça qui m'a vu?   35

30. v. **portafeuille** et **portefeuille**.

— M. Malandain, le bourrelier.

Alors le vieux se rappela, comprit et, rougissant de colère:

— Ah! i m'a vu, çu manant! I m'a vu ramasser c'te ficelle-là, tenez, m'sieu le maire.

5 Et, fouillant au fond de sa poche, il en retira le petit bout de corde.

Mais le maire, incrédule, remuait la tête.

— Vous ne me ferez pas accroire, maître Hauchecorne, que M. Malandain, qui est un homme digne de foi, a pris ce fil pour 10 un portefeuille.

Le paysan, furieux, leva la main, cracha de côté pour attester son honneur, répétant:

— C'est pourtant la vérité du bon Dieu, la sainte vérité, m'sieu le maire. Là, sur mon âme et mon salut, je l' répète.

15 Le maire reprit:

— Après avoir ramassé l'objet, vous avez même encore cherché longtemps dans la boue, si quelque pièce de monnaie ne s'en était pas échappée.

Le bonhomme suffoquait d'indignation et de peur.

20 — Si on peut dire!... si on peut dire... des menteries comme ça pour dénaturer un honnête homme! Si on peut dire!...

Il eut beau protester, on ne le crut pas.

Il fut confronté avec M. Malandain, qui répéta et soutint 25 son affirmation. Ils s'injurièrent une heure durant. On fouilla, sur sa demande, maître Hauchecorne. On ne trouva rien sur lui.

Enfin, le maire, fort perplexe, le renvoya, en le prévenant qu'il allait aviser le parquet et demander des ordres.

30 La nouvelle s'était répandue. A sa sortie de la mairie, le vieux fut entouré, interrogé avec une curiosité sérieuse ou goguenarde, mais où n'entrait aucune indignation. Et il se mit à raconter l'histoire de la ficelle. On ne le crut pas. On riait.

35 Il allait, arrêté par tous, arrêtant ses connaissances, recom-

17. v. chercher (si).   21. v. si.

mençant sans fin son récit et ses protestations, montrant ses
poches retournées, pour prouver qu'il n'avait rien.

On lui disait:

— Vieux malin, va!

Et il se fâchait, s'exaspérant, enfiévré, désolé de n'être pas 5
cru, ne sachant que faire, et contant toujours son histoire.

La nuit vint. Il fallait partir. Il se mit en route avec trois
voisins à qui il montra la place où il avait ramassé le bout de
corde; et tout le long du chemin il parla de son aventure.

Le soir, il fit une tournée dans le village de Bréauté, afin de 10
la dire à tout le monde. Il ne rencontra que des incrédules.

Il en fut malade toute la nuit.

Le lendemain, vers une heure de l'après-midi, Marius Paumelle, valet de ferme de maître Breton, cultivateur à Ymauville,
rendait le portefeuille et son contenu à maître Houlbrèque, de 15
Manneville.

Cet homme prétendait avoir, en effet, trouvé l'objet sur la
route; mais, ne sachant pas lire, il l'avait rapporté à la maison
et donné à son patron.

La nouvelle se répandit aux environs. Maître Hauchecorne 20
en fut informé. Il se mit aussitôt en tournée et commença à
narrer son histoire complétée du dénouement. Il triomphait.

— C' qui m' faisait deuil, disait-il, c'est point tant la chose,
comprenez-vous; mais c'est la menterie. Y a rien qui vous
nuit comme d'être en réprobation pour une menterie.   25

Tout le jour il parlait de son aventure, il la contait sur les
routes aux gens qui passaient, au cabaret aux gens qui buvaient,
à la sortie de l'église le dimanche suivant. Il arrêtait des inconnus pour la leur dire. Maintenant, il était tranquille, et pourtant quelque chose le gênait sans qu'il sût au juste ce que c'était. 30
On avait l'air de plaisanter en l'écoutant. On ne paraissait pas
convaincu. Il lui semblait sentir des propos derrière son dos.

Le mardi de l'autre semaine, il se rendit au marché de Goderville, uniquement poussé par le besoin de conter son cas.

17. v. prétendre.   23. c'est point: notez l'absence de *ne*.   24. y a=il n'y a.
25. nuit: v. nuire.

Malandain, debout sur sa porte, se mit à rire en le voyant passer. Pourquoi?

Il aborda un fermier de Criquetot, qui ne le laissa pas achever et, lui jetant une tape dans le creux de son ventre, lui cria par la
5 figure: « Gros malin, va! » Puis lui tourna les talons.

Maître Hauchecorne demeura interdit et de plus en plus inquiet. Pourquoi l'avait-on appelé « gros malin »?

Quand il fut assis à table, dans l'auberge de Jourdain, il se remit à expliquer l'affaire.

10 Un maquignon de Montivilliers lui cria:

— Allons, allons, vieille pratique, je la connais, ta ficelle!

Hauchecorne balbutia:

— Puisqu'on l'a retrouvé çu portafeuille!

Mais l'autre reprit:

15 — Tais-té, mon pé, y en a un qui trouve, et y en a un qui r'porte. Ni vu ni connu, je t'embrouille.

Le paysan resta suffoqué. Il comprenait enfin. On l'accusait d'avoir fait reporter le portefeuille par un compère, par un complice.

20 Il voulut protester. Toute la table se mit à rire.

Il ne put achever son dîner et s'en alla, au milieu des moqueries.

Il rentra chez lui, honteux et indigné, étranglé par la colère, par la confusion, d'autant plus atterré qu'il était capable, avec
25 sa finauderie de Normand, de faire ce dont on l'accusait, et même de s'en vanter comme d'un bon tour. Son innocence lui apparaissait confusément comme impossible à prouver, sa malice étant connue. Et il se sentait frappé au cœur par l'injustice du soupçon.

30 Alors il recommença à conter l'aventure, en allongeant chaque jour son récit, ajoutant chaque fois des raisons nouvelles, des protestations plus énergiques, des serments plus solennels qu'il imaginait, qu'il préparait dans ses heures de solitude, l'esprit uniquement occupé de l'histoire de la ficelle. On le croyait
35 d'autant moins que sa défense était plus compliquée et son argumentation plus subtile.

— Ça, c'est des raisons d' menteux, disait-on derrière son dos.

Il le sentait, se rongeait les sangs, s'épuisait en efforts inutiles.

Il dépérissait à vue d'œil.

Les plaisants maintenant lui faisaient conter « la Ficelle » pour s'amuser, comme on fait conter sa bataille au soldat qui a fait campagne. Son esprit, atteint à fond, s'affaiblissait. 5

Vers la fin de décembre, il s'alita.

Il mourut dans les premiers jours de janvier, et, dans le délire de l'agonie, il attestait son innocence, répétant :

— Une 'tite ficelle ... une 'tite ficelle ... t'nez, la voilà, 10 m'sieu le maire.

Guy de Maupassant

1. c'est au lieu de ce sont.   5. v. faire (11).

LA PEUR

On remonta sur le pont après dîner. Devant nous, la Méditerranée n'avait pas un frisson sur toute sa surface qu'une grande lune calme moirait. Le vaste bateau glissait, jetant sur le ciel, qui semblait ensemencé d'étoiles, un gros serpent de
5 fumée noire; et, derrière nous, l'eau toute blanche, agitée par le passage rapide du lourd bâtiment, battue par l'hélice, moussait, semblait se tordre, remuait tant de clartés qu'on eût dit de la lumière de lune bouillonnant.

Nous étions là, six ou huit, silencieux, admirant, l'œil tourné
10 vers l'Afrique lointaine où nous allions. Le commandant, qui fumait un cigare au milieu de nous, reprit soudain la conversation du dîner.

— Oui, j'ai eu peur ce jour-là. Mon navire est resté six heures avec ce rocher dans le ventre, battu par la mer. Heureuse-
15 ment que nous avons été recueillis, vers le soir, par un charbonnier anglais qui nous aperçut.

Alors un grand homme à figure brûlée, à l'aspect grave, un de ces hommes qu'on sent avoir traversé de longs pays inconnus, au milieu de dangers incessants, et dont l'œil tranquille semble
20 garder, dans sa profondeur, quelque chose des paysages étranges qu'il a vus; un de ces hommes qu'on devine trempés dans le courage, parla pour la première fois:

— Vous dites, commandant, que vous avez eu peur; je n'en crois rien. Vous vous trompez sur le mot et sur la sensation
25 que vous avez éprouvée. Un homme énergique n'a jamais peur en face du danger pressant. Il est ému, agité, anxieux; mais la peur, c'est autre chose.

Le commandant reprit en riant:

— Fichtre! je vous réponds bien que j'ai eu peur, moi.
30 Alors l'homme au teint bronzé prononça d'une voix lente:

— Permettez-moi de m'expliquer! La peur (et les hommes les plus hardis peuvent avoir peur), c'est quelque chose d'effroyable, une sensation atroce, comme une décomposition de l'âme, un spasme affreux de la pensée et du cœur, dont le souvenir seul donne des frissons d'angoisse. Mais cela n'a lieu, quand on est 5 brave, ni devant une attaque, ni devant la mort inévitable, ni devant toutes les formes connues du péril: cela a lieu dans certaines circonstances anormales, sous certaines influences mystérieuses en face de risques vagues. La vraie peur, c'est quelque chose comme une réminiscence des terreurs fantastiques 10 d'autrefois. Un homme qui croit aux revenants, et qui s'imagine apercevoir un spectre dans la nuit, doit éprouver la peur en toute son épouvantable horreur.

Moi, j'ai deviné la peur en plein jour, il y a dix ans environ. Je l'ai ressentie, l'hiver dernier, par une nuit de décembre. 15

Et, pourtant, j'ai traversé bien des hasards, bien des aventures qui semblaient mortelles. Je me suis battu souvent. J'ai été laissé pour mort par des voleurs. J'ai été condamné, comme insurgé, à être pendu, en Amérique, et jeté à la mer du pont d'un bâtiment sur les côtes de Chine. Chaque fois je me suis 20 cru perdu, j'en ai pris immédiatement mon parti, sans attendrissement et même sans regrets.

Mais la peur, ce n'est pas cela.

Je l'ai pressentie en Afrique. Et pourtant elle est fille du Nord; le soleil la dissipe comme un brouillard. Remarquez 25 bien ceci, Messieurs. Chez les Orientaux la vie ne compte pour rien, on est résigné tout de suite, les nuits sont claires et vides des inquiétudes sombres qui hantent les cerveaux dans les pays froids. En Orient, on peut connaître la panique, on ignore la peur. 30

Eh bien! voici ce qui m'est arrivé sur cette terre d'Afrique:

Je traversais les grandes dunes au sud de Ouargla. C'est là un des plus étranges pays du monde. Vous connaissez le sable uni, le sable droit des interminables plages de l'Océan. Eh bien! figurez-vous l'Océan lui-même devenu sable au milieu d'un 35 ouragan; imaginez une tempête silencieuse de vagues immobiles

en poussière jaune. Elles sont hautes comme des montagnes,
ces vagues inégales, différentes, soulevées tout à fait comme des
flots déchaînés, mais plus grandes encore, et striées comme de
la moire. Sur cette mer furieuse, muette et sans mouvement,
5 le dévorant soleil du sud verse sa flamme implacable et directe.
Il faut gravir ces lames de cendre d'or, redescendre, gravir
encore, gravir sans cesse, sans repos et sans ombre. Les chevaux
râlent, enfoncent jusqu'aux genoux, et glissent en dévalant
l'autre versant des surprenantes collines.
10   Nous étions deux amis suivis de huit spahis et de quatre
chameaux avec leurs chameliers. Nous ne parlions plus,
accablés de chaleur, de fatigue, et desséchés de soif comme ce
désert ardent. Soudain un de nos hommes poussa une sorte de
cri; tous s'arrêtèrent; et nous demeurâmes immobiles, surpris
15 par un inexplicable phénomène, connu des voyageurs en ces
contrées perdues.
     Quelque part, près de nous, dans une direction indéterminée,
un tambour battait, le mystérieux tambour des dunes; il
battait distinctement, tantôt plus vibrant, tantôt affaibli,
20 arrêtant, puis reprenant son roulement fantastique.
     Les Arabes, épouvantés, se regardaient; et l'un dit, en sa
langue: « La mort est sur nous.» Et voilà que tout à coup
mon compagnon, mon ami, presque mon frère, tomba de cheval,
la tête en avant, foudroyé par une insolation.
25   Et pendant deux heures, pendant que j'essayais en vain de le
sauver, toujours ce tambour insaisissable m'emplissait l'oreille
de son bruit monotone, intermittent et incompréhensible; et
je sentais se glisser dans mes os la peur, la vraie peur, la hideuse
peur, en face de ce cadavre aimé, dans ce trou incendié par le
30 soleil entre quatre monts de sable, tandis que l'écho inconnu
nous jetait, à deux cents lieues de tout village français, le battement rapide du tambour.
     Ce jour-là, je compris ce que c'était que d'avoir peur; je
l'ai su mieux encore une autre fois . . .
35   Le commandant interrompit le conteur:
     — Pardon, Monsieur, mais ce tambour? Qu'était-ce?

Le voyageur répondit:
— Je n'en sais rien. Personne ne sait. Les officiers, surpris
souvent par ce bruit singulier, l'attribuent généralement à
l'écho grossi, multiplié, démesurément enflé par les vallonne-
ments des dunes, d'une grêle de grains de sable emportés dans 5
le vent et heurtant une touffe d'herbes sèches; car on a toujours remarqué que le phénomène se produit dans le voisinage
de petites plantes brûlées par le soleil, et dures comme du
parchemin.

Ce tambour ne serait donc qu'une sorte de mirage du son. 10
Voilà tout. Mais je n'appris cela que plus tard.

J'arrive à ma seconde émotion.

C'était l'hiver dernier, dans une forêt du nord-est de la
France. La nuit vint deux heures plus tôt, tant le ciel était
sombre. J'avais pour guide un paysan qui marchait à mon côté, 15
par un tout petit chemin, sous une voûte de sapins dont le vent
déchaîné tirait des hurlements. Entre les cimes, je voyais courir
des nuages en déroute, des nuages éperdus qui semblaient fuir
devant une épouvante. Parfois, sous une immense rafale, toute
la forêt s'inclinait dans le même sens avec un gémissement de 20
souffrance; et le froid m'envahissait, malgré mon pas rapide et
mon lourd vêtement.

Nous devions souper et coucher chez un garde forestier dont
la maison n'était plus éloignée de nous. J'allais là pour chasser.

Mon guide, parfois, levait les yeux et murmurait: « Triste 25
temps! » Puis il me parla des gens chez qui nous arrivions. Le
père avait tué un braconnier deux ans auparavant, et, depuis ce
temps, il semblait sombre, comme hanté d'un souvenir. Ses
deux fils, mariés, vivaient avec lui.

Les ténèbres étaient profondes. Je ne voyais rien devant 30
moi, ni autour de moi, et toute la branchure des arbres entre-
choqués emplissait la nuit d'une rumeur incessante. Enfin,
j'aperçus une lumière, et bientôt mon compagnon heurtait une
porte. Des cris aigus de femmes nous répondirent. Puis, une
voix d'homme, une voix étranglée, demanda: « Qui va là? » 35

10. ne serait = n'est probablement.   24. v. plus.   25. v. triste.

Mon guide se nomma. Nous entrâmes. Ce fut un inoubliable
tableau.

Un vieux homme à cheveux blancs, à l'œil fou, le fusil chargé
dans la main, nous attendait debout au milieu de la cuisine,
5 tandis que deux grands gaillards, armés de haches, gardaient la
porte. Je distinguai dans les coins sombres deux femmes à
genoux, le visage caché contre le mur.

On s'expliqua. Le vieux remit son arme contre le mur et
ordonna de préparer ma chambre; puis, comme les femmes ne
10 bougeaient point, il me dit brusquement:

— Voyez-vous, Monsieur, j'ai tué un homme, voilà deux ans
cette nuit. L'autre année, il est revenu m'appeler. Je l'attends
encore ce soir.

Puis il ajouta d'un ton qui me fit sourire:

15   — Aussi, nous ne sommes pas tranquilles.

Je le rassurai comme je pus, heureux d'être venu justement
ce soir-là, et d'assister au spectacle de cette terreur superstitieuse. Je racontai des histoires, et je parvins à calmer à peu
près tout le monde.

20   Près du foyer, un vieux chien, presque aveugle et moustachu,
un de ces chiens qui ressemblent à des gens qu'on connaît, dormait le nez dans ses pattes.

Au dehors, la tempête acharnée battait la petite maison, et,
par un étroit carreau, une sorte de judas placé près de la porte,
25 je voyais soudain tout un fouillis d'arbres bousculés par le
vent à la lueur de grands éclairs.

Malgré mes efforts, je sentais bien qu'une terreur profonde
tenait ces gens, et chaque fois que je cessais de parler, toutes les
oreilles écoutaient au loin. Las d'assister à ces craintes imbé-
30 ciles, j'allais demander à me coucher, quand le vieux garde
tout à coup fit un bond de sa chaise, saisit de nouveau son fusil,
en bégayant d'une voix égarée: « Le voilà ! le voilà ! Je l'entends ! » Les deux femmes retombèrent à genoux dans leurs
coins en se cachant le visage; et les fils reprirent leurs haches.
35 J'allais tenter encore de les apaiser, quand le chien endormi

s'éveilla brusquement et, levant sa tête, tendant le cou, regardant vers le feu de son œil presque éteint, il poussa un de ces lugubres hurlements qui font tressaillir les voyageurs, le soir, dans la campagne. Tous les yeux se portèrent sur lui, il restait maintenant immobile, dressé sur ses pattes comme hanté d'une 5 vision, et il se remit à hurler vers quelque chose d'invisible, d'inconnu, d'affreux sans doute, car tout son poil se hérissait. Le garde, livide, cria: « Il le sent! il le sent! il était là quand je l'ai tué. » Et les deux femmes égarées se mirent, toutes les deux, à hurler avec le chien. 10

Malgré moi, un grand frisson me courut entre les épaules. Cette vision de l'animal dans ce lieu, à cette heure, au milieu de ces gens éperdus, était effrayante à voir.

Alors, pendant une heure, le chien hurla sans bouger; il hurla comme dans l'angoisse d'un rêve; et la peur, l'épouvantable 15 peur entrait en moi; la peur de quoi? Le sais-je? C'était la peur, voilà tout.

Nous restions immobiles, livides, dans l'attente d'un événement affreux, l'oreille tendue, le cœur battant, bouleversés au moindre bruit. Et le chien se mit à tourner autour de la pièce, 20 en sentant les murs et gémissant toujours. Cette bête nous rendait fous! Alors, le paysan qui m'avait amené se jeta sur elle, dans une sorte de paroxysme de terreur furieuse, et, ouvrant une porte donnant sur une petite cour, jeta l'animal dehors.

Il se tut aussitôt; et nous restâmes plongés dans un silence 25 plus terrifiant encore. Et soudain, tous ensemble, nous eûmes une sorte de sursaut: un être glissait contre le mur du dehors vers la forêt; puis il passa contre la porte, qu'il sembla tâter, d'une main hésitante; puis on n'entendit plus rien pendant deux minutes qui firent de nous des insensés; puis il revint, 30 frôlant toujours la muraille; et il gratta légèrement, comme ferait un enfant avec son ongle; puis soudain une tête apparut contre la vitre du judas, une tête blanche avec des yeux lumineux comme ceux des fauves. Et un son sortit de sa bouche, un son indistinct, un murmure plaintif. 35

Alors un bruit formidable éclata dans la cuisine. Le vieux

garde avait tiré. Et aussitôt les fils se précipitèrent, bouchèrent
le judas en dressant la grande table qu'ils assujettirent avec le
buffet.

Et je vous jure qu'au fracas du coup de fusil que je n'attendais
5 point, j'eus une telle angoisse du cœur, de l'âme et du corps,
que je me sentis défaillir, prêt à mourir de peur.

Nous restâmes là jusqu'à l'aurore, incapables de bouger, de
dire un mot, crispés dans un affolement indicible.

On n'osa débarricader la sortie qu'en apercevant, par la
10 fente d'un auvent, un mince rayon de jour.

Au pied du mur, contre la porte, le vieux chien gisait, la
gueule brisée d'une balle.

Il était sorti de la cour en creusant un trou sous une palissade.

L'homme au visage brun se tut; puis il ajouta:

15   — Cette nuit-là, pourtant, je ne courus aucun danger; mais
j'aimerais mieux recommencer toutes les heures où j'ai affronté
les plus terribles périls, que la seule minute du coup de fusil sur
la tête barbue du judas.

GUY DE MAUPASSANT

ERCKMANN–CHATRIAN

Les deux écrivains alsaciens Émile Erckmann (1822–1899) et Alexandre Chatrian (1826–1890) ont écrit en collaboration un grand nombre de nouvelles et de romans historiques et populaires dont beaucoup se passent dans leur province natale. Citons parmi les romans les plus connus: *Madame Thérèse ou Les Volontaires de 1792* (1863), *L'Ami Fritz* (1864), *Histoire d'un Conscrit de 1813* (1864), *Waterloo* (1865), *Histoire d'un Paysan* (4 volumes, 1868–1874). Leurs principaux recueils de contes sont: les *Contes Fantastiques* et les *Contes de la Montagne* (1860), les *Contes du Bord du Rhin* (1862), les *Contes et Romans Alsaciens* (1876). *La Montre du Doyen* est extraite des *Contes Fantastiques*.

LA MONTRE DU DOYEN

I

Le jour d'avant la Noël 1832, mon ami Wilfrid, sa contrebasse en sautoir, et moi mon violon sous le bras, nous allions de la Forêt Noire à Heidelberg. Il faisait un temps de neige extraordinaire; aussi loin que s'étendaient nos regards sur l'immense plaine déserte, nous ne découvrions plus de trace de 5 route, de chemin, ni de sentier. La bise sifflait son ariette stridente avec une persistance monotone, et Wilfrid, la besace aplatie sur sa maigre échine, ses longues jambes de héron étendues, la visière de sa petite casquette plate rabattue sur le nez, marchait devant moi, fredonnant je ne sais quelle joyeuse 10 chanson. J'emboîtais le pas, ayant de la neige jusqu'aux genoux, et je sentais la mélancolie me gagner insensiblement.

Les hauteurs de Heidelberg commençaient à poindre tout au bout de l'horizon, et nous espérions arriver avant la nuit close, lorsque nous entendîmes un cheval galoper derrière nous. Il 15

43

était alors environ cinq heures du soir, et de gros flocons de neige tourbillonnaient dans l'air grisâtre. Bientôt le cavalier fut à vingt pas. Il ralentit sa marche, nous observant du coin de l'œil; de notre part, nous l'observions aussi.

5 Figurez-vous un gros homme roux de barbe et de cheveux, coiffé d'un superbe tricorne, la capote brune, recouverte d'une pelisse de renard flottante, les mains enfoncées dans des gants fourrés remontant jusqu'aux coudes: quelque échevin ou bourgmestre à large panse, une belle valise établie sur la croupe
10 de son vigoureux roussin. Bref, un véritable personnage.

— Hé! hé! mes garçons, fit-il en sortant une de ses grosses mains des moufles suspendues à sa rhingrave, nous allons à Heidelberg, sans doute, pour faire de la musique?

Wilfrid regarda le voyageur de travers et répondit brusque-
15 ment:

— Cela vous intéresse, monsieur?

— Eh! oui ... J'aurais un bon conseil à vous donner.

— Un conseil?

— Mon Dieu ... Si vous le voulez bien.

20 Wilfrid allongea le pas sans répondre, et, de mon côté, je m'aperçus que le voyageur avait exactement la mine d'un gros chat: les oreilles écartées de la tête, les paupières demi-closes, les moustaches ébouriffées, l'air tendre et paterne.

— Mon cher ami, reprit-il en s'adressant à moi, franchement,
25 vous feriez bien de reprendre la route d'où vous venez.

— Pourquoi, monsieur?

— L'illustre maëstro Pimenti, de Novare, vient d'annoncer un grand concert à Heidelberg pour Noël; toute la ville y sera, vous ne gagnerez pas un kreutzer.

30 Mais Wilfrid, se retournant de mauvaise humeur, lui répliqua:

— Nous nous moquons de votre maëstro et de tous les Pimenti du monde. Regardez ce jeune homme, regardez-le bien! Ça n'a pas encore un brin de barbe au menton; ça n'a jamais joué que dans les petits *bouchons* de la Forêt Noire pour faire danser
35 les *bourengrédel* et les charbonnières. Eh bien, ce petit bonhomme, avec ses longues boucles blondes et ses grands yeux

bleus, défie tous vos charlatans italiens; sa main gauche renferme des trésors de mélodie, de grâce et de souplesse. Sa droite a le plus magnifique coup d'archet que le Seigneur-Dieu daigne accorder parfois aux pauvres mortels, dans ses moments de bonne humeur. 5

— Eh! eh! fit l'autre, en vérité?

— C'est comme je vous le dis, s'écria Wilfrid, se remettant à courir, en soufflant dans ses doigts rouges.

Je crus qu'il voulait se moquer du voyageur, qui nous suivait toujours au petit trot. 10

Nous fîmes ainsi plus d'une demi-lieue en silence. Tout à coup l'inconnu, d'une voix brusque, nous dit:

— Quoi qu'il en soit de votre mérite, retournez dans la Forêt Noire; nous avons assez de vagabonds à Heidelberg, sans que vous veniez en grossir le nombre. Je vous donne un bon con- 15 seil, surtout dans les circonstances présentes. Profitez-en!

Wilfrid indigné allait lui répondre, mais il avait pris le galop et traversait déjà la grande avenue de l'Électeur. Une immense file de corbeaux venaient de s'élever dans la plaine, et semblaient suivre le gros homme, en remplissant le ciel de leurs clameurs. 20

Nous arrivâmes à Heidelberg vers sept heures du soir, et nous vîmes, en effet, l'affiche magnifique de Pimenti sur toutes les murailles de la ville: « Grand concerto, solo », etc.

Dans la soirée même, en parcourant les brasseries des théologiens et des philosophes, nous rencontrâmes plusieurs musiciens 25 de la Forêt Noire, de vieux camarades, qui nous engagèrent dans leur troupe. Il y avait le vieux Brêmer, le violoncelliste; ses deux fils Ludwig et Karl, deux bons seconds violons; Heinrich Siebel, la clarinette; la grande Berthe avec sa harpe; puis Wilfrid et sa contre-basse, et moi comme premier violon. 30

Il fut arrêté que nous irions ensemble, et qu'après la Noël, nous partagerions en frères. Wilfrid avait déjà loué, pour nous deux, une chambre au sixième étage de la petite auberge du *Pied-de-Mouton*, à quatre kreutzers la nuit. A proprement parler, ce

18. v. électeur.   24. C'est à dire, des étudiants en théologie ou en philosophie de l'Université de Heidelberg.

n'était qu'un grenier; mais heureusement il y avait un fourneau
de tôle, et nous y fîmes du feu pour nous sécher.

Comme nous étions assis tranquillement à rôtir des marrons
et à boire une cruche de vin, voilà que la petite Annette, la fille
5 d'auberge, en petite jupe coquelicot et cornette de velours noir,
les joues vermeilles, les lèvres roses comme un bouquet de ce-
rises ... Annette monte l'escalier quatre à quatre, frappe à la
porte, et vient se jeter dans mes bras, toute réjouie.

Je connaissais cette jolie petite depuis longtemps, nous étions
10 du même village, et puisqu'il faut tout vous dire, ses yeux
pétillants, son air espiègle m'avaient captivé le cœur.

— Je viens causer un instant avec toi, me dit-elle, en s'asseyant sur un escabeau. Je t'ai vu monter tout à l'heure, et
me voilà !

15 Elle se mit alors à babiller, me demandant des nouvelles de
celui-ci, de celui-là, enfin de tout le village : c'était à peine si
j'avais le temps de lui répondre. Parfois elle s'arrêtait et me
regardait avec une tendresse inexprimable. Nous serions restés
là jusqu'au lendemain, si la mère Grédel Dick ne s'était mise à
20 crier dans l'escalier :

— Annette ! Annette ! viendras-tu ?

— Me voilà, madame, me voilà ! fit la pauvre enfant, se
levant toute surprise. Elle me donna une petite tape sur la joue
et s'élança vers la porte; mais au moment de sortir elle s'arrêta :

25 — Ah ! s'écria-t-elle en revenant, j'oubliais de vous dire;
avez-vous appris ?

— Quoi donc ?

— La mort de notre pro-recteur Zâhn !

— Et que nous importe cela ?

30 — Oui, mais prenez garde, prenez garde, si vos papiers ne
sont pas en règle. Demain à huit heures, on viendra vous les
demander. On arrête tant de monde, tant de monde depuis
quinze jours ! Le pro-recteur a été assassiné dans la bibliothèque du cloître Saint-Christophe hier soir. La semaine der-
35 nière on a pareillement assassiné le vieux sacrificateur Ulmet
Élias, de la rue des Juifs ! Quelques jours avant, on a tué la

vieille Christina Hâas et le marchand d'agates Séligmann!
Ainsi, mon pauvre Kasper, fit-elle tendrement, veille bien sur
toi, et que tous vos papiers soient en ordre.

Tandis qu'elle parlait, on criait toujours d'en bas:
— Annette! Annette! viendras-tu? Oh! la malheureuse, qui 5
me laisse toute seule!

Et les cris des buveurs s'entendaient aussi, demandant du vin,
de la bière, du jambon, des saucisses. Il fallut bien partir.
Annette descendit en courant comme elle était venue, et répon-
dant de sa voix douce: 10

— Mon Dieu!... mon Dieu!... qu'y a-t-il donc, madame,
pour crier de la sorte?... Ne croirait-on pas que le feu est dans
la maison!...

Wilfrid alla refermer la porte, et, ayant repris sa place, nous
nous regardâmes, non sans quelque inquiétude. 15

— Voilà de singulières nouvelles, dit-il... Au moins tes
papiers sont-ils en règle?

— Sans doute.

Et je lui fis voir mon livret.

— Bon, le mien est là... Je l'ai fait viser avant de partir... 20
Mais c'est égal, tous ces meurtres ne nous annoncent rien de
bon... Je crains que nous ne fassions pas nos affaires ici...
Bien des familles sont dans le deuil,... et d'ailleurs les ennuis,
les inquiétudes...

— Bah! tu vois tout en noir, lui dis-je. 25

Nous continuâmes à causer de ces événements étranges jusque passé minuit.

Le feu de notre petit poêle éclairait toute la chambre. De
temps en temps une souris attirée par la chaleur glissait comme
une flèche le long du mur. On entendait le vent s'engouffrer 30
dans les hautes cheminées et balayer la poussière de neige des
gouttières. Je songeais à Annette. Le silence s'était rétabli.

Tout à coup Wilfrid, ôtant sa veste, s'écria:

— Il est temps de dormir... Mets encore une bûche au fourneau et couchons-nous. 35

3. **vos** se rapporte non seulement à Kasper mais aussi à ses camarades.

— Oui, c'est ce que nous avons de mieux à faire.

Ce disant, je tirai mes bottes, et deux minutes après nous étions étendus sur la paillasse, la couverture tirée jusqu'au menton, un gros rondin sous la tête pour oreiller. Wilfrid ne
5 tarda point à s'endormir. La lumière du petit poêle allait et venait ... Le vent redoublait au dehors ... et, tout en rêvant, je m'endormis à mon tour comme un bienheureux.

Vers deux heures du matin je fus éveillé par un bruit inexplicable ; je crus d'abord que c'était un chat courant sur les
10 gouttières ; mais ayant mis l'oreille contre les bardeaux, mon incertitude ne fut pas longue : quelqu'un marchait sur le toit.

Je poussai Wilfrid du coude pour l'éveiller.

— Chut ! fit-il en me serrant la main.

Il avait entendu comme moi. La flamme jetait alors ses
15 dernières lueurs, qui se débattaient contre la muraille décrépite. J'allais me lever, quand, d'un seul coup, la petite fenêtre, fermée par un fragment de brique, fut poussée et s'ouvrit : une tête pâle, les cheveux roux, les yeux phosphorescents, les joues frémissantes, parut, ... regardant à l'intérieur. Notre saisisse-
20 ment fut tel que nous n'eûmes pas la force de jeter un cri.

L'homme passa une jambe, puis l'autre, par la lucarne et descendit dans notre grenier avec tant de prudence, que pas un atome ne bruit sous ses pas.

Cet homme, large et rond des épaules, court, trapu, la face
25 crispée comme celle d'un tigre à l'affût, n'était autre que le personnage bonasse qui nous avait donné des conseils sur la route de Heidelberg. Que sa physionomie nous parut changée alors ! Malgré le froid excessif, il était en manches de chemise ; il ne portait qu'une simple culotte serrée autour des reins, des
30 bas de laine et des souliers à boucles d'argent. Un long couteau taché de sang brillait dans sa main.

Wilfrid et moi nous nous crûmes perdus ... Mais lui ne parut pas nous voir dans l'ombre oblique de la mansarde, quoique la flamme se fût ranimée au courant d'air glacial de la
35 lucarne. Il s'accroupit sur un escabeau et se prit à grelotter d'une façon bizarre ... Subitement ses yeux, d'un vert jau-

nâtre, s'arrêtèrent sur moi, ... ses narines se dilatèrent, ...
il me regarda plus d'une longue minute ... Je n'avais plus une
goutte de sang dans les veines ! Puis, se tournant vers le poêle,
il toussa d'une voix rauque, pareille à celle d'un chat, sans qu'un
seul muscle de sa face tressaillît. Il tira du gousset de sa culotte 5
une grosse montre, fit le geste d'un homme qui regarde l'heure,
et, soit distraction ou tout autre motif, il la déposa sur la table.
Enfin, se levant comme incertain, il considéra la lucarne, parut
hésiter, et sortit, laissant la porte ouverte tout au large.

Je me levai aussitôt pour pousser le verrou, mais déjà les pas 10
de l'homme criaient dans l'escalier à deux étages en dessous.
Une curiosité invincible l'emporta sur ma terreur, et, comme je
l'entendais ouvrir une fenêtre donnant sur la cour, moi-même je
m'inclinai vers la lucarne de l'escalier en tourelle du même côté.
La cour de cette hauteur était profonde comme un puits; un 15
mur, haut de cinquante à soixante pieds, la partageait en deux.
Sa crête partait de la fenêtre que l'assassin venait d'ouvrir, et
s'étendait en ligne droite, sur le toit d'une vaste et sombre
demeure en face. Comme la lune brillait entre de grands nuages
chargés de neige, je vis tout cela d'un coup d'œil, et je frémis en 20
apercevant l'homme fuir sur la haute muraille, la tête penchée
en avant et son long couteau à la main, tandis que le vent
soufflait avec des sifflements lugubres.

Il gagna le toit en face et disparut dans une lucarne.

Je croyais rêver. Pendant quelques instants je restai là, 25
bouche béante, la poitrine nue, les cheveux flottants, sous le
grésil qui tombait du toit. Enfin, revenant de ma stupeur, je
rentrai dans notre réduit et trouvai Wilfrid, qui me regarda
tout hagard et murmurant une prière à voix basse. Je m'empressai de remettre du bois au fourneau, de passer mes habits 30
et de fermer le verrou.

— Eh bien? demanda mon camarade en se levant.

— Eh bien! lui répondis-je, nous en sommes réchappés ...
Si cet homme ne nous a pas vus, c'est que Dieu ne veut pas
encore notre mort. 35

— Oui, fit-il, ... oui! c'est l'un des assassins dont nous parlait Annette... Grand Dieu!... quelle figure,... et quel couteau!

Il retomba sur la paillasse ... Moi, je vidai d'un trait ce qui restait de vin dans la cruche, et comme le feu s'était ranimé, 5 que la chaleur se répandait de nouveau dans la chambre, et que le verrou me paraissait solide, je repris courage.

Pourtant, la montre était là ... L'homme pouvait revenir la chercher!... Cette idée nous glaça d'épouvante.

— Qu'allons-nous faire, maintenant? dit Wilfrid. Notre plus 10 court serait de reprendre tout de suite le chemin de la Forêt Noire!

— Pourquoi?

— Je n'ai plus envie de jouer de la contre-basse ... Arrangez-vous comme vous voudrez.

15   — Mais pourquoi donc? Qu'est-ce qui nous force à partir? Avons-nous commis un crime?

— Parle bas,... parle bas,... fit-il... Rien que ce mot *crime*, si quelqu'un l'entendait, pourrait nous faire pendre... De pauvres diables comme nous servent d'exemples aux 20 autres... On ne regarde pas longtemps s'ils commettent des crimes... Il suffit qu'on trouve cette montre ici.

— Écoute, Wilfrid, lui dis-je, il ne s'agit pas de perdre la tête. Je veux bien croire qu'un crime a été commis ce soir dans notre quartier... Oui, je le crois,... c'est même très pro-25 bable,... mais, en pareille circonstance, que doit faire un hon-nête homme? Au lieu de fuir, il doit aider la justice, il doit...

— Et comment, comment l'aider?

— Le plus simple sera de prendre la montre et d'aller la remettre demain au grand bailli, en lui racontant ce qui s'est 30 passé.

— Jamais... jamais... je n'oserai toucher cette montre!

— Eh bien! moi, j'irai. Couchons-nous et tâchons de dormir encore s'il est possible.

— Je n'ai plus envie de dormir.

35   — Alors, causons,... allume ta pipe,... attendons le

5. v. que (1, *a*).

jour... Il y a peut-être encore du monde à l'auberge... si tu veux, nous descendrons.

— J'aime mieux rester ici.

— Soit!

Et nous reprîmes notre place au coin du feu. 5

Le lendemain, dès que le jour parut, j'allai prendre la montre sur la table. C'était une montre très belle, à double cadran; l'un marquait les heures, l'autre les minutes. Wilfrid parut plus rassuré.

— Kasper, me dit-il, toute réflexion faite, il convient mieux 10 que j'aille voir le bailli. Tu es trop jeune pour entrer dans de telles affaires... Tu t'expliquerais mal!

— C'est comme tu voudras.

— Oui, il paraîtrait bien étrange qu'un homme de mon âge envoyât un enfant. 15

— Bien,... bien,... je comprends, Wilfrid.

Il prit la montre, et je remarquai que son amour-propre seul le poussait à cette résolution: il aurait rougi, sans doute, devant ses camarades, d'avoir montré moins de courage que moi.

Nous descendîmes du grenier tout méditatifs. En traversant 20 l'allée qui donne sur la rue Saint-Christophe, nous entendîmes le cliquetis des verres et des fourchettes... Je distinguai la voix du vieux Brêmer et de ses deux fils, Ludwig et Karl.

— Ma foi, dis-je à Wilfrid, avant de sortir, nous ne ferions pas mal de boire un bon coup. 25

En même temps je poussai la porte de la salle. Toute notre société était là, les violons, les cors de chasse suspendus à la muraille, la harpe dans un coin. Nous fûmes accueillis par des cris joyeux. On s'empressa de nous faire place à table.

— Hé! disait le vieux Brêmer, bonne journée, camarades... 30 Du vent!... de la neige!... Toutes les brasseries seront pleines de monde; chaque flocon qui tourbillonne dans l'air est un florin qui nous tombera dans la poche!

J'aperçus ma petite Annette, fraîche, dégourdie, me souriant des yeux et des lèvres avec amour. Cette vue me ranima... 35 Les meilleures tranches de jambon étaient pour moi, et chaque fois qu'elle venait déposer une cruche à ma droite, sa douce main s'appuyait avec expression sur mon épaule.

Oh! que mon cœur sautillait, en songeant aux marrons que nous avions croqués la veille ensemble! Pourtant, la figure
5 pâle du meurtrier passait de temps en temps devant mes yeux et me faisait tressaillir . . . Je regardais Wilfrid, il était tout méditatif. Enfin, au coup de huit heures, notre troupe allait partir, lorsque la porte s'ouvrit, et que trois escogriffes, la face plombée, les yeux brillants comme des rats, le chapeau déformé,
10 suivis de plusieurs autres de la même espèce, se présentèrent sur le seuil. L'un d'eux, au nez long, un énorme gourdin suspendu au poignet, s'avança en s'écriant:

— Vos papiers, messieurs?

Chacun s'empressa de satisfaire à sa demande. Malheureuse-
15 ment Wilfrid, qui se trouvait debout auprès du poêle, fut pris d'un tremblement subit, et comme l'agent de police, à l'œil exercé, suspendait sa lecture pour l'observer d'un regard équi-voque, il eut la funeste idée de faire glisser la montre dans sa botte . . . mais, avant qu'elle eût atteint sa destination, l'agent
20 de police frappait sur la cuisse de mon camarade et s'écriait d'un ton goguenard:

— Hé, hé! il paraît que ceci nous gêne?

Alors Wilfrid tomba en faiblesse, à la grande stupéfaction de tout le monde . . . Il s'affaissa sur un banc, pâle comme la
25 mort, et Madoc, le chef de la police, sans gêne, ouvrit son pan-talon et en retira la montre avec un méchant éclat de rire. Mais à peine l'eut-il regardée, qu'il devint grave, et se tournant vers ses agents:

— Que personne ne sorte! s'écria-t-il d'une voix terrible.
30 Nous tenons la bande . . . Voici la montre du doyen Daniel van den Berg . . . Attention . . . Les menottes!

Ce cri nous traversa jusqu'à la moelle des os. Il se fit un tumulte épouvantable . . . Moi, nous sentant perdus, je me glissai sous le banc, près du mur, et comme on enchaînait le
35 pauvre vieux Brêmer, ses fils Heinrich et Wilfrid, qui sanglotaient et protestaient, . . . je sentis une petite main me passer sur

le cou, ... la douce main d'Annette, où j'imprimai mes lèvres pour dernier adieu. Mais elle me prit par l'oreille, m'attira doucement, ... doucement ... Je vis la porte du cellier ouverte sous un bout de la table ... Je m'y laissai glisser ... La porte se referma !   5
Ce fut l'affaire d'une seconde, au milieu de la bagarre.

A peine au fond de mon trou, on trépignait déjà sur la porte ... puis tout devint silencieux: mes pauvres camarades étaient partis ! — La mère Grédel Dick jetait son cri de paon sur le seuil de son allée, disant que l'auberge du *Pied-de-Mouton* 10 était déshonorée.

Je vous laisse à penser les réflexions que je dus faire durant tout un jour, blotti derrière une futaille, les reins courbés, les jambes repliées sous moi, songeant que si un chien descendait à la cave, ... que s'il prenait fantaisie à la cabaretière de venir 15 elle-même remplir la cruche, ... que si la tonne se vidait dans le jour et qu'il fallût en mettre une autre en perce, ... que le moindre hasard enfin pouvait me perdre.

Toutes ces idées et mille autres me passaient par la tête. Je me représentais mes camarades déjà pendus au gibet. Annette, 20 non moins troublée que moi, par excès de prudence refermait la porte chaque fois qu'elle remontait du cellier. J'entendis la vieille lui crier:

— Mais laisse donc cette porte. Es-tu folle de perdre la moitié de ton temps à l'ouvrir ?   25

Alors, la porte resta entre-bâillée, et du fond de l'ombre je vis les tables se garnir de nouveaux buveurs. J'entendais des cris, des discussions, des histoires sans fin sur la fameuse bande.

Oh ! les scélérats, disait l'un, grâce au ciel on les tient ! Quel fléau pour Heidelberg ! ... On n'osait plus se hasarder dans les 30 rues après dix heures ... Le commerce en souffrait ... Enfin, c'est fini, dans quinze jours tout sera rentré dans l'ordre.

— Voyez-vous ces musiciens de la Forêt Noire, criait un autre, ... c'est un tas de bandits ! ils s'introduisent dans les maisons sous prétexte de faire de la musique ... Ils observent 35

17. qu'il fallût = s'il fallait.

les serrures, les coffres, les armoires, les issues, et puis, un beau
matin, on apprend que maître un tel a eu la gorge coupée dans
son lit, . . . que sa femme a été massacrée, . . . ses enfants
égorgés, . . . la maison pillée de fond en comble, . . . qu'on a
5 mis le feu à la grange, . . . ou autre chose dans ce genre . . .
Quels misérables! On devrait les exterminer tous sans miséricorde, . . . au moins le pays serait tranquille.

— Toute la ville ira les voir pendre, disait la mère Grédel . . .
Ce sera le plus beau jour de ma vie!

10 — Savez-vous que sans la montre du doyen Daniel, on
n'aurait jamais trouvé leur trace? Hier soir la montre disparaît . . . Ce matin, maître Daniel en donne le signalement
à la police . . . une heure après, Madoc mettait la main sur
toute la couvée, . . . hé! hé! hé!

15 Et toute la salle de rire aux éclats. La honte, l'indignation,
la peur, me faisaient frémir tour à tour.

Cependant la nuit vint. Quelques buveurs seuls restaient
encore à table. On avait veillé la nuit précédente; j'entendais
la grosse propriétaire qui bâillait et murmurait:

20 — Ah! mon Dieu, quand pourrons-nous aller nous coucher?
Une seule chandelle restait allumée dans la salle.

— Allez dormir, madame, dit la douce voix d'Annette, je
veillerai bien toute seule jusqu'à ce que ces messieurs s'en aillent.

Quelques ivrognes comprirent cette invitation et se retirèrent;
25 il n'en restait plus qu'un, assoupi en face de sa cruche. Le
wachtmann, étant venu faire sa ronde, l'éveilla, et je l'entendis
sortir à son tour, grognant et trébuchant jusqu'à la porte.

— Enfin, me dis-je, le voilà parti; ce n'est pas malheureux.
La mère Grédel va dormir, et la petite Annette ne tardera point
30 à me délivrer.

Dans cette agréable pensée je détirais déjà mes membres
engourdis, quand ces paroles de la grosse cabaretière frappèrent
mes oreilles:

— Annette, va fermer, et n'oublie pas de mettre la barre.
35 Moi, je descends à la cave.

15. v. de.   17. v. cependant (archaïque).

Il paraît qu'elle avait cette louable habitude pour s'assurer que tout était en ordre.

— Mais, madame, balbutia la petite, le tonneau n'est pas vide; vous n'avez pas besoin ...

— Mêle-toi de tes affaires, interrompit la grosse femme, dont 5 la chandelle brillait déjà sur l'escalier.

Je n'eus que le temps de me replier de nouveau derrière la futaille. La vieille, courbée sous la voûte basse du cellier, allait d'une tonne à l'autre, et je l'entendais murmurer:

— Oh! la coquine, comme elle laisse couler le vin! Attends, 10 attends, je vais t'apprendre à mieux fermer les robinets. A-t-on jamais vu! A-t-on jamais vu!

La lumière projetait les ombres contre le mur humide. Je me dissimulais de plus en plus.

Tout à coup, au moment où je croyais la visite terminée, 15 j'entendis la grosse mère exhaler un soupir, mais un soupir si long, si lugubre, que l'idée me vint aussitôt qu'il se passait quelque chose d'extraordinaire. Je hasardai un œil, ... le moins possible; et qu'est-ce que je vis? Dame Grédel Dick, la bouche béante, les yeux hors de la tête, contemplant le des- 20 sous de la tonne, derrière laquelle je me tenais immobile. Elle venait d'apercevoir un de mes pieds sous la solive servant de cale, et s'imaginait sans doute avoir découvert le chef des brigands, caché là pour l'égorger pendant la nuit. Ma résolution fut prompte: je me redressai en murmurant: 25

— Madame, au nom du ciel! ayez pitié de moi. Je suis ...

Mais alors, elle, sans me regarder, sans m'écouter, se prit à jeter des cris de paon, des cris à vous déchirer les oreilles, tout en grimpant l'escalier aussi vite que le lui permettait son énorme 30 corpulence. De mon côté, saisi d'une terreur inexprimable, je m'accrochai à sa robe, pour la prier à genoux. Mais ce fut pis encore:

— Au secours! à l'assassin! Oh! ah! mon Dieu! Lâchez-moi. Prenez mon argent. Oh! oh! 35

C'était effrayant. J'avais beau lui dire:

— Madame, regardez-moi. Je ne suis pas ce que vous
pensez ...

Bah! elle était folle d'épouvante, elle radotait, elle bégayait,
elle piaillait d'un accent si aigu que si nous n'eussions été sous
5 terre, tout le quartier en eût été éveillé. Dans cette extrémité,
ne consultant que ma rage, je lui grimpai sur le dos, et j'atteignis avant elle la porte, que je lui refermai sur le nez comme la
foudre, ayant soin d'assujettir le verrou. Pendant la lutte, la
lumière s'était éteinte, dame Grédel restait dans les ténèbres, et
10 sa voix ne s'entendait plus que faiblement, comme dans le
lointain.

Moi, épuisé, anéanti, je regardais Annette dont le trouble
égalait le mien. Nous n'avions plus la force de nous dire un
mot, et nous écoutions ces cris expirants, qui finirent par
15 s'éteindre: la pauvre femme s'était évanouie.

— Oh! Kasper, me dit Annette en joignant les mains, que
faire, mon Dieu, que faire? Sauve-toi ... Sauve-toi ... On a
peut-être entendu ... Tu l'as donc tuée?

— Tuée! ... moi?

20 — Eh bien! ... échappe-toi ... Je vais t'ouvrir.

En effet, elle leva la barre, et je me pris à courir dans la rue,
sans même la remercier ... Ingrat! Mais j'avais si peur, ...
le danger était si pressant, ... le ciel si noir! Il faisait un
temps abominable: pas une étoile au ciel, ... pas un réverbère
25 allumé ... Et le vent, ... et la neige! Ce n'est qu'après avoir
couru au moins une demi-heure, que je m'arrêtai pour reprendre
haleine ... Et qu'on s'imagine mon épouvante quand, levant les
yeux, je me vis juste en face du *Pied-de-Mouton*. Dans ma
terreur, j'avais fait le tour du quartier, peut-être trois ou quatre
30 fois de suite ... Mes jambes étaient lourdes, boueuses ... mes
genoux vacillaient.

L'auberge, tout à l'heure déserte, bourdonnait comme une
ruche; des lumières couraient d'une fenêtre à l'autre ... Elle
était sans doute pleine d'agents de police. Alors, malheureux,
35 épuisé par le froid et la faim, désespéré, ne sachant où trouver
un asile, je pris la plus singulière de toutes les résolutions:

— Ma foi, me dis-je, mourir pour mourir, . . . autant être pendu que de laisser ses os en plein champ sur la route de la Forêt Noire !

Et j'entrai dans l'auberge, pour me livrer moi-même à la justice. Outre les individus râpés, aux chapeaux déformés, aux 5 triques énormes, que j'avais déjà vus le matin, et qui allaient, venaient, furetaient et s'introduisaient partout, il y avait alors devant une table le grand bailli Zimmer, vêtu de noir, l'air grave, l'œil pénétrant, et le secrétaire Rôth, avec sa perruque rousse, sa grimace imposante et ses larges oreilles plates comme 10 des écailles d'huîtres. C'est à peine si l'on fit attention à moi, circonstance qui modifia tout de suite ma résolution. Je m'assis dans l'un des coins de la salle, derrière le grand fourneau de fonte, en compagnie de deux ou trois voisins, accourus pour voir ce qui se passait, et je demandai tranquillement une chopine de 15 vin et un plat de choucroute.

Annette faillit me trahir.

— Ah ! mon Dieu, fit-elle, est-ce possible ?

Mais une exclamation de plus ou de moins dans une telle cohue ne signifiait absolument rien . . . Personne n'y prit 20 garde ; et, tout en mangeant du meilleur appétit, j'écoutai l'interrogatoire que subissait dame Grédel, accroupie dans un large fauteuil, les cheveux épars et les yeux encore écarquillés par la peur.

— Quel âge paraissait avoir cet homme ? lui demanda le 25 bailli.

— De quarante à cinquante ans, monsieur . . . C'était un homme énorme, avec des favoris noirs, . . . ou bruns, . . . je ne sais pas au juste, . . . le nez long, . . . les yeux verts.

— N'avait-il pas quelques signes particuliers, . . . des taches 30 au visage, . . . des cicatrices ?

— Non, . . . je ne me rappelle pas . . . Il n'avait qu'un gros marteau, . . . et des pistolets . . .

— Fort bien. Et que vous a-t-il dit ?

— Il m'a prise à la gorge . . . Heureusement j'ai crié si haut 35 que la peur l'a saisi, . . . et puis, je me suis défendue avec les

ongles ... Ah! quand on veut vous massacrer, ... on se dé-
fend, monsieur!

— Rien de plus naturel, de plus légitime, madame ...
Écrivez, monsieur Rôth ... Le sang-froid de cette bonne dame
5 a été vraiment admirable!

Ainsi du reste de la déposition.

On entendit ensuite Annette, qui déclara simplement avoir
été si troublée qu'elle ne se souvenait de rien.

— Cela suffit, dit le bailli; s'il nous faut d'autres renseigne-
10 ments, nous reviendrons demain.

Tout le monde sortit, et je demandai à la dame Grédeï
une chambre pour la nuit. Elle n'eut pas le moindre souvenir de m'avoir vu, ... tant la peur lui avait troublé la
cervelle.

15   — Annette, dit-elle, conduis monsieur à la petite chambre
verte du troisième. Moi, je ne tiens plus sur mes jambes ...
Ah! mon Dieu, ... mon Dieu, ... à quoi n'est-on pas exposé
dans ce monde!

Elle se prit à sangloter, ce qui la soulagea.

20   Annette, ayant allumé une chandelle, me conduisit dans la
chambre désignée, et quand nous fûmes seuls:

— Oh! Kasper, ... Kasper, ... s'écria-t-elle naïvement, ...
qui aurait jamais cru que tu étais de la bande? Je ne me con-
solerai jamais d'avoir aimé un brigand!

25   — Comment, Annette, ... toi aussi! lui répondis-je en
m'asseyant désolé ... Ah! tu m'achèves!

J'étais prêt à fondre en larmes ... Mais elle, revenant
aussitôt de son injustice et m'entourant de ses bras:

— Non! non! fit-elle ... Tu n'es pas de la bande ... Tu es
30 trop gentil pour cela, mon bon Kasper ... Mais c'est égal, ...
tu as un fier courage tout de même d'être revenu!

Je lui dis que j'allais mourir de froid dehors, et que cela seul
m'avait décidé. Nous restâmes quelques instants tout pensifs,
puis elle sortit pour ne pas éveiller les soupçons de dame Grédel.

35 Quand je fus seul, après m'être assuré que les fenêtres ne donnaient sur aucun mur et que le verrou fermait bien, je remerciai

le Seigneur de m'avoir sauvé dans ces circonstances périlleuses.
Puis m'étant couché, je m'endormis profondément.

II

Le lendemain, je m'éveillai vers huit heures. Le temps était
humide et terne. En écartant le rideau de mon lit, je remarquai
que la neige s'était amoncelée au bord des fenêtres: les vitres 5
en étaient toutes blanches. Je me pris à rêver tristement au
sort de mes camarades; ils avaient dû bien souffrir du froid, ...
la grande Berthe et le vieux Brêmer surtout! Cette idée me serra
le cœur.

Comme je rêvais ainsi, un tumulte étrange s'éleva dehors. 10
Il se rapprochait de l'auberge, et ce n'est pas sans inquiétude
que je m'élançai vers une fenêtre, pour juger de ce nouveau
péril.

On venait confronter la fameuse bande avec dame Grédel
Dick, qui ne pouvait sortir après les terribles émotions de la 15
veille. Mes pauvres compagnons descendaient la rue bourbeuse,
entre deux files d'agents de police, et suivis d'une avalanche de
gamins, hurlant et sifflant comme de vrais sauvages. Il me
semble encore voir cette scène affreuse: le pauvre Brêmer,
enchaîné avec son fils Ludwig, puis Karl et Wilfrid, et enfin la 20
grande Berthe, qui marchait seule derrière et criait d'une voix
lamentable:

— Au nom du ciel, messieurs, au nom du ciel, ... ayez pitié
d'une pauvre harpiste innocente! ... Moi ... tuer! ... moi
... voler! Oh! Dieu! est-ce possible! 25

Elle se tordait les mains. Les autres étaient mornes, la tête
penchée, les cheveux pendants sur la face.

Tout ce monde s'engouffra dans l'allée sombre de l'auberge.
Les gardes en expulsèrent les étrangers ... On referma la
porte, et la foule avide resta dehors, les pieds dans la boue, le 30
nez aplati contre les fenêtres.

Le plus profond silence s'établit alors dans la maison. M'étant
habillé, j'entr'ouvris la porte de ma chambre pour écouter,

et voir s'il ne serait pas possible de reprendre la clef des
champs.

J'entendis quelques éclats de voix, des allées et des venues aux
étages inférieurs, ce qui me convainquit que les issues étaient
5 bien gardées. Ma porte donnait sur le palier, juste en face de
la fenêtre que l'homme avait ouverte pour fuir. Je n'y fis
d'abord pas attention . . . Mais comme je restais là, tout à
coup je m'aperçus que la fenêtre était ouverte, qu'il n'y avait
point de neige sur son bord, et, m'étant approché, je vis de
10 nouvelles traces sur le mur. Cette découverte me donna le
frisson. L'homme était revenu ! . . . Il revenait peut-être toutes
les nuits: le chat, la fouine, le furet . . . tous les carnassiers
ont ainsi leur passage habituel. Quelle révélation ! Tout
s'éclairait dans mon esprit d'une lumière mystérieuse.
15   — Oh ! si c'était vrai, me dis-je, si le hasard venait de me
livrer le sort de l'assassin, . . . mes pauvres camarades seraient
sauvés !

Et je suivis des yeux cette trace, qui se prolongeait avec une
netteté surprenante, jusque sur le toit voisin.
20   En ce moment, quelques paroles de l'interrogatoire frappèrent
mes oreilles . . . On venait d'ouvrir la porte de la salle pour
renouveler l'air . . . J'entendis:
    — Reconnaissez-vous avoir, le 20 de ce mois, participé à
l'assassinat du sacrificateur Ulmet Élias ?
25   Puis quelques paroles inintelligibles.
    — Refermez la porte, Madoc, dit la voix du bailli . . .
Refermez la porte . . . Madame est souffrante.
    Je n'entendis plus rien.
    La tête appuyée sur la rampe, une grande résolution se débat-
30 tait alors en moi. « Je puis sauver mes camarades, me disais-je;
Dieu vient de m'indiquer le moyen de les rendre à leurs familles . . . Si la peur me fait reculer devant un tel devoir, c'est
moi qui les aurai assassinés . . . Mon repos, mon honneur, seront
perdus à jamais . . . Je me jugerai le plus lâche, . . . le plus vil des
35 misérables ! » Longtemps j'hésitai; mais tout à coup ma résolution fut prise . . . Je descendis et je pénétrai dans la cuisine.

— N'avez-vous jamais vu cette montre, disait le bailli à dame Grédel; recueillez bien vos souvenirs, madame.

Sans attendre la réponse, je m'avançai dans la salle, et, d'une voix ferme, je répondis:

— Cette montre, monsieur le bailli, ... je l'ai vue entre les 5 mains de l'assassin lui-même ... Je la reconnais ... Et, quant à l'assassin, je puis vous le livrer ce soir, si vous daignez m'entendre.

Un silence profond s'établit autour de moi; tous les assistants se regardaient l'un l'autre avec stupeur; mes pauvres camarades 10 parurent se ranimer.

— Qui êtes-vous, monsieur? me demanda le bailli revenu de son émotion.

— Je suis le compagnon de ces infortunés, et je n'en ai pas honte, car tous, monsieur le bailli, tous, quoique pauvres, sont 15 d'honnêtes gens ... Pas un d'entre eux n'est capable de commettre les crimes qu'on leur impute.

Il y eut un nouveau silence. La grande Berthe se prit à sangloter tout bas; le bailli parut se recueillir. Enfin, me regardant d'un œil fixe: 20

— Où donc prétendez-vous nous livrer l'assassin?

— Ici même, monsieur le bailli, ... dans cette maison ... Et, pour vous convaincre, je ne demande qu'un instant d'audience particulière.

— Voyons, dit-il en se levant.   25

Il fit signe au chef de la police secrète, Madoc, de nous suivre, aux autres de rester. Nous sortîmes.

Je montai rapidement l'escalier. Ils étaient sur mes pas. Au troisième, m'arrêtant devant la fenêtre et leur montrant les traces de l'homme imprimées dans la neige: 30

— Voici les traces de l'assassin, leur dis-je ... C'est ici qu'il passe chaque soir ... Il est venu hier à deux heures du matin ... Il est revenu cette nuit ... Il reviendra sans doute ce soir.

Le bailli et Madoc regardèrent les traces quelques instants 35 sans murmurer une parole.

— Et qui vous dit que ce sont les pas du meurtrier? me demanda le chef de la police d'un air de doute.

Alors je leur racontai l'apparition de l'assassin dans notre grenier. Je leur indiquai, au-dessus de nous, la lucarne d'où je 5 l'avais vu fuir au clair de lune, ce que n'avait pu faire Wilfrid, puisqu'il était resté couché ... Je leur avouai que le hasard seul m'avait fait découvrir les empreintes de la nuit précédente.

— C'est étrange, murmurait le bailli; ceci modifie beaucoup la situation des accusés. Mais comment nous expliquez-vous 10 la présence du meurtrier dans la cave de l'auberge?

— Ce meurtrier, c'était moi, monsieur le bailli!

Et je lui racontai simplement ce qui s'était passé la veille, depuis l'arrestation de mes camarades jusqu'à la nuit close, au moment de ma fuite.

15   — Cela suffit, dit-il.

Et se tournant vers le chef de la police:

— Je dois vous avouer, Madoc, que les dépositions de ces ménétriers ne m'ont jamais paru concluantes; elles étaient loin de me confirmer dans l'idée de leur participation aux crimes ... 20 D'ailleurs, leurs papiers établissent, pour plusieurs, un alibi très difficile à démentir. Toutefois, jeune homme, malgré la vraisemblance des indices que vous nous donnez, vous resterez en notre pouvoir jusqu'à la vérification du fait ... Madoc, ne le perdez pas de vue, et prenez vos mesures en conséquence.

25   Le bailli descendit alors tout méditatif, et, repliant ses papiers, sans ajouter un mot à l'interrogatoire:

— Qu'on reconduise les accusés à la prison, dit-il en lançant à la grosse cabaretière un regard de mépris.

Il sortit suivi de son secrétaire.

30   Madoc resta seul avec deux agents.

— Madame, dit-il à l'aubergiste, vous garderez le plus grand silence sur ce qui vient de se passer. De plus, vous rendrez à ce brave jeune homme la chambre qu'il occupait avant-hier.

Le regard et l'accent de Madoc n'admettaient pas de réplique: 35 dame Grédel promit de faire ce que l'on voudrait, pourvu qu'on la débarrassât des brigands.

— Ne vous inquiétez pas des brigands, répliqua Madoc;
nous resterons ici tout le jour et toute la nuit pour vous garder.
... Vaquez tranquillement à vos affaires, et commencez par
nous servir à déjeuner ... Jeune homme, vous me ferez l'honneur de déjeuner avec nous ?   5
Ma situation ne me permettait pas de décliner cette offre ...
J'acceptai.
Nous voilà donc assis en face d'un jambon et d'une cruche
de vin du Rhin.   D'autres individus vinrent boire comme
d'habitude, provoquant les confidences de dame Grédel et 10
d'Annette; mais elles se gardèrent bien de parler en notre
présence, et furent extrêmement réservées, ce qui dut leur
paraître fort méritoire.
Nous passâmes toute l'après-midi à fumer des pipes, à vider
des petits verres et des chopes; personne ne faisait attention à 15
nous.
Le chef de la police, malgré sa figure plombée, son regard
perçant, ses lèvres pâles et son grand nez en bec d'aigle, était
assez bon enfant après boire.   Il nous racontait des gaudrioles
avec verve et facilité.   Il cherchait à saisir la petite Annette au 20
passage.   A chacune de ses paroles, les autres éclataient de rire;
moi, je restais morne, silencieux.
— Allons, jeune homme, me disait-il en riant, oubliez la mort
de votre respectable grand'mère ... Nous sommes tous mortels,
que diable ! ... Buvez un coup et chassez ces idées nébuleuses. 25
D'autres se mêlaient à notre conversation, et le temps s'écoulait ainsi au milieu de la fumée du tabac, du cliquetis des verres
et du tintement des canettes.
Mais à neuf heures, après la visite du wachtmann, tout
changea de face; Madoc se leva et dit :   30
— Ah ! çà ! procédons à nos petites affaires ... Fermez la
porte et les volets, ... et lestement !   Quant à vous, madame
et mademoiselle, allez vous coucher !
Ces trois hommes, abominablement déguenillés, semblaient
être plutôt de véritables brigands que les soutiens de l'ordre et 35

de la justice. Ils tirèrent de leur pantalon des tiges de fer,
armées à l'extrémité d'une boule de plomb... Le brigadier
Madoc, frappant sur la poche de sa redingote, s'assura qu'un
pistolet s'y trouvait... Un instant après, il le sortit pour y
5 mettre une capsule.

Tout cela se faisait froidement... Enfin, le chef de la police
m'ordonna de les conduire dans mon grenier.

Nous montâmes.

Arrivés dans le taudis, où la petite Annette avait eu soin de
10 faire du feu, Madoc, jurant entre ses dents, s'empressa de jeter
de l'eau sur le charbon; puis m'indiquant la paillasse:

— Si le cœur vous en dit, vous pouvez dormir.

Il s'assit alors avec ses deux acolytes, au fond de la chambre,
près du mur, et l'on souffla la lumière.

15 Je m'étais couché, priant tout bas le Seigneur d'envoyer
l'assassin.

Le silence, après minuit, devint si profond, qu'on ne se serait
guère douté que trois hommes étaient là, l'œil ouvert, attentifs
au moindre bruit comme des chasseurs à l'affût de quelque bête
20 fauve. Les heures s'écoulaient lentement,... lentement...
Je ne dormais pas... Mille idées terribles me passaient par la
tête... J'entendis sonner une heure,... deux heures,...
et rien... rien n'apparaissait!

A trois heures, un des agents de police bougea,... je crus
25 que l'homme arrivait,... mais tout se tut de nouveau. Je me
pris alors à penser que Madoc devait me prendre pour un imposteur, qu'il devait terriblement m'en vouloir, que le lendemain
il me maltraiterait,... que, bien loin d'avoir servi mes camarades, je serais mis à la chaîne.

30 Après trois heures, le temps me parut extrêmement rapide;
j'aurais voulu que la nuit durât toujours, pour conserver au
moins une lueur d'espérance.

Comme j'étais ainsi à ressasser les mêmes idées pour la centième fois,... tout à coup, sans que j'eusse entendu le moindre
35 bruit,... la lucarne s'ouvrit,... deux yeux brillèrent à l'ouverture,... rien ne remua dans le grenier.

— Les autres se seront endormis, me dis-je.

La tête restait toujours là,... attentive... On eût dit
que le scélérat se doutait de quelque chose... Oh! que mon
cœur galopait,... que le sang coulait vite dans mes veines,...
et pourtant le froid de la peur se répandait sur ma face... Je 5
ne respirais plus!

Il se passa bien quelques minutes ainsi,... puis,... subitement,... l'homme parut se décider,... il se glissa dans notre
grenier, avec la même prudence que la veille.

Mais au même instant un cri terrible,... un cri bref, vi- 10
brant,... retentit:

— Nous le tenons!

Et toute la maison fut ébranlée de fond en comble,... des
cris,... des trépignements,... des clameurs rauques,... me
glacèrent d'épouvante... L'homme rugissait,... les autres 15
respiraient haletants,... puis il y eut un choc qui fit craquer
le plancher,... je n'entendis plus qu'un grincement de dents,
... un cliquetis de chaînes...

— De la lumière! cria le terrible Madoc.

Et tandis que le soufre flambait, jetant dans le réduit sa lueur 20
bleuâtre, je distinguai vaguement les agents de police accroupis
sur l'homme en manches de chemise: l'un le tenait à la gorge,
l'autre lui appuyait les deux genoux sur la poitrine; Madoc lui
serrait les poings dans des menottes à faire craquer les os;
l'homme semblait inerte; seulement une de ses grosses jambes, 25
nue depuis le genou jusqu'à la cheville, se relevait de temps en
temps et frappait le plancher par un mouvement convulsif...
Les yeux lui sortaient littéralement de la tête,... une écume
sanglante s'agitait sur ses lèvres.

A peine eus-je allumé la chandelle, que les agents de police 30
firent une exclamation étrange.

— Notre doyen!...

Et tous trois se relevant,... je les vis se regarder pâles de
terreur.

1. se seront endormis = se sont probablement endormis.   2. eût dit =
aurait dit.

L'œil de l'assassin bouffi de sang se tourna vers Madoc...
Il voulut parler, ... mais seulement au bout de quelques secondes, ... je l'entendis murmurer:
— Quel rêve!... mon Dieu, ... quel rêve!
5   Puis il fit un soupir et resta immobile.
Je m'étais approché pour le voir... C'était bien lui...
L'homme qui nous avait donné de si bons conseils sur la route
de Heidelberg... Peut-être avait-il pressenti que nous serions
la cause de sa perte: on a parfois de ces pressentiments terribles!
10 Comme il ne bougeait plus et qu'un filet de sang glissait sur le
plancher poudreux, Madoc, revenu de sa surprise, se pencha
sur lui et déchira sa chemise; nous vîmes alors qu'il s'était donné
un coup de son grand couteau dans le cœur.
— Eh! fit Madoc avec un sourire sinistre, M. le doyen a fait
15 banqueroute à la potence... Il connaissait la bonne place et ne
s'est pas manqué! Restez ici, vous autres... Je vais prévenir
le bailli.
Puis il ramassa son chapeau, tombé pendant la lutte, et sortit
sans ajouter un mot.
20   Je restai seul en face du cadavre avec les deux agents de police.

Le lendemain, vers huit heures, tout Heidelberg apprit la
grande nouvelle.   Ce fut un événement pour le pays.   Daniel
van den Berg, doyen des drapiers, jouissait d'une fortune et
d'une considération si bien établies, que beaucoup de gens se
25 refusèrent à croire aux abominables instincts qui le dominaient.
On discuta ces événements de mille manières différentes.   Les
uns disaient que le riche doyen était somnambule, et par conséquent irresponsable de ses actions, ... les autres, qu'il était
assassin par amour du sang, n'ayant aucun intérêt sérieux à
30 commettre de tels crimes... Peut-être était-il l'un et l'autre!
C'est un fait incontestable que l'être moral, la volonté, l'âme,
n'existe pas chez le somnambule.   Or l'animal, abandonné à
lui-même, subit l'impulsion naturelle de ses instincts pacifiques
ou sanguinaires, et la face ramassée de maître Daniel van den

9. Expression partitive comme **avoir de pareilles idées.**   10. v. que (1, a).

Berg, sa tête plate, renflée derrière les oreilles, ses longues moustaches hérissées, ses yeux verts, tout prouve qu'il appartenait malheureusement à la famille des chats, race terrible, qui tue pour le plaisir de tuer.

Quoi qu'il en soit, mes compagnons furent rendus à la liberté. 5 On cita la petite Annette, pendant quinze jours, comme un modèle de dévouement. Elle fut même recherchée en mariage par le fils du bourgmestre Trungott, jeune homme romanesque, qui fera le malheur de sa famille. Moi, je m'empressai de retourner dans la Forêt Noire, où, depuis cette époque, je 10 remplis les fonctions de chef d'orchestre au bouchon du *Sabre-Vert*, sur la route de Tubingue. S'il vous arrive de passer par là, et que mon histoire vous ait intéressé, venez me voir, . . . nous viderons deux ou trois bouteilles ensemble, . . . et je vous raconterai certains détails, qui vous feront dresser les cheveux 15 sur la tête !

ERCKMANN CHATRIAN

13. Remarquez le subjonctif (ait) avec et que = et si (. . . a intéressé).

FRANÇOIS COPPÉE

François Coppée (1842–1908) est né et mort à Paris. Il a publié
de nombreux recueils de poésies (*Les Intimités*, 1868), des pièces de
théâtre en vers (*Le Passant*, 1869, *Le Luthier de Crémone*, 1877, *Pour
la Couronne*, 1895), des volumes de souvenirs, et des nouvelles (*Contes
en Prose*, 1882, *Contes et Récits en Prose*, 1885, *Contes de Noël*, 1893,
etc.). Il est avant tout un peintre délicat de la vie des humbles, et
de ses menues réalités.

LES VICES DU CAPITAINE

I

Peu importe le nom de la petite ville de province où le
capitaine Mercadier — trente-six ans de services, vingt-deux
campagnes, trois blessures — se retira quand il fut mis à la
retraite.

5 Elle était pareille à toutes les petites villes qui sollicitent, sans
l'obtenir, un embranchement de chemin de fer; comme si ce
n'était pas l'unique distraction des indigènes d'aller tous les
jours, à la même heure, sur la place de la Fontaine, voir arriver
au grand galop la diligence, avec son bruit joyeux de claque-
10 ments de fouet et de grelots. Elle comptait trois mille habitants,
que la statistique appelait ambitieusement des âmes, et tirait
vanité de son titre de chef-lieu de canton. Elle possédait des
remparts plantés d'arbres, une jolie rivière pour pêcher à la ligne,
et une église de la charmante époque du gothique flamboyant,
15 déshonorée par un affreux Chemin de Croix venu tout droit du
quartier Saint-Sulpice. Tous les lundis, elle s'émaillait des
grands parapluies bleus et rouges de son marché, et les gens de
la campagne y venaient en charrettes et en berlingots; mais,
le reste de la semaine, elle se replongeait avec délices dans le

silence et dans la solitude qui la rendaient chère à sa population
de petits bourgeois.   Ses rues étaient pavées en têtes de chat;
on y apercevait, par les fenêtres des rez-de-chaussée, des tableaux
en cheveux et des bouquets de mariées sous un verre, et, par les
demi-portes des jardins, des statuettes de Napoléon en coquil- 5
lages.   La principale auberge s'appelait naturellement *l'Écu
de France*, et le receveur de l'enregistrement rimait des acrostiches pour les dames de la société.

Le capitaine Mercadier avait choisi cette résidence de retraite
par la raison frivole qu'il y avait autrefois vu le jour, et que, 10
dans sa tapageuse enfance, il y avait décroché les enseignes et
maçonné les boutons de sonnettes.   Pourtant il ne venait retrouver là ni parents, ni amis, ni connaissances, et les souvenirs
de son jeune âge ne lui retraçaient que des visages indignés de
marchands qui lui montraient le poing du seuil de leur boutique, 15
un catéchisme où on le menaçait de l'enfer, une école où on lui
prédisait l'échafaud, et, enfin, son départ pour le régiment,
hâté par une malédiction paternelle.

Car ce n'était pas un saint homme que le capitaine.   Son
ancienne feuille de punitions était noire de jours de salle de 20
police infligés pour actes d'indiscipline, absences aux appels et
tapages nocturnes dans les chambrées.   Bien des fois on avait
dû lui arracher ses galons de caporal et de sergent, et il lui avait
fallu tout le hasard et toute la licence de la vie de campagne
pour gagner enfin sa première épaulette.   Dur et brave soldat, 25
il avait passé presque toute sa vie en Algérie, s'étant engagé dans
le temps où nos fantassins portaient le haut képi droit, les
buffleteries blanches et la grosse giberne.   Il avait eu Lamoricière
pour commandant; le duc de Nemours, près duquel il reçut sa
première blessure, l'avait décoré; et, quand il était sergent- 30
major, le père Bugeaud l'appelait par son nom et lui tirait les
oreilles.   Il avait été prisonnier d'Abd-el-Kader, portait les
traces d'un coup de yatagan sur la nuque, d'une balle dans
l'épaule et d'une autre dans la cuisse; et, malgré l'absinthe, les
duels, les dettes de jeu et les juives aux yeux noirs en amande, 35

19. v. que (l, c).

il avait péniblement conquis, à la pointe de la baïonnette et du
sabre, son grade de capitaine au 1er régiment de tirailleurs.

Le capitaine Mercadier — trente-six ans de services, vingt-
deux campagnes, trois blessures — venait donc d'obtenir sa
5 pension de retraite, pas tout à fait deux mille francs, qui, joints
aux deux cent cinquante francs de sa croix, le mettaient dans
cet état de misère honorable que l'État réserve à ses anciens
serviteurs.

Son entrée dans sa ville natale fut exempte de faste. Il
10 arriva, un matin, sur l'impériale de la diligence, mâchonnant un
cigare éteint et déjà lié avec le conducteur, à qui, pendant le
trajet, il avait raconté le passage des Portes de Fer; plein
d'indulgence du reste pour les distractions de son auditeur, qui
l'interrompait souvent par un blasphème ou par l'épithète de
15 carcan adressée à la jument de droite. Quand la voiture s'arrêta,
il lança sur le trottoir sa vieille valise, maculée d'étiquettes de
chemins de fer aussi nombreuses que les changements de garnison de son propriétaire; et les oisifs d'alentour furent absolument stupéfaits de voir un homme décoré — chose encore rare
20 en province — offrir le vin blanc au cocher sur le comptoir du
prochain cabaret.

Il s'installa sommairement. Dans une maison de faubourg,
où mugissaient deux vaches captives et où les poules et les
canards passaient et repassaient sous la porte charretière, une
25 chambre meublée était à louer. Précédé d'une maritorne, le
capitaine gravit un escalier à grosse rampe de bois, parfumé
d'une forte odeur d'étable, et pénétra dans une vaste pièce
carrelée que tapissait un papier bizarre, représentant, imprimée
en bleu sur fond blanc et répétée à l'infini, l'image de Joseph
30 Poniatowski, à cheval, sautant dans l'Elster. Cette décoration
monotone, mais qui rappelait nos gloires militaires, séduisit sans
doute le capitaine, car, sans s'inquiéter du peu de confortable
des chaises de paille, des meubles de noyer et du petit lit aux
rideaux jaunis, il conclut sans hésitation. Un quart d'heure lui
35 suffit pour vider sa malle, pendre ses habits, reléguer dans un

6. v. croix.

coin ses bottes, et orner la muraille d'un trophée composé de trois pipes, d'un sabre et d'une paire de pistolets. Après une visite à l'épicier d'en face, chez lequel il acheta une livre de bougies et une bouteille de rhum, il revint, déposa son emplette sur la cheminée, et promena autour de lui le regard d'un homme 5 très satisfait. Puis, avec la promptitude des camps, il se rasa sans miroir, brossa sa redingote, inclina son chapeau sur l'oreille, et s'alla promener par la ville, en quête d'un café.

II

Le séjour de l'estaminet était une habitude invétérée chez le capitaine. Il y satisfaisait à la fois les trois vices égaux dans 10 son cœur: le tabac, l'absinthe et les cartes. Sa vie tout entière s'y était écoulée, et il aurait pu dresser, de toutes les villes où il avait garnisonné, un plan par cantines, marchands de tabac à comptoir, cafés et cercles militaires. Il ne se sentait vraiment à son aise qu'une fois assis sur le velours ras d'une banquette, 15 devant un carré de drap vert près duquel s'amoncellent les chopes et les soucoupes. Son cigare ne lui semblait bon que s'il avait frotté l'allumette sous le marbre de la table, et jamais il n'avait manqué, après avoir attaché son sabre et son képi à la patère et s'être installé en lâchant quelques boutons de sa 20 tunique, de pousser un profond soupir de soulagement et de s'écrier:

— Ça va mieux!

Son premier soin fut donc de rechercher l'établissement qu'il fréquenterait, et, après avoir fait un tour de ville sans rien trou- 25 ver à sa convenance, il arrêta enfin son regard de connaisseur sur le café Prosper, situé à l'angle de la place du Marché et de la rue de la Paroisse.

Ce n'était pas son idéal. L'extérieur offrait bien quelques détails par trop provinciaux: ce garçon en tablier noir, par 30 exemple, et ces petits ifs dans leurs caisses vertes, et ces tabou-

---

8. s'alla promener (ordre de mots archaïque) = alla se promener.
17. v. soucoupe. — v. que (1, d).

rets, et ces tables de bois recouvertes de toile cirée. Mais
l'intérieur plut au capitaine. Il fut réjoui, dès son entrée, par
le bruit du timbre que toucha la grasse et fraîche dame du comptoir, en robe claire, avec un ruban ponceau dans ses cheveux
5 bien pommadés. Il salua galamment cette personne et jugea
qu'elle occupait, avec une suffisante majesté, sa place triom-
phale entre les deux édifices de bols à punch, congrûment cou-
ronnés par des billes de billard. Il constata que la salle était
gaie, propre, également semée de sable jaune; il en fit le tour,
10 se regarda passer dans les glaces, apprécia les panneaux, où des
mousquetaires et des amazones sablaient le champagne dans
des paysages pleins de roses trémières, se fit servir, fuma,
trouva le divan moelleux et l'absinthe savoureuse, et fut assez
indulgent pour ne pas se plaindre des mouches qui se baignaient
15 dans les consommations avec une familiarité toute campagnarde.
    Huit jours après, il était devenu un pilier du café Prosper.
    On y connut bien vite ses habitudes ponctuelles, on prévint
ses désirs, et il ne tarda point à prendre ses repas avec les patrons
du lieu. Recrue précieuse pour les habitués, gens terrassés par
20 le terrible ennui de la province et pour qui l'arrivée de ce nouveau
venu, passé maître à tous les jeux et racontant assez gaiement
ses guerres et ses amours, était une véritable bonne fortune;
le capitaine fut lui-même enchanté de rencontrer des humains
encore ignorants de son répertoire. Il en avait donc pour six
25 mois à dire ses razzias, ses chasses, ses batailles, la retraite de
Constantine, la capture de Bou-Maza, et les réceptions d'officiers
avec leur total effrayant de punchs au kirsch.
    Faiblesse humaine! Il n'était pas fâché d'être un peu oracle
quelque part, lui dont les petits sous-lieutenants, arrivant de
30 Saint-Cyr, fuyaient naguère les trop longues histoires.
    Ses auditeurs ordinaires étaient le maître du café, gros sac à
bière silencieux et stupide, toujours en manches de veste et
remarquable seulement par ses pipes à sujets; l'huissier-priseur,
personnage goguenard et vêtu de noir, méprisé pour son habitude
35 peu élégante d'emporter le reste de son sucre; le receveur de

24. v. avoir (8).

l'enregistrement, — celui des acrostiches, — être très doux et
d'une constitution faible, qui envoyait aux journaux illustrés la
solution des mots carrés et des rébus; et enfin le vétérinaire du
canton, le seul qui, en sa qualité d'athée et de démocrate, se
permît quelquefois de contredire le capitaine. Ce praticien, 5
homme à favoris touffus et à pince-nez, présidait le comité
radical aux époques d'élections, et, lorsque le curé faisait une
petite collecte parmi ses dévotes pour orner son église de quelque
horrible statue en plâtre doré et enluminé, dénonçait par une
lettre au *Siècle* la cupidité des fils de Loyola.   10

Le capitaine étant un soir sorti pour aller chercher des cigares,
après une discussion politique assez vive, le susdit vétérinaire
grommela quelques phrases sourdes et irritées où il était question
de « dire son fait », de « traîneur de sabre », et de « couper la
figure ».   Mais, l'objet de ces menaces vagues étant rentré 15
soudain, en sifflant une marche et en faisant le moulinet avec sa
canne, l'incident n'eut pas de suites.

En somme, le groupe vivait en bonne intelligence et se laissait
volontiers présider par le nouvel habitué, dont la tête martiale
et la barbiche blanche étaient vraiment assez imposantes; et la 20
petite ville, qui était déjà fière de bien des choses, pouvait l'être
aussi de son capitaine en retraite.

III

Le bonheur parfait n'existe pas, et le capitaine Mercadier,
qui croyait l'avoir rencontré au café Prosper, dut bientôt revenir
de cette illusion.   25

Le fait est que le lundi, jour de marché, l'estaminet n'était
pas tenable.

Dès l'aube, il était envahi par les maraîchers, les fermiers, les
marchands de cochons, les marchands de volailles; gens à
grosse voix, à gros cous rouges, à gros fouet à la main, por- 30
tant la blouse neuve et la casquette de loutre, concluant leurs
affaires autour d'un litre, tapant du pied, frappant du poing,
tutoyant le garçon et crevant le billard.

Quand le capitaine arrivait à onze heures pour absorber sa première absinthe, il trouvait tout ce monde déjà gris et commandant des déjeuners considérables. Sa place ordinaire était prise; on le servait lentement et mal. Le timbre du comptoir
5 ne cessait de retentir; le patron et le garçon, la serviette sous le bras, couraient, affolés. Bref, c'était un jour néfaste et qui bouleversait son existence.

Or, un lundi matin qu'il était resté chez lui, sûr d'avance que le café serait trop bruyant et trop encombré, un doux rayon de
10 soleil d'automne l'engagea à descendre s'asseoir sur le banc de pierre placé à côté de la porte de la maison. Il était là, assez mélancolique et fumant un cigare humide, quand il vit venir du bout de la rue, — c'était une ruelle mal pavée et aboutissant à la campagne, — une demi-douzaine d'oies que chassait devant
15 elle avec une gaule une petite fille de huit ou dix ans.

Le capitaine, en arrêtant son regard distrait sur cette enfant, s'aperçut qu'elle avait une jambe de bois.

Il n'y avait rien de paternel dans le cœur de ce soudard. C'était celui d'un célibataire endurci. Lorsque jadis, dans les
20 rues d'Alger, les petits mendiants arabes le poursuivaient de leurs prières importunes, le capitaine les avait souvent chassés d'un coup de cravache; et les rares fois qu'il avait pénétré dans le ménage nomade d'un camarade marié et père de famille, il était parti en maugréant contre les bambins criards et mal-
25 propres qui avaient touché avec leurs mains grasses aux dorures de son uniforme.

Mais la vue de cette infirmité particulière, qui lui rappelait le douloureux spectacle des blessures et des amputations, émut cependant le vieux soldat. Il éprouva presque un serre-
30 ment de cœur devant cette chétive créature, à peine vêtue d'un jupon en loques et d'une mauvaise chemise, et qui courait bravement derrière ses oies, son pied nu dans la poussière, en boitant sur son pilon mal équarri.

Les volailles, reconnaissant leur domicile, entrèrent dans la

---

5. **ne cessait:** remarquez l'omission facultative de **pas** avec **certaines** formes de **cesser, oser, pouvoir, savoir,** etc.

cour de la laiterie, et la petite se disposait à les suivre, quand le
capitaine l'arrêta par cette question:

— Eh! fillette, comment t'appelles-tu?

— Pierrette, monsieur, pour vous servir, répondit-elle en
fixant sur lui ses grands yeux noirs, et en écartant de son front 5
sa chevelure en désordre.

— Tu es donc de la maison? Je ne t'avais pas encore vue.

— Oui-da, et je vous connais bien, allez! Car je couche sous
l'escalier, et vous me réveillez, en rentrant, tous les soirs.

— Vraiment, petiote? Eh bien, on marchera sur ses pointes, 10
à l'avenir. Et quel âge as-tu?

— Neuf ans, monsieur, vienne la Toussaint.

— La patronne d'ici est-elle ta parente?

— Non, monsieur, je suis en service.

— On te donne?... 15

— La soupe et le lit sous l'escalier.

— Et qu'est-ce qui t'a arrangée comme cela, ma pauvre petite?

— Un coup de pied de vache, quand j'avais cinq ans.

— As-tu ton père et ta mère?

L'enfant rougit sous son hâle. 20

— Je sors des Enfants-Trouvés, dit-elle d'une voix brève.

Puis, ayant gauchement salué, elle rentra dans la maison en
claudicant, et le capitaine entendit s'éloigner, sur le pavé de la
cour, le bruit sec de la petite jambe de bois.

— Nom de nom! songea-t-il en reprenant machinalement le 25
chemin du café, voilà qui n'est pas réglementaire. Un soldat,
du moins, on le flanque aux Invalides, avec l'argent de sa médaille pour s'acheter du tabac. Un officier, on lui colle une perception et il se marie dans sa province. Mais, à cette gamine,
une pareille infirmité! Voilà qui n'est pas réglementaire. 30

Ayant constaté en ces termes l'injustice de la destinée, le
capitaine vint jusqu'au seuil de son cher café; mais il y aperçut
une telle cohue de blouses bleues, il y entendit un tel brouhaha
de gros rires et de carambolages, qu'il rentra chez lui, plein
d'humeur. 35

10. v. on. 12. v. venir. 13. ta parente = une parente à toi (*of yours*).

Sa chambre — c'était peut-être la première fois qu'il y passait plusieurs heures de la journée — lui parut sordide. Les rideaux du lit avaient le ton d'une pipe culottée, le foyer était jonché de crachats et de bouts de cigares, et on aurait pu écrire son nom
5 dans la poussière qui revêtait tous les meubles.

Il contempla quelque temps les murailles où le sublime lancier de Leipsick trouvait cent fois un glorieux trépas; puis, pour se désennuyer, il passa en revue sa garde-robe. Ce fut une lamentable série de poches percées, de chaussettes à jours, de chemises
10 sans bouton.

— Il me faudrait une servante, se dit-il.

Puis il songea à la petite boiteuse.

— Voilà. Je louerais le cabinet voisin. L'hiver vient, et la petite doit geler sous l'escalier. Elle surveillerait mes vêtements,
15 mon linge, nettoierait le casernement. Un brosseur, quoi?

Mais un nuage assombrit ce tableau confortable. Le capitaine se souvenait que l'échéance de son trimestre était encore lointaine, et que sa note prenait des proportions inquiétantes au café Prosper.

20 — Pas assez riche, rêvait-il en monologuant. Et cependant on me vole là-bas, c'est positif. La pension est beaucoup trop coûteuse, et ce barbu de vétérinaire joue comme feu Bésigue. Voilà huit jours que je paie sa consommation. Qui sait? je ferais peut-être mieux de charger la petite de l'ordinaire. La
25 soupe au café le matin, le pot-au-feu à midi et un rata tous les soirs. Les vivres de campagne, enfin. Ça me connaît.

Décidément, il était tenté. En sortant, il vit justement la maîtresse de la maison, grosse paysanne brutale, et la petite invalide, qui, toutes deux, la fourche à la main, remuaient le
30 fumier dans la cour.

— Sait-elle coudre, savonner, faire la soupe? demanda-t-il brusquement.

— Qui? Pierrette? Pourquoi donc?

— Sait-elle un peu de tout cela?

35 — Dame! elle sort de l'hospice, où l'on apprend à se servir soi-même.

— Dis-moi, fillette, ajouta le capitaine en s'adressant à l'enfant, je ne te fais pas peur? Non, n'est-ce pas? Et vous, la mère, voulez-vous me la céder? J'ai besoin d'une domestique.

— Si vous vous chargez de son entretien.

— Alors, c'est dit. Voilà vingt francs. Qu'elle ait, ce soir, 5 une robe et un soulier. Demain nous arrangerons le reste.

Et, après avoir donné une petite tape amicale sur la joue de Pierrette, le capitaine s'éloigna, enchanté de ce qu'il venait de conclure.

— Il faudra peut-être rogner quelques bocks et quelques 10 absinthes, pensait-il, et se méfier du bésigue du vétérinaire. Mais il n'y a pas à dire, ce sera bien plus réglementaire.

IV

— Capitaine, vous êtes un lâcheur.

Telle fut l'apostrophe dont les cariatides du café Prosper saluèrent désormais les entrées du capitaine, de jour en jour plus 15 rares.

Car le pauvre homme n'avait pas prévu toutes les conséquences de sa bonne action. La suppression de l'absinthe matinale avait suffi à couvrir les modestes frais de l'entretien de Pierrette; mais combien n'avait-il pas fallu d'autres ré- 20 formes pour parer aux dépenses imprévues de son ménage de garçon! Pleine de reconnaissance, la petite fille voulait la prouver par son zèle. Déjà la chambre avait changé d'aspect. Les meubles étaient rangés et astiqués, le foyer décent, le carreau verni, et les araignées ne filaient plus leurs toiles sur les 25 Morts de Poniatowski placées dans les coins. Quand le capitaine revenait, la soupe aux choux l'invitait par son parfum dès l'escalier, et la vue des plats fumants sur la nappe, grossière mais blanche, auprès d'une assiette à fleurs et d'un couvert reluisant, achevait de le mettre en appétit. Pierrette profitait 30 alors de la bonne humeur de son maître pour avouer quelque secrète ambition. Il fallait des chenets pour la cheminée, où elle faisait maintenant du feu, un moule pour les gâteaux qu'elle

réussirait si bien. Et le capitaine, que la demande de l'enfant
faisait sourire et qui se sentait doucement gagner par les
voluptés du *at home*, promettait d'y penser, et le lendemain
remplaçait ses londrès par des cigares d'un sou, hésitait devant
5 l'offre de cinq points d'écarté, ou se refusait son troisième bock
ou son second verre de chartreuse.

Certes, la lutte fut longue; elle fut cruelle. Bien des fois,
vers l'heure d'un apéritif interdit par l'économie, quand la soif
lui séchait la gorge, le capitaine dut faire un effort héroïque
10 pour retirer sa main déjà posée sur le bec de cane de l'estaminet;
bien des fois il erra en rêvant de roi retourné et de quinte et
quatorze. Mais, presque toujours, il rentrait courageusement
chez lui; et comme il aimait davantage Pierrette à chaque
sacrifice qu'il lui faisait, il l'embrassait mieux ces jours-là. Car
15 il l'embrassait. Ce n'était plus sa servante. Une fois qu'elle
se tenait debout près de la table, l'appelant : Monsieur, et
toute respectueuse, il n'y put tenir, il lui prit les deux mains et
il lui dit avec fureur :

— Embrasse-moi d'abord, et puis assieds-toi et fais-moi le
20 plaisir de me tutoyer, mille tonnerres !

Aujourd'hui c'est fini. La rencontre d'un enfant a sauvé cet
homme d'une vieillesse ignominieuse. Il a substitué à ses vieux
vices une jeune passion; il adore ce petit être infirme qui sautille
autour de lui dans la chambre commode et bien ameublée.

25 Déjà il a appris à lire à Pierrette, et voici que, se rappelant
sa calligraphie de sergent-major, il lui trace des exemples
d'écriture. Sa plus grande joie, c'est lorsque l'enfant, attentive
devant son papier et faisant parfois un pâté qu'elle enlève
vivement avec sa langue, est parvenue à copier toutes les lettres
30 d'un interminable adverbe en *ment*. Son inquiétude, c'est de
songer qu'il devient vieux et qu'il n'a rien à laisser à son adoptée.

Aussi voilà qu'il est presque avare; il thésaurise; il veut se
sevrer de tabac, bien que Pierrette lui bourre sa pipe et la lui
allume. Il compte épargner sur son maigre revenu de quoi
35 acheter plus tard un petit fonds de mercerie. C'est là que,
lorsqu'il sera mort, elle vivra obscure et paisible, gardant

accrochée quelque part, dans l'arrière-boutique, une vieille croix d'honneur qui la fera se souvenir du capitaine.

Tous les jours, il va se promener avec elle sur le rempart. Quelquefois passent par là des gens étrangers à la ville, qui jettent un regard de compassion surprise sur ce vieux soldat 5 épargné par la guerre et sur cette pauvre enfant estropiée; et alors il se sent attendrir, — oh! délicieusement, jusqu'aux larmes, — quand un de ces passants murmure en s'éloignant:

— Pauvre père! sa fille est pourtant jolie!

FRANÇOIS COPPÉE

HONORÉ DE BALZAC

HONORÉ DE BALZAC est né à Tours en 1799. D'abord clerc de notaire, il se lance de bonne heure dans la littérature et publie, sous des pseudonymes divers, toute une série de médiocres romans. Le succès ne venant point, il fonde une imprimerie, et fait banqueroute. Pour payer ses dettes et gagner sa vie, il se remet à composer des romans avec une fiévreuse activité, et en vingt ans, de 1830 à 1850, publie plus de quarante volumes. Doué à la fois d'un pouvoir d'observation extraordinaire et d'une imagination débordante, il se révèle le plus puissant romancier que la France ait jamais produit, le plus fécond créateur de types inoubliables. Ses romans, dans lesquels on retrouve souvent les mêmes personnages à des moments différents de leur vie, sont réunis sous le titre général de La Comédie Humaine. Citons parmi les plus connus: Les Chouans (1829), La Peau de Chagrin (1831), Eugénie Grandet (1833), Le Père Goriot (1834), Le Lys dans la Vallée (1835), Les Paysans (1844), Le Cousin Pons (1847).

Balzac a écrit également un certain nombre de nouvelles, dans lesquelles on retrouve les qualités qui le distinguent comme romancier, et quelques pièces de théâtre. Le Réquisitionnaire a été publié dans la Revue de Paris, en 1831.

En 1850 Balzac épousa une grande dame polonaise, Madame Hanska, avec laquelle il correspondait depuis dix-sept ans. Mais, usé par le travail acharné de vingt ans, il mourut quelques mois plus tard.

LE RÉQUISITIONNAIRE

PAR un soir du mois de novembre 1793, les principaux personnages de Carentan se trouvaient dans le salon de Mme de Dey, chez laquelle l'*assemblée* se tenait tous les jours. Quelques circonstances qui n'eussent point attiré l'attention d'une grande ville, mais qui devaient fortement en préoccuper une 5 petite, prêtaient à ce rendez-vous habituel un intérêt inaccou-

tumé. La surveille, Mme de Dey avait fermé sa porte à sa
société, qu'elle s'était encore dispensée de recevoir la veille, en
prétextant une indisposition. En temps ordinaire, ces deux
événements eussent fait à Carentan le même effet que produit
5 à Paris un *relâche* à tous les théâtres. Ces jours-là, l'existence
est en quelque sorte incomplète. Mais, en 1793, la conduite de
Mme de Dey pouvait avoir les plus funestes résultats. La
moindre démarche hasardée devenait alors presque toujours,
pour les nobles, une question de vie ou de mort. Pour bien
10 comprendre la curiosité vive et les étroites finesses qui animèrent
pendant cette soirée les physionomies normandes de tous ces
personnages, mais surtout pour partager les perplexités secrètes
de Mme de Dey, il est nécessaire d'expliquer le rôle qu'elle
jouait à Carentan. La position critique dans laquelle elle se
15 trouvait en ce moment ayant été sans doute celle de bien des
gens pendant la Révolution, les sympathies de plus d'un lecteur
achèveront de colorer ce récit.

Mme de Dey, veuve d'un lieutenant général, chevalier des
ordres, avait quitté la cour au commencement de l'émigration.
20 Possédant des biens considérables aux environs de Carentan,
elle s'y était réfugiée, en espérant que l'influence de la Terreur
s'y ferait peu sentir. Ce calcul, fondé sur une connaissance
exacte du pays, était juste. La Révolution exerça peu de
ravages en basse Normandie. Quoique Mme de Dey ne vît
25 jamais que des familles nobles du pays quand elle y venait
visiter ses propriétés, elle avait, par politique, ouvert sa maison
aux principaux bourgeois de la ville et aux nouvelles autorités,
en s'efforçant de les rendre fiers de sa conquête, sans réveiller
chez eux ni haine ni jalousie. Gracieuse et bonne, douée de
30 cette inexprimable douceur qui sait plaire sans recourir à
l'abaissement ou à la prière, elle avait réussi à se concilier l'estime générale par un tact exquis. * * *

Agée d'environ trente-huit ans, elle conservait encore non
cette beauté fraîche et nourrie qui distingue les filles de la basse
35 Normandie, mais une beauté grêle et pour ainsi dire aristocra-
tique. Ses traits étaient fins et délicats; sa taille était souple et

déliée. Quand elle parlait, son pâle visage paraissait s'éclairer et prendre de la vie. Ses grands yeux noirs étaient pleins d'affabilité, mais leur expression calme et religieuse semblait annoncer que le principe de son existence n'était plus en elle. Mariée à la fleur de l'âge avec un militaire vieux et jaloux, la fausseté de 5 sa position au milieu d'une cour galante contribua beaucoup, sans doute, à répandre un voile de grave mélancolie sur une figure où les charmes et la vivacité de l'amour avaient dû briller autrefois. * * *

Son aspect commandait la retenue, mais il y avait toujours 10 dans son maintien, dans sa voix, des élans vers un avenir inconnu, comme chez une jeune fille; bientôt l'homme le plus insensible se trouvait amoureux d'elle, et conservait néanmoins une sorte de crainte respectueuse, inspirée par ses manières polies, qui imposaient. Son âme, nativement grande, mais 15 fortifiée par des luttes cruelles, semblait placée trop loin du vulgaire, et les hommes se faisaient justice. A cette âme, il fallait nécessairement une haute passion. Aussi les affections de Mme de Dey s'étaient-elles concentrées dans un seul sentiment, celui de la maternité. Le bonheur et les plaisirs dont 20 avait été privée sa vie de femme, elle les retrouvait dans l'amour extrême qu'elle portait à son fils. Elle ne l'aimait pas seulement avec le pur et profond dévouement d'une mère, mais avec la coquetterie d'une maîtresse, avec la jalousie d'une épouse. Elle était malheureuse loin de lui, inquiète pendant ses absences, 25 ne le voyant jamais assez, ne vivait que par lui et pour lui. Afin de faire comprendre aux hommes la force de ce sentiment, il suffira d'ajouter que ce fils était non seulement l'unique enfant de Mme de Dey, mais son dernier parent, le seul être auquel elle pût rattacher les craintes, les espérances et les joies de sa 30 vie. Le feu comte de Dey fut le dernier rejeton de sa famille, comme elle se trouva seule héritière de la sienne. Les calculs et les intérêts humains s'étaient donc accordés avec les plus nobles besoins de l'âme pour exalter dans le cœur de la comtesse un sentiment déjà si fort chez les femmes. * * * 35

Grâce à des soins constants, ce fils avait grandi et s'était si

gracieusement développé, qu'à vingt ans il passait pour un des cavaliers les plus accomplis de Versailles. Enfin, par un bonheur qui ne couronne pas les efforts de toutes les mères, elle était adorée de son fils; leurs âmes s'entendaient par de fraternelles
5 sympathies. S'ils n'eussent pas été liés déjà par le vœu de la nature, ils auraient instinctivement éprouvé l'un pour l'autre cette amitié d'homme à homme, si rare à rencontrer dans la vie. Nommé sous-lieutenant de dragons à dix-huit ans, le jeune comte avait obéi au point d'honneur de l'époque en suivant les
10 princes dans leur émigration.

Ainsi, Mme de Dey, noble, riche et mère d'un émigré, ne se dissimulait point les dangers de sa cruelle situation. Ne formant d'autre vœu que celui de conserver à son fils une grande fortune, elle avait renoncé au bonheur de l'accompagner; mais
15 en lisant les lois rigoureuses en vertu desquelles la République confisquait chaque jour les biens des émigrés à Carentan, elle s'applaudissait de cet acte de courage. Ne gardait-elle pas les trésors de son fils au péril de ses jours? Puis en apprenant les terribles exécutions ordonnées par la Convention, elle s'endor-
20 mait heureuse de savoir sa seule richesse en sûreté, loin des dangers, loin des échafauds. Elle se complaisait à croire qu'elle avait pris le meilleur parti pour sauver à la fois toutes ses fortunes. Faisant à cette secrète pensée les concessions voulues par le malheur des temps, sans compromettre ni sa dignité de
25 femme ni ses croyances aristocratiques, elle enveloppait ses douleurs dans un froid mystère.

Elle avait compris les difficultés qui l'attendaient à Carentan. Venir y occuper la première place, n'était-ce pas y défier l'échafaud tous les jours? Mais soutenue par un courage de
30 mère, elle sut conquérir l'affection des pauvres en soulageant indistinctement toutes les misères, et se rendit nécessaire aux riches en veillant à leurs plaisirs. Elle recevait le procureur de la commune, le maire, le président du district, l'accusateur public, et même les juges du tribunal révolutionnaire. Les
35 quatre premiers de ces personnages, n'étant pas mariés, la courtisaient dans l'espoir de l'épouser, soit en l'effrayant par le

mal qu'ils pouvaient lui faire, soit en lui offrant leur protection.
L'accusateur public, ancien procureur à Caen, jadis chargé des
intérêts de la comtesse, tentait de lui inspirer de l'amour par une
conduite pleine de dévouement et de générosité; finesse dangereuse! Il était le plus redoutable de tous les prétendants. Lui 5
seul connaissait à fond l'état de la fortune considérable de son
ancienne cliente. Sa passion devait s'accroître de tous les
désirs d'une avarice qui s'appuyait sur un pouvoir immense,
sur le droit de vie ou de mort dans le district. Cet homme encore jeune, mettait tant de noblesse dans ses procédés, que Mme 10
de Dey n'avait pas encore pu le juger. Mais, méprisant le
danger qu'il y avait à lutter d'adresse avec des Normands, elle
employait l'esprit inventif et la ruse que la nature a départis
aux femmes pour opposer ces rivalités les unes aux autres. En
gagnant du temps, elle espérait arriver saine et sauve à la fin 15
des troubles. A cette époque, les royalistes de l'intérieur se
flattaient tous les jours de voir la révolution terminée le lendemain; et cette conviction a été la perte de beaucoup d'entre
eux.

Malgré ces obstacles, la comtesse avait assez habilement 20
maintenu son indépendance jusqu'au jour où, par une inexplicable imprudence, elle s'était avisée de fermer sa porte. Elle
inspirait un intérêt si profond et si véritable, que les personnes
venues ce soir-là chez elle conçurent de vives inquiétudes en
apprenant qu'il lui devenait impossible de les recevoir; puis, 25
avec cette franchise de curiosité empreinte dans les mœurs
provinciales, elles s'enquirent du malheur, du chagrin, de la
maladie qui devait affliger Mme de Dey. A ces questions, une
vieille femme de charge nommée Brigitte répondait que sa
maîtresse s'était enfermée et ne voulait voir personne, pas même 30
les gens de sa maison. L'existence, en quelque sorte claustrale,
que mènent les habitants d'une petite ville crée en eux une habitude d'analyser et d'expliquer les actions d'autrui si naturellement invincible, qu'après avoir plaint Mme de Dey, sans savoir
si elle était réellement heureuse ou chagrine, chacun se mit à 35
rechercher les causes de sa soudaine retraite.

— Si elle était malade, dit le premier curieux, elle aurait
envoyé chercher le médecin; mais le docteur est resté pendant
toute la journée chez moi à jouer aux échecs. Il me disait en
riant que, par le temps qui court, il n'y a qu'une maladie ... et
5 qu'elle est malheureusement incurable.

Cette plaisanterie fut prudemment hasardée. Femmes,
hommes, vieillards et jeunes filles se mirent alors à parcourir le
vaste champ des conjectures. Chacun crut entrevoir un secret,
et ce secret occupa toutes les imaginations. Le lendemain, les
10 soupçons s'envenimèrent. Comme la vie est à jour dans une
petite ville, les femmes apprirent les premières que Brigitte
avait fait au marché des provisions plus considérables qu'à
l'ordinaire. Ce fait ne pouvait être contesté. On avait vu
Brigitte de grand matin sur la place, et, chose extraordinaire,
15 elle y avait acheté le seul lièvre qui s'y trouvât. Toute la ville
savait que Mme de Dey n'aimait pas le gibier. Le lièvre devint
un point de départ pour des suppositions infinies. En faisant
leur promenade périodique, les vieillards remarquèrent dans la
maison de la comtesse une sorte d'activité concentrée qui se
20 révélait par les précautions mêmes dont se servaient les gens
pour la cacher. Le valet de chambre battait un tapis dans le
jardin; la veille, personne n'y aurait pris garde; mais ce tapis
devint une pièce à l'appui des romans que tout le monde bâtis-
sait. Chacun avait le sien. Le second jour, en apprenant que
25 Mme de Dey se disait indisposée, les principaux personnages
de Carentan se réunirent le soir chez le frère du maire, vieux
négociant marié, homme probe, généralement estimé, et pour
lequel la comtesse avait beaucoup d'égards. Là, tous les aspi-
rants à la main de la riche veuve eurent à raconter une fable
30 plus ou moins probable; et chacun d'eux pensait à faire tourner
à son profit la circonstance secrète qui la forçait de se compromettre ainsi. L'accusateur public imaginait tout un drame
pour amener nuitamment le fils de Mme de Dey chez elle. Le
maire croyait à un prêtre insermenté, venu de la Vendée, et qui
35 lui aurait demandé un asile; mais l'achat du lièvre, un vendredi,
l'embarrassait beaucoup. Le président du district tenait forte-

ment pour un chef de chouans ou de Vendéens vivement poursuivi. D'autres voulaient un noble échappé des prisons de
Paris. Enfin, tous soupçonnaient la comtesse d'être coupable
d'une de ces générosités que les lois d'alors nommaient un crime,
et qui pouvaient conduire à l'échafaud. L'accusateur public 5
disait d'ailleurs à voix basse qu'il fallait se taire, et tâcher de
sauver l'infortunée de l'abîme vers lequel elle marchait à
grands pas.

— Si vous ébruitez cette affaire, ajouta-t-il, je serai obligé
d'intervenir, de faire des perquisitions chez elle, et alors!... 10
Il n'acheva pas, mais chacun comprit cette réticence.

Les amis sincères de la comtesse s'alarmèrent tellement pour
elle, que dans la matinée du troisième jour, le procureur-syndic
de la commune lui fit écrire par sa femme un mot pour l'engager
à recevoir pendant la soirée, comme à l'ordinaire. Plus hardi, 15
le vieux négociant se présenta dans la matinée chez Mme de
Dey. Fort du service qu'il voulait lui rendre, il exigea d'être
introduit auprès d'elle, et resta stupéfait en l'apercevant dans
le jardin, occupée à couper les dernières fleurs de ses plates-
bandes pour en garnir des vases.   20

— Elle a sans doute donné asile à son amant, se dit le vieillard,
pris de pitié pour cette charmante femme.

La singulière expression du visage de la comtesse le confirma
dans ses soupçons. Vivement ému de ce dévouement si naturel
aux femmes, mais qui nous touche toujours, parce que tous les 25
hommes sont flattés par les sacrifices qu'une d'elles fait à un
homme, le négociant instruisit la comtesse des bruits qui
couraient dans la ville et du danger où elle se trouvait.

— Car, lui dit-il en terminant, si, parmi nos fonctionnaires, il
en est quelques-uns assez disposés à vous pardonner un héroïsme 30
qui aurait un prêtre pour objet, personne ne vous plaindra si
l'on vient à découvrir que vous vous immolez à des intérêts de
cœur.

A ces mots, Mme de Dey regarda le vieillard avec un air
d'égarement et de folie qui le fit frissonner, lui, vieillard.   35

30. il en est = il y en a.

— Venez, lui dit-elle en le prenant par la main pour le conduire dans sa chambre, où, après s'être assurée qu'ils étaient seuls, elle tira de son sein une lettre sale et chiffonnée:

— Lisez, s'écria-t-elle en faisant un violent effort pour pro-
5 noncer ce mot.

Elle tomba dans son fauteuil, comme anéantie. Pendant que le vieux négociant cherchait ses lunettes et les nettoyait, elle leva les yeux sur lui, le contempla pour la première fois avec curiosité; puis, d'une voix altérée:

10 — Je me fie à vous, lui dit-elle doucement.

— Est-ce que je ne viens pas partager votre crime? répondit le bonhomme avec simplicité.

Elle tressaillit. Pour la première fois, dans cette petite ville, son âme sympathisait avec celle d'un autre. Le vieux négo-
15 ciant comprit tout à coup et l'abattement et la joie de la comtesse. Son fils avait fait partie de l'expédition de Granville, il écrivait à sa mère du fond de sa prison, en lui donnant un triste et doux espoir. Ne doutant pas de ses moyens d'évasion, il lui indiquait trois jours pendant lesquels il devait se présenter
20 chez elle, déguisé. La fatale lettre contenait de déchirants adieux au cas où il ne serait pas à Carentan dans la soirée du troisième jour, et il priait sa mère de remettre une assez forte somme à l'émissaire qui s'était chargé de lui apporter cette dépêche, à travers mille dangers. Le papier tremblait dans les
25 mains du vieillard.

— Et voici le troisième jour! s'écria Mᵐᵉ de Dey, qui se leva rapidement, reprit la lettre et marcha.

— Vous avez commis des imprudences, lui dit le négociant. Pourquoi faire prendre des provisions?

30 — Mais il peut arriver mourant de faim, exténué de fatigue, et . . .

Elle n'acheva pas.

— Je suis sûr de mon frère, reprit le vieillard; je vais aller le mettre dans vos intérêts.

35 Le négociant retrouva dans cette circonstance la finesse qu'il avait mise jadis dans les affaires, et lui dicta des conseils em-

preints de prudence et de sagacité. Après être convenus de tout
ce qu'ils devaient dire et faire l'un ou l'autre, le vieillard alla,
sous des prétextes habilement trouvés, dans les principales
maisons de Carentan, où il annonça que Mme de Dey, qu'il
venait de voir, recevrait dans la soirée, malgré son indisposition. 5
Luttant de finesse avec les intelligences normandes dans l'interrogatoire que chaque famille lui imposa sur la nature de la
maladie de la comtesse, il réussit à donner le change à presque
toutes les personnes qui s'occupaient de cette mystérieuse
affaire. Sa première visite fit merveilles. Il raconta devant 10
une vieille dame goutteuse que Mme de Dey avait manqué
périr d'une attaque de goutte à l'estomac; le fameux Tronchin
lui ayant recommandé jadis, en pareille occurrence, de se mettre
sur la poitrine la peau d'un lièvre écorché vif, et de rester au lit
sans se permettre le moindre mouvement, la comtesse, en 15
danger de mort il y a deux jours, se trouvait, après avoir suivi
ponctuellement la bizarre ordonnance de Tronchin, assez bien
rétablie pour recevoir ceux qui viendraient la voir pendant la
soirée. Ce conte eut un succès prodigieux, et le médecin de
Carentan, royaliste in petto, en augmenta l'effet par l'impor- 20
tance avec laquelle il discuta le spécifique. Néanmoins, les
soupçons avaient trop fortement pris racine dans l'esprit de
quelques entêtés ou de quelques philosophes, pour être entièrement dissipés; en sorte que, le soir, ceux qui étaient admis chez
Mme de Dey vinrent avec empressement et de bonne heure 25
chez elle, les uns pour épier sa contenance, les autres par amitié,
la plupart saisis par le merveilleux de sa guérison.

Ils trouvèrent la comtesse assise au coin de la grande cheminée de son salon, à peu près aussi modeste que l'étaient ceux de
Carentan; car, pour ne pas blesser les étroites pensées de ses 30
hôtes, elle s'était refusée aux jouissances de luxe auxquelles
elle était jadis habituée, elle n'avait donc rien changé chez elle.
Le carreau de la salle de réception n'était même pas frotté.
Elle laissait sur les murs de vieilles tapisseries sombres, conservait les meubles du pays, brûlait de la chandelle, et suivait les 35
modes de la ville en épousant la vie provinciale sans reculer ni

devant les petitesses les plus dures, ni devant les privations les
plus désagréables. Mais, sachant que ses hôtes lui pardonne-
raient les magnificences qui auraient leur bien-être pour but, elle
ne négligeait rien quand il s'agissait de leur procurer des jouis-
5 sances personnelles : aussi leur donnait-elle d'excellents dîners.
Elle allait jusqu'à feindre de l'avarice pour plaire à ces esprits
calculateurs; et, après avoir eu l'art de se faire arracher certaines concessions de luxe, elle savait obéir avec grâce. Donc,
vers sept heures du soir, la meilleure mauvaise compagnie de
10 Carentan se trouvait chez elle, et décrivait un grand cercle
devant la cheminée. La maîtresse du logis, soutenue dans son
malheur par les regards compatissants que lui jetait le vieux
négociant, se soumit avec un courage inouï aux questions
minutieuses, aux raisonnements frivoles et stupides de ses hôtes.
15 Mais, à chaque coup de marteau frappé sur sa porte, ou toutes
les fois que des pas retentissaient dans la rue, elle cachait ses
émotions en soulevant des questions intéressantes pour la
fortune du pays. Elle éleva de bruyantes discussions sur la
qualité des cidres, et fut si bien secondée par son confident, que
20 l'assemblée oublia presque de l'espionner, en trouvant sa
contenance naturelle et son aplomb imperturbable. L'accusateur public et l'un des juges du tribunal révolutionnaire restaient taciturnes, observaient avec attention les moindres
mouvements de sa physionomie, écoutaient dans la maison,
25 malgré le tumulte; et, à plusieurs reprises, ils lui firent des
questions embarrassantes, auxquelles la comtesse répondit
cependant avec une admirable présence d'esprit. Les mères ont
tant de courage !
     Au moment où Mᵐᵉ de Dey eut arrangé les parties, placé
30 tout le monde à des tables de boston, de reversi ou de whist,
elle resta encore à causer auprès de quelques jeunes personnes
avec un extrême laisser aller, en jouant son rôle en actrice consommée. Elle se fit demander un loto, prétendit savoir seule
où il était, et disparut.
35   — J'étouffe, ma pauvre Brigitte ! s'écria-t-elle en essuyant

des larmes qui sortirent vivement de ses yeux brillants de fièvre,
de douleur et d'impatience. — Il ne vient pas, reprit-elle en
regardant la chambre où elle était montée. Ici, je respire et je
vis. Encore quelques moments, et il sera là, pourtant! car il
vit encore, j'en suis certaine. Mon cœur me le dit. N'entendez- 5
vous rien, Brigitte? Oh! je donnerais le reste de ma vie pour
savoir s'il est en prison, ou s'il marche à travers la campagne!
Je voudrais ne pas penser ...

Elle examina de nouveau si tout était en ordre dans l'appartement. Un bon feu brillait dans la cheminée; les volets étaient 10
soigneusement fermés. * * * Un repas exquis, des vins choisis,
le linge, la chaussure, enfin tout ce qui devait être nécessaire ou
agréable à un voyageur fatigué se trouvait rassemblé pour que
rien ne lui manquât, pour que les délices du chez-soi lui révé-
lassent l'amour d'une mère.   15

— Brigitte? . ., dit la comtesse d'un son de voix déchirant
en allant placer un siège devant la table, comme pour donner
de la réalité à ses vœux, comme pour augmenter la force de ses
illusions.

— Ah! Madame, il viendra. Il n'est pas loin ... Je ne doute 20
pas qu'il ne vive et qu'il ne soit en marche, reprit Brigitte. J'ai
mis une clef dans la Bible, et je l'ai tenue sur mes doigts pendant
que Cottin lisait l'Évangile de Saint-Jean, ... et, Madame, la
clef n'a pas tourné!

— Est-ce bien sûr? demanda la comtesse.   25

— Oh! Madame, c'est connu. Je gagerais mon salut qu'il
vit encore. Dieu ne peut pas se tromper.

— Malgré le danger qui l'attend ici, je voudrais bien cependant l'y voir.

— Pauvre M. Auguste, s'écria Brigitte, il est sans doute à 30
pied, par les chemins!

— Et voilà huit heures qui sonnent au clocher! s'écria la
comtesse avec terreur.

Elle eut peur d'être restée plus longtemps qu'elle ne le devait

21. Bon exemple de **ne** pléonastique. v. aussi l. 34: **restée plus longtemps
qu'elle ne le devait**; ce le = **être restée.**

dans cette chambre, où elle croyait à la vie de son fils en voyant
tout ce qui lui en attestait la vie; elle descendit; mais, avant
d'entrer au salon, elle resta pendant un moment sous le péristyle
de l'escalier, en écoutant si quelque bruit ne réveillait pas les
5 silencieux échos de la ville. Elle sourit au mari de Brigitte, qui
se tenait en sentinelle et dont les yeux semblaient hébétés à
force de prêter attention aux murmures de la place et de la nuit.
Elle voyait son fils en tout et partout. Elle rentra bientôt, en
affectant un air gai, et se mit à jouer au loto avec des petites
10 filles; mais, de temps en temps, elle se plaignit de souffrir, et
revint occuper son fauteuil auprès de la cheminée.

Telle était la situation des choses et des esprits dans la maison
de Mme de Dey, pendant que, sur le chemin de Paris à Cherbourg, un jeune homme vêtu d'une carmagnole brune, costume
15 de rigueur à cette époque, se dirigeait vers Carentan. A l'origine des réquisitions, il y avait peu ou point de discipline. Les
exigences du moment ne permettaient guère à la République
d'équiper sur-le-champ des soldats, et il n'était pas rare de voir
les chemins couverts de réquisitionnaires qui conservaient
20 leurs habits bourgeois. Ces jeunes gens devançaient leurs
bataillons aux lieux d'étape, ou restaient en arrière, car leur
marche était soumise à leur manière de supporter les fatigues
d'une longue route. Le voyageur dont il est ici question se
trouvait assez en avant de la colonne de réquisitionnaires qui
25 se rendaient à Cherbourg, et que le maire de Carentan attendait
d'heure en heure, afin de leur distribuer des billets de logement.
Ce jeune homme marchait d'un pas alourdi mais ferme encore,
et son allure semblait annoncer qu'il s'était familiarisé depuis
longtemps avec la rudesse de la vie militaire. Quoique la lune
30 éclairât les herbages qui avoisinent Carentan, il avait remarqué
de gros nuages blancs près de jeter de la neige sur la campagne,
et la crainte d'être surpris par un ouragan animait sans doute
sa démarche, alors plus vive que ne le comportait sa lassitude.
Il avait sur le dos un sac presque vide, et tenait à la main une
35 canne de buis, coupée dans les hautes et larges haies que cet
arbuste forme autour de la plupart des héritages en basse

Normandie. Ce voyageur solitaire entra dans Carentan, dont les tours, bordées de lueurs fantastiques par la lune, lui apparaissaient depuis un moment. Son pas réveilla les échos des rues silencieuses, où il ne rencontra personne; il fut obligé de demander la maison du maire à un tisserand qui travaillait 5 encore. Ce magistrat demeurait à une faible distance, et le réquisitionnaire se vit bientôt à l'abri sous le porche de la maison du maire, et s'y assit sur un banc de pierre en attendant le billet de logement qu'il avait réclamé. Mais, mandé par ce fonctionnaire, il comparut devant lui et devint l'objet d'un 10 scrupuleux examen. Le fantassin était un jeune homme de bonne mine qui paraissait appartenir à une famille distinguée. Son air trahissait la noblesse. L'intelligence due à une bonne éducation respirait sur sa figure.

— Comment te nommes-tu? lui demanda le maire en lui 15 jetant un regard plein de finesse.

— Julien Jussieu, répondit le réquisitionnaire.

— Et tu viens?... dit le magistrat en laissant échapper un sourire d'incrédulité.

— De Paris.   20

— Tes camarades doivent être loin? reprit le Normand d'un ton railleur.

— J'ai trois lieues d'avance sur le bataillon.

— Quelque sentiment t'attire sans doute à Carentan, citoyen réquisitionnaire? dit le maire d'un air fin. C'est bien, 25 ajouta-t-il en imposant silence par un geste de main au jeune homme qui allait parler; nous savons où t'envoyer. Tiens, fit-il en lui remettant son billet de logement, va, *citoyen Jussieu.*

Une teinte d'ironie se fit sentir dans l'accent avec lequel le 30 magistrat prononça ces deux derniers mots, en tendant un billet sur lequel la demeure de Mme de Dey était indiquée. Le jeune homme lut l'adresse avec un air de curiosité.

— Il sait bien qu'il n'a pas loin à aller, et, quand il sera dehors, il aura bientôt traversé la place! s'écria le maire en se parlant à 35

15. Parmi les révolutionnaires l'emploi de **tu** était obligatoire.

lui-même pendant que le jeune homme sortait. Il est joliment
hardi! Que Dieu le conduise!... Il a réponse à tout. Oui,
mais, si un autre que moi lui avait demandé à voir ses papiers,
il était resté là!

5   En ce moment, les horloges de Carentan avaient sonné neuf
heures et demie; les falots s'allumaient dans l'antichambre de
Mme de Dey; * * * les joueurs avaient soldé leurs comptes, et
allaient se retirer tous ensemble, suivant l'usage établi dans
toutes les petites villes.

10   — Il paraît que l'accusateur veut rester, dit une dame en
s'apercevant que ce personnage important leur manquait au
moment où chacun se sépara sur la place pour regagner son
logis, après avoir épuisé toutes les formules d'adieu.

Ce terrible magistrat était en effet seul avec la comtesse, qui
15 attendait, en tremblant, qu'il lui plût de sortir.

— Citoyenne, dit-il enfin après un long silence qui eut quelque chose d'effrayant, je suis ici pour faire observer les lois de
la République...

Mme de Dey frissonna.

20   — N'as-tu donc rien à me révéler? demanda-t-il.

— Rien, répondit-elle étonnée.

— Ah! Madame, s'écria l'accusateur en s'asseyant auprès
d'elle et changeant de ton, en ce moment, faute d'un mot, vous
ou moi, nous pouvons porter notre tête sur l'échafaud. J'ai
25 trop bien observé votre caractère, votre âme, vos manières,
pour partager l'erreur dans laquelle vous avez su mettre votre
société ce soir. Vous attendez votre fils, je n'en saurais
douter.

La comtesse laissa échapper un geste de dénégation; mais
30 elle avait pâli, mais les muscles de son visage s'étaient contractés
par la nécessité où elle se trouvait de montrer une fermeté
trompeuse, et l'œil implacable de l'accusateur public ne perdit
aucun de ses mouvements.

— Eh bien, recevez-le, reprit le magistrat révolutionnaire;
35 mais qu'il ne reste pas plus tard que sept heures du matin sous

4. était = serait.

votre toit. Demain, au jour, armé d'une dénonciation que je
me ferai faire, je viendrai chez vous . . .
    Elle le regarda d'un air stupide qui aurait fait pitié à une
pierre.
    — Je démontrerai, poursuivit-il d'une voix douce, la fausseté 5
de la dénonciation par d'exactes perquisitions, et vous serez, par
la nature de mon rapport, à l'abri de tous soupçons ultérieurs.
Je parlerai de vos dons patriotiques, de votre civisme, et nous
serons *tous* sauvés.
    Mme de Dey craignit un piège, elle restait immobile, mais son 10
visage était en feu et sa langue glacée.   Un coup de marteau
retentit dans la maison.
    — Ah ! . . . cria la mère épouvantée, en tombant à genoux.
Le sauver ! Le sauver !
    — Oui, sauvons-le ! reprit l'accusateur public en lui lançant 15
un regard de passion, dût-il *nous* en coûter la vie.
    — Je suis perdue ! s'écria-t-elle pendant que l'accusateur la
relevait avec politesse.
    — Eh ! Madame, répondit-il par un beau mouvement ora-
toire, je ne veux vous devoir à rien . . . qu'à vous-même.   20
    — Madame, le voi ! . . . s'écria Brigitte, qui croyait sa maî-
tresse seule.
    A l'aspect de l'accusateur public, la vieille servante, de rouge
et joyeuse qu'elle était, devint immobile et blême.
    — Qui est-ce, Brigitte ? demanda le magistrat d'un air doux 25
et intelligent.
    — Un réquisitionnaire que le maire nous envoie à loger,
répondit la servante en montrant le billet.
    — C'est vrai, dit l'accusateur après avoir lu le papier.   Il
nous arrive un bataillon ce soir . . .   30
    Et il sortit.
    La comtesse avait trop besoin de croire en ce moment à la
sincérité de son ancien procureur pour concevoir le moindre
doute ; elle monta rapidement l'escalier, ayant à peine la force

---

14. v. **sauver.**   16. v. **coûter.**   20. v. **devoir** (1).   21. **voi** . . . , première syllabe
de **voici.**   23. **de rouge qu'elle était** signifie **après avoir été rouge elle devint** . . . .

de se soutenir, puis elle ouvrit la porte de sa chambre, vit son fils, se précipita dans ses bras, mourante.

— Oh! mon enfant, mon enfant! s'écria-t-elle en sanglotant et le couvrant de baisers empreints d'une sorte de frénésie.

5 — Madame,... dit l'inconnu.

— Ah! ce n'est pas lui! s'écria-t-elle en reculant d'épouvante et restant debout devant le réquisitionnaire, qu'elle contemplait d'un air hagard.

— O saint bon Dieu, quelle ressemblance! dit Brigitte.

10 Il y eut un moment de silence, et l'étranger lui-même tressaillit à l'aspect de Mme de Dey.

— Ah! Monsieur, dit-elle en s'appuyant sur le mari de Brigitte, et sentant alors dans toute son étendue une douleur dont la première atteinte avait failli la tuer; Monsieur, je ne saurais 15 vous voir plus longtemps... Souffrez que mes gens me remplacent et s'occupent de vous.

Elle descendit chez elle, à demi portée par Brigitte et son vieux serviteur.

— Comment, Madame! s'écria la femme de charge en 20 asseyant sa maîtresse, cet homme va-t-il coucher dans le lit de M. Auguste, mettre les pantoufles de M. Auguste, manger le pâté que j'ai fait pour M. Auguste? Quand on devrait me guillotiner, je...

— Brigitte! cria Mme de Dey.

25 Brigitte resta muette.

— Tais-toi donc, bavarde, lui dit son mari à voix basse; veux-tu tuer Madame?

En ce moment, le réquisitionnaire fit du bruit en se mettant à table.

30 — Je ne resterai pas ici! s'écria Mme de Dey; j'irai dans la serre, d'où j'entendrai mieux ce qui se passera au dehors pendant la nuit.

Elle flottait encore entre la crainte d'avoir perdu son fils et l'espérance de le voir reparaître. La nuit fut horriblement 35 silencieuse. Il y eut, pour la comtesse, un moment affreux, quand le bataillon des réquisitionnaires vint en ville et que chaque homme y chercha son logement. Ce fut des espérances trompées à chaque pas, à chaque bruit; puis, bientôt la nature reprit un calme effrayant. Vers le matin, la comtesse fut obligée de rentrer chez elle. Brigitte, qui surveillait les mouvements de sa maîtresse, ne la voyant pas sortir, entra dans la 5 chambre et y trouva la comtesse morte.

— Elle aura probablement entendu ce réquisitionnaire, qui achève de s'habiller et qui marche dans la chambre de M. Auguste en chantant leur damnée *Marseillaise*, comme s'il était dans une écurie ! s'écria Brigitte. Ça l'aura tuée.   10

La mort de la comtesse fut causée par un sentiment plus grave, et sans doute par quelque vision terrible. A l'heure précise où Mme de Dey mourait à Carentan, son fils était fusillé dans le Morbihan. * * *

HONORÉ DE BALZAC

ÉMILE ZOLA

ÉMILE ZOLA est né à Paris en 1840. Son père était d'origine italienne, sa mère française. Il passa son enfance à Aix en Provence. Revenu à Paris, en 1860, il travailla comme employé dans une librairie, et réussit à se faire connaître en publiant une série de nouvelles: les *Contes à Ninon* (1864). A partir de 1866 il vécut de sa plume.

L'œuvre maîtresse de Zola est une série d'une vingtaine de romans réunis sous le titre des *Rougon-Macquart*, et qui forment « l'histoire naturelle et sociale d'une famille sous le Second Empire ». Il faut citer surtout *L'Assommoir* (1877), étude des ravages exercés par l'alcool dans les milieux ouvriers, *Germinal* (1885), qui se passe chez les mineurs, *La Terre* (1887), qui veut dépeindre les mœurs des paysans, et *La Débâcle* (1892), description réaliste de la guerre franco-prussienne.

Zola est le chef et le théoricien de l'école naturaliste. Il voulait décrire la vie telle qu'elle est, et faire ainsi du roman un véritable document scientifique sur l'histoire de la société. On lui a reproché de faire porter ses observations uniquement sur les instincts physiques de la nature humaine. La puissance avec laquelle il a su faire vivre les masses est un des traits marquants de son talent.

Au moment de l'Affaire Dreyfus Zola joua un rôle politique. Il fut un des plus ardents défenseurs du condamné. Il se présenta plusieurs fois, mais toujours en vain, à l'Académie Française, et mourut accidentellement en 1902.

Zola n'a écrit que peu de nouvelles. La plupart ont été composées au début de sa carrière. Celle que nous donnons ici représente sa contribution aux *Soirées de Médan* (1880), recueil de six nouvelles par six écrivains à tendances naturalistes.

L'ATTAQUE DU MOULIN

I

LE MOULIN du père Merlier, par cette belle soirée d'été, était
en grande fête. Dans la cour, on avait mis trois tables, placées
bout à bout, et qui attendaient les convives. Tout le pays
savait qu'on devait fiancer, ce jour-là, la fille Merlier, Françoise,
5 avec Dominique, un garçon qu'on accusait de fainéantise, mais
que les femmes, à trois lieues à la ronde, regardaient avec des
yeux luisants, tant il avait bon air.

Ce moulin du père Merlier était une vraie gaieté. Il se trouvait juste au milieu de Rocreuse, à l'endroit où la grand'route
10 fait un coude. Le village n'a qu'une rue, deux files de masures,
une file à chaque bord de la route; mais là, au coude, des prés
s'élargissent, de grands arbres, qui suivent le cours de la Morelle,
couvrent le fond de la vallée d'ombrages magnifiques. * * *
Mais ce qui fait surtout le charme de Rocreuse, c'est la fraîcheur
15 de ce trou de verdure, aux journées les plus chaudes de juillet
et d'août. La Morelle descend des bois de Gagny, et il semble
qu'elle prenne le froid des feuillages sous lesquels elle coule
pendant des lieues; elle apporte les bruits murmurants, l'ombre
glacée et recueillie des forêts. * * *
20 Et c'était là que le moulin du père Merlier égayait de son tic-
tac un coin de verdures folles. La bâtisse, faite de plâtre et de
planches, semblait vieille comme le monde. Elle trempait à
moitié dans la Morelle, qui arrondit à cet endroit un clair bassin.
Une écluse était ménagée, la chute tombait de quelques mètres
25 sur la roue du moulin, qui craquait en tournant, avec la toux
asthmatique d'une fidèle servante vieillie dans la maison.

Quand on conseillait au père Merlier de la changer, il hochait
la tête en disant qu'une jeune roue serait plus paresseuse et ne
connaîtrait pas si bien le travail; et il raccommodait l'ancienne

avec tout ce qui lui tombait sous la main, des douves de tonneau, des ferrures rouillées, du zinc, du plomb. La roue en paraissait plus gaie, avec son profil devenu étrange, toute empanachée d'herbes et de mousses. Lorsque l'eau la battait de son flot d'argent, elle se couvrait de perles, on voyait passer son 5 étrange carcasse sous une parure éclatante de colliers de nacre.

La partie du moulin qui trempait ainsi dans la Morelle, avait l'air d'une arche barbare, échouée là. Une bonne moitié du logis était bâtie sur des pieux. L'eau entrait sous le plancher, il y avait des trous, bien connus dans le pays pour les anguilles 10 et les écrevisses énormes qu'on y prenait. En dessous de la chute, le bassin était limpide comme un miroir, et lorsque la roue ne le troublait pas de son écume, on apercevait des bandes de gros poissons qui nageaient avec des lenteurs d'escadre. Un escalier rompu descendait à la rivière, près d'un pieu où était 15 amarrée une barque. Une galerie de bois passait au-dessus de la roue. Des fenêtres s'ouvraient, percées irrégulièrement.

C'était un pêle-mêle d'encoignures, de petites murailles, de constructions ajoutées après coup, de poutres et de toitures qui donnaient au moulin un aspect d'ancienne citadelle démantelée. 20 Mais des lierres avaient poussé; toutes sortes de plantes grimpantes bouchaient les crevasses trop grandes et mettaient un manteau vert à la vieille demeure. Les demoiselles qui passaient dessinaient sur leurs albums le moulin du père Merlier.

Du côté de la route, la maison était plus solide. Un portail en 25 pierre s'ouvrait sur la grande cour, que bordaient à droite et à gauche des hangars et des écuries. Près d'un puits, un orme immense couvrait de son ombre la moitié de la cour. Au fond, la maison alignait les quatre fenêtres de son premier étage, surmonté d'un colombier. La seule coquetterie du père Merlier 30 était de faire badigeonner cette façade tous les dix ans. Elle venait justement d'être blanchie, et elle éblouissait le village, lorsque le soleil l'allumait, au milieu du jour.

Depuis vingt ans, le père Merlier était maire de Rocreuse. On l'estimait pour la fortune qu'il avait su faire. On lui donnait 35 quelque chose comme quatre-vingt mille francs, amassés sou à

sou. Quand il avait épousé Madeleine Guillard, qui lui appor-
tait en dot le moulin, il ne possédait guère que ses deux bras.
Mais Madeleine ne s'était jamais repentie de son choix, tant
il avait su mener gaillardement les affaires du ménage. Au-
5 jourd'hui, la femme était défunte, il restait veuf avec sa fille
Françoise.

Sans doute, il aurait pu se reposer, laisser la roue du moulin
dormir dans la mousse; mais il se serait trop ennuyé, et la
maison lui aurait semblé morte. Il travaillait toujours, pour
10 le plaisir. Le père Merlier était alors un grand vieillard, à
longue figure silencieuse, qui ne riait jamais, mais qui était tout
de même très gai en dedans. On l'avait choisi pour maire, à
cause de son argent, et aussi pour le bel air qu'il savait prendre,
lorsqu'il faisait un mariage.

15   Françoise Merlier venait d'avoir dix-huit ans. Elle ne passait
pas pour une des belles filles du pays, parce qu'elle était chétive.
Jusqu'à quinze ans, elle avait même été laide. On ne pouvait
pas comprendre, à Rocreuse, comment la fille du père et de la
mère Merlier, tous deux si bien plantés, poussait mal et d'un
20 air de regret. Mais à quinze ans, tout en restant délicate, elle
prit une petite figure la plus jolie du monde.

Elle avait des cheveux noirs, des yeux noirs, et elle était
toute rose avec ça; une bouche qui riait toujours, des trous
dans les joues, un front clair où il y avait comme une couronne
25 de soleil. Quoique chétive pour le pays, elle n'était pas maigre,
loin de là; on voulait dire simplement qu'elle n'aurait pas pu
lever un sac de blé; mais elle devenait toute potelée avec l'âge,
elle devait finir par être ronde et friande comme une caille.
Seulement, les longs silences de son père l'avaient rendue raison-
30 nable très jeune. Si elle riait toujours, c'était pour faire plaisir
aux autres. Au fond, elle était sérieuse.

Naturellement, tout le pays la courtisait, plus encore pour
ses écus que pour sa gentillesse. Et elle avait fini par faire un
choix, qui venait de scandaliser la contrée. De l'autre côté de
35 la Morelle vivait un grand garçon, que l'on nommait Dominique
Penquer. Il n'était pas de Rocreuse. Dix ans auparavant, il

était arrivé de Belgique, pour hériter d'un oncle, qui possédait
un petit bien, sur la lisière même de la forêt de Gagny, juste en
face du moulin, à quelques portées de fusil. Il venait pour
vendre ce bien, disait-il, et retourner chez lui. Mais le pays le
charma, paraît-il, car il n'en bougea plus. On le vit cultiver 5
son bout de champ, récolter quelques légumes dont il vivait.
Il pêchait, il chassait; plusieurs fois, les gardes faillirent le
prendre et lui dresser des procès-verbaux. Cette existence
libre, dont les paysans ne s'expliquaient pas bien les ressources,
avait fini par lui donner un mauvais renom.   10
    On le traitait vaguement de braconnier. En tous cas, il
était paresseux, car on le trouvait souvent endormi dans l'herbe,
à des heures où il aurait dû travailler. La masure qu'il habitait,
sous les derniers arbres de la forêt, ne semblait pas non plus la
demeure d'un honnête garçon. Il aurait eu un commerce avec 15
les loups des ruines de Gagny, que cela n'aurait point surpris
les vieilles femmes. Pourtant, les jeunes filles, parfois, se ha-
sardaient à le défendre, car il était superbe, cet homme louche,
souple et grand comme un peuplier, très blanc de peau, avec
une barbe et des cheveux blonds qui semblaient de l'or au soleil. 20
Or, un beau matin, Françoise avait déclaré au père Merlier
qu'elle aimait Dominique et que jamais elle ne consentirait
à épouser un autre garçon.
    On pense quel coup de massue le père Merlier reçut, ce jour-là !
Il ne dit rien, selon son habitude. Il avait son visage réfléchi; 25
seulement, sa gaieté intérieure ne luisait plus dans ses yeux.
On se bouda pendant une semaine. Françoise, elle aussi, était
toute grave. Ce qui tourmentait le père Merlier, c'était de
savoir comment ce gredin de braconnier avait bien pu ensorceler
sa fille. Jamais Dominique n'était venu au moulin. Le meunier 30
guetta et il aperçut le galant, de l'autre côté de la Morelle,
couché dans l'herbe et feignant de dormir. Françoise, de sa
chambre, pouvait le voir. La chose était claire, ils avaient dû
s'aimer, en se faisant les doux yeux par-dessus la roue du
moulin.   35

16. v. que (1, a).

Cependant, huit autres jours s'écoulèrent. Françoise devenait de plus en plus grave. Le père Merlier ne disait toujours rien. Puis, un soir, silencieusement, il amena lui-même Dominique. Françoise, justement, mettait la table. Elle ne parut 5 pas étonnée, elle se contenta d'ajouter un couvert; seulement, les petits trous de ses joues venaient de se creuser de nouveau, et son rire avait reparu. Le matin, le père Merlier était allé trouver Dominique dans sa masure, sur la lisière du bois. Là, les deux hommes avaient causé pendant trois heures, les portes 10 et les fenêtres fermées. Jamais personne n'a su ce qu'ils avaient pu se dire. Ce qu'il y a de certain, c'est que le père Merlier en sortant traitait déjà Dominique comme son fils. Sans doute, le vieillard avait trouvé le garçon qu'il était allé chercher, un brave garçon dans ce paresseux qui se couchait sur l'herbe. * * * 15 Tout Rocreuse clabauda. Les femmes, sur les portes, ne tarissaient pas au sujet de la folie du père Merlier, qui introduisait ainsi chez lui un garnement. Il laissa dire. Peut-être s'était-il souvenu de son propre mariage. Lui non plus ne possédait pas un sou vaillant lorsqu'il avait épousé Madeleine 20 et son moulin; cela pourtant ne l'avait point empêché de faire un bon mari. D'ailleurs, Dominique coupa court aux cancans, en se mettant si rudement à la besogne, que le pays en fut émerveillé. Justement le garçon du moulin était tombé au sort, et jamais Dominique ne voulut qu'on en engageât un 25 autre. Il porta les sacs, conduisit la charrette, se battit avec la vieille roue, quand elle se faisait prier pour tourner, tout cela d'un tel cœur, qu'on venait le voir par plaisir. Le père Merlier avait son rire silencieux. Il était très fier d'avoir deviné ce garçon. Il n'y a rien comme l'amour pour donner du courage 30 aux jeunes gens.

Au milieu de toute cette grosse besogne, Françoise et Dominique s'adoraient. Ils ne se parlaient guère, mais ils se regardaient avec une douceur souriante. Jusque-là, le père Merlier n'avait pas dit un seul mot au sujet du mariage; et tous deux 35 respectaient ce silence, attendant la volonté du vieillard. Enfin, un jour, vers le milieu de juillet, il avait fait mettre trois tables

dans la cour, sous le grand orme, en invitant ses amis de Rocreuse à venir le soir boire un coup avec lui. Quand la cour fut
pleine et que tout le monde eut le verre en main, le père Merlier
leva le sien très haut, en disant:

— C'est pour avoir le plaisir de vous annoncer que Françoise 5
épousera ce gaillard-là dans un mois, le jour de la Saint-
Louis.

Alors, on trinqua bruyamment. Tout le monde riait. Mais
le père Merlier haussant la voix, dit encore:

— Dominique, embrasse ta promise. Ça se doit. 10

Et ils s'embrassèrent, très rouges pendant que l'assistance
riait plus fort. Ce fut une vraie fête. On vida un petit tonneau.
Puis, quand il n'y eut là que les amis intimes, on causa d'une
façon calme. La nuit était tombée, une nuit étoilée et très
claire. Dominique et Françoise, assis sur un banc, l'un près de 15
l'autre, ne disaient rien. Un vieux paysan parlait de la guerre
que l'empereur avait déclarée à la Prusse. Tous les gars du
village étaient déjà partis. La veille, des troupes avaient
encore passé. On allait se cogner dur.

— Bah! dit le père Merlier avec l'égoïsme d'un homme 20
heureux, Dominique est étranger, il ne partira pas ... Et si les
Prussiens venaient, il serait là pour défendre sa femme.

Cette idée que les Prussiens pouvaient venir parut une bonne
plaisanterie. On allait leur flanquer une raclée soignée, et ce
serait vite fini. 25

— Je les ai déjà vus, je les ai déjà vus, répéta d'une voix
sourde le vieux paysan.

Il y eut un silence. Puis, on trinqua une fois encore. Françoise et Dominique n'avaient rien entendu; ils s'étaient pris
doucement la main, derrière le banc, sans qu'on pût les voir, 30
et cela leur semblait si bon, qu'ils restaient là, les yeux perdus
au fond des ténèbres. * * *

17. empereur: v. Napoléon III.

II

Un mois plus tard, jour pour jour, juste la veille de la Saint-Louis, Rocreuse était dans l'épouvante. Les Prussiens avaient battu l'empereur et s'avançaient à marches forcées vers le village. Depuis une semaine, des gens qui passaient sur la
5 route annonçaient les Prussiens: « Ils sont à Lormière, ils sont à Novelles »; et, à entendre dire qu'ils se rapprochaient si vite, Rocreuse, chaque matin, croyait les voir descendre par les bois de Gagny. Ils ne venaient point cependant; cela effrayait davantage. Bien sûr qu'ils tomberaient sur le village pendant
10 la nuit et qu'ils égorgeraient tout le monde.

La nuit précédente, un peu avant le jour, il y avait eu une alerte. Les habitants s'étaient réveillés, en entendant un grand bruit d'hommes sur la route. Les femmes déjà se jetaient à genoux et faisaient des signes de croix, lorsqu'on avait reconnu
15 des pantalons rouges, en entr'ouvrant prudemment les fenêtres. C'était un détachement français. Le capitaine avait tout de suite demandé le maire du pays, et il était resté au moulin, après avoir causé avec le père Merlier.

Le soleil se levait gaiement, ce jour-là. Il ferait chaud, à
20 midi. Sur les bois, une clarté blonde flottait, tandis que dans les fonds, au-dessus des prairies, montaient des vapeurs blanches. Le village, propre et joli, s'éveillait dans la fraîcheur, et la campagne, avec sa rivière et ses fontaines, avait des grâces mouillées de bouquet. Mais cette belle journée ne faisait rire
25 personne. On venait de voir le capitaine tourner autour du moulin, regarder les maisons voisines, passer de l'autre côté de la Morelle, et de là, étudier le pays avec une lorgnette; le père Merlier, qui l'accompagnait, semblait donner des explications. Puis, le capitaine avait posté des soldats derrière des murs,
30 derrière des arbres, dans des trous. Le gros du détachement campait dans la cour du moulin. On allait donc se battre? Et quand le père Merlier revint, on l'interrogea. Il fit un long signe de tête, sans parler. Oui, on allait se battre.

15. v. pantalon.

Françoise et Dominique étaient là, dans la cour, qui le regardaient. Il finit par ôter sa pipe de la bouche, et dit cette
simple phrase:

— Ah! mes pauvres petits, ce n'est pas demain que je vous
marierai!   5

Dominique, les lèvres serrées, avec un pli de colère au front,
se haussait parfois, restait les yeux fixés sur les bois de Gagny,
comme s'il eût voulu voir arriver les Prussiens. Françoise,
très pâle, sérieuse, allait et venait, fournissant aux soldats ce
dont ils avaient besoin. Ils faisaient la soupe dans un coin de la 10
cour, et plaisantaient, en attendant de manger.

Cependant, le capitaine paraissait ravi. Il avait visité les
chambres et la grande salle du moulin donnant sur la rivière.
Maintenant, assis près du puits, il causait avec le père Merlier.

— Vous avez là une vraie forteresse, disait-il. Nous tien- 15
drons bien jusqu'à ce soir . . . Les bandits sont en retard. Ils
devraient être ici.

Le meunier restait grave. Il voyait son moulin flamber
comme une torche. Mais il ne se plaignait pas, jugeant cela
inutile. Il ouvrit seulement la bouche pour dire: 20

— Vous devriez faire cacher la barque derrière la roue. Il
y a là un trou où elle tient . . . Peut-être qu'elle pourra servir.

Le capitaine donna un ordre. Ce capitaine était un bel
homme d'une quarantaine d'années, grand et de figure aimable.
La vue de Françoise et de Dominique semblait le réjouir. Il 25
s'occupait d'eux, comme s'il avait oublié la lutte prochaine.
Il suivait Françoise des yeux, et son air disait clairement qu'il
la trouvait charmante. Puis, se tournant vers Dominique:

— Vous n'êtes donc pas à l'armée, mon garçon? lui demanda-
t-il brusquement.   30

— Je suis étranger, répondit le jeune homme.

Le capitaine parut goûter médiocrement cette raison. Il
cligna les yeux et sourit. Françoise était plus agréable à fréquenter que le canon. Alors, en le voyant sourire, Dominique
ajouta: 35

1. v. qui (1).   10. v. soupe.

— Je suis étranger, mais je loge une balle dans une pomme à cinq cents mètres. Tenez, mon fusil de chasse est là, derrière vous.

— Il pourra vous servir, répliqua simplement le capitaine.

5 Françoise s'était approchée, un peu tremblante. Et, sans se soucier du monde qui était là, Dominique prit et serra dans les siennes les deux mains qu'elle lui tendait, comme pour se mettre sous sa protection. Le capitaine avait souri de nouveau, mais il n'ajouta pas une parole. Il demeurait assis, son épée entre les 10 jambes, les yeux perdus, paraissant rêver.

Il était déjà dix heures. La chaleur devenait très forte. Un lourd silence se faisait. Dans la cour, à l'ombre des hangars, les soldats s'étaient mis à manger la soupe. Aucun bruit ne venait du village, dont les habitants avaient tous barricadé leurs mai- 15 sons, portes et fenêtres. Un chien, resté seul sur la route, hurlait. Des bois et des prairies voisines, pâmés par la chaleur, sortait une voix lointaine, prolongée, faite de tous les souffles épars. Un coucou chanta. Puis, le silence s'élargit encore.

Et, dans cet air endormi, brusquement, un coup de feu 20 éclata. Le capitaine se leva vivement, les soldats lâchèrent leurs assiettes de soupe, encore à moitié pleines. En quelques secondes, tous furent à leur poste de combat; de bas en haut, le moulin se trouvait occupé. Cependant, le capitaine, qui s'était porté sur la route, n'avait rien vu; à droite, à gauche, la 25 route s'étendait, vide et toute blanche. Un deuxième coup de feu se fit entendre, et toujours rien, pas une ombre. Mais, en se retournant, il aperçut du côté de Gagny, entre deux arbres, un léger flocon de fumée qui s'envolait, pareil à un fil de la Vierge. Le bois restait profond et doux.

30 — Les gredins se sont jetés dans la forêt, murmura-t-il. Ils nous savent ici.

Alors, la fusillade continua, de plus en plus nourrie, entre les soldats français, postés autour du moulin, et les Prussiens, cachés derrière les arbres. Les balles sifflaient au-dessus de la 35 Morelle, sans causer de pertes ni d'un côté ni de l'autre. Les

16. Apparemment **voisines** ne se rapporte qu'à **prairies**.

coups étaient irréguliers, partaient de chaque buisson; et l'on
n'apercevait toujours que les petites fumées, balancées mollement par le vent. Cela dura près de deux heures. L'officier
chantonnait d'un air indifférent. Françoise et Dominique, qui
étaient restés dans la cour, se haussaient et regardaient par- 5
dessus une muraille basse. * * *

— Ne restez pas là, dit le capitaine. Les balles viennent
jusqu'ici. * * *

Il n'avait pas achevé qu'une décharge effroyable eut lieu.
Le grand orme fut comme fauché, une volée de feuilles tour- 10
noya. Les Prussiens avaient heureusement tiré trop haut.
Dominique entraîna, emporta presque Françoise, tandis que le
père Merlier les suivait, en criant:

— Mettez-vous dans le petit caveau, les murs sont solides.

Mais ils ne l'écoutèrent pas, ils entrèrent dans la grande salle, 15
où une dizaine de soldats attendaient en silence, les volets
fermés, guettant par des fentes. Le capitaine était resté seul
dans la cour, accroupi derrière la petite muraille, pendant que
des décharges furieuses continuaient. Au dehors, les soldats
qu'il avait postés, ne cédaient le terrain que pied à pied. Pour- 20
tant, ils rentraient un à un en rampant, quand l'ennemi les
avait délogés de leurs cachettes. Leur consigne était de gagner
du temps, de ne point se montrer, pour que les Prussiens ne
pussent savoir quelles forces ils avaient devant eux. Une heure
encore s'écoula. Et, comme un sergent arrivait, disant qu'il 25
n'y avait plus dehors que deux ou trois hommes, l'officier tira
sa montre, en murmurant:

— Deux heures et demie ... Allons, il faut tenir quatre
heures.

Il fit fermer le grand portail de la cour, et tout fut préparé 30
pour une résistance énergique. Comme les Prussiens se trouvaient de l'autre côté de la Morelle, un assaut immédiat n'était
pas à craindre. Il y avait bien un pont à deux kilomètres, mais
ils ignoraient sans doute son existence, et il était peu croyable
qu'ils tenteraient de passer à gué la rivière. L'officier fit donc 35

9. v. que (1, a). 29. v. heure.

simplement surveiller la route. Tout l'effort allait porter du côté de la campagne.

La fusillade de nouveau avait cessé. Le moulin semblait mort sous le grand soleil. Pas un volet n'était ouvert, aucun
5 bruit ne sortait de l'intérieur. Peu à peu, cependant, des Prussiens se montraient à la lisière du bois de Gagny. Ils allongeaient la tête, s'enhardissaient. Dans le moulin, plusieurs soldats épaulaient déjà; mais le capitaine cria:

— Non, non, attendez... Laissez-les s'approcher.

10 Ils y mirent beaucoup de prudence, regardant le moulin d'un air méfiant. Cette vieille demeure, silencieuse et morne, avec ses rideaux de lierre, les inquiétait. Pourtant, ils avançaient. Quand ils furent une cinquantaine dans la prairie, en face, l'officier dit un seul mot:

15 — Allez!

Un déchirement se fit entendre, des coups isolés suivirent. Françoise, agitée d'un tremblement, avait porté malgré elle les mains à ses oreilles. Dominique, derrière les soldats, regardait; et, quand la fumée se fut un peu dissipée, il aperçut trois Prus-
20 siens étendus sur le dos, au milieu du pré. Les autres s'étaient jetés derrière les saules et les peupliers. Et le siège commença.

Pendant plus d'une heure, le moulin fut criblé de balles. Elles en fouettaient les vieux murs comme une grêle. Lorsqu'elles frappaient sur de la pierre, on les entendait s'écraser et
25 retomber à l'eau. Dans le bois, elles s'enfonçaient avec un bruit sourd. Parfois, un craquement annonçait que la roue venait d'être touchée. Les soldats, à l'intérieur, ménageaient leurs coups, ne tiraient que lorsqu'ils pouvaient viser. De temps à autre, le capitaine consultait sa montre. Et, comme une balle
30 fendait un volet et allait se loger dans le plafond:

— Quatre heures, murmura-t-il. Nous ne tiendrons jamais.

Peu à peu, en effet, cette fusillade terrible ébranlait le vieux moulin. Un volet tomba à l'eau, troué comme une dentelle, et il fallut le remplacer par un matelas. Le père Merlier, à chaque
35 instant, s'exposait pour constater les avaries de sa pauvre roue,

1. **Tout l'effort** (des Français).

dont les craquements lui allaient au cœur. Elle était bien finie,
cette fois; jamais il ne pourrait la raccommoder. Dominique
avait supplié Françoise de se retirer, mais elle voulait rester
avec lui; elle s'était assise derrière une grande armoire de
chêne, qui la protégeait. Une balle pourtant arriva dans l'ar- 5
moire, dont les flancs rendirent un son grave. Alors, Dominique
se plaça devant Françoise. Il n'avait pas encore tiré, il tenait
son fusil à la main, ne pouvant approcher des fenêtres dont les
soldats tenaient toute la largeur. A chaque décharge, le plancher
tressaillait.   10

— Attention! attention! cria tout d'un coup le capitaine.

Il venait de voir sortir du bois toute une masse sombre.
Aussitôt s'ouvrit un formidable feu de peloton. Ce fut comme
une trombe qui passa sur le moulin. Un autre volet partit, et
par l'ouverture béante de la fenêtre, les balles entrèrent. Deux 15
soldats roulèrent sur le carreau. * * * En face de ces morts,
Françoise, prise d'horreur, avait repoussé machinalement sa
chaise, pour s'asseoir à terre, contre le mur; elle se croyait là
plus petite et moins en danger. Cependant, on était allé
prendre tous les matelas de la maison, on avait rebouché à 20
moitié la fenêtre. La salle s'emplissait de débris, d'armes
rompues, de meubles éventrés.

— Cinq heures, dit le capitaine. Tenez bon ... Ils vont
chercher à passer l'eau.

A ce moment, Françoise poussa un cri. Une balle, qui avait 25
ricoché, venait de lui effleurer le front. Quelques gouttes de
sang parurent. Dominique la regarda; puis, s'approchant de
la fenêtre, il lâcha son premier coup de feu, et il ne s'arrêta
plus. Il chargeait, tirait, sans s'occuper de ce qui se passait
près de lui; de temps à autre seulement, il jetait un coup d'œil 30
sur Françoise. D'ailleurs, il ne se pressait pas, visait avec soin.
Les Prussiens, longeant les peupliers, tentaient le passage de la
Morelle, comme le capitaine l'avait prévu; mais, dès qu'un
d'entre eux se hasardait, il tombait frappé à la tête par une balle
de Dominique. Le capitaine, qui suivait ce jeu, était émerveillé. 35
Il complimenta le jeune homme, en lui disant qu'il serait

heureux d'avoir beaucoup de tireurs de sa force. Dominique
ne l'entendait pas. Une balle lui entama l'épaule, une autre lui
contusionna le bras. Et il tirait toujours.

Il y eut deux nouveaux morts. Les matelas, déchiquetés, ne
5 bouchaient plus les fenêtres. Une dernière décharge semblait
devoir emporter le moulin. La position n'était plus tenable.
Cependant, l'officier répétait:

— Tenez bon . . . Encore une demi-heure.

Maintenant, il comptait les minutes. Il avait promis à ses
10 chefs d'arrêter l'ennemi là jusqu'au soir, et il n'aurait pas reculé
d'une semelle avant l'heure qu'il avait fixée pour la retraite. Il
gardait son air aimable, souriait à Françoise, afin de la rassurer.
Lui-même venait de ramasser le fusil d'un soldat mort et faisait
le coup de feu.

15 Il n'y avait plus que quatre soldats dans la salle. Les Prussiens se montraient en masse sur l'autre bord de la Morelle, et
il était évident qu'ils allaient passer la rivière d'un moment à
l'autre. Quelques minutes s'écoulèrent encore. Le capitaine
s'entêtait, ne voulait pas donner l'ordre de la retraite, lorsqu'un
20 sergent accourut, en disant:

— Ils sont sur la route, ils vont nous prendre par derrière.

Les Prussiens devaient avoir trouvé le pont. Le capitaine
tira sa montre.

— Encore cinq minutes, dit-il. Ils ne seront pas ici avant
25 cinq minutes.

Puis, à six heures précises, il consentit enfin à faire sortir ses
hommes par une petite porte qui donnait sur une ruelle. De
là, ils se jetèrent dans un fossé, ils gagnèrent la forêt de Sauval.
Le capitaine avait, avant de partir, salué très poliment le père
30 Merlier, en s'excusant. Et il avait même ajouté:

— Amusez-les . . . Nous reviendrons.

Cependant, Dominique était resté seul dans la salle. Il
tirait toujours, n'entendant rien, ne comprenant rien. Il
n'éprouvait que le besoin de défendre Françoise. Les soldats
35 étaient partis, sans qu'il s'en doutât le moins du monde. Il

14. v. feu (1). _ 31. v. amuser.

visait et tuait son homme à chaque coup. Brusquement, il y
eut un grand bruit. Les Prussiens, par derrière, venaient
d'envahir la cour. Il lâcha un dernier coup, et ils tombèrent sur
lui, comme son fusil fumait encore.

Quatre hommes le tenaient. D'autres vociféraient autour 5
de lui, dans une langue effroyable. Ils faillirent l'égorger tout
de suite. Françoise s'était jetée en avant, suppliante. Mais
un officier entra et se fit remettre le prisonnier. Après quelques
phrases qu'il échangea en allemand avec les soldats, il se tourna
vers Dominique et lui dit rudement, en très bon français: 10

— Vous serez fusillé dans deux heures.

III

C'était une règle posée par l'état-major allemand: tout
Français n'appartenant pas à l'armée régulière et pris les armes
à la main, devait être fusillé. Les compagnies franches elles-
mêmes n'étaient pas reconnues comme belligérantes. En faisant 15
ainsi de terribles exemples sur les paysans qui défendaient leurs
foyers, les Allemands voulaient empêcher la levée en masse,
qu'ils redoutaient.

L'officier, un homme grand et sec, d'une cinquantaine
d'années, fit subir à Dominique un bref interrogatoire. Bien 20
qu'il parlât le français très purement, il avait une raideur toute
prussienne.

— Vous êtes de ce pays?

— Non, je suis Belge.

— Pourquoi avez-vous pris les armes?... Tout ceci ne doit 25
pas vous regarder.

Dominique ne répondit pas. A ce moment, l'officier aperçut
Françoise debout et très pâle, qui écoutait; sur son front blanc, sa
légère blessure mettait une barre rouge. Il regarda les jeunes gens
l'un après l'autre, parut comprendre, et se contenta d'ajouter: 30

— Vous ne niez pas avoir tiré?

6. Dans cette circonstance, le langage des Allemands leur semblait **effroyable.**
8. **v. remettre.**

— J'ai tiré tant que j'ai pu, répondit tranquillement Dominique.

Cet aveu était inutile, car il était noir de poudre, couvert de sueur, taché de quelques gouttes de sang qui avaient coulé de
5 l'éraflure de son épaule.

— C'est bien, répéta l'officier. Vous serez fusillé dans deux heures.

Françoise ne cria pas. Elle joignit les mains et les éleva dans un geste de muet désespoir. L'officier remarqua ce geste.
10 Deux soldats avaient emmené Dominique dans une pièce voisine, où ils devaient le garder à vue. La jeune fille était tombée sur une chaise, les jambes brisées; elle ne pouvait pleurer, elle étouffait. Cependant, l'officier l'examinait toujours. Il finit par lui adresser la parole:
15 — Ce garçon est votre frère? demanda-t-il.

Elle dit non de la tête. Il resta raide, sans un sourire. Puis, au bout d'un silence:

— Il habite le pays depuis longtemps?

Elle dit oui, d'un nouveau signe.
20 — Alors il doit très bien connaître les bois voisins?

Cette fois, elle parla.

— Oui, monsieur, dit-elle en le regardant avec quelque surprise.

Il n'ajouta rien et tourna sur ses talons, en demandant qu'on
25 lui amenât le maire du village. Mais Françoise s'était levée, une légère rougeur au visage, croyant avoir saisi le but de ses questions et reprise d'espoir. Ce fut elle-même qui courut pour trouver son père.

Le père Merlier, dès que les coups de feu avaient cessé, était
30 vivement descendu par la galerie de bois, pour visiter sa roue. Il adorait sa fille, il avait une solide amitié pour Dominique, son futur gendre; mais sa roue tenait aussi une large place dans son cœur. Puisque les deux petits, comme il les appelait, étaient sortis sains et saufs de la bagarre, il songeait à son autre ten-
35 dresse, qui avait singulièrement souffert, celle-là. Et, penché sur la grande carcasse de bois, il en étudiait les blessures d'un air

navré. Cinq palettes étaient en miettes, la charpente centrale
était criblée.   Il fourrait les doigts dans les trous des balles,
pour en mesurer la profondeur; il réfléchissait à la façon dont
il pourrait réparer toutes ces avaries.   Françoise le trouva qui
bouchait déjà des fentes avec des débris et de la mousse.   5
— Père, dit-elle, ils vous demandent.
Et elle pleura enfin, en lui contant ce qu'elle venait d'entendre.   Le père Merlier hocha la tête.   On ne fusillait pas les
gens comme ça.   Il fallait voir.   Et il rentra dans le moulin,
de son air silencieux et paisible.   Quand l'officier lui eut de- 10
mandé des vivres pour ses hommes, il répondit que les gens de
Rocreuse n'étaient pas habitués à être brutalisés, et qu'on
n'obtiendrait rien d'eux si l'on employait la violence.   Il se
chargeait de tout, mais à la condition qu'on le laissât agir seul.
L'officier parut se fâcher d'abord de ce ton tranquille; puis, il 15
céda, devant les paroles brèves et nettes du vieillard.   Même
il le rappela, pour lui demander:
— Ces bois-là, en face, comment les nommez-vous?
— Les bois de Sauval.
— Et quelle est leur étendue?   20
Le meunier le regarda fixement.
— Je ne sais pas, répondit-il.
Et il s'éloigna.   Une heure plus tard, la contribution de guerre
en vivres et en argent, réclamée par l'officier, était dans la cour
du moulin.   La nuit venait, Françoise suivait avec anxiété les 25
mouvements des soldats.   Elle ne s'éloignait pas de la pièce dans
laquelle était enfermé Dominique.   Vers sept heures, elle eut
une émotion poignante; elle vit l'officier entrer chez le prisonnier, et, pendant un quart d'heure, elle entendit leurs voix
qui s'élevaient.   Un instant, l'officier reparut sur le seuil pour 30
donner un ordre en allemand, qu'elle ne comprit pas; mais,
lorsque douze hommes furent venus se ranger dans la cour, le
fusil au bras, un tremblement la saisit, elle se sentit mourir.
C'en était donc fait; l'exécution allait avoir lieu.   Les douze
hommes restèrent là dix minutes, la voix de Dominique con- 35

34. v. faire (1).

tinuait à s'élever sur un ton de refus violent. Enfin, l'officier
sortit, en fermant brutalement la porte et en disant:
— C'est bien, réfléchissez... Je vous donne jusqu'à demain
matin.

5   Et, d'un geste, il fit rompre les rangs aux douze hommes.
Françoise restait hébétée. Le père Merlier, qui avait continué
de fumer sa pipe, en regardant le peloton d'un air simplement
curieux, vint la prendre par le bras, avec une douceur paternelle. Il l'emmena dans sa chambre.

10   — Tiens-toi tranquille, lui dit-il, tâche de dormir... Demain,
il fera jour, et nous verrons.

En se retirant, il l'enferma par prudence. Il avait pour
principe que les femmes ne sont bonnes à rien, et qu'elles gâtent
tout, lorsqu'elles s'occupent d'une affaire sérieuse. Cependant,
15   Françoise ne se coucha pas. Elle demeura longtemps assise
sur son lit, écoutant les rumeurs de la maison. Les soldats
allemands, campés dans la cour, chantaient et riaient; ils
durent manger et boire jusqu'à onze heures, car le tapage ne
cessa pas un instant. Dans le moulin même, des pas lourds
20   résonnaient de temps à autre, sans doute des sentinelles qu'on
relevait. Mais, ce qui l'intéressait surtout, c'étaient les bruits
qu'elle pouvait saisir dans la pièce qui se trouvait sous sa chambre. Plusieurs fois elle se coucha par terre, elle appliqua son
oreille contre le plancher. Cette pièce était justement celle où
25   l'on avait enfermé Dominique. Il devait marcher du mur à la
fenêtre, car elle entendit longtemps la cadence régulière de sa
promenade; puis, il se fit un grand silence, il s'était sans doute
assis. D'ailleurs, les rumeurs cessaient, tout s'endormait.
Quand la maison lui parut s'assoupir, elle ouvrit sa fenêtre
30   le plus doucement possible, elle s'accouda.

Au dehors, la nuit avait une sérénité tiède. Le mince croissant de la lune, qui se couchait derrière les bois de Sauval,
éclairait la campagne d'une lueur de veilleuse. L'ombre allongée
des grands arbres barrait de noir les prairies, tandis que l'herbe,
35   aux endroits découverts, prenait une douceur de velours verdâtre. Mais Françoise ne s'arrêtait guère au charme mys-

térieux de la nuit. Elle étudiait la campagne, cherchant les
sentinelles que les Allemands avaient dû poster de côté. Elle
voyait parfaitement leurs ombres s'échelonner le long de la
Morelle. Une seule se trouvait devant le moulin, de l'autre
côté de la rivière, près d'un saule dont les branches trempaient 5
dans l'eau. Françoise la distinguait parfaitement. C'était un
grand garçon qui se tenait immobile, la face tournée vers le
ciel, de l'air rêveur d'un berger.

Alors, quand elle eut ainsi inspecté les lieux avec soin, elle
revint s'asseoir sur son lit. Elle y resta une heure, profondé- 10
ment absorbée. Puis elle écouta de nouveau: la maison n'avait
plus un souffle. Elle retourna à la fenêtre, jeta un coup d'œil;
mais sans doute une des cornes de la lune qui apparaissait encore derrière les arbres, lui parut gênante, car elle se remit à
attendre. Enfin, l'heure lui sembla venue. La nuit était toute 15
noire, elle n'apercevait plus la sentinelle en face, la campagne
s'étalait comme une mare d'encre. Elle tendit l'oreille un instant et se décida. Il y avait là, passant près de la fenêtre, une
échelle de fer, des barres scellées dans le mur, qui montait de la
roue au grenier, et qui servait autrefois aux meuniers pour visiter 20
certains rouages; puis, le mécanisme avait été modifié, depuis
longtemps l'échelle disparaissait sous les lierres épais qui
couvraient ce côté du moulin.

Françoise, bravement, enjamba la balustrade de sa fenêtre,
saisit une des barres de fer et se trouva dans le vide. Elle 25
commença à descendre. Ses jupons l'embarrassaient beaucoup.
Brusquement, une pierre se détacha de la muraille et tomba
dans la Morelle avec un rejaillissement sonore. Elle s'était
arrêtée, glacée d'un frisson. Mais elle comprit que la chute
d'eau, de son ronflement continu, couvrait à distance tous les 30
bruits qu'elle pouvait faire, et elle descendit alors plus hardiment, tâtant le lierre du pied, s'assurant des échelons. Lorsqu'elle fut à la hauteur de la chambre qui servait de prison à
Dominique, elle s'arrêta. Une difficulté imprévue faillit lui
faire perdre tout son courage: la fenêtre de la pièce du bas 35

4. Une sentinelle.

n'était pas régulièrement percée au-dessous de la fenêtre de
sa chambre, elle s'écartait de l'échelle, et lorsque Françoise
allongea la main, elle ne rencontra que la muraille. Lui faudrait-il donc remonter, sans pousser son projet jusqu'au bout ?
5 Ses bras se lassaient, le murmure de la Morelle, au-dessous
d'elle, commençait à lui donner des vertiges. Alors, elle arracha
du mur de petits fragments de plâtre et les lança dans la fenêtre
de Dominique. Il n'entendait pas, peut-être dormait-il. Elle
émietta encore la muraille, elle s'écorchait les doigts. Et elle
10 était à bout de force, elle se sentait tomber à la renverse,
lorsque Dominique ouvrit enfin doucement.

— C'est moi, murmura-t-elle. Prends-moi vite, je tombe.

C'était la première fois qu'elle le tutoyait. Il la saisit, en se
penchant, et l'apporta dans la chambre. Là, elle eut une crise de
15 larmes, étouffant ses sanglots pour qu'on ne l'entendît pas.
Puis, par un effort suprême, elle se calma.

— Vous êtes gardé ? demanda-t-elle à voix basse.

Dominique, encore stupéfait de la voir ainsi, fit un simple
signe, en montrant sa porte. De l'autre côté, on entendait un
20 ronflement; la sentinelle, cédant au sommeil, avait dû se
coucher par terre, contre la porte, en se disant que, de cette
façon, le prisonnier ne pouvait bouger.

— Il faut fuir, reprit-elle vivement. Je suis venue pour vous
supplier de fuir et pour vous dire adieu.

25 Mais lui ne paraissait pas l'entendre. Il répétait :

— Comment, c'est vous, c'est vous . . . Oh ! que vous m'avez
fait peur ! Vous pouviez vous tuer.

Il lui prit les mains, il les baisa.

— Que je vous aime, Françoise ! . . . Vous êtes aussi coura-
30 geuse que bonne. Je n'avais qu'une crainte, c'était de mourir
sans vous avoir revue . . . Mais vous êtes là, et maintenant ils
peuvent me fusiller. Quand j'aurai passé un quart d'heure avec
vous, je serai prêt.

Peu à peu, il l'avait attirée à lui, et elle appuyait sa tête sur
35 son épaule. Le danger les rapprochait. Ils oubliaient tout dans
cette étreinte.

— Ah! Françoise, reprit Dominique d'une voix caressante,
c'est aujourd'hui la Saint-Louis, le jour si longtemps attendu
de notre mariage.   Rien n'a pu nous séparer, puisque nous
voilà tous les deux seuls, fidèles au rendez-vous... N'est-ce
pas? c'est à cette heure le matin des noces.   5
— Oui, oui, répéta-t-elle, le matin des noces.
Ils échangèrent un baiser en frissonnant.   Mais, tout d'un
coup, elle se dégagea, la terrible réalité se dressait devant elle.
— Il faut fuir, il faut fuir, bégaya-t-elle.   Ne perdons pas une
minute.   10
Et comme il tendait les bras dans l'ombre pour la reprendre,
elle le tutoya de nouveau:
— Oh! je t'en prie, écoute-moi... Si tu meurs, je mourrai.
Dans une heure, il fera jour.   Je veux que tu partes tout de
suite.   15
Alors, rapidement, elle expliqua son plan.   L'échelle de fer
descendait jusqu'à la roue; là, il pourrait s'aider des palettes
et entrer dans la barque qui se trouvait dans un enfoncement.
Il lui serait facile ensuite de gagner l'autre bord de la rivière et
de s'échapper.   20
— Mais il doit y avoir des sentinelles? dit-il.
— Une seule, en face, au pied du premier saule.
— Et si elle m'aperçoit, si elle veut crier?
Françoise frissonna.   Elle lui mit dans la main un couteau
qu'elle avait descendu.   Il y eut un silence.   25
— Et votre père, et vous? reprit Dominique.   Mais non, je
ne puis fuir ... Quand je ne serai plus là, ces soldats vous mas-
sacreront peut-être ... Vous ne les connaissez pas.   Ils m'ont
proposé de me faire grâce, si je consentais à les guider dans la
forêt de Sauval.   Lorsqu'ils ne me trouveront plus, ils sont 30
capables de tout.
La jeune fille ne s'arrêta pas à discuter.   Elle répondait
simplement à toutes les raisons qu'il donnait:
— Par amour pour moi, fuyez ... Si vous m'aimez, Domi-
nique, ne restez pas ici une minute de plus.   35
Puis, elle promit de remonter dans sa chambre.   On ne saurait

pas qu'elle l'avait aidé. Elle finit par le prendre dans ses bras,
par l'embrasser, pour le convaincre, avec un élan de passion
extraordinaire. Lui était vaincu. Il ne posa plus qu'une
question.

5   — Jurez-moi que votre père connaît votre démarche et qu'il
me conseille la fuite?

— C'est mon père qui m'a envoyée, répondit hardiment
Françoise.

Elle mentait. Dans ce moment, elle n'avait qu'un besoin
10 immense, le savoir en sûreté, échapper à cette abominable
pensée que le soleil allait être le signal de sa mort. Quand il
serait loin, tous les malheurs pouvaient fondre sur elle; cela lui
paraîtrait doux, du moment où il vivrait. L'égoïsme de sa
tendresse le voulait vivant, avant toutes choses.

15   — C'est bien, dit Dominique, je ferai comme il vous plaira.

Alors, ils ne parlèrent plus. Dominique alla rouvrir la
fenêtre. Mais, brusquement, un bruit les glaça. La porte fut
ébranlée, et ils crurent qu'on l'ouvrait. Évidemment, une
ronde avait entendu leurs voix. Et tous deux debout, serrés
20 l'un contre l'autre, attendaient dans une angoisse indicible.
La porte fut de nouveau secouée; mais elle ne s'ouvrit pas. Ils
eurent chacun un soupir étouffé; ils venaient de comprendre,
ce devait être le soldat couché en travers du seuil, qui s'était
retourné. En effet, le silence se fit, les ronflements recom-
25 mencèrent.

Dominique voulut absolument que Françoise remontât
d'abord chez elle. Il la prit dans ses bras, il lui dit un muet
adieu. Puis, il l'aida à saisir l'échelle et se cramponna à son
tour. Mais il refusa de descendre un seul échelon avant de la
30 savoir dans sa chambre. Quand Françoise fut rentrée, elle
laissa tomber d'une voix légère comme un souffle:

— Au revoir, je t'aime!

Elle resta accoudée, elle tâcha de suivre Dominique. La
nuit était toujours très noire. Elle chercha la sentinelle et ne
35 l'aperçut pas; seul, le saule faisait une tache pâle, au milieu des

ténèbres. Pendant un instant, elle entendit le frôlement du corps de Dominique le long du lierre. Ensuite la roue craqua, et il y eut un léger clapotement qui lui annonça que le jeune homme venait de trouver la barque. Une minute plus tard, en effet, elle distingua la silhouette sombre de la barque sur la 5 nappe grise de la Morelle. * * *

IV

Dès le petit jour, des éclats de voix ébranlèrent le moulin. Le père Merlier était venu ouvrir la porte de Françoise. Elle descendit dans la cour, pâle et très calme. Mais là, elle ne put réprimer un frisson, en face du cadavre d'un soldat prussien, 10 qui était allongé près du puits, sur un manteau étalé.

Autour du corps, des soldats gesticulaient, criaient sur un ton de fureur. Plusieurs d'entre eux montraient les poings au village. Cependant, l'officier venait de faire appeler le père Merlier, comme maire de la commune. 15

— Voici, lui dit-il d'une voix étranglée par la colère, un de nos hommes que l'on a trouvé assassiné sur le bord de la rivière ... Il nous faut un exemple éclatant, et je compte que vous allez nous aider à découvrir le meurtrier.

— Tout ce que vous voudrez, répondit le meunier avec son 20 flegme. Seulement, ce ne sera pas commode. * * *

Cependant, l'officier parlait de frapper Rocreuse de mesures terribles, lorsque des soldats accoururent. On venait de s'apercevoir seulement de l'évasion de Dominique. Cela causa une agitation extrême. L'officier se rendit sur les lieux, re- 25 garda par la fenêtre laissée ouverte, comprit tout, et revint exaspéré.

Le père Merlier parut très contrarié de la fuite de Dominique.

— L'imbécile! murmura-t-il, il gâte tout.

Françoise, qui l'entendit, fut prise d'angoisse. Son père, 30 d'ailleurs, ne soupçonnait pas sa complicité. Il hocha la tête, en lui disant à demi-voix:

— A présent, nous voilà propres!

— C'est ce gredin! c'est ce gredin! criait l'officier. Il aura gagné les bois ... Mais il faut qu'on nous le retrouve, ou le village payera pour lui.

5   Et, s'adressant au meunier:

— Voyons, vous devez savoir où il se cache?

Le père Merlier eut son rire silencieux, en montrant la large étendue des coteaux boisés.

— Comment voulez-vous trouver un homme là-dedans? dit-il.

10   — Oh! il doit y avoir des trous que vous connaissez. Je vais vous donner dix hommes. Vous les guiderez.

— Je veux bien. Seulement, il nous faudra huit jours pour battre tous les bois des environs.

La tranquillité du vieillard enrageait l'officier. Il comprenait
15 en effet le ridicule de cette battue. Ce fut alors qu'il aperçut sur le banc Françoise pâle et tremblante. L'attitude anxieuse de la jeune fille le frappa. Il se tut un instant, examinant tour à tour le meunier et Françoise.

— Est-ce que cet homme, finit-il par demander brutalement
20 au vieillard, n'est pas l'amant de votre fille?

Le père Merlier devint livide, et l'on put croire qu'il allait se jeter sur l'officier pour l'étrangler. Il se raidit, il ne répondit pas. Françoise avait mis son visage entre ses mains.

— Oui, c'est cela, continua le Prussien, vous ou votre fille
25 l'avez aidé à fuir. Vous êtes son complice ... Une dernière fois, voulez-vous nous le livrer?

Le meunier ne répondit pas. Il s'était détourné, regardant au loin d'un air indifférent, comme si l'officier ne s'adressait pas à lui. Cela mit le comble à la colère de ce dernier.

30   — Eh bien! déclara-t-il, vous allez être fusillé à sa place.

Et il commanda une fois encore le peloton d'exécution. Le père Merlier garda son flegme. Il eut à peine un léger hausse-ment d'épaules, tout ce drame lui semblait d'un goût mé-diocre. Sans doute il ne croyait pas qu'on fusillât un homme
35 si aisément. Puis, quand le peloton fut là, il dit avec gravité:

— Alors, c'est sérieux?... Je veux bien. S'il vous en faut un absolument, moi autant qu'un autre.

Mais Françoise s'était levée, affolée, bégayant:

— Grâce, monsieur, ne faites pas du mal à mon père. Tuez-moi à sa place... C'est moi qui ai aidé Dominique à fuir. Moi 5 seule suis coupable.

— Tais-toi, fillette, s'écria le père Merlier. Pourquoi mens-tu... Elle a passé la nuit enfermée dans sa chambre, monsieur. Elle ment, je vous assure.

— Non, je ne mens pas, reprit ardemment la jeune fille. Je 10 suis descendue par la fenêtre, j'ai poussé Dominique à s'enfuir... C'est la vérité, la seule vérité...

Le vieillard était devenu très pâle. Il voyait bien dans ses yeux qu'elle ne mentait pas, et cette histoire l'épouvantait. Ah! ces enfants, avec leurs cœurs, comme ils gâtaient tout! Alors, 15 il se fâcha.

— Elle est folle, ne l'écoutez pas. Elle vous raconte des histoires stupides... Allons, finissons-en.

Elle voulut protester encore. Elle s'agenouilla, elle joignit les mains. L'officier, tranquillement, assistait à cette lutte 20 douloureuse.

— Mon Dieu! finit-il par dire, je prends votre père, parce que je ne tiens plus l'autre... Tâchez de retrouver l'autre, et votre père sera libre.

Un moment, elle le regarda, les yeux agrandis par l'atrocité 25 de cette proposition.

— C'est horrible, murmura-t-elle. Où voulez-vous que je retrouve Dominique, à cette heure? Il est parti, je ne sais plus.

— Enfin, choisissez. Lui ou votre père.   30

— Oh! mon Dieu! est-ce que je puis choisir? Mais je saurais où est Dominique, que je ne pourrais pas choisir!... C'est mon cœur que vous coupez... J'aimerais mieux mourir tout de suite. Oui, ce serait plus tôt fait. Tuez-moi, je vous en prie, tuez-moi...   35

31. je saurais..., que je ne pourrais pas... = même si je savais..., je, etc.

Cette scène de désespoir et de larmes finissait par impatienter
l'officier. Il s'écria:

— En voilà assez! Je veux être bon, je consens à vous donner
deux heures... Si, dans deux heures, votre amoureux n'est pas
5 là, votre père payera pour lui.

Et il fit conduire le père Merlier dans la chambre qui avait
servi de prison à Dominique. Le vieux demanda du tabac et
se mit à fumer. Sur son visage impassible on ne lisait aucune
émotion. Seulement, quand il fut seul, tout en fumant, il
10 pleura deux grosses larmes qui coulèrent lentement sur ses
joues. Sa pauvre et chère enfant, comme elle souffrait!

Françoise était restée au milieu de la cour. Des soldats prussiens passaient en riant. Certains lui jetaient des mots, des
plaisanteries qu'elle ne comprenait pas. Elle regardait la porte
15 par laquelle son père venait de disparaître. Et, d'un geste lent,
elle portait la main à son front, comme pour l'empêcher d'éclater.

L'officier tourna sur ses talons, en répétant:

— Vous avez deux heures. Tâchez de les utiliser.

Elle avait deux heures. Cette phrase bourdonnait dans sa
20 tête. Alors, machinalement, elle sortit de la cour, elle marcha
devant elle. Où aller? que faire? Elle n'essayait même pas de
prendre un parti, parce qu'elle sentait bien l'inutilité de ses
efforts. Pourtant, elle aurait voulu voir Dominique. Ils se
seraient entendus tous les deux, ils auraient peut-être trouvé
25 un expédient. Et, au milieu de la confusion de ses pensées,
elle descendit au bord de la Morelle, qu'elle traversa en dessous
de l'écluse, à un endroit où il y avait de grosses pierres. Ses
pieds la conduisirent sous le premier saule, au coin de la prairie.
Comme elle se baissait, elle aperçut une mare de sang qui la
30 fit pâlir. C'était bien là. Et elle suivit les traces de Dominique
dans l'herbe foulée; il avait dû courir, on voyait une ligne de
grands pas coupant la prairie de biais. Puis, au delà, elle perdit ces traces. Mais, dans un pré voisin, elle crut les retrouver.
Cela la conduisit à la lisière de la forêt, où toute indication
35 s'effaçait.

13. v. mot.

Françoise s'enfonça quand même sous les arbres. Cela la soulageait d'être seule. Elle s'assit un instant. Puis, en songeant que l'heure s'écoulait, elle se remit debout. * * * Elle avança dès lors, les yeux levés, et pour qu'il la sût près de lui, elle l'appelait tous les quinze à vingt pas. * * * Une fois même, 5 elle s'imagina le voir; elle s'arrêta, étranglée, avec l'envie de fuir. Qu'allait-elle lui dire? Venait-elle donc pour l'emmener et le faire fusiller? Oh! non, elle ne parlerait point de ces choses. Elle lui crierait de se sauver, de ne pas rester dans les environs. Puis, la pensée de son père qui l'attendait, lui causa 10 une douleur aiguë. Elle tomba sur le gazon, en pleurant, en répétant tout haut:

— Mon Dieu! mon Dieu! pourquoi suis-je là!

Elle était folle d'être venue. Et, comme prise de peur, elle courut, elle chercha à sortir de la forêt. Trois fois elle se 15 trompa, et elle croyait qu'elle ne retrouverait plus le moulin, lorsqu'elle déboucha dans une prairie, juste en face de Rocreuse. Dès qu'elle aperçut le village, elle s'arrêta. Est-ce qu'elle allait rentrer seule?

Elle restait debout, quand une voix l'appela doucement: 20
— Françoise! Françoise!

Et elle vit Dominique qui levait la tête, au bord d'un fossé. Juste Dieu! elle l'avait trouvé! Le ciel voulait donc sa mort? Elle retint un cri, elle se laissa glisser dans le fossé.

— Tu me cherchais? demanda-t-il.   25

— Oui, répondit-elle, la tête bourdonnante, ne sachant ce qu'elle disait.

— Ah! que se passe-t-il?

Elle baissa les yeux, elle balbutia.

— Mais, rien, j'étais inquiète, je désirais te voir.   30

Alors, tranquillisé, il lui expliqua qu'il n'avait pas voulu s'éloigner. Il craignait pour eux. Ces gredins de Prussiens étaient très capables de se venger sur les femmes et sur les vieillards. Enfin, tout allait bien, et il ajouta en riant:

— La noce sera pour dans huit jours, voilà tout.   35

1. v. cela.   35. v. pour.

Puis, comme elle restait bouleversée, il redevint grave.

— Mais, qu'as-tu ? tu me caches quelque chose.

— Non, je te jure. J'ai couru pour venir.

Il l'embrassa, en disant que c'était imprudent pour elle et
5 pour lui de causer davantage ; et il voulut remonter le fossé,
afin de rentrer dans la forêt. Elle le retint. Elle tremblait.

— Écoute, tu ferais peut-être bien tout de même de rester
là . . . Personne ne te cherche, tu ne crains rien.

— Françoise, tu me caches quelque chose, répéta-t-il.

10 De nouveau, elle jura qu'elle ne lui cachait rien. Seulement,
elle aimait mieux le savoir près d'elle. Et elle bégaya encore
d'autres raisons. Elle lui parut si singulière, que maintenant
lui-même aurait refusé de s'éloigner. D'ailleurs, il croyait au
retour des Français. On avait vu des troupes du côté de Sauval.

15 — Ah ! qu'ils se pressent, qu'ils soient ici le plus tôt possible !
murmura-t-elle avec ferveur.

A ce moment, onze heures sonnèrent au clocher de Rocreuse.
Les coups arrivaient, clairs et distincts. Elle se leva, effarée ;
il y avait deux heures qu'elle avait quitté le moulin.

20 — Écoute, dit-elle rapidement, si nous avons besoin de toi,
je monterai dans ma chambre et j'agiterai mon mouchoir.

Et elle partit en courant, pendant que Dominique, très
inquiet, s'allongeait au bord du fossé, pour surveiller le moulin.
Comme elle allait rentrer dans Rocreuse, Françoise rencontra
25 un vieux mendiant, le père Bontemps, qui connaissait tout le
pays. Il la salua, il venait de voir le meunier au milieu des
Prussiens ; puis, en faisant des signes de croix et en marmottant
des mots entrecoupés, il continua sa route.

— Les deux heures sont passées, dit l'officier quand Françoise
30 parut.

Le père Merlier était là, assis sur le banc, près du puits. Il
fumait toujours. La jeune fille, de nouveau, supplia, pleura,
s'agenouilla. Elle voulait gagner du temps. L'espoir de voir
revenir les Français avait grandi en elle, et tandis qu'elle se
35 lamentait, elle croyait entendre au loin les pas cadencés d'une
armée. Oh ! s'ils avaient paru, s'ils les avaient tous délivrés !

— Écoutez, monsieur, une heure, encore une heure . . . Vous pouvez bien nous accorder une heure!

Mais l'officier restait inflexible. Il ordonna même à deux hommes de s'emparer d'elle et de l'emmener, pour qu'on procédât à l'exécution du vieux tranquillement. Alors, un 5 combat affreux se passa dans le cœur de Françoise. Elle ne pouvait laisser ainsi assassiner son père. Non, non, elle mourrait plutôt avec Dominique; et elle s'élançait vers sa chambre, lorsque Dominique lui-même entra dans la cour.

L'officier et les soldats poussèrent un cri de triomphe. Mais 10 lui, comme s'il n'y avait eu là que Françoise, s'avança vers elle, tranquille, un peu sévère.

— C'est mal, dit-il. Pourquoi ne m'avez-vous pas ramené? Il a fallu que le père Bontemps me contât les choses . . . Enfin, me voilà.   15

V

Il était trois heures. De grands nuages noirs avaient lentement empli le ciel, la queue de quelque orage voisin. Ce ciel jaune, ces haillons cuivrés changeaient la vallée de Rocreuse, si gaie au soleil, en un coupe-gorge plein d'une ombre louche. L'officier prussien s'était contenté de faire enfermer Dominique, sans 20 se prononcer sur le sort qu'il lui réservait. Depuis midi Françoise agonisait dans une angoisse abominable. Elle ne voulait pas quitter la cour, malgré les instances de son père. Elle attendait les Français. Mais les heures s'écoulaient, la nuit allait venir, et elle souffrait d'autant plus, que tout ce temps 25 gagné ne paraissait pas devoir changer l'affreux dénouement.

Cependant, vers trois heures, les Prussiens firent leurs préparatifs de départ. Depuis un instant, l'officier s'était, comme la veille, enfermé avec Dominique. Françoise avait compris 30 que la vie du jeune homme se décidait. Alors, elle joignit les mains, elle pria. Le père Merlier, à côté d'elle, gardait son

14. Cette forme est strictement livresque; tout Français aurait dit **conte.**

attitude muette et rigide de vieux paysan, qui ne lutte pas
contre la fatalité des faits.

— Oh! mon Dieu! oh! mon Dieu! balbutiait Françoise, ils
vont le tuer ...

5   Le meunier l'attira près de lui et la prit sur ses genoux comme
un enfant.

A ce moment, l'officier sortait, tandis que, derrière lui, deux
hommes amenaient Dominique.

— Jamais, jamais! criait ce dernier. Je suis prêt à mourir.

10   — Réfléchissez bien, reprit l'officier. Ce service que vous me
refusez, un autre nous le rendra. Je vous offre la vie, je suis
généreux ... Il s'agit simplement de nous conduire à Montredon, à travers bois. Il doit y avoir des sentiers.

Dominique ne répondait plus.

15   — Alors, vous vous entêtez?

— Tuez-moi, et finissons-en, répondit-il.

Françoise, les mains jointes, le suppliait de loin. Elle ou-
bliait tout, elle lui aurait conseillé une lâcheté. Mais le père
Merlier lui saisit les mains, pour que les Prussiens ne vissent pas

20 son geste de femme affolée.

— Il a raison, murmura-t-il, il vaut mieux mourir.

Le peloton d'exécution était là. L'officier attendait une
faiblesse de Dominique. Il comptait toujours le décider. Il y
eut un silence. Au loin, on entendait de violents coups de ton-

25 nerre. Une chaleur lourde écrasait la campagne. Et ce fut
dans ce silence qu'un cri retentit:

— Les Français! les Français!

C'étaient eux, en effet. Sur la route de Sauval, à la lisière
du bois, on distinguait la ligne des pantalons rouges. Ce fut,

30 dans le moulin, une agitation extraordinaire. Les soldats
prussiens couraient, avec des exclamations gutturales. D'ailleurs, pas un coup de feu n'avait encore été tiré.

— Les Français! les Français! cria Françoise en battant des
mains.

35   Elle était comme folle. Elle venait de s'échapper de l'étreinte
de son père, et elle riait, les bras en l'air. Enfin, ils arrivaient

donc, et ils arrivaient à temps, puisque Dominique était encore
là, debout!

Un feu de peloton terrible qui éclata comme un coup de
foudre à ses oreilles, la fit se retourner. L'officier venait de
murmurer: 5

— Avant tout, réglons cette affaire.

Et, poussant lui-même Dominique contre le mur d'un hangar,
il avait commandé le feu. Quand Françoise se tourna, Dominique était par terre, la poitrine trouée de douze balles.

Elle ne pleura pas, elle resta stupide. Ses yeux devinrent 10
fixes, et elle alla s'asseoir sous le hangar, à quelques pas du
corps. Elle le regardait, elle avait par moments un geste vague
et enfantin de la main. Les Prussiens s'étaient emparés du
père Merlier comme d'un otage.

Ce fut un beau combat. Rapidement, l'officier avait posté 15
ses hommes, comprenant qu'il ne pouvait battre en retraite,
sans se faire écraser. Autant valait-il vendre chèrement sa
vie. Maintenant, c'étaient les Prussiens qui défendaient le
moulin, et les Français qui l'attaquaient. La fusillade commença avec une violence inouïe. Pendant une demi-heure, elle 20
ne cessa pas. Puis, un éclat sourd se fit entendre, et un boulet
cassa une maîtresse branche de l'orme séculaire. Les Français
avaient du canon. Une batterie, dressée juste au-dessus du
fossé, dans lequel s'était caché Dominique, balayait la grande
rue de Rocreuse. La lutte, désormais, ne pouvait être longue. 25

Ah! le pauvre moulin! Des boulets le perçaient de part en
part. Une moitié de la toiture fut enlevée. Deux murs s'é-
croulèrent. Mais c'était surtout du côté de la Morelle que le
désastre devint lamentable. Les lierres, arrachés des murailles
ébranlées, pendaient comme des guenilles; la rivière emportait 30
des débris de toutes sortes, et l'on voyait, par une brèche, la
chambre de Françoise, avec son lit, dont les rideaux blancs
étaient soigneusement tirés. Coup sur coup, la vieille roue
reçut deux boulets, et elle eut un gémissement suprême; les
palettes furent charriées dans le courant, la carcasse s'écrasa. 35
C'était l'âme du gai moulin qui venait de s'exhaler. Puis, les

Français donnèrent l'assaut. Il y eut un furieux combat à
l'arme blanche. * * *

Le père Merlier venait d'être tué raide par une balle perdue.
Alors, comme les Prussiens étaient exterminés et que le moulin
5 brûlait, le capitaine français entra le premier dans la cour.
Depuis le commencement de la campagne, c'était l'unique
succès qu'il remportait. Aussi, tout enflammé, grandissant sa
haute taille, riait-il de son air aimable de beau cavalier. Et,
apercevant Françoise entre les cadavres de son mari et de
10 son père, au milieu des ruines fumantes du moulin, il la salua
galamment de son épée, en criant:

— Victoire ! victoire !

ÉMILE ZOLA

ALFRED DE MUSSET

ALFRED DE MUSSET, né à Paris en 1810, fréquenta chez les poètes romantiques et publia à vingt ans un volume de vers qui le rendit célèbre: les *Contes d'Espagne et d'Italie* (1829). Il se détacha vite de l'école romantique, dont il a fait la satire à plusieurs reprises, pour revenir à un art plus classique de forme et plus personnel de sentiment. Les déceptions qu'il éprouva au cours de sa vie sentimentale lui inspirèrent un roman: *La Confession d'un Enfant du Siècle* (1836), et ses plus beaux poèmes: les quatre *Nuits, L'Espoir en Dieu, Souvenir.* Il a écrit une dizaine de nouvelles: *Histoire d'un Merle Blanc* (1842), *Mimi Pinson* (1843), etc., et des comédies, dont plusieurs sont encore très populaires sur la scène française: *Fantasio* (1834), *On ne badine pas avec l'Amour* (1834), *Il ne faut jurer de rien* (1836). Nouvelles et comédies sont animées par un spirituel sentimentalisme, et un sens délicat de l'ironie. Reçu à l'Académie Française en 1852, Musset mourut à Paris en 1857.

HISTOIRE D'UN MERLE BLANC

I

QU'IL est glorieux, mais qu'il est pénible d'être en ce monde un merle exceptionnel! Je ne suis point un oiseau fabuleux, et M. de Buffon m'a décrit. Mais, hélas! je suis extrêmement rare, et très difficile à trouver. Plût au ciel que je fusse tout à fait impossible! 5

Mon père et ma mère étaient deux bonnes gens qui vivaient, depuis nombre d'années, au fond d'un vieux jardin retiré du Marais. C'était un ménage exemplaire. Pendant que ma mère, assise dans un buisson fourré, pondait régulièrement trois fois par an, et couvait, tout en sommeillant, avec une religion patriar- 10 cale, mon père, encore fort propre et fort pétulant, malgré son

131

grand âge, picorait autour d'elle toute la journée, lui apportant
de beaux insectes qu'il saisissait délicatement par le bout de la
queue pour ne pas dégoûter sa femme, et, la nuit venue, il ne
manquait jamais, quand il faisait beau, de la régaler d'une
5 chanson qui réjouissait tout le voisinage. Jamais une querelle,
jamais le moindre nuage n'avait troublé cette douce union.

A peine fus-je venu au monde, que, pour la première fois de
sa vie, mon père commença à montrer de la mauvaise humeur.
Bien que je ne fusse encore que d'un gris douteux, il ne recon-
10 naissait en moi ni la couleur, ni la tournure de sa nombreuse
postérité.

— Voilà un sale enfant, disait-il quelquefois en me regardant
de travers; il faut que ce gamin-là aille apparemment se fourrer
dans tous les plâtras et dans tous les tas de boue qu'il rencontre,
15 pour être toujours si laid et si crotté.

— Eh! mon Dieu, mon ami, répondait ma mère, toujours
roulée en boule dans une vieille écuelle dont elle avait fait son
nid, ne voyez-vous pas que c'est de son âge? Et vous-même,
dans votre jeune temps, n'avez-vous pas été un charmant
20 vaurien? Laissez grandir notre merlichon, et vous verrez
comme il sera beau; il est des mieux que j'aie pondus.

Tout en prenant ainsi ma défense, ma mère ne s'y trompait
pas; elle voyait pousser mon fatal plumage, qui lui semblait
une monstruosité; mais elle faisait comme toutes les mères,
25 qui s'attachent souvent à leurs enfants, par cela même qu'ils
sont maltraités de la nature, comme si la faute en était à elle,
ou comme si elles repoussaient d'avance l'injustice du sort qui
doit les frapper.

Quand vint le temps de ma première mue, mon père devint
30 tout à fait pensif et me considéra attentivement. Tant que
mes plumes tombèrent, il me traita encore avec assez de bonté
et me donna même la pâtée, me voyant grelotter presque nu
dans un coin; mais dès que mes pauvres ailerons transis com-
mencèrent à se recouvrir de duvet, à chaque plume blanche
35 qu'il vit paraître, il entra dans une telle colère, que je craignis

qu'il ne me plumât pour le reste de mes jours. Hélas! je n'avais pas de miroir; j'ignorais le sujet de cette fureur, et je me demandais pourquoi le meilleur des pères se montrait pour moi si barbare.

Un jour qu'un rayon de soleil et ma fourrure naissante 5 m'avaient mis, malgré moi, le cœur en joie, comme je voltigeais dans une allée, je me mis, pour mon malheur, à chanter. A la première note qu'il entendit, mon père sauta en l'air comme une fusée.

— Qu'est-ce que j'entends là? s'écria-t-il; est-ce ainsi qu'un 10 merle siffle? est-ce ainsi que je siffle? est-ce là siffler?

Et, s'abattant près de ma mère avec la contenance la plus terrible:

— Malheureuse! dit-il, qui est-ce qui a pondu dans ton nid?

A ces mots, ma mère indignée s'élança de son écuelle, non 15 sans se faire du mal à une patte; elle voulut parler, mais ses sanglots la suffoquaient; elle tomba à terre à demi pâmée. Je la vis près d'expirer; épouvanté et tremblant de peur, je me jetai aux genoux de mon père.

— O mon père! lui dis-je, si je siffle de travers, et si je suis 20 mal vêtu, que ma mère n'en soit point punie! Est-ce sa faute si la nature m'a refusé une voix comme la vôtre! Est-ce sa faute si je n'ai pas votre beau bec jaune et votre bel habit noir à la française, qui vous donnent l'air d'un marguillier en train d'avaler une omelette? Si le ciel a fait de moi un monstre, et si 25 quelqu'un doit en porter la peine, que je sois du moins le seul malheureux!

— Il ne s'agit pas de cela, dit mon père; que signifie la manière absurde dont tu viens de te permettre de siffler? Qui t'a appris à siffler ainsi contre tous les usages et toutes les 30 règles?

— Hélas! monsieur, répondis-je humblement, j'ai sifflé comme je pouvais, me sentant gai parce qu'il fait beau, et ayant peut-être mangé trop de mouches.

— On ne siffle pas ainsi dans ma famille, reprit mon père 35

11. v. là.

hors de lui. Il y a des siècles que nous sifflons de père en fils, et, lorsque je fais entendre ma voix la nuit, apprends qu'il y a ici au premier étage un vieux monsieur, et au grenier une jeune grisette, qui ouvrent leurs fenêtres pour m'entendre. N'est-ce
5 pas assez que j'aie devant les yeux l'affreuse couleur de tes sottes plumes qui te donnent l'air enfariné, comme un paillasse de la foire. Si je n'étais le plus pacifique des merles, je t'aurais déjà cent fois mis à nu, ni plus ni moins qu'un poulet de basse-cour prêt à être embroché.
10 — Eh bien! m'écriai-je, révolté de l'injustice de mon père, s'il en est ainsi, monsieur, qu'à cela ne tienne! Je me déroberai à votre présence, je délivrerai vos regards de cette malheureuse queue blanche par laquelle vous me tirez toute la journée. Je partirai, monsieur, je fuirai; assez d'autres enfants consoleront
15 votre vieillesse, puisque ma mère pond trois fois par an; j'irai loin de vous cacher ma misère, et peut-être, ajoutai-je en sanglotant, peut-être trouverai-je, dans le potager du voisin ou sur les gouttières, quelques vers de terre ou quelques arai-gnées pour soutenir ma triste existence.
20 — Comme tu voudras, répliqua mon père, loin de s'attendrir à ce discours; que je ne te voie plus! Tu n'es pas mon fils; tu n'es pas un merle.

— Et que suis-je donc, monsieur, s'il vous plaît?

— Je n'en sais rien, mais tu n'es pas un merle.

25 Après ces paroles foudroyantes, mon père s'éloigna à pas lents. Ma mère se releva tristement, et alla, en boitant, achever de pleurer dans son écuelle. Pour moi, confus et désolé, je pris mon vol du mieux que je pus, et j'allai, comme je l'avais an-noncé, me percher sur la gouttière d'une maison voisine.

II

30 Mon père eut l'inhumanité de me laisser pendant plusieurs jours dans cette situation mortifiante. Malgré sa violence, il avait bon cœur, et, aux regards détournés qu'il me lançait, je voyais bien qu'il aurait voulu me pardonner et me rappeler;

ma mère, surtout, levait sans cesse vers moi des yeux pleins de
tendresse, et se risquait même parfois à m'appeler d'un petit
cri plaintif; mais mon horrible plumage blanc leur inspirait,
malgré eux, une répugnance et un effroi auxquels je vis bien
qu'il n'y avait point de remède.   5
« Je ne suis point un merle? » me répétais-je; et, en effet, en
m'épluchant le matin et en me mirant dans l'eau de la gouttière,
je ne reconnaissais que trop clairement combien je ressemblais
peu à ma famille. « O ciel! répétais-je encore, apprends-moi
donc ce que je suis! »   10
Une certaine nuit qu'il pleuvait à verse, j'allais m'endormir
exténué de faim et de chagrin, lorsque je vis se poser près de
moi un oiseau plus mouillé, plus pâle et plus maigre que je ne
le croyais possible. Il était à peu près de ma couleur, autant
que j'en pus juger à travers la pluie qui nous inondait; à peine 15
avait-il sur le corps assez de plumes pour habiller un moineau,
et il était plus gros que moi. Il me sembla, au premier abord,
un oiseau tout à fait pauvre et nécessiteux; mais il gardait, en
dépit de l'orage qui maltraitait son front presque tondu, un air
de fierté qui me charma. Je lui fis modestement une grande 20
révérence, à laquelle il répondit par un coup de bec qui faillit
me jeter à bas de la gouttière. Voyant que je me grattais
l'oreille et que je me retirais avec componction sans essayer de
lui répondre en sa langue:
— Qui es-tu? me demanda-t-il d'une voix aussi enrouée que 25
son crâne était chauve.
— Hélas! monseigneur, répondis-je (craignant une seconde
estocade), je n'en sais rien. Je croyais être un merle, mais l'on
m'a convaincu que je n'en suis pas un.
La singularité de ma réponse et mon air de sincérité l'in- 30
téressèrent. Il s'approcha de moi et me fit conter mon histoire,
ce dont je m'acquittai avec toute la tristesse et toute l'humilité
qui convenaient à ma position et au temps affreux qu'il faisait.
— Si tu étais un ramier comme moi, me dit-il après m'avoir
écouté, les niaiseries dont tu t'affliges ne t'inquièteraient pas 35

13. cf. La Fontaine, *Les Deux Pigeons*.   32. v. ce (1).

un moment. Nous voyageons, c'est là notre vie. ✳✳✳ Fendre
l'air, traverser l'espace, voir à nos pieds les monts et les plaines,
respirer l'azur même des cieux, et non les exhalaisons de la terre,
courir comme la flèche à un but marqué qui ne nous échappe
5 jamais, voilà notre plaisir et notre existence. Je fais plus de
chemin en un jour qu'un homme n'en peut faire en dix.

— Sur ma parole, monsieur, dis-je un peu enhardi, vous êtes
un oiseau bohémien.

— C'est encore une chose dont je ne me soucie guère, reprit-
10 il. Je n'ai point de pays; je ne connais que trois choses: les
voyages, ma femme et mes petits. Où est ma femme, là est
ma patrie.

— Mais qu'avez-vous là qui vous pend au cou? C'est
comme une vieille papillote chiffonnée.

15   — Ce sont des papiers d'importance, répondit-il en se ren-
gorgeant; je vais à Bruxelles de ce pas, et je porte au célèbre
banquier —— une nouvelle qui va faire baisser la rente d'un
franc soixante-dix-huit centimes.

— Juste Dieu ! m'écriai-je, c'est une belle existence que la
20 vôtre, et Bruxelles, j'en suis sûr, doit être une ville bien curieuse
à voir. Ne pourriez-vous pas m'emmener avec vous? Puisque
je ne suis pas un merle, je suis peut-être un pigeon ramier.

— Si tu en étais un, répliqua-t-il, tu m'aurais rendu le coup
de bec que je t'ai donné tout à l'heure.

25   — Eh bien ! monsieur, je vous le rendrai; ne nous brouillons
pas pour si peu de chose. Voilà le matin qui paraît et l'orage
qui s'apaise. De grâce, laissez-moi vous suivre ! Je suis perdu,
je n'ai plus rien au monde; si vous me refusez, il ne me reste
plus qu'à me noyer dans cette gouttière.

30   — Eh bien, en route ! suis-moi, si tu peux.

Je jetai un dernier regard sur le jardin où dormait ma mère.
Une larme coula de mes yeux; le vent et la pluie l'emportèrent.
J'ouvris mes ailes et je partis.

    9. v. encore.   **11.** Paraphrase du latin: Ubi bene, ibi patria, *où l'on est
bien, là est la patrie.*   **13.** cf. La Fontaine, *Le Loup et le Chien.*   **17.** v. de.
19. v. que (1, c).

III

Mes ailes, je l'ai dit, n'étaient pas encore bien robustes. Tandis que mon conducteur allait comme le vent, je m'essoufflais à ses côtés; je tins bon pendant quelque temps, mais bientôt il me prit un éblouissement si violent, que je me sentis près de défaillir.   5

— Y en a-t-il encore pour longtemps? demandai-je d'une voix faible.

— Non, me répondit-il, nous sommes au Bourget; nous n'avons plus que soixante lieues à faire.

J'essayai de reprendre courage, ne voulant pas avoir l'air 10 d'une poule mouillée, et je volai encore un quart d'heure, mais, pour le coup, j'étais rendu.

— Monsieur, bégayai-je de nouveau, ne pourrait-on pas s'arrêter un instant? J'ai une soif horrible qui me tourmente, et, en nous perchant sur un arbre . . .   15

— Va-t'en au diable! tu n'es qu'un merle! me répondit le ramier en colère.

Et, sans daigner tourner la tête, il continua son voyage enragé. Quant à moi, abasourdi et n'y voyant plus, je tombai dans un champ de blé.   20

J'ignore combien de temps dura mon évanouissement. Lorsque je repris connaissance, ce qui me revint d'abord en mémoire fut la dernière parole du ramier: « Tu n'es qu'un merle », m'avait-il dit. — O mes chers parents, pensai-je, vous vous êtes donc trompés! Je vais retourner près de vous; vous 25 me reconnaîtrez pour votre vrai et légitime enfant, et vous me rendrez ma place dans ce bon petit tas de feuilles qui est sous l'écuelle de ma mère.

Je fis un effort pour me lever; mais la fatigue du voyage et la douleur que je ressentais de ma chute me paralysaient tous 30 les membres. A peine me fus-je dressé sur mes pattes, que la défaillance me reprit, et je retombai sur le flanc.

L'affreuse pensée de la mort se présentait déjà à mon esprit,

19. v. voir.

lorsque, à travers les bluets et les coquelicots, je vis venir à moi, sur la pointe du pied, deux charmantes personnes. L'une était une petite pie fort bien mouchetée et extrêmement coquette, et l'autre une tourterelle couleur de rose. La tourte-
5 relle s'arrêta à quelques pas de distance, avec un grand air de pudeur et de compassion pour mon infortune; mais la pie s'approcha en sautillant de la manière la plus agréable du monde.

— Eh! bon Dieu! pauvre enfant, que faites-vous là? me
10 demanda-t-elle d'une voix folâtre et argentine.

— Hélas! madame la marquise, répondis-je (car c'en devait être une pour le moins), je suis un pauvre diable de voyageur que son postillon a laissé en route, et je suis en train de mourir de faim.

15   — Sainte Vierge! que me dites-vous? répondit-elle.

Et aussitôt elle se mit à voltiger çà et là sur les buissons qui nous entouraient, allant et venant de côté et d'autre, m'apportant quantité de baies et de fruits, dont elle fit un petit tas près de moi, tout en continuant ses questions.

20   — Mais qui êtes-vous? mais d'où venez-vous? C'est une chose incroyable que votre aventure! Et où alliez-vous? Voyager seul, si jeune, car vous sortez de votre première mue! Que font vos parents? d'où sont-ils? comment vous laissent-ils aller dans cet état-là? Mais c'est à faire dresser les plumes
25 sur la tête!

Pendant qu'elle parlait, je m'étais soulevé un peu de côté, et je mangeais de grand appétit. La tourterelle restait immobile, me regardant toujours d'un œil de pitié. Cependant elle remarqua que je retournais la tête d'un air languissant, et elle
30 comprit que j'avais soif. De la pluie tombée dans la nuit, une goutte restait sur un brin de mouron; elle recueillit timidement cette goutte dans son bec, et me l'apporta toute fraîche. Certainement, si je n'eusse pas été si malade, une personne si réservée ne se serait jamais permis une pareille démarche.

---

11. c'en devait être = ce devait en être.   24. Au lieu de « faire dresser les cheveux ».

Je ne savais pas encore ce que c'est que l'amour, mais mon
cœur battait violemment. Partagé entre deux émotions diverses, j'étais pénétré d'un charme inexplicable. Ma panetière était si gaie, mon échanson si expansif et si doux, que
j'aurais voulu déjeuner ainsi pendant toute l'éternité. Mal- 5
heureusement, tout a un terme, même l'appétit d'un convalescent. Le repas fini et mes forces venues, je satisfis la curiosité
de la petite pie, et lui racontai mes malheurs avec autant de
sincérité que je l'avais fait la veille devant le pigeon. La pie
m'écouta avec plus d'attention qu'il ne semblait devoir lui 10
appartenir, et la tourterelle me donna des marques charmantes
de sa profonde sensibilité. Mais, lorsque j'en fus à toucher le
point capital qui causait ma peine, c'est-à-dire l'ignorance où
j'étais de moi-même:

— Plaisantez-vous? s'écria la pie; vous, un merle! vous, un 15
pigeon! Fi donc! vous êtes une pie, mon cher enfant, pie s'il
en fut, et très gentille pie, ajouta-t-elle en me donnant un petit
coup d'aile, comme qui dirait un coup d'éventail.

— Mais, madame la marquise, répondis-je, il me semble que,
pour une pie, je suis d'une couleur, ne vous en déplaise . . .   20

— Une pie russe, mon cher, vous êtes une pie russe! Vous
ne savez pas qu'elles sont blanches? Pauvre garçon, quelle
innocence!

— Mais, madame, repris-je, comment serais-je une pie russe,
étant né au fond du Marais, dans une vieille écuelle cassée?   25

— Ah! le bon enfant! Vous êtes de l'invasion, mon cher,
croyez-vous qu'il n'y ait que vous? Fiez-vous à moi, et
laissez-vous faire; je veux vous emmener tout à l'heure et
vous montrer les plus belles choses de la terre.

— Où cela, madame, s'il vous plaît?   30

— Dans mon palais vert, mon mignon; vous verrez quelle
vie on y mène. Vous n'aurez pas plus tôt été pie un quart
d'heure, que vous ne voudrez plus entendre parler d'autre

10. v. devoir.   12. fus: v. être.   18. v. qui (1).   20. cf. La Fontaine, *La
Cigale et la Fourmi*.   26. v. invasion.   27. ait: v. avoir (10).   30. v. cela.
31. v. palais.

chose. Nous sommes là une centaine, non pas de ces grosses
pies de village qui demandent l'aumône sur les grands chemins,
mais toutes nobles et de bonne compagnie, effilées, lestes, et pas
plus grosses que le poing. Pas une de nous n'a ni plus ni moins
5 de sept marques noires et de cinq marques blanches; c'est une
chose invariable, et nous méprisons le reste du monde. Les
marques noires vous manquent, il est vrai, mais votre qualité
de Russe suffira pour vous faire admettre. Notre vie se compose de deux choses: caqueter et nous attifer. Depuis le
10 matin jusqu'à midi, nous nous attifons, et, depuis midi jusqu'au
soir, nous caquetons. Chacune de nous perche sur un arbre, le
plus haut et le plus vieux possible. Au milieu de la forêt s'élève
un chêne immense, inhabité, hélas! C'était la demeure du
feu roi Pie X, où nous allons en pèlerinage en poussant de bien
15 gros soupirs; mais, à part ce léger chagrin, nous passons le
temps à merveille. Nos femmes ne sont pas plus bégueules
que nos maris ne sont jaloux, mais nos plaisirs sont purs et
honnêtes, parce que notre cœur est aussi noble que notre langage est libre et joyeux. Notre fierté n'a pas de bornes, et, si
20 un geai ou toute autre canaille vient par hasard à s'introduire
chez nous, nous le plumons impitoyablement. Mais nous n'en
sommes pas moins les meilleures gens du monde. * * * Nulle
part il n'y a plus de caquetage que chez nous, et nulle part
moins de médisance. * * * En un mot, nous vivons de plaisir,
25 d'honneur, de bavardage, de gloire et de chiffons.

— Voilà qui est fort beau, madame, répliquai-je, et je serais
certainement mal appris de ne point obéir aux ordres d'une
personne comme vous. Mais, avant d'avoir l'honneur de vous
suivre, permettez-moi, de grâce, de dire un mot à cette bonne
30 demoiselle qui est ici.

— Mademoiselle, continuai-je en l'adressant à la tourterelle,
parlez-moi franchement, je vous en supplie; pensez-vous que
je sois véritablement une pie russe?

14. Jeu de mots: v. pie et Pie X. 21. v. en (2). 1–25. Belle description,
un peu ironique, de la vieille noblesse royaliste pendant la première moitié
du dix-neuvième siècle.

A cette question, la tourterelle baissa la tête, et devint rouge pâle, comme les rubans de Lolotte.

— Mais, monsieur, dit-elle, je ne sais si je puis . . .

— Au nom du ciel, parlez, mademoiselle! Mon dessein n'a rien qui puisse vous offenser, bien au contraire. Vous me 5 paraissez toutes deux si charmantes, que je fais ici le serment d'offrir mon cœur et ma patte à celle de vous qui en voudra, dès l'instant que je saurai si je suis pie ou autre chose; car, en vous regardant, ajoutai-je, parlant un peu plus bas à la jeune personne, je me sens je ne sais quoi de tourtereau qui 10 me tourmente singulièrement.

— Mais, en effet, dit la tourterelle en rougissant encore davantage, je ne sais si c'est le reflet du soleil qui tombe sur vous à travers ces coquelicots, mais votre plumage me semble avoir une légère teinte . . .   15

Elle n'osa en dire plus long.

— O perplexité! m'écriai-je, comment savoir à quoi m'en tenir? comment donner mon cœur à l'une de vous, lorsqu'il est si cruellement déchiré? O Socrate! quel précepte admirable, mais difficile à suivre, tu nous as donné, quand tu as dit: 20 « Connais-toi toi-même! »

Depuis le jour où une malheureuse chanson avait si fort contrarié mon père, je n'avais pas fait usage de ma voix. En ce moment, il me vint à l'esprit de m'en servir comme d'un moyen pour discerner la vérité. « Parbleu! pensais-je, puisque 25 monsieur mon père m'a mis à la porte dès le premier couplet, c'est bien le moins que le second produise quelque effet sur ces dames! » Ayant donc commencé par m'incliner poliment, comme pour réclamer l'indulgence, à cause de la pluie que j'avais reçue, je me mis d'abord à siffler, puis à gazouiller, puis 30 à faire des roulades, puis enfin à chanter à tue-tête, comme un muletier espagnol en plein vent.

A mesure que je chantais, la petite pie s'éloignait de moi d'un air de surprise qui devint bientôt de la stupéfaction, puis qui passa à un sentiment d'effroi accompagné d'un profond ennui. 35

2. v. **Lolotte.**   7. v. **vouloir.**   10. v. **tourtereau.**   27. v. **moins.**

Elle décrivait des cercles autour de moi, comme un chat autour
d'un morceau de lard trop chaud qui vient de le brûler, mais
auquel il voudrait pourtant goûter encore. Voyant l'effet de
mon épreuve, et voulant la pousser jusqu'au bout, plus la
5 pauvre marquise montrait d'impatience, plus je m'égosillais à
chanter. Elle résista pendant vingt-cinq minutes à mes mélo-
dieux efforts; enfin, n'y pouvant plus tenir, elle s'envola à
grand bruit, et regagna son palais de verdure. Quant à la
tourterelle, elle s'était, presque dès le commencement, profondé-
10 ment endormie.

— Admirable effet de l'harmonie! pensai-je. O Marais! ô
écuelle maternelle! plus que jamais je reviens à vous!

Au moment où je m'élançais pour partir, la tourterelle rou-
vrit les yeux.

15 — Adieu, dit-elle, étranger si gentil et si ennuyeux! Mon
nom est Gourouli; souviens-toi de moi!

— Belle Gourouli, lui répondis-je, vous êtes bonne, douce et
charmante; je voudrais vivre et mourir pour vous. Mais vous
êtes couleur de rose; tant de bonheur n'est pas fait pour moi!

IV

20   Le triste effet produit par mon chant ne laissait pas de
m'attrister. « Hélas! musique, hélas! poésie, me répétais-je
en regagnant Paris, qu'il y a peu de cœurs qui vous comprennent! »

En faisant ces réflexions, je me cognai la tête contre celle
25 d'un oiseau qui volait dans le sens opposé au mien. Le choc
fut si rude et si imprévu, que nous tombâmes tous deux sur la
cime d'un arbre qui, par bonheur, se trouva là. Après que nous
nous fûmes un peu secoués, je regardai le nouveau venu,
m'attendant à une querelle. Je vis avec surprise qu'il était
30 blanc. A la vérité, il avait la tête un peu plus grosse que moi,
et, sur le front, une espèce de panache qui lui donnait un air

7. **n'y pouvant plus tenir,** archaïque pour **ne pouvant plus y tenir.**
16. v. **Gourouli.**

héroï-comique. De plus, il portait sa queue fort en l'air, avec une grande magnanimité; du reste, il ne me parut nullement disposé à la bataille. Nous nous abordâmes fort civilement, et nous nous fîmes de mutuelles excuses, après quoi nous entrâmes en conversation. Je pris la liberté de lui demander son nom et 5 de quel pays il était.

— Je suis étonné, me dit-il, que vous ne me connaissiez pas. Est-ce que vous n'êtes pas des nôtres?

— En vérité, monsieur, répondis-je, je ne sais pas desquels je suis. Tout le monde me demande et me dit la même chose; 10 il faut que ce soit une gageure qu'on ait faite.

— Vous voulez rire, répliqua-t-il; votre plumage vous sied trop bien pour que je méconnaisse un confrère. Vous appartenez infailliblement à cette race illustre et vénérable qu'on nomme en latin cucuata, en langue savante kakatoès, et en jargon vul- 15 gaire cacatois.

— Ma foi, monsieur, cela est possible, et ce serait bien de l'honneur pour moi. Mais ne laissez pas de faire comme si je n'en étais pas, et daignez m'apprendre à qui j'ai la gloire de parler. 20

— Je suis, répondit l'inconnu, le grand poète Kacatogan. J'ai fait de puissants voyages, monsieur, des traversées arides et de cruelles pérégrinations. Ce n'est pas d'hier que je rime, et ma muse a eu des malheurs. J'ai fredonné sous Louis XVI, monsieur, j'ai braillé pour la République, j'ai noblement 25 chanté l'Empire, j'ai discrètement loué la Restauration, j'ai même fait un effort dans ces derniers temps, et je me suis soumis, non sans peine, aux exigences de ce siècle sans goût. * * * Que voulez-vous? je me suis fait vieux. Mais je rime encore vertement, monsieur, et, tel que vous me voyez, je rêvais à un 30 poème en un chant, qui n'aura pas moins de six pages, quand vous m'avez fait une bosse au front. Du reste, si je puis vous être bon à quelque chose, je suis tout à votre service.

— Vraiment, monsieur, vous le pouvez, répliquai-je, car vous

me voyez en ce moment dans un grand embarras poétique. Je
n'ose dire que je sois un poète, ni surtout un aussi grand poète
que vous, ajoutai-je en le saluant, mais j'ai reçu de la nature un
gosier qui me démange quand je me sens bien aise ou que j'ai
5 du chagrin. A vous dire la vérité, j'ignore absolument les
règles.

— Je les ai oubliées, dit Kacatogan, ne vous inquiétez pas de
cela. * * *

— Voudriez-vous me rendre le service de m'écouter, et de
10 me dire sincèrement votre avis?

— Très volontiers, dit Kacatogan; je suis tout oreilles.

Je me mis à chanter aussitôt, et j'eus la satisfaction de voir
que Kacatogan ne s'enfuyait ni ne s'endormait. Il me regardait fixement, et, de temps en temps, il inclinait la tête d'un air
15 d'approbation, avec une espèce de murmure flatteur. Mais je
m'aperçus bientôt qu'il ne m'écoutait pas, et qu'il rêvait à son
poème. Profitant d'un moment où je reprenais haleine, il
m'interrompit tout à coup.

— Je l'ai pourtant trouvée, cette rime! dit-il en souriant et en
20 branlant la tête; c'est la soixante mille sept cent quatorzième
qui sort de cette cervelle-là! Et l'on ose dire que je vieillis!
Je vais lire cela aux bons amis, je vais le leur lire, et nous verrons ce qu'on en dira!

Parlant ainsi, il prit son vol et disparut, ne semblant plus se
25 souvenir de m'avoir rencontré.

V

Resté seul et désappointé, je n'avais rien de mieux à faire
que de profiter du reste du jour et de voler à tire d'aile vers
Paris. Malheureusement, je ne savais pas ma route. Mon
voyage avec le pigeon avait été trop peu agréable pour me
30 laisser un souvenir exact; en sorte que, au lieu d'aller tout
droit, je tournai à gauche au Bourget, et, surpris par la nuit,
je fus obligé de chercher un gîte dans le bois de Morfontaine.

Tout le monde se couchait lorsque j'arrivai. * * *
J'allai me percher sur une branche où s'alignaient une
demi-douzaine d'oiseaux de différentes espèces. Je pris modestement la dernière place à l'extrémité de la branche, espérant
qu'on m'y souffrirait. Par malheur, ma voisine était une vieille 5
colombe, aussi sèche qu'une girouette rouillée. Au moment où
je m'approchai d'elle, le peu de plumes qui couvraient ses os
était l'objet de sa sollicitude; elle feignait de les éplucher, mais
elle eût trop craint d'en arracher une: elle les passait seulement
en revue pour voir si elle avait son compte. A peine l'eus-je 10
touchée du bout de l'aile, qu'elle se redressa majestueusement.
— Qu'est-ce que vous faites donc, monsieur? me dit-elle en
pinçant le bec avec une pudeur britannique.
Et, m'allongeant un grand coup de coude, elle me jeta à bas
avec une vigueur qui eût fait honneur à un portefaix. * * * 15
Je commençais à désespérer, et j'allais m'endormir dans un
coin solitaire, lorsqu'un rossignol se mit à chanter. Tout le
monde aussitôt fit silence. Hélas! que sa voix était pure! que
sa mélancolie même paraissait douce! Loin de troubler le
sommeil d'autrui, ses accords semblaient le bercer. Personne 20
ne songeait à le faire taire, personne ne trouvait mauvais qu'il
chantât sa chanson à pareille heure; son père ne le battait pas,
ses amis ne prenaient pas la fuite.
— Il n'y a donc que moi, m'écriai-je, à qui il soit défendu
d'être heureux! Partons, fuyons ce monde cruel! Mieux vaut 25
chercher ma route dans les ténèbres, au risque d'être avalé par
quelque hibou, que de me laisser déchirer ainsi par le spectacle
du bonheur des autres!
Sur cette pensée, je me remis en chemin et j'errai longtemps
au hasard. Aux premières clartés du jour j'aperçus les tours de 30
Notre-Dame. En un clin d'œil j'y atteignis, et je ne promenai
pas longtemps mes regards avant de reconnaître notre jardin.
J'y volai plus vite que l'éclair . . . Hélas! il était vide . . . J'ap-
pelai en vain mes parents: personne ne me répondit. L'arbre
où se tenait mon père, le buisson maternel, l'écuelle chérie, 35

9. **Elle eût trop craint = elle aurait trop craint.**

tout avait disparu. La cognée avait tout détruit; au lieu de
l'allée verte où j'étais né, il ne restait qu'un cent de fagots.

VI

Je cherchai d'abord mes parents dans tous les jardins d'alentour, mais ce fut peine perdue; ils s'étaient sans doute réfugiés
5 dans quelque quartier éloigné, et je ne pus jamais savoir de
leurs nouvelles.

Pénétré d'une tristesse affreuse, j'allai me percher sur la
gouttière où la colère de mon père m'avait d'abord exilé. J'y
passais les jours et les nuits à déplorer ma triste existence. Je
10 ne dormais plus, je mangeais à peine: j'étais près de mourir de
douleur.

Un jour que je me lamentais comme à l'ordinaire:

— Ainsi donc, me disais-je tout haut, je ne suis ni un merle,
puisque mon père me plumait; ni un pigeon, puisque je suis
15 tombé en route quand j'ai voulu aller en Belgique; ni une pie
russe, puisque la petite marquise s'est bouché les oreilles dès
que j'ai ouvert le bec; ni une tourterelle, puisque Gourouli, la
bonne Gourouli elle-même, ronflait comme un moine quand je
chantais; ni un perroquet, puisque Kacatogan n'a pas daigné
20 m'écouter; ni un oiseau quelconque, enfin. * * *

J'allais poursuivre mes doléances, lorsque je fus interrompu
par deux portières qui se disputaient dans la rue.

— Ah! parbleu! dit l'une d'elles à l'autre, si tu en viens
jamais à bout, je te fais cadeau d'un merle blanc!

25 — Dieu juste! m'écriai-je, voilà mon affaire. O Providence!
je suis fils d'un merle, et je suis blanc: je suis un merle blanc!

Cette découverte, il faut l'avouer, modifia beaucoup mes
idées. Au lieu de continuer à me plaindre, je commençai à me
rengorger et à marcher fièrement le long de la gouttière, en
30 regardant l'espace d'un air victorieux.

— C'est quelque chose, me dis-je, que d'être un merle blanc:
cela ne se trouve point dans le pas d'un âne. J'étais bien

31. v. chose.   32. v. âne.

bon de m'affliger de ne pas rencontrer mon semblable: c'est
le sort du génie, c'est le mien! Je voulais fuir le monde, je veux
l'étonner! Puisque je suis cet oiseau sans pareil dont le vulgaire nie l'existence, je dois et prétends me comporter comme
tel, ni plus ni moins que le Phénix, et mépriser le reste des 5
volatiles. * * *
Je veux faire un poème comme Kacatogan, non pas en un
chant, mais en vingt-quatre, comme tous les grands hommes;
ce n'est pas assez, il y en aura quarante-huit, avec des notes et
un appendice! Il faut que l'univers apprenne que j'existe. Je 10
ne manquerai pas, dans mes vers, de déplorer mon isolement;
mais ce sera de telle sorte, que les plus heureux me porteront
envie. * * * En un mot, je serai un parfait merle blanc, un
véritable écrivain excentrique, fêté, choyé, admiré, envié, mais
complètement grognon et insupportable.   15

VII

Il ne me fallut pas plus de six semaines pour mettre au jour
mon premier ouvrage. C'était, comme je me l'étais promis, un
poème en quarante-huit chants. Il s'y trouvait bien quelques
négligences, à cause de la prodigieuse fécondité avec laquelle je
l'avais écrit; mais je pensai que le public d'aujourd'hui, ac- 20
coutumé à la belle littérature qui s'imprime au bas des journaux,
ne m'en ferait pas un reproche.
J'eus un succès digne de moi, c'est-à-dire sans pareil. Le
sujet de mon ouvrage n'était autre que moi-même: je me conformai en cela à la grande mode de notre temps. Je racontais 25

1. v. bon.   8. Comme les poèmes épiques d'Homère, l'*Iliade* et l'*Odyssée*.
Chacun de ces poèmes est divisé en vingt-quatre chants.   21. Ce sont des
chapitres de romans insérés au bas d'un journal et dits « feuilletons ».   24. On
pourrait dire que ce passage a rapport non seulement aux poètes romantiques en
général mais aussi à Alfred de Musset lui-même. « Affectant un certain mépris
de la forme et de l'art, il posa que toute l'œuvre littéraire consiste à ouvrir son
cœur . . . Il n'eut donc souci que de dire les joies et les tristesses de son âme.   Il
a vécu sa poésie: elle est comme le journal de sa vie » (Lanson, *Hist. litt. fr.*, p.
949).

mes souffrances passées avec une fatuité charmante; je mettais
le lecteur au fait de mille détails domestiques du plus piquant
intérêt. ✳ ✳ ✳

L'Europe entière fut émue à l'apparition de mon livre; elle
5 dévora les révélations intimes que je daignais lui communiquer.
Comment en eût-il été autrement? Non seulement j'énumé-
rais tous les faits qui se rattachaient à ma personne, mais je
donnais encore au public un tableau complet de toutes les
rêvasseries qui m'avaient passé par la tête depuis l'âge de deux
10 mois; j'avais même intercalé, au plus bel endroit, une ode
composée dans mon œuf. ✳ ✳ ✳

On m'envoyait tous les jours des compliments en vers, des
lettres de félicitation et des déclarations d'amour anonymes.
Quant aux visites, je suivais rigoureusement le plan que je
15 m'étais tracé; ma porte était fermée à tout le monde. Je ne
pus cependant me dispenser de recevoir deux étrangers qui
s'étaient annoncés comme étant de mes parents. L'un était
un merle du Sénégal, et l'autre un merle de la Chine.

— Ah! monsieur, me dirent-ils, en m'embrassant à m'étouf-
20 fer, que vous êtes un grand merle! que vous avez bien peint,
dans votre poème immortel, la profonde souffrance du génie
méconnu! ✳ ✳ ✳

— Messieurs, leur dis-je, autant que j'en puis juger, vous me
semblez doués d'un grand cœur et d'un esprit plein de lumières.
25 Mais pardonnez-moi de vous faire une question. D'où vient
votre mélancolie?

— Eh! monsieur, répondit l'habitant du Sénégal, regardez
comme je suis bâti. Mon plumage, il est vrai, est agréable à
voir, et je suis revêtu de cette belle couleur verte qu'on voit
30 briller sur les canards; mais mon bec est trop court et mon
pied trop grand; et voyez de quelle queue je suis affublé!
La longueur de mon corps n'en fait pas les deux tiers. N'y a-
t-il pas là de quoi se donner au diable?

6. v. en (2).   11. v. œuf.   17. de mes parents = des parents à moi.
18. v. Sénégal et Chine.   23. j'en puis juger = je puis en juger.
32. v. faire (1).   33. v. quoi (2).

— Et moi, monsieur, dit le Chinois, mon infortune est encore plus pénible. La queue de mon confrère balaye les rues; mais les polissons me montrent au doigt, à cause que je n'en ai point.

— Messieurs, repris-je, je vous plains de toute mon âme; il est toujours fâcheux d'avoir trop ou trop peu n'importe de 5 quoi. * * *

VIII

Malgré la résolution que j'avais prise et le calme que j'affectais, je n'étais pas heureux. Mon isolement, pour être glorieux, ne m'en semblait pas moins pénible, et je ne pouvais songer sans effroi à la nécessité où je me trouvais de passer ma vie 10 entière dans le célibat. Le retour du printemps, en particulier, me causait une gêne mortelle, et je commençais à tomber de nouveau dans la tristesse, lorsqu'une circonstance imprévue décida de ma vie entière.

Il va sans dire que mes écrits avaient traversé la Manche, et 15 que les Anglais se les arrachaient. Les Anglais s'arrachent tout, hormis ce qu'ils comprennent. Je reçus un jour, de Londres, une lettre signée d'une jeune merlette:

« J'ai lu votre poème, me disait-elle, et l'admiration que j'ai éprouvée m'a fait prendre la résolution de vous offrir ma 20 main et ma personne. Dieu nous a créés l'un pour l'autre ! Je suis semblable à vous, je suis une merlette blanche ! . . . »

On suppose aisément ma surprise et ma joie. Une merlette blanche ! me dis-je, est-il bien possible ? Je ne suis donc plus seul sur la terre ! Je me hâtai de répondre à la belle inconnue, 25 et je le fis d'une manière qui témoignait assez combien sa proposition m'agréait. Je la pressais de venir à Paris ou de me permettre de voler près d'elle. Elle me répondit qu'elle aimait mieux venir, parce que ses parents l'ennuyaient, qu'elle mettait ordre à ses affaires et que je la verrais bientôt. 30

Elle vint, en effet, quelques jours après. O bonheur ! c'était la plus jolie merlette du monde, et elle était encore plus blanche que moi.

8. v. pour. 18. v. merle, merlette et merlichon.

— Ah ! mademoiselle, m'écriai-je, ou plutôt madame, car je vous considère dès à présent comme mon épouse légitime, est-il croyable qu'une créature si charmante se trouvât sur la terre sans que la renommée m'apprît son existence ? Bénis soient les
5 malheurs que j'ai éprouvés et les coups de bec que m'a donnés mon père, puisque le ciel me réservait une consolation si inespérée ! Jusqu'à ce jour, je me croyais condamné à une solitude éternelle, et, à vous parler franchement, c'était un rude fardeau à porter ; mais je me sens, en vous regardant, toutes les qualités
10 d'un père de famille. Acceptez ma main sans délai ; marionsnous à l'anglaise, sans cérémonie, et partons ensemble pour la Suisse.

— Je ne l'entends pas ainsi, me répondit la jeune merlette ; je veux que nos noces soient magnifiques, et que tout ce qu'il
15 y a en France de merles un peu bien nés y soient solennellement rassemblés. Des gens comme nous doivent à leur propre gloire de ne pas se marier comme des chats de gouttière. J'ai apporté une provision de bank-notes. Faites vos invitations, allez chez vos marchands, et ne lésinez pas sur les rafraîchisse-
20 ments.

Je me conformai aveuglément aux ordres de la blanche merlette. Nos noces furent d'un luxe écrasant ; on y mangea dix mille mouches. Nous reçûmes la bénédiction nuptiale d'un révérend père Cormoran, qui était archevêque in partibus. Un
25 bal superbe termina la journée ; enfin, rien ne manqua à mon bonheur.

Plus j'approfondissais le caractère de ma charmante femme, plus mon amour augmentait. Elle réunissait, dans sa petite personne, tous les agréments de l'âme et du corps. Elle était
30 seulement un peu bégueule ; mais j'attribuai cela à l'influence du brouillard anglais dans lequel elle avait vécu jusqu'alors, et je ne doutai pas que le climat de la France ne dissipât bientôt ce léger nuage.

Une chose qui m'inquiétait plus sérieusement, c'était une
35 sorte de mystère dont elle s'entourait quelquefois avec une

15. v. merle.   24. v. cormoran.   32. v. ne.

rigueur singulière, s'enfermant à clef avec ses cámeristes, et
passant ainsi des heures entières pour faire sa toilette, à ce
qu'elle prétendait. Les maris n'aiment pas beaucoup ces fan-
taisies dans leur ménage. Il m'était arrivé vingt fois de frapper
à l'appartement de ma femme sans pouvoir obtenir qu'on 5
m'ouvrît la porte. Cela m'impatientait cruellement. Un jour,
entre autres, j'insistai avec tant de mauvaise humeur, qu'elle
se vit obligée de céder et de m'ouvrir un peu à la hâte, non sans
se plaindre fort de mon importunité. Je remarquai, en entrant,
une grosse bouteille pleine d'une espèce de colle faite avec de la 10
farine et du blanc d'Espagne. Je demandai à ma femme ce
qu'elle faisait de cette drogue; elle me répondit que c'était un
opiat pour des engelures qu'elle avait.

Cet opiat me sembla tant soit peu louche; mais quelle défiance pouvait m'inspirer une personne si douce et si sage, qui 15
s'était donnée à moi avec tant d'enthousiasme et une sincérité
si parfaite? J'ignorais d'abord que ma bien-aimée fût une femme
de plume; elle me l'avoua au bout de quelque temps, et elle
alla même jusqu'à me montrer le manuscrit d'un roman où
elle avait imité à la fois Walter Scott et Scarron. Je laisse à 20
penser le plaisir que me causa une si aimable surprise. Non
seulement je me voyais possesseur d'une beauté incomparable,
mais j'acquérais encore la certitude que l'intelligence de ma
compagne était digne de mon génie. Dès cet instant nous
travaillâmes ensemble. Tandis que je composais mes poèmes, 25
elle barbouillait des rames de papier. Je lui récitais mes vers à
haute voix, et cela ne la gênait nullement pour écrire pendant ce
temps-là. Elle pondait ses romans avec une facilité presque
égale à la mienne, choisissant toujours les sujets les plus dra-
matiques, des parricides, des rapts, des meurtres, et même 30
jusqu'à des filouteries, ayant toujours soin, en passant, d'attaquer le gouvernement et de prêcher l'émancipation des mer-
lettes. En un mot, aucun effort ne coûtait à son esprit, aucun
tour de force à sa pudeur; il ne lui arrivait jamais de rayer

une ligne, ni de faire un plan avant de se mettre à l'œuvre.
C'était le type de la merlette lettrée.

Un jour qu'elle se livrait au travail avec une ardeur inac-
coutumée, je m'aperçus qu'elle suait à grosses gouttes, et je fus
5 étonné de voir en même temps qu'elle avait une grande tache
noire dans le dos.

— Eh! bon Dieu! lui dis-je, qu'est-ce donc? est-ce que vous
êtes malade?

Elle parut d'abord un peu effrayée et même penaude; mais
10 la grande habitude qu'elle avait du monde l'aida bientôt à
reprendre l'empire admirable qu'elle gardait toujours sur elle-
même. Elle me dit que c'était une tache d'encre, et qu'elle y
était fort sujette, dans ses moments d'inspiration.

— Est-ce que ma femme déteint? me dis-je tout bas. Cette
15 pensée m'empêcha de dormir. La bouteille de colle me revint
en mémoire. — O ciel! m'écriai-je, quel soupçon! Cette créature céleste, ne serait-elle qu'une peinture, un léger badigeon?
Se serait-elle vernie pour abuser de moi?... Quand je croyais
presser sur mon cœur la sœur de mon âme, l'être privilégié créé
20 pour moi seul, n'aurais-je donc épousé que de la farine?

Poursuivi par ce doute horrible, je formai le dessein de m'en
affranchir. Je fis l'achat d'un baromètre, et j'attendis avidement qu'il vînt à faire un jour de pluie. Je voulais emmener ma
femme à la campagne, choisir un dimanche douteux, et tenter
25 l'épreuve d'une lessive. Mais nous étions en plein juillet; il
faisait un beau temps effroyable.

L'apparence du bonheur et l'habitude d'écrire avaient fort
excité ma sensibilité. Naïf comme j'étais, il m'arrivait parfois,
en travaillant, que le sentiment fût plus fort que l'idée, et de me
30 mettre à pleurer en attendant la rime. Ma femme aimait
beaucoup ces rares occasions: toute faiblesse masculine enchante l'orgueil féminin. Une certaine nuit * * * il advint à
mon cœur de s'ouvrir.

— O toi! dis-je à ma chère merlette, toi, la seule et la plus

---

2. Pas flatteuse, cette description de la femme auteur! Ici, la personne visée
est George Sand. 23. v. venir.

aimée! toi, sans qui ma vie est un songe, toi, dont un regard, un sourire métamorphose pour moi l'univers, vie de mon cœur, sais-tu combien je t'aime? * * *

En radotant ainsi, je pleurais sur ma femme, et elle déteignait visiblement. A chaque larme qui tombait de mes yeux, 5 apparaissait une plume, non pas même noire, mais du plus vieux roux. Après quelques minutes d'attendrissement, je me trouvai vis-à-vis d'un oiseau décollé et désenfariné, identiquement semblable aux merles les plus plats et les plus ordinaires.

Que faire? que dire? quel parti prendre? Tout reproche était 10 inutile. J'aurais bien pu, à la vérité, considérer le cas comme rédhibitoire, et faire casser mon mariage; mais comment oser publier ma honte? N'était-ce pas assez de mon malheur? Je pris mon courage à deux pattes, je résolus de quitter le monde, d'abandonner la carrière des lettres, de fuir dans un désert, 15 s'il était possible, d'éviter à jamais l'aspect d'une créature vivante, et de chercher, comme Alceste,

> ... Un endroit écarté,
> Où d'être un merle blanc on eût la liberté!

IX

Je m'envolai là-dessus, toujours pleurant; et le vent, qui 20 est le hasard des oiseaux, me rapporta sur une branche de Morfontaine. Pour cette fois, on était couché. — Quel mariage! me disais-je, quelle équipée! C'est certainement à bonne intention que cette pauvre enfant s'est mis du blanc; mais je n'en suis pas moins à plaindre, ni elle moins rousse. 25

Le rossignol chantait encore. Seul, au fond de la nuit, il jouissait à plein cœur du bienfait de Dieu qui le rend si supérieur aux poètes, et donnait librement sa pensée au silence qui l'entourait. Je ne pus résister à la tentation d'aller à lui et de lui parler. 30

13. v. de.   14. v. patte.
19. Parodie des derniers vers d'Alceste:
> Et chercher sur la terre un endroit écarté
> Où d'être homme d'honneur on ait la liberté.

Molière, *Le Misanthrope*, **v, 8.**

— Que vous êtes heureux! lui dis-je; non seulement vous chantez tant que vous voulez, et très bien, et tout le monde écoute; mais vous avez une femme et des enfants, votre nid, vos amis, un bon oreiller de mousse, la pleine lune et pas de
5 journaux. * * * J'ai chanté aussi, monsieur, et c'est pitoyable. J'ai rangé des mots en bataille comme des soldats prussiens, et j'ai coordonné des fadaises pendant que vous étiez dans les bois.   Votre secret peut-il s'apprendre?

— Oui, me répondit le rossignol, mais ce n'est pas ce que vous
10 croyez.   Ma femme m'ennuie, je ne l'aime point; je suis amoureux de la rose: Sadi, le Persan, en a parlé.   Je m'égosille toute la nuit pour elle, mais elle dort et ne m'entend pas.   Son calice est fermé à l'heure qu'il est: elle y berce un vieux scarabée — et demain matin, quand je regagnerai mon lit, épuisé de
15 souffrance et de fatigue, c'est alors qu'elle s'épanouira, pour qu'une abeille lui mange le cœur!

ALFRED DE MUSSET

EXERCISES

I

(Pages 1-7)

A. *Répondez en français par des phrases complètes aux questions suivantes**:
1. A quel genre d'ouvrages Daudet doit-il sa grande popularité?
2. Quels étaient les compagnons du berger dans le pâturage?
3. Quelles personnes voyait-il de temps en temps? 4. Quand la tante Norade arrivait avec les provisions de quinzaine, que tenait-il surtout à savoir? 5. Qui est venu un dimanche à la place de cette vieille femme, ou du garçon de ferme? 6. Pourquoi est-ce que l'un des autres n'a pas pu venir? 7. Décrivez la belle Stéphanette. 8. Qu'est-ce qu'un *parc?* 9. Qu'a regardé Stéphanette? 10. Quelle question a-t-elle faite pour embarrasser le berger? 11. Comment le raconteur exprime-t-il la douleur qu'il éprouvait en la voyant partir? 12. Pourquoi est-elle retournée auprès du berger? 13. Pourquoi ne pouvait-il pas la reconduire à la ferme? 14. Qu'est-ce qui a empêché Stéphanette de dormir près du troupeau? 15. Où a-t-elle préféré passer la nuit? 16. Quelle est la superstition des bergers à propos des étoiles filantes? 17. Expliquez pourquoi la voie lactée est appelée le *Chemin de saint Jacques.* 18. Combien connaissez-vous des étoiles et des constellations mentionnées par le berger? 19. Quand Stéphanette s'est endormie, où s'est posée sa tête? 20. A quoi le berger la compare-t-il?

B. 1. *Exprimez en d'autres termes en français les mots en italique:* Stéphanette *se mit* à regarder autour d'elle; *comme* tu dois t'ennuyer!; elle *avait* bien *l'air de* la fée Estérelle; elle *aimait mieux* venir près du feu; la nuit *ne* m'a donné *que* de belles pensées. 2. *Donnez les adverbes qui correspondent aux adjectifs suivants:* silencieux, mauvais, gai, fier, méchant, joli, frais, long,

*The occurrence of a mixture of tenses will often be noted throughout the question sections of these exercises. This variety was introduced, not only because French style permits it, but also to give the student practice with a greater number of forms.

bon, beau. **3.** *Écrivez les temps primitifs des verbes suivants:* voir, relever, vivre, apercevoir, disparaître, manger. **4.** *Donnez un synonyme de chacun des mots suivants:* la face, les gens, la demoiselle, un orage, la route, le serviteur, le panier, le trouble, la crête, la brebis. **5.** *Divisez en syllabes:* j'apercevais, devenait, débordement, montagne, rafraîchissement, traversait, quelquefois, apparition, fromageons, précieux.

C. *Traduisez:*

I spent most of the time alone with my dog and a few sheep. Every two weeks either old Norade or the little farm boy would bring me provisions. One day, however, the beautiful young lady from our farm brought them to me. The little boy was sick, and Aunt Norade was visiting at her children's home. Stephanette asked questions about everything she saw, but I was too embarrassed to answer them. She asked me if my sweetheart came up from time to time to see me. She left soon (much too soon for me), but came back toward evening, trembling with cold and fear. The river was so swollen that she hadn't been able to cross it. As she couldn't sleep near the flock, she came out and sat down beside me in front of the door. I talked to her about the stars, but finally she went to sleep (with) her head on my shoulder.

II

(Pages 8–13)

A. *Répondez en français par des phrases complètes aux questions suivantes:*

1. A quelle école littéraire Maupassant appartient-il? **2.** Pourquoi Walter Schnaffs était-il venu en France? **3.** Quels défauts l'empêchaient d'être un bon soldat? **4.** La nuit venue, à quoi pensait-il pendant que ses camarades dormaient? **5.** Pourquoi, au commencement des batailles, ne se laissait-il pas tomber par terre? **6.** Quel ordre a-t-on donné un jour à son détachement? **7.** Par qui ces soldats ont-ils été attaqués tout d'un coup? **8.** Pourquoi Schnaffs croyait-il qu'il ne pourrait pas s'échapper à la course? **9.** Qu'a-t-il fait au lieu de détaler? **10.** Qu'est-ce qui remue près de lui dans son fossé? **11.** Qu'est-ce qui en résulte?

12. Donnez deux raisons qui le décident à ne pas rejoindre son armée. 13. Quel grand désir lui est soudain venu? 14. Qu'est-ce qui l'empêche de se constituer prisonnier tout de suite? 15. Pourquoi ne voulait-il pas se rendre à des paysans? 16. De quelle façon craindrait-il de mourir s'il rencontrait des francs-tireurs? 17. Citez des choses qui lui ont fait peur pendant la nuit. 18. Qu'a-t-il fait quand le soleil s'est levé? 19. De quoi commence-t-il à souffrir l'après-midi? 20. Quelle grande maison aperçoit-il au loin?

B. 1. *Mettez à la première personne du pluriel:* il se couchait sur la terre, roulé dans son manteau; il pensait aux siens; je vais me constituer prisonnier; il devint fou, s'imaginant qu'il allait s'évanouir de faiblesse. 2. *Donnez les substantifs qui correspondent aux verbes suivants:* souffrir, adorer, regretter, songer, défendre, pleurer, tomber, vivre, indiquer, passer. 3. *Faites des phrases où entrent les expressions suivantes:* de nouveau, se mettre à, tandis que, tout à fait, au-devant de. 4. *Remplacez le tiret par le mot convenable:* une jeune femme ——— il regrettait les tendresses; il pensait ——— dangers semés sur sa route; un désir ——— détaler; pour tâcher ——— voir; il était atteint ——— une faim aiguë. 5. *Soulignez les consonnes qui ne se prononcent pas:* se lever tard; tout semblait calme; à six pas; tout à fait; une faim aiguë; son estomac.

C. *Traduisez:*

Poor Walter Schnaffs would have preferred not to enter France as a soldier. While his comrades were asleep, he would wonder what was going to become of him. He didn't think only of himself, he thought too of his wife and children. He had been living in terror for months.

One day his captain sent him and a few others to explore some neighbouring fields and woods. Suddenly a troop of French soldiers fired on his detachment, killing a score of his comrades. He saw a wide ditch six steps ahead of him, jumped into it, and stayed there two days. What he wanted most was to become a prisoner, but he didn't know whom to surrender to. He thought that the French might fire on him, taking him for a bold and clever trooper (who had) set out alone on a reconnaissance. Although that idea amuses the reader, it wasn't very amusing for Walter Schnaffs.

III

(Pages 13-17)

A. *Répondez aux questions suivantes:*
1. Où Walter Schnaffs a-t-il passé la deuxième nuit? 2. De quelle peur nouvelle était-il tourmenté le lendemain matin? 3. Donnez les détails de la scène qu'il imagine. 4. Qu'est-ce qui l'a empêché de courir tout de suite au village? 5. Jusqu'à quelle heure est-il resté dans son fossé? 6. Pourquoi est-il allé au château plutôt qu'au village? 7. Qu'a-t-il vu en regardant par la fenêtre du rez-de-chaussée? 8. Qu'a fait la bonne en apercevant Walter Schnaffs? 9. A l'avis des domestiques, qu'est-ce qui arrivait? 10. Qu'est-ce qui prouve que les hommes n'étaient ni polis ni braves? 11. Qu'a fait Schnaffs après la fuite des domestiques? 12. Expliquez les bruits sourds qu'il a entendus bientôt après. 13. Décrivez le repas qu'il a fait. 14. Dites ce qu'il a fait après avoir mangé et bu. 15. Si vous aviez été dans le parc du château un peu avant l'aube, qu'auriez-vous aperçu? 16. Quelle résistance Walter Schnaffs a-t-il faite aux gardes français? 17. Qu'a écrit le colonel sur son petit agenda? 18. Qu'aurait fait Walter Schnaffs, pensez-vous, si sa prison avait été moins bien surveillée? 19. Quelle a été la récompense du colonel Ratier? 20. Comment Maupassant se moque-t-il dans ce conte de la nature humaine et de la guerre?

B. 1. *Donnez le contraire de:* s'en aller, lentement, d'en bas, debout, le plancher, mou, se mettre à, vider, au-dessus de, perdre. 2. *Mettez au pluriel:* un château, le nez, mou, un œil, le rez-de-chaussée, un aïeul, national, nationale. 3. *Mettez au passé indéfini:* il sortit du fossé et se mit en route; une odeur qui le crispa et le fit haleter; les chaises tombaient; des portes se fermaient; nous restons maîtres de la place; la colonne se reforma et se mit en mouvement; elles furent envoyées; il tomba. 4. *Remplacez les tirets par des mots convenables, s'il y a lieu:* une tanière pleine ―――― tigres; il y avait moins ―――― danger au château; il entendit ―――― bruits sourds; il n'y avait plus ―――― cidre

dans la cruche; saoul ——— liquide et secoué par ——— hoquets;
ils soufflaient comme ——— baleines; un retour offensif avec
——— artillerie; on avançait avec ——— prudence; malgré
——— symptômes ——— indigestion; il ne poussait que ———
cris de joie. 5. *Donnez le féminin correspondant:* un paysan,
il est debout, inquiet, muet, tout seul, fou, prisonnier, plusieurs
hommes, offensif, un vieux.

C. *Traduisez:*

Walter Schnaffs finally left his ditch and set out for the distant
château. He chose the château rather than the village because
the villagers seemed to him like so many tigers. He knew there
were people in the house because he saw the downstairs windows
full of light. He even knew that they were eating, because of
the odour of the food. The hunger he was suffering from made
him so bold that he at once went to the open window.

Several servants were having dinner in a large kitchen. When
they saw him, they all fled with cries of terror. He went in by
the window and then ate as if he were dying of hunger. Fifty
soldiers, warned by the servants, now came armed to the teeth
to seize Walter Schnaffs, who had gone to sleep.

Everything ends well, for Walter Schnaffs is safe and sound in
prison, and Colonel Ratier, a cloth merchant, is decorated.

IV

(Pages 18-22)

A. *Répondez aux questions suivantes:*

1. Pourquoi Mme Loisel n'a-t-elle pas été épousée par un
homme riche et distingué? 2. Qu'est-ce qui la fait souffrir après
son mariage? 3. A quoi songe-t-elle toujours? 4. Quand ils
sont assis pour dîner, quelles différences remarquez-vous entre
ses préférences et celles de son mari? 5. Pourquoi évite-t-elle
d'aller voir son ancienne camarade de couvent? 6. Lorsque
M. Loisel est rentré un soir, pourquoi était-il si content? 7. Que
dit sa femme après avoir lu l'invitation? 8. Qui verrait-on au
bal? 9. Qu'est-ce qui manquait à Mme Loisel pour y aller?
10. Trouvez-vous extraordinaire qu'un mari ne pense pas à un
tel détail? 11. Qu'est-ce qui montre la déception de Mathilde?

12. Combien coûterait une toilette convenable? **13.** Pourquoi Mathilde a-t-elle hésité avant de répondre à cette question de son mari? **14.** Quel sacrifice a-t-il fait pour pouvoir lui donner l'argent qu'il fallait? **15.** Pourquoi sa femme n'est-elle toujours pas contente? **16.** Quelle belle suggestion a été faite par M. Loisel? **17.** Mme Forestier a-t-elle bien voulu prêter des bijoux à son amie? **18.** Qu'est-ce que Mathilde a tout à coup aperçu? **19.** Que pensez-vous du goût de Mathilde qui choisit un seul beau bijou? **20.** Comment exprime-t-elle sa reconnaissance à son amie?

B. **1.** *Substituez pour les mots en italique des pronoms convenables:* elle n'avait pas *de dot;* épousée par *un homme riche;* elle songeait *aux grands salons;* tout en mangeant *la truite;* tenant *à la main une large enveloppe;* elle tira *de l'enveloppe une carte;* on ne donne pas beaucoup *d'invitations aux employés;* donne *la carte à quelque collègue;* tâche d'avoir une belle *robe;* peux-tu me prêter *cela?* **2.** *Définissez les mots suivants:* la dot, une dame, le logement, le ménage, le salon, la nappe, la soupière, une toilette, un hôtel, la larme. **3.** *Mettez à la forme négative:* elle se laissa marier; je sais quelque chose de meilleur; j'ai eu de la peine à l'obtenir; donne-la-lui; pour aller à cette soirée; j'y avais pensé; peux-tu me prêter cela?; elle s'enfuit avec son trésor. **4.** *Faites accorder l'adjectif:* (beau) une dot; (public) l'instruction; (natif) sa finesse; (muet) les antichambres; (beau) des bijoux; (entier) des journées; (naturel) des fleurs; (cher) mon amie. **5.** *Soulignez les voyelles nasalisées:* commis, simple, finesse, Bretonne, parfumés, désirent, personnages, gelinotte, lundi, impatience.

C. *Traduisez:*

Having no dowry, Matilda allowed herself to be married to a poor man, although grace and charm can make a girl of humble origin the equal of the greatest ladies. To do her housework, she had only a girl from Brittany. Her husband made her suffer because his tastes were not like hers. He knew nothing better than beef stew.

One evening he came home with a triumphant air, holding an invitation in his hand. "What do you expect me to do with that?" she asked him. "I have nothing to wear to go to that ball." He promised her a new dress, but she was still worried because she had no jewels. She decided to ask Mrs. Forestier to lend her some.

V

(Pages 22-27)

A. *Répondez aux questions suivantes:*
1. Décrivez le succès de Mathilde. 2. Qu'a fait son mari après minuit? 3. Vers quelle heure est-on parti? 4. Pourquoi Mathilde a-t-elle tenu à partir sans être remarquée? 5. Comment a-t-on regagné la maison? 6. Pourquoi sont-ils tristes l'un et l'autre? 7. Pourquoi a-t-elle poussé tout à coup un cri? 8. Qu'a fait Loisel jusqu'à sept heures du matin? 9. Comment a-t-il passé la journée? 10. Comment s'est-on excusé auprès de Mme Forestier? 11. Combien le joaillier demande-t-il pour la rivière qui ressemble à celle de Mme Forestier? 12. Comment Loisel a-t-il eu l'argent pour la payer? 13. L'argent emprunté, comment les Loisel l'ont-ils restitué? 14. Combien de temps a-t-il fallu pour le faire? 15. Qu'est-ce que les Champs-Élysées? 16. Pourquoi Mme Forestier n'a-t-elle pas reconnu son ancienne amie quand celle-ci lui a dit bonjour? 17. Qu'a-t-elle dit quand Mathilde s'est fait connaître? 18. S'était-elle aperçue de la substitution faite par les Loisel? 19. Combien avait valu la rivière de Mme Forestier? 20. Pourquoi, à votre avis, *La Parure* mérite-t-elle les louanges de tous les critiques comme un excellent exemple du conte?

B. 1. *Donnez le contraire de:* demander, le plaisir, la victoire, doux, descendre, honteux, tristement, rien, partout, l'espérance. 2. *Comment appelle-t-on en français:* celui qui vend les bijoux? celui avec qui une femme s'est mariée? celui qui prête de l'argent en demandant un intérêt exorbitant? celui qui prend le bien d'autrui? ceux qui sont très pauvres? celle qui est payée pour faire les travaux de ménage? celui qui vend les fruits? celui qui vend les épices, le sucre, le café, etc.? celui qui vend la viande? ceux qui sont de la classe moyenne? la classe à laquelle ils appartiennent? 3. *Donnez le comparatif et le superlatif de:* petit, beaucoup, de loin, vieux, souvent, mal, peu, bien.

C. *Traduisez:*

Matilda was the prettiest and most charming of all the women who were present at the ball. She was completely happy because of her great success. She had a much better time than her husband. Retiring into a little drawing-room, he went to sleep at midnight. He and his wife finally left about four o'clock in the morning. Before undressing, she looked at herself in the mirror: she had lost her necklace on the way!

For a week they looked everywhere, but it had disappeared. Loisel had to borrow eighteen thousand francs to pay for a new one which seemed quite similar. Mrs. Forestier was rather offended, as she thought her friend should have returned the necklace sooner.

Matilda, as well as her husband, showed the greatest courage during the ten long years of privation that followed. And then, too late, they learned that Mrs. Forestier's necklace had cost her only five hundred francs.

D. *Racontez en cent mots les recherches faites par les Loisel pour retrouver la rivière.*

VI

(Pages 28-35)

A. *Répondez aux questions suivantes:*

1. Après avoir lu la description de l'auteur, voyez-vous clairement les paysans et leurs femmes? 2. Quels détails vous ont frappé surtout? 3. Que voit-on sur la place de Goderville? 4. Qu'a aperçu maître Hauchecorne par terre? 5. Pourquoi a-t-il ramassé une chose de si peu de valeur? 6. Qu'a-t-il fait en voyant qu'il était observé par son ennemi? 7. Donnez quelques détails de la scène qu'on voit dans l'auberge de Jourdain. 8. Qu'a annoncé le crieur public après avoir terminé son roulement de tambour? 9. De quelle façon le repas de maître Hauchecorne a-t-il été interrompu? 10. De quoi l'accuse le maire? 11. Pourquoi Hauchecorne ne peut-il pas faire croire au maire qu'il n'avait ramassé qu'un bout de ficelle? 12. A sa sortie de la mairie, comment est reçue, par les autres paysans, son histoire de la ficelle? 13. Par qui est rapporté le portefeuille le lendemain? 14. Pourquoi Marius l'avait-il emporté d'abord chez lui? 15. Pourquoi Hauche-

corne n'est-il pas tout à fait tranquille, après ce triomphe de son
innocence? 16. Que croyait-on au sujet de Marius Paumelle?
17. Quelle réputation de Hauchecorne rendait très difficile la
preuve de son innocence? 18. Quel est l'effet de ses serments et
de sa défense de plus en plus compliquée? 19. Comment se
moquait-on de lui à la fin? 20. Quel est le résultat final de ce
petit incident dans la vie de maître Hauchecorne?

B. 1. *Faites des phrases qui contiennent les expressions suivantes:*
en même temps; parfois; venir de (*suivi d'un infinitif*); faire
semblant; peu à peu; tout à coup; sans que; de plus en plus;
(tout) le long de; d'autant plus . . . que. **2.** *Mettez au pluriel:*
le travail, le genou, le bras, le cou, le cheveu, un char à bancs,
leur prix, un homme gros, ce fil, un veau. **3.** *Exprimez autrement
en français les expressions en italique:* deux hommes assis *côte à
côte;* économe *en* vrai Normand; il *se* perdit *aussitôt* dans la
foule; *interdit;* il *eut beau protester,* on ne le crut pas; il dépérissait
à vue d'œil; son esprit, atteint *à fond.* **4.** *Donnez des verbes de
la même famille que les substantifs suivants:* les travaux, sa trouvaille, la crainte, la fin, les achats, les ventes, une affirmation,
une sortie, ses connaissances, les environs. **5.** *Soulignez les mots
qui contiennent le même son que les lettres* -il *du mot* travail:
tranquille, la taille, brillant, la feuille, un poil, le seuil, l'œil,
mouillait, la ville, un fil.

C. *Traduisez:*

All the roads around Goderville were filled with peasants, for
it was market day. Mr. Hauchecorne, making his way toward
the square, saw a little piece of string in the mud. In spite
of his rheumatism, he stooped down and picked it up, but he
was ashamed when he noticed Mr. Malandain, one of his old
enemies, watching him.

At Jourdain's inn, where he went for dinner, he found the
main room already filled. Soon the town crier was heard an-
nouncing that Mr. Fortuné Houlbrèque had lost his pocketbook.
Mr. Hauchecorne was later called to the town hall, because his
enemy had accused him of having picked it up. The next day,
however, Marius Paumelle, who had found it, returned it to
Mr. Houlbrèque. That seemed to prove Hauchecorne's inno-

cence, but everybody thought he had simply used Paumelle as an accomplice.

The final result of this incident was tragic, for Hauchecorne, his mind deeply affected, died soon afterward.

VII

(Pages 36–42)

A. *Répondez aux questions suivantes:*
1. Où se trouvent les gens qui discutent la sensation de la peur? 2. Qu'est-ce qui avait fait peur un jour au commandant, selon lui-même? 3. Quelle différence d'opinion est exprimée par un des autres? 4. Celui qui croit voir un revenant, éprouve-t-il de la peur? 5. Où s'était passée la première histoire racontée par le voyageur au teint bronzé? 6. Quelles sont les personnes qui y figurent? 7. Quel bruit mystérieux a soudain fait pousser un cri à un des Arabes? 8. Selon leur superstition, qu'est-ce qui suivait toujours ce son? 9. Qu'est-ce qui est arrivé, en effet, cette fois? 10. Quelle est l'explication naturelle de ce son de tambour? 11. Où était le voyageur la deuxième fois qu'il a éprouvé de la peur? 12. Quel souvenir tourmente le père de la famille chez qui il arrive? 13. Que tenaient à la main le père et ses deux fils? 14. Qu'attendaient ces hommes et les deux femmes cette nuit même? 15. Pourquoi a-t-on jeté dehors le vieux chien de la maison? 16. Qu'est-ce qui s'est passé ensuite? 17. Pourquoi le vieux garde a-t-il tiré? 18. Qu'a-t-on découvert le lendemain matin? 19. Avez-vous jamais eu *peur* vous-même? 20. Lequel de ces contes de Maupassant aimez-vous le mieux? Pourquoi?

B. 1. *Remplacez les tirets par des pronoms convenables, avec des prépositions s'il en faut:* le pays ―――― nous allions; un homme ―――― l'œil est tranquille; voici ―――― j'ai vu en Afrique; les gens chez ―――― nous allions coucher; je ne sais pas de ―――― j'avais peur; le fusil avec ―――― le garde a tiré. 2. *Donnez un homonyme pour chacun de ces mots:* fois, face, teint, ans, mer, nez, sent, moi, elle, cour. 3. *Mettez les verbes en italique au passé indéfini, en faisant accorder les participes s'il le faut:* les revenants auxquels il *croit;* en *voyez*-vous?; la peur que j'*éprouve;* ils se *battent;* la peur se *glisse* dans mes os; la nuit *vient;* le froid les *envahit;* les femmes nous *répondent;* ils se *jettent* un coup d'œil; une tête y *apparaît.*

C. *Traduisez:*

There were six of us on the great ship, which was going from France to Africa. One of the travellers, a brave man, was telling us about certain adventures which had caused him fear. A few years before, he had been in northern Africa, crossing the desert. A camel driver suddenly heard a mysterious sound that one would have taken for the beating of a drum. Terrified, he said that that meant death. In fact, one of the Europeans fell dead almost immediately, killed by the terrible heat of the sun.

Another time, the same traveller spent the night in the house of a forest guard in north-eastern France. This man had killed a poacher, and he was afraid that his victim would come back that very night. While everybody was waiting, the guard saw a head appear at the window. He at once fired at it. The next morning his old dog was found near the house, killed by a bullet.

D. *Racontez l'entrée du voyageur dans la maison du garde forestier.*

VIII

(Pages 43-51)

A. *Répondez aux questions suivantes:*

1. Quel est le pays des deux auteurs qui ont écrit en collaboration ce conte? 2. Comment s'appelle le jeune violoniste qui raconte cette histoire? (v. page 47, ligne 2). 3. Dites l'époque, l'endroit et la saison du commencement de l'histoire. 4. Quelle est la personne qui rattrape près de Heidelberg les deux amis? 5. Quel conseil leur donne cet homme? Pourquoi? 6. Comme il s'en va du côté de la ville, que voit-on faire aux corbeaux? 7. De quels instruments se compose le petit orchestre où sont engagés Kasper et Wilfrid? 8. A quelle auberge sont descendus ces derniers? 9. Quelle ancienne amie y a retrouvée Kasper? 10. Par quels cris a été interrompue leur conversation? 11. Quelles mauvaises nouvelles et quel conseil ont été donnés avant son départ par Annette? 12. Quelle est la seule lumière qui éclairait

la petite chambre? 13. Éveillé vers quatre heures du matin,
quel bruit Kasper a-t-il cru entendre? 14. Quel est l'homme qui
est entré par la lucarne? 15. Que tenait-il à la main? 16. Qu'a-
t-il déposé sur la table avant de sortir? 17. Comment a-t-il
regagné la maison en face? 18. Pourquoi, selon Kasper, n'avait-il
pas tué les deux jeunes gens? 19. Quelle décision Wilfrid a-t-il
prise? 20. A l'avis de Kasper, que faudrait-il faire de la montre
laissée par l'assassin?

B. 1. *Faites des phrases qui montrent la différence entre:* temps *et*
fois; jusqu'à *et* jusqu'à ce que; tout à coup *et* tout à l'heure;
quoi que *et* quoique; puisque *et* depuis que; falloir *et* devoir;
avant, avant de *et* avant que; agir *et* s'agir de. 2. *Mettez les
verbes entre parenthèses au temps demandé par le sens:* il a continué,
en (s'adresser) à moi; si Kasper (jouer) du violon, tout le monde
voudra l'entendre; quand ils (être) à Heidelberg, ils gagneront
de l'argent; s'ils (suivre) ses conseils, ils n'y iraient pas; Wilfrid
(commencer) à lui répondre, quand il partit au galop; Annette
et moi, nous (naître) dans le même village; elle (rester) longtemps
à causer avec moi; elle (parler) toujours quand la mère Grédel
l'a appelée, et elle (devoir) descendre. 3. *Remplacez le tiret par
une préposition, s'il en faut une:* nous espérions ———— y arriver;
il a des conseils ———— nous donner; j'avais ———— peine le
temps ———— lui répondre; on avait arrêté tant ———— personnes
que j'avais bien peur; je pensais ———— Annette; je me suis
endormi ———— mon tour; il portait des souliers ———— boucles
d'argent; le mur est haut ———— cinquante pieds; plus ————
quatre personnes avaient été assassinées. 4. *Mettez au singulier:*
les hauteurs; de notre part, nous l'observions aussi; les mains
enfoncées dans des gants fourrés; les vieux amis; nous serions
restés; nous nous sommes couchés; couchez-vous. 5. *Soulignez
les lettres qui se prononcent comme l'*e *du mot* cheval: faisait,
chemin, fredonnant, observer, renard, monsieur, feriez, remettez,
premier, revenez.

C. *Traduisez:*

Wilfrid and I were on our way to Heidelberg when we heard
a horse galloping behind us. The rider, slowing down his pace,
rather politely advised us to return to the Black Forest. He
knew that we were musicians because he had seen our violins.

Pimenti's presence would prevent us from earning a cent by playing.

Nevertheless we went to Heidelberg, and there we found old Brêmer and other friends who were expecting us. Wilfrid rented a little room for us at old Mrs. Grédel Dick's inn. To my great surprise, I found another old friend there, Annette, who was employed by the landlady. Annette told us terrible news: several people of the town had recently been murdered.

Toward two in the morning, a man, the very one we had met on the road, entered our room by the dormer window, holding a blood-stained knife in his hand. Leaving his watch on the table, he soon left without doing us any harm.

IX

(Pages 51-59)

A. *Répondez aux questions suivantes:*

1. Pourquoi Wilfrid a-t-il décidé de remettre lui-même la montre au bailli? 2. Où s'est-il arrêté avant de partir de l'auberge? 3. Pourquoi a-t-il fini par ne pas partir? 4. Perdant la tête, comment a-t-il fait soupçonner toute sa société de musiciens? 5. Comment Kasper a-t-il échappé à la police? 6. Où l'a caché Annette? 7. Où a-t-on emmené les autres? 8. Comment Kasper a-t-il passé la journée? 9. Quel sort craignait-il pour ses camarades? 10. Le soir, avant de se coucher, où est allée la cabaretière? 11. Qu'est-ce qui a trahi la présence de Kasper? 12. Racontez ce qui est arrivé ensuite. 13. Quel conseil est donné à Kasper par Annette? 14. S'étant égaré dans les rues, où s'est-il trouvé après une demi-heure de marche? 15. Quelle étrange résolution a-t-il prise? 16. Pourquoi, après sa rentrée dans l'auberge, a-t-il changé d'avis? 17. Comment Annette a-t-elle failli le trahir? 18. Sur quels détails dame Grédel s'est-elle trompée en décrivant Kasper à la police? 19. Quelle a été la déposition d'Annette? 20. Qu'est-ce qu'Annette et Kasper se sont dit après avoir quitté dame Grédel?

B. 1. *Exprimez autrement les expressions en italique:* le lendemain; *dès que* le jour parut; il *convient mieux* que j'aille le voir; tu t'expliquerais *mal;* nous descendîmes *tout* méditatifs; *avant* *de sortir,* nous dirons bonjour à Brêmer; un homme *aux* yeux brillants; *on devrait* les exterminer; l'idée me vint *aussitôt;* elle jeta des cris *à* vous déchirer les oreilles. 2. *Changez les phrases suivantes en questions négatives:* il convient mieux; tu es trop jeune; il aurait rougi; Brêmer nous l'a dit; je mange les meilleures tranches de jambon; je me suis glissé sous le banc; vous vous êtes dit adieu; on ira les voir pendre. 3. *Divisez en syllabes:* paraîtrait, grenier, méditatifs, épouvantable, perdu, songeant, refermait, j'entendais, indignation, imaginait.

C. *Traduisez:*

Wilfrid decided that Kasper was too young to explain to the magistrate what had happened. He himself would take the watch to him. Before leaving the inn, they stopped to have a drink with their friends.

While they were still there, three policemen came in and asked them for their papers. The watch was found on Wilfrid, and they were accused of having committed the murders. All of them were taken to prison except Kasper, who escaped into the wine-cellar, thanks to Annette's cleverness.

That night, mother Grédel found him there, but again he escaped. Because of her terror, the description she gave of him to the police was worth nothing at all. Kasper had really not been armed, but she told the officers that he was carrying pistols and also a big hammer. After losing his way in the streets, Kasper boldly returned an hour later to the inn and spent the night there.

D. *Sujet de composition:* Kasper et dame Grédel dans la cave.

X

(Pages 59-67)

A. *Répondez aux questions suivantes:*

1. Quel temps avait-il fait pendant la nuit? 2. Pourquoi ramenait-on les musiciens à l'auberge? 3. Quelle découverte, qui lui suggère une façon d'attraper l'assassin, est faite par Kasper? 4. Entrant dans la salle, quelle proposition fait-il au bailli? 5. Que montre-t-il ensuite au bailli et à Madoc? 6. Dans quelle chambre Madoc a-t-il fait loger Kasper par dame Grédel?

7. Comment Madoc et Kasper ont-ils passé la journée? 8. Où s'est-on rendu à neuf heures du soir? 9. Qu'attendait-on là? 10. Comme le temps passait, que craignait Kasper? 11. Qu'est-ce qu'il a vu soudain à la fenêtre? 12. Pourquoi, semblait-il, l'homme n'est-il pas entré tout de suite? 13. Est-ce que les agents de police s'étaient endormis? 14. Qu'est-ce qui fait savoir à Kasper que l'assassin est attaqué? 15. Quelle scène se présente quand on fait de la lumière? 16. Les agents de police s'attendaient-ils à voir le doyen van den Berg? 17. Comment le doyen a-t-il échappé à la potence? 18. Quelles théories a-t-on avancées pour expliquer ses actions? 19. Qu'est devenue la petite Annette? 20. Quelle invitation Kasper fait-il au lecteur?

B. 1. *Donnez le contraire de:* je m'éveillai, humide, sortir, sombre, elle s'approcha, montrer, le grenier, précédent, avouer, avant-hier. 2. *Expliquez ce que signifient les phrases suivantes:* cette idée me serra le cœur; la foule resta dehors; j'entr'ouvris la porte; j'allais reprendre la clef des champs; tous les carnassiers ont leur passage habituel; quelques paroles inintelligibles suivirent; recueillez bien vos souvenirs, madame; je ne demande qu'un instant d'audience particulière; qui vous dit que ce sont les pas du meurtrier?; il devait terriblement m'en vouloir. 3. *Substituez pour les mots en italique des pronoms convenables:* refermez *la porte;* je puis sauver *mes camarades;* le moyen de rendre *mes amis à leurs familles;* j'ai vu *la montre entre ses mains;* il va nous livrer *l'assassin;* qu'on reconduise *les accusés à la prison;* en lançant *à la cabaretière un regard de mépris;* le scélérat se doutait *de quelque chose;* il s'était donné *un coup de couteau dans le cœur;* je vous raconterai *certains détails.*

C. *Traduisez:*

The next morning, looking at the snow outside, I began to think sadly that my friends must have suffered greatly from the cold. I then heard a strange tumult in the street, which was coming nearer to the inn; the policemen were bringing my friends back to confront them with the landlady.

As I was looking out, I saw that there was no snow on the window-ledge of the room Wilfrid and I had occupied. I understood what that meant: the murderer had returned there during the night. Now I saw a way to save my friends.

I went downstairs and made myself known to the policemen.
I told them what I knew, and suggested that we might capture
the real murderer that night, for he would probably follow the
same path as before.

At nine o'clock we went up to the room. After waiting most
of the night, we finally saw our man come in. There was a
terrible struggle between him and the police. Lighting a candle,
we discovered that he had struck himself with his own knife.
Thus died Daniel van den Berg, the dean of the cloth merchants,
who had been rich and respected by all.

D. *Sujet de composition:* Annette.

XI

(Pages 68-73)

A. *Répondez aux questions suivantes:*

1. Quelles gens et quels faits intéressaient le plus François
Coppée? 2. Pourquoi n'est-il pas important de savoir le nom
de la petite ville où s'est retiré le capitaine Mercadier? 3. Pourquoi cette ville était-elle plus animée les lundis que les autres
jours? 4. Qu'est-ce qui avait amené le capitaine à choisir cette
ville pour y prendre sa retraite? 5. Quels souvenirs de jeunesse
sont ranimés par son retour? 6. Citez des actes d'indiscipline
militaire dont il avait été coupable. 7. Qu'est-ce qui prouve
qu'il n'avait pas été un mauvais soldat? 8. Comment est-il
arrivé à sa ville natale? 9. Où s'est-il installé? 10. Que représente le papier qui tapisse sa chambre? 11. Quels sont ses
premiers achats chez l'épicier d'en face? 12. De quelle façon
extraordinaire savait-il se raser? 13. Quels sont ses trois vices?
14. Que tenait-il à trouver tout de suite après son installation?
15. Quelle est son opinion du café Prosper? 16. Nommez quelques détails qui lui plaisent là-dedans. 17. Où a-t-il pris ses
repas? 18. Pourquoi les habitués ont-ils accueilli le capitaine
avec joie? 19. Pourquoi lui-même était-il enchanté de les
rencontrer? 20. Décrivez le vétérinaire.

B. 1. *Définissez les mots suivants:* diligence, auberge, café, parents, échafaud, fantassin, emplette, garçon (de café), mouche,
vétérinaire. 2. *Mettez au passé défini:* qui la rendaient chère;

ses rues étaient pavées; il ne venait pas; qui lui montraient le poing; il reçoit; qui rappelle nos gloires; nous trouvons; il connaissait; il y en avait; le curé faisait une collecte. 3. *Soulignez les lettres qui se prononcent comme l's du mot* sept: ambitieusement, possédait, délices, valise, garnison, absolument, séduisit, six mois, faiblesse, huissier-priseur.

C. *Traduisez:*

Coppée doesn't give us the name of the little town in which Captain Mercadier came to live. That is because it had little importance and was like any other small town. The arrival of the stage coach was the great amusement of its three thousand inhabitants. It was a very quiet little town (which pleased its people), except on Monday, which was market-day.

The captain chose a house on the outskirts. After being settled in his room, he went to the grocer's across the way to buy candles and a bottle of rum. He then shaved, without a mirror, and left to find a café.

The Prosper Café was not perfect, but he liked certain details of the interior. He became one of the regular patrons and was soon eating his meals with the proprietor and his wife. He amused everybody by relating his adventures, and he himself was delighted to find people who were interested in them.

D. *Sujet de composition:* La vie militaire du capitaine.

XII

(Pages 73-79)

A. *Répondez aux questions suivantes:*

1. Qu'est-ce qui gâte le plaisir du capitaine un jour par semaine? 2. Un lundi matin qu'il reste chez lui, qui voit-il approcher de la maison? 3. Quelle infirmité avait cette petite? 4. Quels étaient d'ordinaire les sentiments du capitaine envers les enfants? 5. Pourquoi éprouvait-il de la sympathie pour cette enfant-ci? 6. Comment, sans le savoir, avait-il troublé le repos de la petite? 7. Comment avait-elle perdu sa jambe? 8. Qu'est-ce qui vous dit qu'elle était orpheline? 9. Allant plus tard à son café, pourquoi n'y est-il pas entré? 10. De retour chez lui, en quel état a-t-il trouvé sa chambre et ses vêtements?

11. Pourquoi est-ce que cela lui a fait penser à la petite fille?
12. Pourquoi hésitait-il de la prendre aussitôt comme servante?
13. Quelles économies faudrait-il faire? 14. Quel motif, croyez-vous, a vraiment décidé le capitaine? 15. Comment sa chambre a-t-elle changé d'aspect? 16. Mange-t-il d'aussi bon appétit qu'au café? 17. Après quelque temps, quelle différence voyez-vous dans les relations entre le capitaine et Pierrette? 18. Que lui apprend-il? 19. Quelle est maintenant sa seule inquiétude?
20. Pour quoi les étrangers prennent-ils le vieillard et la petite fille?

B. 1. *Mettez à l'impératif:* vous me réveillez; vous me la cédez; vous vous chargerez de son entretien; elle a une robe; nous arrangerons le reste demain; tu m'embrasses; tu t'assieds; nous nous y promenons. 2. *Remplacez le tiret par une expression réciproque* (l'un l'autre, l'un à l'autre, l'un de l'autre, l'un pour l'autre, l'un et l'autre): le capitaine et Pierrette se sont dit bonjour ——— devant la maison; ils venaient de se voir ——— pour la première fois; bientôt ils s'aimaient bien ———; ils travaillaient ———; ils pensaient ———; ils parlaient souvent ———; ils étaient contents ———. 3. *Écrivez les temps primitifs des verbes suivants:* devoir, revenir, rappeler, connaître, entendre, pouvoir.

C. *Traduisez:*

What spoiled Mercadier's pleasure was the crowd that invaded the town on market-days. The Prosper Café was no longer the pleasant place it usually was. One Monday morning he stayed at home instead of going there. He was angry in advance with the people he would see, if he later decided to go.

Sitting in front of the house, he saw a little girl of nine coming toward him, driving a few geese before her. What at once struck him was that she had a wooden leg. Afterward he kept thinking of the little girl and her affliction, which he considered unjust, not "according to regulations".

He thought of other things too. His "three vices" were costing him dear at the café, and the meals were also expensive. Besides, his room was filthy and his wardrobe in a sad state. Why shouldn't he engage the little girl as his servant?

He did. But soon you would have said that she was his daughter rather than his servant. Now he is striving to save a little money to leave her when he dies.

D. *Sujet de composition:* Pierrette.

XIII

(Pages 81-89)

A. *Répondez aux questions suivantes:*
1. Quelles qualités font de Balzac un des plus grands maîtres du roman? 2. Qu'est-ce que *La Comédie humaine?* 3. Quelle est l'époque de l'action du *Réquisitionnaire?* 4. Quel est le prétexte de Mme de Dey pour fermer sa porte à sa société? 5. A quelle classe sociale appartient-elle? 6. Pourquoi s'était-elle réfugiée dans sa propriété de Carentan? 7. Pourquoi avait-elle ouvert sa porte à certains bourgeois? 8. Comment s'était-elle fait estimer par tout le monde? 9. Qui aime-t-elle d'un amour extraordinaire? 10. Où était allé son fils? 11. Pourquoi ne l'avait-elle pas accompagné? 12. Quel est le plus important des prétendants de la comtesse? 13. Quelle imprudence y avait-il, de la part de Mme de Dey, à fermer sa porte? 14. Qui est Brigitte? 15. Quelle question se posent les habitants de Carentan en apprenant que la comtesse a fait acheter un lièvre? 16. Qui est allé chez elle pour lui donner des conseils? 17. Quelle nouvelle y avait-il dans la lettre qu'elle lui a fait lire? 18. Combien du temps, indiqué pour la visite, restait-il? 19. Sur le conseil du vieux négociant, qu'a consenti à faire ce soir-là la comtesse? 20. Quelle fausse explication de l'achat du lièvre a-t-il répandue?

B. 1. *Faites des phrases qui contiennent les expressions suivantes:* ils devaient; aux environs de; pour ainsi dire; ils ont dû; ne . . . que; grâce à; prendre un parti; soit . . . soit; d'ailleurs; se taire. 2. *Donnez les adjectifs qui correspondent aux adverbes suivants:* fortement, bien, peu, loin, seulement, gracieusement, instinctivement, mieux, tellement, doucement. 3. *Donnez des substantifs de la même famille que les verbes suivants:* préoccuper, animer, sentir, exercer, voir, parler, éclairer, briller, commander, aimer. 4. *Comment appelle-t-on celui qui exécute les actions indiquées par les verbes suivants?:* prêter, fonder, visiter, commander, porter, lire, garder, connaître, employer, croire.

174 EXERCISES

C. *Traduisez:*

Madame de Dey, saying that she was indisposed, was not "at home" to her acquaintances in Carentan. Such an event would have drawn nobody's attention in a large city. But it was very different in Carentan; everybody made his conjectures. We mustn't forget that this was happening in 1793, at the time of the Reign of Terror, a period of terrible danger for the aristocrats. To win their friendship for herself, she had begun some time ago to welcome in her home the principal townspeople. Of all human beings the one she loved most was her only son. He had thought himself obliged, as a point of honour, to follow the princes in their emigration.

It was thought unlikely that Madame de Dey was really ill, for she had not sent for the doctor. Brigitte, her old housekeeper, had bought a hare, although it was known that her mistress did not like game. Was she expecting a visitor? Would it be an enemy of the Revolution? a lover?

She confided her secret to a devoted friend. She had received a letter from her son. He would come, disguised, to see her before three days had passed (= *before the end of three days*), if he was not killed on the way. And it was already the third day.

XIV

(Pages 89-97)

A. *Répondez aux questions suivantes:*

1. Comment Mme de Dey, espionnée par ses invités, cachait-elle ses émotions à chaque bruit de pas retentissant dans la rue? 2. Pourquoi, sous prétexte de chercher un loto, a-t-elle quitté le salon? 3. De qui a-t-elle parlé avec Brigitte? 4. Qu'avait-elle préparé pour son fils? 5. Qu'a-t-elle fait en rentrant au salon? 6. Quel voyageur se dirigeait à ce moment vers Carentan? 7. Qu'allait distribuer le maire de la ville aux réquisitionnaires quand ils seraient arrivés? 8. Arrivé à Carentan, où est allé le jeune voyageur? 9. Quand il dit son nom, pourquoi le maire sourit-il? 10. Où a-t-il envoyé le *citoyen Jussieu?* 11. Lequel des invités de la comtesse est resté après le départ des autres? 12. Que lui dit-il au sujet du fils? 13. Pour quel motif se fait-il

complice du crime politique de la mère? 14. Pourquoi Brigitte
n'achève-t-elle pas la phrase qu'elle a commencée? 15. Que dit
l'accusateur public après avoir lu le billet de logement? 16. Que
fait Mme de Dey quand elle voit son fils dans sa chambre? 17. Quel
est ce réquisitionnaire? 18. Pourquoi M^mo de Dey va-t-elle
dans la serre? 19. Qu'a trouvé Brigitte le lendemain matin
en entrant chez sa maîtresse? 20. Qu'est-ce qui arrivait à
l'heure précise de la mort de la comtesse?

B. 1. *Expliquez ce que signifient les phrases suivantes:* son salon
était à peu près aussi modeste que l'étaient ceux de Carentan;
à chaque coup de marteau frappé sur sa porte, elle cachait ses
émotions; elle prétendit savoir seule où il était; il y avait peu
ou point de discipline; son pas réveilla les échos des rues; il sait
bien qu'il n'a pas loin à aller; les joueurs avaient soldé leurs
comptes; elle s'aperçut que l'accusateur leur manquait; je n'en
saurais douter; son visage était en feu. 2. *Exprimez autrement
les expressions en italique:* à *plusieurs reprises;* jouant son rôle
en actrice consommée; il sera là, *pourtant;* elle examina *de nouveau;* elle *se mit à* jouer; *de temps en temps;* le voyageur dont
il est question se trouvait *assez* en avant de ceux qui *se rendaient*
à Cherbourg; elle descendit *chez elle.* 3. *Prononcez:* cheminée,
épousant, provincial, privations, calculateurs, jetait, minutieuses,
naturelle, embarrassant, madame, monsieur, la Marseillaise.

C. *Traduisez:*

Following the advice of her old friend, Madame de Dey was
receiving that evening, "in spite of her illness". She hid her
emotion from her guests with admirable charm and presence
of mind, never forgetting that her son might arrive at any
moment. She found a pretext to go quickly to the room she
had prepared for him, to see if something was not lacking.

During that time a young conscript was making his way
toward Carentan. As soon as he arrived, he went to ask the
mayor for his billeting ticket. He gave the name of Julien Jussieu.
The mayor glanced at him shrewdly, and gave him a ticket
that indicated Madame de Dey's home. It was already late
when he got there.

Brigitte came in to announce that the guest was in his room.
The countess ran and threw herself into her son's arms, but

discovered that the conscript was not her son, he was a stranger. The next morning Brigitte found her mistress dead. She had died at the very moment her son, far from Carentan, was being shot by the revolutionaries.

XV

(Pages 99-105)

A. *Répondez aux questions suivantes:*
1. Qu'est-ce que *Les Rougon-Macquart?* 2. Quel roman de Zola liriez-vous pour apprendre quelque chose sur la vie des mineurs? 3. Quel rôle politique a été joué par Zola? 4. Pourquoi le moulin du père Merlier était-il en grande fête? 5. Pourquoi le meunier ne voulait-il pas changer la roue de son moulin? 6. Où était situé son moulin? 7. Qu'était devenue Mme Merlier? 8. Pourquoi avait-on choisi Merlier pour maire de Rocreuse? 9. Comment sa fille Françoise a-t-elle scandalisé les gens du pays? 10. D'où était venu Dominique Penquer? 11. Quand était-il arrivé à Rocreuse? 12. Expliquez pourquoi il avait une mauvaise réputation. 13. Comment Merlier a-t-il reçu la déclaration de sa fille? 14. Qu'a-t-il fini par faire? 15. Quelle raison personnelle l'a incliné à accepter Dominique? 16. Que disaient les femmes de Rocreuse? 17. Quel changement s'est produit en Dominique? 18. Quel serait le jour des noces? 19. Quel grave événement a-t-on discuté ce soir-là? 20. Quelle menace, croyait-on, y avait-il pour Rocreuse?

B. **1.** *Mettez les verbes en italique à l'imparfait ou au passé indéfini, selon le cas:* le village n'*a* qu'une rue; une jolie rivière *coule* tout près; Dominique *vient* à Rocreuse en 1860; il y *demeure* depuis dix ans; il *est* Belge; quand Françoise le *voit* la première fois, il *est* couché dans l'herbe, où il *fait* semblant de dormir; il y *revient* plusieurs fois; Françoise *dit* à son père qu'elle *veut* épouser Dominique; son père la lui *promet;* le mariage *doit* se faire au mois de juillet. **2.** *Entre les expressions en italique, choisissez celle qui convient:* la rue passe (*avant, devant*) le moulin; (*après, après que*) Dominique a quitté son pays, il est venu à Rocreuse; il n'a pas revu sa patrie (*puisque, depuis que*) il est arrivé ici; le pays l'a charmé, paraît-il, (*car, parce que*) il ne l'a pas quitté; on (*a douté, s'est douté*) qu'il était braconnier; il s'est mis à travailler (*car, parce que*) il allait se marier; le mariage se fera (*dans, en*) un mois; (*quand, pendant que*) les autres buvaient, il a pris la main de sa fiancée; (*à la fois, à ce moment*) les autres ne les regardaient pas; on a vidé le tonneau (*dans, en*) deux ou trois heures. 3. *Définissez les expressions suivantes:* un moulin, fiancer, une anguille, en dessous de, un miroir, le lierre, une écurie, un veuf, un oncle, un braconnier.

C. *Traduisez:*

Everybody was gay in the mill that beautiful summer evening, for Françoise and Dominique were to be betrothed. The mill had been the dowry of the fiancée's mother, who had been dead for several years. Old Mr. Merlier loved his mill almost like a person.

In the opinion of the people of Rocreuse, Dominique was a ne'er-do-well and probably a poacher. The old women almost accused him of having magic relations with the wolves of Gagny. But he had bewitched all the girls, and Françoise had told her father that she would marry no one else. Merlier, annoyed at first, soon began to think that the young man was better than his reputation. After Françoise was promised to him, Dominique came to work at the mill and justified this good opinion.

That evening Mr. Merlier told him to kiss his future bride, which he did, blushing, and causing Françoise to blush. The others emptied a small cask of wine. They spoke of a war that was beginning between France and Germany, but nobody thought that it would be very serious.

D. *Sujet de composition:* Dominique.

XVI

(Pages 106-113)

A. *Répondez aux questions suivantes:*

1. Que signifie *la veille de la Saint-Louis?* 2. Quelle était l'importance de cette date pour Dominique et Françoise? 3. Quels changements militaires s'étaient produits pendant ce mois qui avait suivi les fiançailles? 4. Qui le capitaine français a-t-il demandé? 5. Quel temps faisait-il? 6. Où campaient la plupart des soldats français? 7. A quoi le capitaine a-t-il comparé le

moulin? 8. Pourquoi le père Merlier ne s'est-il pas plaint? 9. Quelle question le capitaine a-t-il posée à Dominique, et quelle a été la réponse? 10. Qu'est-ce que Dominique a ajouté? 11. A quelle heure s'est fait le premier coup de feu? 12. Où se trouvaient les Prussiens? 13. Quelle était la consigne des Français? 14. Jusqu'à quelle heure devaient-ils tenir? 15. Pourquoi le capitaine a-t-il d'abord empêché ses hommes de tirer? 16. Dans quelles conditions ont été tués les premiers Prussiens? 17. Qu'est-ce qui est arrivé à Françoise? 18. A quelle heure le capitaine a-t-il consenti à partir avec ses hommes? 19. Qu'a-t-il dit en quittant le moulin? 20. Après l'entrée des Prussiens au moulin, qu'a dit leur officier à Dominique?

B. 1. *Mettez au singulier du conditionnel:* ils s'avançaient, ils venaient, cela effrayait, tenez, il se leva, il aperçut, il était, il y avait, j'allais, il fallut. 2. *Donnez les mots qui correspondent aux descriptions suivantes:* le jour qui précède un autre jour; le premier officier municipal d'un village; le chef d'une compagnie ou d'une batterie; celui qui est d'une autre nation; une arme à feu qui est longue et qu'on peut porter; un animal carnassier et domestique qui aboie; chanter à demi-voix sans prononcer distinctement les paroles; se mettre debout; qui n'est pas grand; sans cesse. 3. *Traduisez:* fournissant aux soldats ce dont ils avaient besoin; vous devriez faire cacher la barque; un deuxième coup de feu se fit entendre; le grand orme fut comme fauché; il fit fermer le grand portail; il était peu croyable qu'ils tenteraient de passer à gué la rivière; ils ne tiraient que lorsqu'ils pouvaient viser; il serait heureux d'avoir beaucoup de tireurs de sa force; les soldats étaient partis, sans qu'il s'en doutât le moins du monde; ils faillirent l'égorger tout de suite; l'officier se fit remettre le prisonnier.

C. *Traduisez:*

It was a month later, and the wedding was to have taken place the next day. But there would be no wedding on that day because the Prussians were already near Rocreuse. No one was laughing, although it was a perfect summer day. The heavy silence was broken only by the howling of a dog, and a cuckoo sang across the meadow.

The French captain came early in the morning. He seemed delighted with the mill, for it was like a fortress. He was to hold out there until six in the evening to gain time. The first enemy shots were heard about ten in the morning. Several Prussians and several French were killed in the afternoon.

Dominique heard Françoise utter a cry, for a bullet had grazed her forehead. He at once took his rifle and began to fire, killing a Prussian at every shot.

In spite of his doubts, the French captain was able to hold out as long as he had promised his superiors. At exactly six he withdrew, saying that he would come back. The Prussian officer entered, seized Dominique, and told him he would be shot in two hours.

D. *Sujet de composition:* Dominique tire sur les Prussiens.

XVII
(Pages 113–121)

A. *Répondez aux questions suivantes:*

1. Quelle était la règle de l'état-major allemand? 2. Pourquoi avait-il posé cette règle? 3. Quelles questions l'officier a-t-il faites à Dominique? 4. Quelles réponses a-t-il reçues? 5. Où a-t-il fait emmener Dominique? 6. Pourquoi a-t-il demandé à Françoise si Dominique habitait le pays depuis longtemps? 7. Qui a-t-il envoyé chercher? 8. Que faisait le père Merlier? 9. Quelles conditions a-t-il imposées en consentant à fournir des vivres à l'ennemi? 10. Pourquoi le Prussien s'est-il fâché? 11. Pourquoi Merlier a-t-il refusé de lui dire l'étendue du bois de Sauval? 12. Pourquoi les douze soldats se sont-ils rangés dans la cour? 13. Pourquoi l'officier a-t-il remis l'exécution de Dominique au lendemain matin? 14. Où était située la chambre où Françoise s'est retirée pour passer la nuit? 15. Comment a-t-elle pu voir Dominique pendant la nuit? 16. Quel était son projet? 17. Comment Dominique devait-il traverser la rivière? 18. Que lui a-t-elle donné pour tuer la sentinelle? 19. Quel mensonge a-t-elle dit? 20. Avant de descendre l'échelle, qu'a-t-il exigé qu'elle fasse?

EXERCISES

B. **1.** *Expliquez ce que signifient les phrases suivantes:* cet aveu était inutile, car il était noir de poudre; elle croyait avoir saisi le but de ses questions; sa roue tenait une large place dans son cœur; elle se sentit mourir; il fit rompre les rangs aux douze hommes; la fenêtre s'écartait de l'échelle; Dominique ouvrit doucement; ils m'ont proposé de me faire grâce; elle finit par le prendre dans ses bras; il voulut que Françoise remontât chez elle. **2.** *Remplacez les tirets par des pronoms convenables:* l'officier remarque l'expression de Dominique, ainsi que ——— de sa fiancée; ——— fait-il venir après?; Merlier promet les vivres ——— les soldats ont besoin; voici les conditions dans ——— il consent; elle ne comprend pas ——— dit l'officier, ——— donne un ordre en allemand; elle est dans sa chambre à elle et Dominique est dans ———, qui est juste au-dessous; ——— dont il a besoin, c'est un couteau; c'est le jour ——— ils devaient se marier; Dominique, pour ——— elle a risqué sa vie, est parti. **3.** *Prononcez:* compagnies, Dominique, tranquillement, muette, parole, ajouta, peur, fusiller, moulin, condition, nuit, allemand.

C. *Traduisez:*

According to the rule of the German staff, Dominique was to be shot. They were afraid of a general uprising in the invaded country, and wished to make terrible examples to warn the others. The officer asked Dominique a few questions, which he answered with much dignity and courage. The officer then sent for Mr. Merlier, and ordered him to find provisions for his men. Merlier consented, but spoke with the same calmness as Dominique, which angered the Prussian.

About seven o'clock Françoise saw a platoon of twelve men, armed with rifles, form in line in the courtyard. Evidently Dominique was going to be shot. However, the Germans wanted him to give them information about the Sauval forest, and they had done that to frighten him. He refused, but they postponed his execution to the next morning, as they still hoped that he would tell them what they wanted to know.

His fiancée's bedroom was directly above the room in which Dominique was shut up. She had a plan to help him escape. Outside her window was a ladder made of iron bars which were sealed in the wall and hidden by the ivy. She climbed down, induced (=*décider*) him to leave by the same ladder, and returned to her own room.

D. *Sujet de composition:* Dominique échappe aux Allemands.

XVIII

(Pages 121-130)

A. *Répondez aux questions suivantes:*
1. Qu'a vu Françoise dans la cour le lendemain matin? 2. Quelle découverte l'officier allemand venait-il de faire? 3. De quoi menaçait-il le village? 4. Qu'a-t-il commandé au père Merlier de faire? 5. Pourquoi a-t-il changé d'avis? 6. Quelle décision a-t-il prise après? 7. Qu'a avoué Françoise? 8. Quelle proposition lui a été faite par l'officier? 9. Pourquoi ne pouvait-elle pas faire un choix? 10. Combien de temps lui donnait-il avant de faire fusiller son père? 11. Pourquoi voulait-elle trouver Dominique? 12. Que lui a-t-elle dit, et que ne lui a-t-elle pas dit? 13. Dans quel espoir voulait-elle gagner du temps après son retour au moulin? 14. Pourquoi Dominique y est-il retourné? 15. Qu'a-t-il refusé de faire pour sauver sa vie? 16. Quel cri a retenti à ce moment? 17. Pourquoi Françoise était-elle comme folle de joie? 18. Qu'ont fait les Prussiens avant d'être chassés du moulin? 19. Comment le père Merlier est-il mort? 20. Citez des exemples d'*ironie* dans la façon dont Zola raconte les événements de cette histoire.

B. 1. *Donnez des adjectifs de la même famille que les substantifs suivants:* père, éclat, flegme, environs, amant, doute, vérité, vieillesse, femme, nuit. 2. *Faites des phrases qui montrent la différence entre:* aussitôt *et* aussitôt que; au-dessus de *et* au-dessous de; pour *et* pour que; sans *et* sans que; surtout *et* partout; car *et* parce que; pendant *et* pour (*avec une expression de temps*); peu de, un peu de *et* quelques; attendre *et* s'attendre à; toutefois *et* toutes les fois que. 3. *Faites des phrases qui contiennent les antonymes de:* agitation, contrarié, cacher, se taire, croire, loin, descendre, joindre, mourir, jeter. 4. *Définissez:* meurtrier, soldat, se taire, fenêtre, mentir, s'agenouiller, mourir, prairie, se lever, séculaire.

C. *Traduisez:*

Françoise, going down early to the courtyard, saw there the body of the sentinel whom Dominique had killed. The officer had just learned that he had escaped to the woods. He was furious, and said that unless Dominique was found for him the village would pay dearly for it. He then decided that Mr. Merlier should be shot in his place, because either he or his daughter had probably helped him escape. He told Françoise to find him within two hours, otherwise her father would be killed. She could choose.

Bewildered, she went away to find Dominique, not to tell him to come back, but to ask him to help her and give her advice. He was hiding in the woods, and it was he who saw her first. But she refused to tell him what was happening at the mill, although she asked him not to go far away. Soon after she had returned, Dominique himself entered the courtyard. An old beggar whom he had seen had told him that Merlier was to be shot.

Again the officer was trying to persuade Dominique to lead his company through the woods to Montredon. He offered him his life, but Dominique, approved by Mr. Merlier, answered that he preferred to be shot.

Suddenly a cry was heard: the French were coming! Françoise was as if mad with joy, for they had arrived while her father and her fiancé were still alive. The German officer, however, before fleeing from the mill with his men, took time to settle his account with Dominique. He had him shot almost before his fiancée's eyes.

Father Merlier, his mill destroyed and his daughter in despair, was killed by a stray bullet.

XIX

(Pages 131-138)

A. *Répondez aux questions suivantes:*

1. Les nouvelles à part, nommez deux genres littéraires où Musset s'est distingué, et des exemples. 2. Distinguez entre *conte, nouvelle* et *roman.* 3. Expliquez le sens de "spirituel sentimentalisme". 4. Les êtres exceptionnels ne connaissent-ils

que de la gloire? 5. Qui est M. de Buffon? 6. Montrez que le
merle blanc et sa famille sont en même temps des oiseaux et
des humains. 7. Quel est le caractère du père? de la mère?
8. Pourquoi le père s'est-il fâché? 9. Quels sont les sentiments
de la mère envers son enfant? 10. Qu'est-il arrivé le jour où le
jeune merle s'est mis à chanter pour la première fois? 11. Quel
parti a-t-il fini par prendre? 12. Pourquoi ses parents n'ont-ils
pas rappelé leur fils, perché sur la gouttière de la maison voisine?
13. Quel oiseau s'est posé près de lui? 14. Quelle question lui
a-t-il faite, et quelle a été la réponse? 15. Pourquoi le merle
trouvait-il belle l'existence du ramier? 16. Quelle idée lui est
venue à l'esprit? 17. Quelle objection a été soulevée par le
ramier? 18. Quel était le but du voyage commencé par le
merle? 19. Quelles personnes l'ont trouvé épuisé dans le champ
de blé? 20. De quelles façons lui ont-elles témoigné de la
sympathie?

B. 1. *Remplacez les tirets par les prépositions convenables:* cela
est très difficile ——— trouver; il ne manquait pas ——— la
régaler d'une chanson; il se montrait cruel ——— moi; il a
sifflé ——— une manière qui révoltait son père; les règles avaient
passé de père ——— fils; il est prêt ——— s'en aller; ——— sa
violence, il avait bon cœur; j'ai vu ——— ses regards qu'il
voulait me pardonner; il m'a fait mal ——— me donnant un
coup de bec; j'ai demandé ——— l'accompagner. 2. *Remplacez
les infinitifs entre parenthèses par la forme convenable:* (plaire) à
Dieu qu'il n'en (être) pas ainsi; bien que mon père (être) vieux,
il est très actif; il est fâché que son enfant (avoir) les plumes
blanches; elle espère qu'il me (pardonner) bientôt; il doute que
je (être) merle; qu'il (faire) comme moi, s'il est merle; s'il (être)
merle, il sifflerait mieux; j'attends qu'elle me (dire) son nom;
s'il (avoir) un miroir, il aurait su qu'il (être) blanc. 3. *Donnez
les mots qui correspondent aux descriptions suivantes:* terrain où
l'on cultive des fleurs ou des légumes; asile où les oiseaux couvent
leurs œufs et élèvent leurs petits; petite bête à six pattes; désagréable à voir; personne de nulle valeur; extrémité de l'aile;
œufs battus ensemble et cuits dans une poêle; petit canal en
métal qui reçoit la pluie qui tombe sur le toit; logement où
habitent les êtres humains; eau qui tombe par gouttes des nuages.

184 EXERCISES

C. *Traduisez:*

Exceptional beings are not always happy in this world, as I
know only too well myself. I was born, if one may say (that),
in the back of an old garden in Paris. My parents were kind
and honest people, a model household. In spite of his great
age, my father was full of attentions for his wife. He first
showed ill-humour when he saw the colour of my plumage.
My mother came to my defense, but I could well see that she
was unhappy.

One day, unfortunately for me, I began to sing. My father
accused me of not being a blackbird, getting into such a fury
that I made up my mind that I must leave home (= *my family*).

On a certain night when I was wondering what I was, since
I was not a blackbird, a wood-pigeon came and alighted near
me. I bowed to him politely, and learned that he was carrying
important papers to Brussels. I asked him if I might go along.

He flew so fast that I was soon exhausted, and I fell unconscious
into a wheat field. When I opened my eyes, I saw coming toward
me two charming ladies, a little magpie, very talkative and
coquettish, and a rose-coloured turtledove. Both showed themselves very compassionate. One gave me fruit and berries to
eat, and the other brought me a drop of water in her beak.

D. *Sujet de composition:* Le ramier.

XX

(Pages 139-147)

A. *Répondez aux questions suivantes:*

1. Comment le merle a-t-il satisfait la curiosité de la petite
pie? 2. Qu'est-ce qui lui causait toujours le plus de peine?
3. Quelle était l'opinion de la pie? 4. Où l'a-t-elle invité à aller
avec elle? 5. Quels étaient les traits caractéristiques des cent
pies qui habitaient le palais vert? 6. Où allaient-elles en pèlerinage? 7. Dans les intentions de l'auteur, quel groupe était
symbolisé par ces cent pies? 8. A qui le merle a-t-il offert son
cœur et sa patte? 9. Quel précepte de Socrate résume ses désirs
et ses tourments? 10. Qu'est-ce qui explique, croyez-vous, son
désir de trouver son semblable? 11. Quand il a chanté, quel

effet a été produit sur la pie? sur la belle Gourouli? 12. Comment
s'appelait le poète pédant qu'il a rencontré ensuite? 13. Pourquoi n'écoutait-il pas le merle pendant que celui-ci chantait?
14. Quittant le poète, qui a-t-il entendu chanter dans le bois
de Morfontaine? 15. Pourquoi portait-il envie au rossignol?
16. Où s'est-il trouvé de bonne heure le lendemain? 17. Qu'a-t-il
trouvé en allant chercher ses parents? 18. Comment a-t-il enfin
découvert ce qu'il était? 19. N'ayant plus honte de son excentri-
cité, comment va-t-il en profiter désormais? 20. Décrivez le
grand poème qu'il va écrire pour surpasser celui de Kacatogan.

B. 1. *Entre les expressions en italique, choisissez celle qui convient:*
la pie est bavarde, (*pendant que, tandis que*) Gourouli est discrète;
(*puisque, parce que*) elle est ennuyée, elle s'endort; (*quand, comme*)
il chantait, il a vu s'envoler la pie; (*comme, comment*) elle avait
souffert!; elle est partie (*la première, d'abord*), Gourouli est restée
plus longtemps; elle est partie (*avant, devant*) Gourouli; elle est
partie (*plutôt, plus tôt*) que Gourouli; elle s'est envolée (*car,
parce que*) le merle chantait si mal; cette forêt doit être (*un lieu,
une place*) charmant(e); il n'oubliera jamais le jour (*où, quand*)
il a rencontré la pie et la tourterelle. 2. *Donnez un synonyme
de chacun des mots suivants:* partager, un terme, tout à l'heure,
la terre, montrer, le chagrin, un ordre, le dessein, davantage,
contrarier. 3. *Traduisez:* elle m'écoute avec plus d'attention
qu'il ne semblait devoir lui appartenir; fiez-vous à moi, et
laissez-vous faire; vous ne voudrez plus entendre parler d'autre
chose; nous sommes là une centaine; ni plus ni moins de sept
marques noires; nous n'en sommes pas moins les meilleures gens
du monde; comment savoir à quoi m'en tenir?; n'y pouvant plus
tenir, elle s'envola à grand bruit; qu'il y a peu de cœurs qui
vous comprennent!; que voulez-vous? je me suis fait vieux.

C. *Traduisez:*

The marchioness told me that I was a magpie, and a very
nice magpie. (She explained my colour by saying that I was
a Russian.) She even invited me to go with her to her green
palace, which a hundred of her friends inhabited. Unfortunately,
I took it into my head to sing for her. After twenty-five minutes,
she could bear it no longer and she flew away. Gourouli had
gone to sleep almost at the beginning.

I also sang for a poet, a cockatoo, whose name was Kacatogan. His feathers had about the same colour as mine; so once more I thought I had found my fellow. He neither flew away nor went to sleep, but I soon realized that he was thinking of his next poem, instead of listening to me.

I spent that night in the Morfontaine forest. Here everybody kept silent to listen to the sweet song of the nightingale, which made me envy him. Feeling very much alone in the world, I decided to go back to Paris. But I found the old garden entirely empty, and I have never since had news of my father and mother.

I finally discovered by chance that I was that rare thing, a white blackbird. I decided I should make capital of my eccentricity, instead of feeling lonely. I should begin by writing a great poem, not in one canto, like Kacatogan, nor in twenty-four cantos, like Homer; mine would have forty-eight, with foot-notes and an appendix.

D. *Sujet de composition:* Kacatogan.

XXI

(Pages 147-154)

A. *Répondez aux questions suivantes:*

1. Combien de temps a-t-il fallu au merle pour écrire son premier ouvrage? 2. Quel a été le résultat de la vitesse avec laquelle il l'avait écrit? 3. Quel est le sujet unique du poème? 4. Parlez du grand succès qu'il a eu. 5. De quoi se plaignaient les deux étrangers qu'il a reçus? 6. Pourquoi le merle était-il toujours mécontent? 7. Que lui a écrit la merlette anglaise, et que lui a-t-elle offert? 8. En la voyant, pourquoi l'a-t-il appelée madame, plutôt que mademoiselle? 9. Après le mariage, quel mystère a contrarié le mari? 10. Quel talent lui avait-elle caché? 11. Décrivez la manière dont elle écrivait ses romans. 12. Quelle femme auteur française a inspiré à Musset d'écrire ce passage? 13. Qu'est-ce que le merle a remarqué un jour dans le dos de sa femme? 14. Quelle est la solution du mystère? 15. Qu'a-t-il résolu de faire? 16. Quel secret a-t-il prié le rossignol de lui apprendre? 17. Pourquoi le rossignol n'était-il pas heureux, lui non plus? 18. Citez plusieurs types littéraires

et sociaux satirisés dans cette nouvelle. 19. Lequel des personnages trouvez-vous le mieux présenté? 20. Parmi les contes et les nouvelles de ce livre, lesquels avez-vous préférés? Pourquoi?

B. 1. *Faites des phrases qui contiennent les antonymes de:* digne, l'apparition, méconnu, plein, la queue, la longueur, le printemps, hormis, assez, se hâter. **2.** *Expliquez ce que signifient les phrases suivantes:* il s'y trouvait bien quelques négligences; ils s'étaient annoncés comme étant de mes parents; ils m'embrassaient à m'étouffer; mon isolement, pour être glorieux, n'en était pas moins pénible; il va sans dire que mes écrits avaient traversé la Manche; je me hâtai de répondre à la belle inconnue; elle faisait sa toilette, à ce qu'elle prétendait; je lui récitais mes vers, et cela ne la gênait nullement pour écrire pendant ce temps-là; toute faiblesse masculine enchante l'orgueil féminin; je m'envolai là-dessus, toujours pleurant. **3.** *Faites des phrases qui montrent la différence entre:* puisque *et* parce que; ailleurs *et* d'ailleurs; sauf *et* sauf que; tasse à café *et* tasse de café; bien que *et* pourvu que; car *et* parce que; assiette *et* assiettée; jour *et* journée; au moins *et* à moins que; autant *et* d'autant (plus) . . . que. **4.** *Prononcez:* porteront, premier, aujourd'hui, sujet, fatuité, apparition, mademoiselle, cœur, semblable, témoignait, bégueule, gigot, enthousiasme, soixante.

C. *Traduisez:*

My poem, which I had written in six weeks, had forty-eight cantos, as I had promised myself. I had written too fast to write well, but it had a great success nevertheless. I became celebrated even across the Channel. I received a letter from an English lady, who offered me her hand and herself. I was already used to such offers, but what surprised me was to learn that she was a white blackbird. I thought that my solitude was finally ended. Our marriage, the expenses of which she paid, was of overwhelming splendour. I had wanted a simple wedding, but she didn't intend it that way.

An even greater surprise came to me later. I discovered one day that my wife was not white at all, she had simply used a kind of paste made of flour and whiting. Discouraged with life, I resolved to withdraw from the world, and give up my literary career.

I went back to the nightingale. I confessed that I envied him his happiness and his beautiful voice. But he told me I was wrong. His wife bored him. He was in love with the rose, who in her turn loved some one else, and slept all night while he sang.

D. *Sujet de composition:* Le ménage littéraire des deux merles.

VOCABULARY AND NOTES

This vocabulary covers all seventeen of the stories included in the original edition of this book. It has been retained in the present edition because many items, although they refer specifically to portions of the text now missing, are of value for the understanding of other passages, and because many economies in manufacturing are made possible by the use of the original plates.

A

à to, at, in, into, on, upon, about, by, for, with, of, from; **au courant d'air glacial** under the icy draught; **à lui seul** by himself alone; **homme à phrases pompeuses** man of pompous speech; **à cheveux blancs** white-haired; **à ce qu'elle prétendait** according to her claims; **c'était à moi de tirer le premier** (*CP*) it was my privilege (turn) to fire first; **faire dire à tout le peuple** make all the people say; **à entendre dire** (*AM*) through hearing; **à la voir** (*Ét*) when I saw her, *or* to anyone seeing her; **en m'embrassant à m'étouffer** (*Mbl*) well-nigh stifling me with their embraces; **des cris à vous déchirer les oreilles** ear-splitting shrieks; **n'était-ce pas à en perdre la tête?** (*Ét*) wasn't it enough to make a fellow lose his head? **à l'assaut!** attack! **crier au sacrilège** (*J*) cry sacrilege

abaissement *m.* lowering (*of one's dignity*), self-abasement

abaisser lower; **s'—**, sink, be lowered, fall, drop

abandon *m.*: **avec —**, without restraint

abandonner abandon, forsake, leave (behind), give ... over (*or* up); **s'— à la tristesse** give way to (one's) sadness; **(le corps) abandonné** relaxed

abasourdir stun

abâtardissement *m.* degeneracy

abattement *m.* prostration, dejection

abattre bring down, fell, shoot off; **s'—**, swoop down; **toute une compagnie de cloches et de clochettes vint s'—**, (*Élix*) meta-

phor comparing the sudden movement of new chimes with the swooping of birds; **abattue sur une chaise** sitting dejectedly...

abbaye *f.* abbey

abbé *m. a title generally applied to French priests of low rank:* priest (*seldom* abbot); *in Élix* **l'abbé** *and* **le curé** *are the same person;* **les abbés de couvent** [= abbés mitrés] (*MP*) abbots

Abd-el-Kader (El-Hadj) *a celebrated Arab chieftain* (*VC*) *b. ab.* 1807, *d.* 1883. *In* 1832 *he led a holy war against the French; it was probably at the battle of Macta,* 26 *June* 1835, *lost by the French general Trézel, that our captain "Mercadier" was taken prisoner by soldiers of the famous emir* Abd-el-Kader

abeille *f.* bee

abîme *m.* abyss

abîmer spoil; **s'—**, go to the bottom (*cf.* **abîme**), sink, bury oneself, become absorbed; (*of things*) be (get) spoiled

abominable horrible, vile

abonner put down as a subscriber; **s'—** (à) subscribe (for)

abord *m.*: **au premier —**, at first sight; **d'—**, (at) first, originally

aborder accost, come alongside, land; **— à** reach, put in at

aboutir (à) end (in), come out (on, at), lead (to)

aboyer bark

abri *m.* shelter; **à l'— de** safe from; **à l'— sous** sheltered under

abriter shelter

abrutir besot, stupefy

absence *f.* absence, lack

absinthe *f.* absinthe (*a strong yellowish liquor made with wormwood leaves*)

absol– *see* **absoudre**

absolu, –e absolute

absolument absolutely, completely; **— rien** nothing whatever; **vouloir — que** insist that

absorber absorb, imbibe, engross

absoudre absolve

absurde absurd, outlandish

abuser de take an (unfair) advantage of, ask too much of, hoodwink, fool

Académie Française *f.* (1634–) French Academy, *composed of* 40 *eminent Frenchmen known as "the Immortals" (writers, scholars, statesmen, etc.; a kind of linguistic legislature)*

acajou *m.* mahogany

accabler (de) overwhelm (with)

accent *m.* accent, tone; **d'un — si aigu** so shrilly

accepter accept, take; **— de +** *inf.* agree to

accident *m.* mishap

accompagner accompany, go with, attend; **accompagné de** attended by

accomplir accomplish, perform; **accompli, –e** finished, thorough

accord *m.* agreement; **tomber d'—,** come to an agreement, agree; **ses —s** (*Mbl*) his notes *or* his melody

accorder grant; **s'— avec** be in harmony with

accoster: *archaically* **accostée de deux lampes** (*S–N*) standing between two lamps

accouder (*cf.* **coude**): **elle s'accouda** (*AM*) she leaned (rested her elbows) upon the window casing; **accoudé** resting on one's elbows

accourcir shorten

accourir run up, come running up, hasten to the spot

accoutumer accustom, inure; **être accoutumé à** be used to

accrocher hang up, fasten up; **s'— à** grapple, clutch, cling to

accroire *used in* **faire —,** *implying an attempt to* mislead: **vous ne me ferez pas —,** you can't make me believe

accroître increase; **s'— de** grow through being fed by

accroupir: s'—, squat, crouch, cower, huddle

accueil *m.* welcome

accueillir receive, welcome

accusateur *m.* accuser; **— public** (*R*) magistrate (*a name given during the French Revolution to the magistrate in a local criminal court*)

accuser accuse; **— de** charge with

acharné, –e relentless, infuriated; intense, feverish; (*of a storm*) raging persistently

acharnement *m.* desperation, blind fury, relentlessness

acharner: s'—, persist violently

achat *m.* buying, purchase; **faire l'— de** purchase

achever finish, complete; **— de s'habiller** finish (one's) dressing; **— de pleurer** end [her, *etc.*] weeping; **— de colorer un récit** add all the color needed by a narrative; **s'—,** be ended; **tu m'achèves!** that's the last straw!

acier *m.* steel

acolyte *m.* acolyte, henchman

acquérir acquire, get

acqui– *see* **acquérir**

acquitter: s'— de perform, acquit oneself of

acrostiche *m.* acrostic; **des —s** (*VC*) acrostic verses (*such as form a word or sentence if one reads simply the initial letter of every verse*)

acte *m.* act, deed

acti–f, –ve active, brisk

action *f.* action, deed

activer stir (up), quicken, poke

activité *f.* activity, stir, bustle

actrice *f.* actress

adage *m.* adage, wise saw

Adam: la faute d'—, notre père (*J*) the sin committed by our father Adam (*in eating of the forbidden fruit*, Genesis iii)

adieu *m.* goodbye, leave-taking

admettre admit, allow (of); **admis chez M**^me **de Dey** (*R*) allowed to call at Mme de Dey's

admi– *see* **admettre**

administrati–f, –ve administrative, official; **mobilier —,** government furniture

admirablement admirably
admiration *f.* admiration; —s signs
of admiration
admirer admire, wonder at; admirant (*Peur*) rapt in admiration
adoptée adopted daughter
adorer worship, adore
adosser: adossée à une grande
forêt sloping down from, *etc.*
adoucir soften, soothe
adresse *f.* address, skill
adresser address, direct, send; —
la parole (à) address; s'— à turn
to, address
adulation *f.* flattery
advenir happen, become (of)
adversaire *m.* adversary, foe
affaiblir weaken; s'—, grow (get)
weak, die out; affaibli, -e (*of a
sound*) faint
affaire *f.* business (*also* les —s),
affair, matter, occurrence, dealing, thing; engagement; quarrel, fray; toute une —, a big
job; voilà l'—! that's the very
thing! voilà mon —! *now* I know
what's what! ce fut l'— d'une
seconde this took only a second;
(*iron.*) exploit; avoir — [*i. e.*,
faire] à have to do with; ils
avaient eu des —s ensemble (*F*)
they had had some business together (a row); homme d'—s
(*CP*) business agent; je crains
que nous ne fassions pas nos
—s I fear we shall not succeed
affairé, -e busy
affaisser: s'—, sink (down), fall in
a heap, collapse
affamer famish, starve; affamé, -e
starving, starved
affecter affect, feign, assume
affectueu-x, -se loving, affectionate
affiche *f.* poster, playbill
afficher make a show (parade) of
affirmati-f, -ve affirmative
affirmation *f.* statement
affirmer affirm, vouch for
affliger (de) afflict (with), distress,
trouble, bother; s'— (de) grieve
(at)
affolement *m.* panic
affoler strike with panic, madden;

affolé, -e panic-stricken, frantic,
driven to distraction
affranchir free, set free; s'— de get
rid of, rid oneself of
affreusement frightfully, awfully
affreu-x, -se frightful, hideous
affronter face (*risks etc.*), brave
affubler (de) rig out *or* array (in)
affût *m.: only in* à l'— (de) on the
watch (for), lying in wait (for)
afin de in order to, to; — que
in order that, so that
africain, -e African
Afrique *f.* Africa
agacer annoy, irritate, set on edge
âge *m.* age; quel — avez-vous?
how old are you? jeune —,
youthful days; c'est de son —,
(*Mbl*) that's natural at his age;
avec l'—, (*AM*) as she grew
older
âgé, -e aged, agèd, old; — de trente
ans thirty years old
agenda [aʒɛ̃da] *m.* memorandum
book
agenouiller: s'—, kneel, fall on
one's knees
agent *m.: — de (la) police policeman
agile nimble
agir act; s'—: il s'agit simplement
de nous conduire à M. (*AM*) it's
simply a matter of showing us
the way to M.; il ne s'agit pas de
cela (*Mbl*) that's not the point (at
issue); il ne s'agit pas de perdre
la tête (*MD*) it's no time to lose
one's head; s'agit-il de faire halte
if a halt is to be made
agitation *f.* excitement, stir
agiter stir (up), shake, toss, wave,
excite; (*fig.*) upset; s'—, struggle, writhe; une écume sanglante s'agitait sur ses lèvres
(*MD*) bloody foam was bubbling
on his lips; agité, -e (*of water
in a vessel's wake*) churned; (mer)
agitée (rather) rough; agitée d'un
tremblement (*AM*) quivering
with excitement; sa poitrine
était agitée her bosom was heaving
agneau *m.* lamb
agonie *f.* death agony, pangs of
death

agoniser (*lit.*) be dying, be in the death throes; (*fig.*) agonize; **depuis midi, F. agonisait dans une angoisse abominable** (*AM*) since noon, F. had been undergoing fiendish pangs

agrandir enlarge; **(les yeux) agrandis,** *etc.* (*AM*) in a wide stare

agréable agreeable, pleasing

agréer (à) please; *see* **agrément**

agrément *m.* charm, elegance, grace

ah! (*usually*) oh!

ahurir take aback, astound, amaze

ahurissement *m.* amazement, bewilderment

aide (1) *f.* help

aide (2) *m.* helper, assistant; *see* **aide-timonier**

aider help; **s'— de** make use of

aide-timonier *m.* helmsman's mate

aïeul *m.* grandfather; **un — lança sa béquille** (*AWS*) somebody's grandfather, *etc.*

aigle *m.* eagle

aigre sour

aigu, –ë sharp, acute, shrill

aiguille [egɥiːj] *f.* needle

aiguiser [eg(ɥ)ize] whet, sharpen

aile *f.* wing; *see* **aileron**

aileron *m.* pinion (*wing-tip*); (*Mbl*) little wing

aill– *see* **aller**

ailleurs elsewhere; **partout —,** everywhere else; **d'—,** however, besides, otherwise

aimable likable, lovable, kind, lovely, pleasant; **son air —,** (*AM*) his gracious manner

aimer love, like, be fond of, enjoy; **— (à) + inf.** like to; **ce cadavre aimé** (*Peur*) that body, still loved though dead; **— mieux** prefer; **j'aimerais mieux + inf.** I'd rather, *etc.;* **s'—,** (*AM*) fall in love (with each other)

ainsi thus, in this way, in that way, so, so then; **d'être vu —,** to be seen like that; **est-ce — que...?** is that the way...? **il en est —,** such is the case; **et — des autres** and so it was (is, *etc.*) with the rest; **— que** as well as, as, like

air *m.* air, melody, tune; look, appearance, bearing, manner, demeanor; **en l'—,** up, upward; **avoir bon —,** (*AM*) be good-looking (handsome), look well; **avoir l'— pauvre** look poor; **l'— sec** with a hard look; **— enfariné** look of having been sprinkled with flour; **affecter un — gai** feign high spirits; **avoir l'— de** look as if, have the look of, look like; **d'un — de regret** (*AM*) as if reluctantly; **d'un — fin** astutely, shrewdly

Aire *f. a little river which rises in the hills of Argonne and flows N. by W. along the E. side of the Forêt d'Argonne into the Aisne*

aise *f.* ease, convenience; **à l'—,** at (one's) ease; **à mon —,** at (my) ease, (*fig.*) at home

aisé, –e easy

aisément easily, unceremoniously

ajouré, –e: chiffres —s openwork figures (*resembling a stencil*)

ajouter add

ajuster adjust, aim at, tune

alambic *m.* alembic, still

alarmer alarm, startle; **s'—,** be startled, feel alarmed

album *m.* album, sketchbook

Alceste (*Mbl*) Alceste (*the outspoken idealistic misanthrope of Molière's play* « Le Misanthrope », 1666)

alcool [alkɔl] *m.* alcohol

alentour *adv.* round about; **d'—,** *adj.* round about

alerte *adj.* alert, wide-awake; *f.* (*mil.*) alarm

Alexandre Alexander

Alger *m.* (*VC*) Algiers (*cap. of Algeria*)

Algérie *f.* Algeria (*the principal French colony in N. Africa, won after a military and diplomatic struggle of about twelve years, 1830–42*)

aligner show in a straight line; (*mil.*) dress up to a line; **s'—,** stand in a line

aliter: s'—, take to one's bed

allée *f.* going; walk, passage

Allemagne *f.* Germany

allemand, –e (A—) German

aller go, be going to, be about to, go about, go on, walk, walk about; be *or* fare (*well, ill, etc.*), get on, get along; — à pied go on foot, walk; — sans dire be obvious; — tout le corps en avant walk leaning forward; — et venir walk up and down (to and fro), *or* (*of a flame*) flicker; j'allai m'asseoir dehors I went and sat down outside; — chercher go for, go and get, get, fetch; — se promener go out for a walk; la nuit allait venir darkness was about to fall; si j'allais me réveiller if I should wake; (*fig.*) la petite va bien the little girl is well; ça va mieux! (*VC*) that's better! avec un extrême laisser — (*R*) with an extreme unconcernedness; les étourneaux vont maigres quand ils vont en troupe (*Élix*) a *prvb.*: freely, the starlings are thin travelers (find little food) when they travel in a flock; il va peu dans le monde he seldom goes out into society; dont les craquements lui allaient au cœur (*AM*) whose creakings rent his heart; allez! (*AM*) now! (*i.e.*, fire!); c'est égal, va, mauvais (*MP*) never mind, trot along, you villain; vieux malin, va! you old rogue! tiens, va, citoyen Jussieu (*R*) there! settled! (*or* off with you!) *etc.*; allons! allons! (*F*) get out! *or* come, come! allons (donc)! come (now)!, nonsense! je vous connais bien, allez! I know you well, I do! *refl.*: s'en —, go away, go one's way; va-t'en! be off! get out! son regard s'en va his eyes go wandering; s'en — en morceaux fall into bits, crumble away; faire en — mon rêve (*Ét*) cause my dream to vanish

allonger lengthen (out), stretch (*or* reach) out; — un coup deal (let drive) a blow; — le pas lengthen one's stride; — la tête thrust out the head, peer out; s'—, stretch out

allumer light (up), kindle, brighten

allumette *f.* match

allure *f.* way, manner, bearing; —s d'autrefois former ways

almanach [almana] *m.* almanac

alors then (at that time); so, so then, in that case, thereupon; la flamme jetait —, *etc.* (*MD*) the flame was now casting, *etc.*; sa démarche, — plus vive, *etc.*, (*R*) his gait, now brisker, *etc.*; d'—, of that time; — que when, at a time when

alouette *f.* lark

alourdir make heavy (*or* drowsy); alourdi, -e (*of a gait*) heavy with weariness, plodding; — de sommeil (*Ét*) heavy with sleep

Alpilles [alpi:j] *f. pl.* Alpilles (*lower spur of Alps in Provence; also called* Alpines)

alsacien, -ne Alsatian

altérer change; altéré, -e (*spec. sense*) thirsty; d'une voix —e with a quavering voice

alti-er, -ère haughty, lofty

amabilité *f.* kindness, amiability

amande *f.* almond; en —, almond-shaped

amandier *m.* almond tree (*or* almond wood)

amant *m.* lover (*usu.* a paramour)

amarrer moor, make fast, lash

amas [amɑ] *m.* heap, pile, mass

amasser amass, lay by, hoard up

amazone *f.* woman on horseback, female equestrian

ambitieu-x, -se ambitious

ambitieusement aspiringly

âme *f.* soul, mind; — qui vive a living soul

amende *f.* penalty, fine

amener bring; lower (*a sail*)

am-er [amɛr], -ère bitter

Amérique *f.* America

ameubler furnish (*a room*)

ami, -e friend; mon —, (*CP*) my dear; ta bonne —e (*Ét*) your sweetheart (pet); son —e (*MP*) his pet (*the mule*)

amical, -e friendly, loving

amitié *f.* friendship, liking

amollir: s'—, soften

amonceler: s'—, heap (*or* pile) up

amorce *f.* percussion cap, priming

amour *m.* love; avec —, lovingly; pour l'— de Dieu for God's sake; par — du sang (*MD*) through bloodthirstiness; —-propre self-esteem, self-love, (personal) pride, (one's own) vanity; *f. pl.* —s love affairs

amoureu-x, -se (de) in love (with), loving; *noun* sweetheart, lover

amputer amputate; **il fut amputé** his hand was amputated

amusant, -e entertaining, amusing

amuser amuse, entertain; beguile; **amusez-les** (*A M*) keep them busy; **s'—,** amuse (*or* enjoy) oneself, have a good time; **s'—** à enjoy, find entertainment in; **pour s'—,** (*F*) to while away the time

an *m.* year; **avoir dix-huit —s** (*AM*) finish one's eighteenth year; **jusqu'à quinze —s** (*AM*) until the age of fifteen

analogue similar, like

analyser analyze

ancien, -ne ancient, past, former; **soie —ne** (*Par*) costly old silk; **un — ami** an old friend (*i.e.,* a friend of long standing); **l'—ne chapelle** the former chapel; *noun m.* elder, senior member; **l'—ne** (*AM*) the old one (*i.e.,* **roue** mill wheel)

ancre *f.* anchor

André Andrew

âne *m.* donkey, ass; **cela ne se trouve point dans le pas d'un —,** (*Mbl*) that is no everyday occurrence (*usu.* **dans le pas d'un cheval**)

anéantir annihilate, overwhelm, utterly exhaust, prostrate

ange *m.* angel

Angélus [ãʒelys] *m.* Angelus; **son-ner l'—,** (*S–N*) ring for the A. (*R.C.; morning, noon, and evening; the* Ave Maria *is repeated thrice*)

Angers *chief city of Maine-et-Loire*

anglais, -e (**A—**) English (Englishman, *etc.*); **à l'—e** in the English way; **filer à l'—e** slip away (*or, as* we *say,* "take French leave"); **marions-nous à l'—e** (*Mbl*) *apparently parodying* **filer à l'—e** *and meaning* let's slip away and get married; let's elope

angle *m.* angle, corner

angoisse *f.* anguish, agony of fear; **des —s de damné** (*AWS*) hellish pangs

anguille [ãgiːj] *f.* eel

animal *m.* animal, (*MD*) mere animal; brute, lout, cad

animation *f.* bustle, stir

animé, -e spirited, lively

animer animate, quicken (*one's gait*), put briskness into; **s'—,** work oneself up

anneau *m.* ring, finger ring

année *f.* year

Annette Annie

annonce *f.* announcement, advertisement

annoncer announce, advertise, indicate; **s'— bien** look promising

annoter annotate

annuel, -le annual, yearly

anonyme anonymous

anormal, -e abnormal, unusual

anse *f.* handle, loop; inlet, cove

antérieur, -e earlier, past

antichambre *f.* antechamber

antique old-fashioned, old-time

anxiété *f.* anxiety

anxieu-x, -se anxious

août [*usu.* u] *m.* August

apaiser calm; **s'—,** calm down, subside

apercevoir perceive (*with the eyes*), behold, catch sight of, sight (*a vessel*); **s'— (de)** become aware (of), notice

aperçoi– *see* **apercevoir**

aperçu– *see* **apercevoir**

apéritif *m.* appetizer (bitters)

apeuré, -e (*cf.* peur) frightened

aplatir flatten; **aplati** (*MD*) lying flat

aplomb *m.* self-possession, assurance; **prendre un — solide** get a good footing

apostrophe *f.* reproach

apparaître appear; **— encore** be still visible; **comme il apparaît par l'histoire de Samson** (*J*) as is clear through, *etc.*

appareil *m.* apparatus, device

appareiller set sail

apparemment apparently

apparence *f.* appearance, semblance; **en —,** apparently, seemingly

apparition *f.* apparition, wraith, (sudden) appearance (arrival), coming forth, vision

appartement *m.* flat, apartment(s), rooms

appartenir (à) belong *or* appertain (to), be the duty (of), behove

appel *m.* call, roll call, muster

appeler call, summon; name; s'—, be named: comment t'appelles-tu? what is your name?

appendice [apĕdis] *m.* appendix

appétissant, -e tempting, appetizing

appétit *m.* appetite; mettre en bon —, whet one's appetite; de grand —, with a fine appetite; du meilleur —, with the best of appetites

applaudir applaud; s'— de congratulate oneself on

appliquer apply; — contre press close to

apporter bring (along), carry, fetch, deliver

apprécier appraise (the value of)

appréhension *f.* (gloomy) foreboding

apprendre (à) learn (to), hear about (*or* of), discover, understand; teach; avez-vous appris? have you heard [the latest news]?; (*impv.*) apprends que, *etc.* understand; [elle] m'apprit son existence (*Mbl*) [she] apprised me of her existence; daignez m'—, *etc.* kindly tell me all about, *etc.*; qui t'a appris à siffler? who taught you (how) to whistle? s'—, (*of a thing*) be taught, be learned

apprenti *m.* apprentice, novice

apprêt *m.* preparation (de for)

apprêter prepare; s'—, get ready

appri– *see* **apprendre**

appris, -e: mal —, ill bred

approbation *f.* approbation, approval

approcher bring (draw, move) near; — de approach, come (*or* get) near, (*fig.*) reach the height of; s'— de approach

approfondir go deeply into

approuver approve (of)

approvisionner stock with supplies

appui *m.* prop, support, stay; à l'— de in support of, to back; mur d'—, (*AWS*) breast-high wall (*base of a window sill*)

appuyer prop, rest, stand; — les genoux sur (*MD*) press one's knees down upon; s'— sur lean (*or* rest) on; appuyé contre un mur leaning against a wall, (*AWS*) stood against a wall: appuyé, -e à resting on

âpre rough, harsh, gruff, sour

après *prep.* after; — s'être assuré after assuring himself; *archaically*, — boire (*MD*) after drinking; — sa vigne next to his vineyard (*in his affections*); d'—, according to; *adv.* afterward(s), later; — que *conj.* after

après-dîner *m.* after dinner, afternoon (*formerly dinner was served at noon*)

après-midi *m. or f.* afternoon; l'—, *adv.* in the afternoon

âpreté *f.* roughness

arabe (A—) Arab, Arabian, Arabic

araignée *f.* spider

arbitre *m.* umpire, judge

arbre *m.* tree

arbuste *m.* shrub

arche *f.* ark (*biblical*)

archéologue *m.* archeologist

archet (de violon) *m.* bow

archevêque *m.* archbishop

ardemment eagerly, ardently, passionately

ardent, -e burning, fiery, gleaming

ardeur *f.* ardor, eagerness

argent *m.* silver, money; d'—, (made of) silver, silvery

argenterie *f.* silverware, silver plate, plate; —s silverware

argentier *m.* (*archaic or eccles.*) treasurer

argentin, -e silvery

Argonne *f.* (*S–N*) *a region of N.E. France, betw. Reims and Metz, where numerous dialectal features (including special words as well as a special "accent") are noticeable; the* Argonne *is famous for its forests*

Argueil *m.* (*BM*) *a town in the*

Vallée de Bray, ab. 35 k. E. by N. of Rouen

argumentation *f.* arguments

aride barren, (*fig.*) fruitless

ariette *f.* little tune

aristocratie [-si] *f.* aristocracy

Arles *f. an ancient city of Provence*

armateur *m.* ship-owner

arme *f.* arm, weapon; —s arms (weapons), coat of arms; **en —s** (*like* **sous les —s**) armed, under arms; —s **blanches** side arms (*sword, bayonet, lance*); **combat à l'— blanche** (*AM*) fight with sword and bayonet

armée *f.* army; **être à l'—**, be in (*or* with) the army

armer (**de**) arm, provide (with); cock (*firearms*); **armées à l'extrémité d'une boule** tipped with a ball

armoire *f.* wardrobe, cupboard; closet, bookcase; **— à glace** wardrobe with a looking-glass door

armurier *m.* gunsmith, (*mil.*) armorer (*chief mechanic in charge of work on artillery etc.*)

aromate *m.* spice, aromatic flavoring

arome *m.* aroma

arracher pull (pluck, tear) out, tear off, snatch out (*or* away), wrench, wrest, break off; **lui — ses galons de caporal** strip off his corporal's stripes; **on se l'arrache** there is a regular rush (*or* scramble) after *or* for him, it, *etc.;* **les Anglais se les arrachaient** (*Mbl*) the English were scrambling for them; **les Anglais s'arrachent tout** the English grab everything

arranger arrange, make right, settle, see to (*a matter*); **arrangez-vous comme vous voudrez** do whatever you please; **et qu'est-ce qui t'a arrangée comme cela?** (*VC*) what hurt you like that? (put you in that plight?)

arrestation *f.* arrest, apprehension

arrêt *m.* stop, decree

arrêté *m.* order (*issued by a cabinet minister*), "order in Council," decision, decree

arrêter stop, check, hold in check; arrest, halt; decide on (*a plan*);

(*fam.*) "buttonhole," *or* halt (*a person to make enquiries*); **il arrêta enfin son regard** (**sur**) his glance fell at last (upon); **ses yeux s'arrêtèrent sur moi** his eyes fastened (rested) upon me; **s' — à** stop at, linger over

arrière *adv.* back, behind (one); **en —**, behind, backward (into the past); **saluant la jambe en —**, bowing with one leg (extended) behind him; **posé en —**, tilted backward; *m.* back part, rear, back, stern; **à l'—**, aft; **gaillard d'—**, quarter-deck

arrière-amertume *f. a nonce-word,* aftermath of bitterness, bitter aftertaste

arrière-boutique *f.* back shop, back room of a (the) shop

arrière-pensée *f.* mental reservation

arrivage *m.* (fresh) arrival (*of merchandise or, jestingly, of persons, e.g.,* **de cardinaux**), fresh batch, consignment

arrivée *f.* arrival

arriver (**à, dans**) arrive (at, in), reach; get *or* come (to); **— jusqu'à** reach; **— dans** (*of a bullet*) penetrate; **— à qqn** happen (befall), occur to one; **— à** + *inf.* succeed in –ing; **il arrivait des bouffées d'air frais** (*S–N*) there came (*or* blew) in, *etc.;* **il nous arrive un bataillon ce soir** a battalion is due here (is coming in), *etc.;* **— en tête de la liste** come out at the top (*in an election*); **je pourrais —**, (*Par*) I might manage it (*i.e.,* succeed); **c'était là qu'il voulait en —**, (*BM*) that was what he was driving at; **[ils] en étaient arrivés eux-mêmes à se demander,** *etc.* (*Élix*) [they] had themselves come to the point of wondering, *etc.;* **[on] en arriva [à lui laisser,** *etc.*] [they] were led at last to, *etc.;* **il lui était arrivé de les voir** he had happened to see them

arroser water, sprinkle, moisten

arrondir round out; **— un bassin** (*AM*) form (broaden out in) a round pool (pond)

art *m.* art, craft, ingenuity; **sans —**, unskilled in art; **l'— pour l'—**, art for art's sake

artillerie [artijri] *f.* artillery

as [aːs] *m.* ace

asile *m.* refuge; **demander un —**, ask for shelter and protection

aspect [aspɛ] *m.* aspect, sight, appearance

aspirant *m.* aspirant, candidate (**à** for)

assaillir assail, attack

assassin *m.* assassin, murderer; **à l'—! murder!**

assassinat *m.* assassination, murder, murdering

assassiner assassinate, murder

assaut *m.* assault, attack; **donner l'— (à) charge; à l'—! charge!**

assavoir [= à savoir]: **il est fait — à** (*F*) *a legal formula:* be it known to

assemblée *f.* assembly, assemblage, gathering, throng; **l'— [chez Mme de Dey] oublia presque,** *etc.* (*R*) her company (her guests), *etc.; italicized by Balzac (R) to indicate that this was the word used at Carentan in* 1793

asseoir seat; **en asseyant sa maîtresse** (*R*) helping her mistress to sit down; **faire — qqn** seat one, ask one to take a seat (to sit down), *see* **faire** (11); *p.p.* **assis, -e** seated, sitting; **il demeurait assis** he was still sitting; **il tomba lourdement —,** (*AWS*) he fell heavily to a sitting posture; **assise dans un buisson fourré** (*Mbl*) having taken up her residence, *etc.; refl.* **s'—,** seat oneself, sit down; **elle revint s'asseoir sur son lit** she returned to her seat on the bed

assey- *see* **asseoir**

assez enough, sufficiently, rather; **— de** enough; **n'était-ce pas — de mon malheur?** hadn't I already had unhappiness enough?

assiette *f.* plate; **se trouver dans son — ordinaire** (*CP*) feel at home (be oneself) again, recover one's usual composure

assis, -e *see* **asseoir**

assistance *f.* bystanders, (the) crowd

assistant *m.:* **les —s** the persons present, the bystanders

assister (**à**) be present (at), witness, stand by and watch, attend

associer (**à, avec**) associate (with); **s'— à** join in, assent to

assoi- *see* **asseoir**

assombrir darken, shed gloom on

assommer knock down, nearly kill

assommoir *m.* bludgeon; (drinking) saloon; *freely,* rum dive (*Zola's* « Assommoir ») *or* rum

Assoucy, d' (*Élix*) Charles Coypeau d'Assouci, *a burlesque poet* (1605–75) *of whom Boileau wrote:*

Le plus mauvais plaisant eut des approbateurs,
Et, jusqu'à d'Assouci, trouva des lecteurs.

assoupir make drowsy (*or* dull); **assoupi en face de sa cruche** drowsing by his jug; **s'—,** grow (get) drowsy; **quand la maison lui parut s'—,** as soon as the house seemed to her to be sinking into slumber

assujettir fasten, make firm (*or* fast), clamp

assurément certainly, assuredly

assurer assure, ensure; **s'—,** make sure

asthmatique asthmatic, wheezy

astiquer polish (up)

astre *m.* heavenly body (*sun, moon, or star*); **les —s du ciel** the heavenly bodies

atelier *m.* workshop, factory, studio

athée *m.* atheist

atome *m.* atom

âtre *m.* hearth

atroce atrocious, awful, terrible, horrible, excruciating

atrocité *f.* atrociousness, cruelty

attablé, -e (*p.p. of* **s'attabler**) at table, seated (at table)

attaché [d'ambassade] *m.* attaché

attacher attach, join, fasten, tie; **s'— à** take an interest in, become fond of (attached to)

attaque *f.* attack, fit

attaquer attack

attarder: s'—, stay late, linger

atteindre (à) reach, strike, affect; j'y atteignis I reached it; atteint d'une faim aiguë attacked by (suffering) sharp pangs of hunger; son esprit, atteint à fond, s'affaiblissait his mind, utterly stricken, etc.

atteinte f. blow, stroke, attack

attendre wait (for), await, expect; en attendant la rime (Mbl) while waiting for the right rime to come; en attendant de manger while waiting for meal time; s'— à expect, look for, look forward to

attendrir make tender, soften; (fig.) move, touch, affect; d'un air attendri (MP) fondly, with a softened look, almost with tears in his eyes; s'—, be moved

attendrissement m. emotion; sans —, (Peur) without self-pity

attente f. waiting, wait, expectation

attenti-f, –ve attentive; — au moindre bruit (MD) listening for (or to) the slightest noise

attention f. attention; avoir l'—, take care; faire — à heed, pay heed (or attention) to, notice, mind; avec —, attentively; —! look out! (be careful) and (nautically) stand by!

attentivement attentively

atténuer lessen, soften

atterrer (cf. terre) cast down, overwhelm, astound, (AWS) dismay; atterré, –e downcast, etc.

attester attest, call to witness, bear witness to

attifer rig out, array in fine apparel

attirer attract, draw, draw toward oneself, bring down upon

attitude f. attitude, posture

attrait m. attraction, charm

attraper catch; attrape! bandit! take that, scoundrel!

attrayant, –e attractive

attribuer (à), attribute, ascribe, lay (to)

attrister sadden, grieve

aube (1) f. dawn, daybreak

aube (2) f. alb (a long white vestment worn by Catholic priests at mass)

auberge f. inn, tavern

aubergiste m. or f. innkeeper, landlord, landlady

aucun, –e any; no, none; **ne** ... plus —, no further

audace f. audacity, daring

au-dessous (de) below

au-dessus (de) above; — de vos forces beyond your strength

au-devant: courir — de run (out) to meet

audience f. audience, official audience, (judicial) hearing

auditeur m. auditor, hearer

auge f. trough

augmenter increase, grow; — (un effet) enhance, heighten

Auguste Augustus

Augustin, saint (Élix) St. Augustine (354–430 A.D.), a celebrated N. African bishop, author of "Confessions"

aujourd'hui today, now; c'est — la Saint-Louis today is, etc.

aumône f. alms, charity

auparavant before, previously, earlier

auprès near; adv. near by; — de near, by, close to, with, among, alongside; (fig.) in the eyes of; introduit — d'elle admitted into her presence

aur– see avoir

auréole f. halo, aureola

aurore f. dawn

aussi also, too, likewise, as, so, therefore, accordingly

aussitôt immediately, straightway, forthwith; — rentré [= — qu'il fut rentré] immediately after his return; — que as soon as

autant so much, as much; — de so much, so many; moi — qu'un autre (AM) I'll do, as well as anybody else; en faire —, do likewise; — être pendu que de + inf. one might as well be hanged as to, etc ; — se passer ... might as well give himself ... ; — valait-il vendre chèrement sa vie they might just as well sell their lives dearly; — et mieux que as fully as and better than; — que j'en puis juger as far as I can

judge; **d'**— moins que all the less because; **d'**— plus que so much the more that, *etc.*
autel *m.* altar
auteur *m.* author
authentique authentic, genuine
automne [otɔn] *m.* autumn, fall
autorité *f.* authority
autour around *or* round (it, us, *etc.*), round about; — **de** round, round (about), about
autre(s) other(s); — **chose** anything (something) else, a different matter (*see* **genre**); **sans** — **distraction** que with no other, *etc.*; **l'**— **semaine** (*F*) the next week; **l'**— **année** (*Peur*) last year; **huit** —**s jours** a week more; **d'un moment à l'**—, at any instant; **de temps à** —, every now and then; **de côté et d'**—, on all sides *or* round about; **avec nous** —**s** with the rest of us; **vous** —**s** (*Ét*) you shepherds; **sur nous** —**s jeunes gens** on us young people; **rien** —, nothing else; [**cet homme**] **n'était** — **que le,** *etc.* [this man] was the very same, *etc.*; **l'un l'**—, each other; **l'un et l'**—, both; **l'un ou l'**—, either of them
autrefois formerly, once upon a time, in days gone by; **d'**—, bygone, of bygone days; **cette soirée d'**—, that evening long ago
autrement otherwise; — **dit** or in other words
autrui others, another; **d'**—, one's neighbor's
auvent *m.* screen, blinds, shutters; *in La Peur* — *cannot mean* « **petit toit en saillie** »; *in Paris, and elsewhere,* — *is often used instead of* **contrevent** *and* **volet** (*q.v.*)
avalanche *f.* avalanche (*rushing throng*)
avaler swallow, (*fig.*) devour; — **d'un trait** (*or* **d'un coup**) gulp down
avance *f.* advance, lead; —**s advances,** attentions; **à l'**—, *or* **d'**—, in advance, beforehand; **avoir trois lieues d'**— **sur** be three leagues ahead of

avancement *m.* advancement
avancer advance, push forward; **s'**—, go (*or* come) forward, advance
avant *prep.* before; — **tout** first of all, before everything else; — **toutes choses** whatever else may (*or* might) happen; **le jour d'**— la **Noël** the day before, *etc.*; (*after neg.*) — **cinq minutes** (*AM*) for five minutes yet; — **de** + *inf.* before -ing; — **que** (**ne**) + *subjunc.* before; *adv.* before, earlier, previously; **en** —, forward: **aller tout le corps en** —, walk with a heavy stoop; **la tête en** —, (*F*) with his head bent forward; **tomber la tête en** —, fall head first; *m.* bow (*of a ship*); **gaillard d'**—, forecastle
avantage *m.* advantage, benefit
avant-garde *f.* vanguard, advance guard
avant-hier [avɑ̃tjɛːr] (the) day before yesterday
avare avaricious, miserly
avarice *f.* avarice, greed
avarie *f.* (*usu. pl.*) damage; **sans** —**s** undamaged
Ave Maria [ave marja] *m.* (*Latin*) Ave Maria (Hail, Mary!); **Ave verum** (**corpus,** *etc.*) Hail, true body (*a Latin hymn*)
avec with; — **l'âge** (*AM*) as one grows (grew) older; — **le temps** in the course of time; — **surprise** to my surprise; — **avidité** eagerly; — **cela** (*MP*) for all that; **toute rose** — **ça** (*AM*) as red as a rose besides; (**une explication**) — **nous** (*CP*) between us (you and me)
avenant, -e prepossessing, winsome, attractive, pleasing
avenir *m.* future; **à l'**—, in (the) future
aventure *f.* adventure, experience; **à l'**—, (at) haphazard, at random; **par** —, perchance
aventurer venture; **s'**—, venture (out)
avenue *f.* avenue, driveway
avertir warn, notify
avertissement *m.* warning
aveu *m.* confession, avowal, admission

aveugle blind
aveuglément blindly
aveuglette: à l'—, groping in the dark *or* blindly
avide eager
avidement eagerly
avidité *f.* eagerness
Avignon *f.* Avignon, *an old city (in Latin* Avenio*) on the Rhone, in Provence. In* 1305, *Pope Clement V took up his residence in A. and the so-called "Babylonian Captivity" continued until* 1377, *when the Papal See was transferred back to Rome. In all, seven popes dwelt in A., living peacefully in the midst of their brilliant courts. Daudet does not name the pope who figures in his story (see* Boniface*);* en Avignon *is used by D. for "local color"; standard French requires* à. *A popular song begins:*

> Sur le pont d'Avignon,
> On y danse, on y danse;
> Sur le pont d'Avignon,
> On y danse tout en rond.

avis *m.* opinion, impression, what one thinks; **m'est — que**, *etc.*, (*a colloq. archaism*) my impression is, methinks
aviser advise (notify), inform; **— à remplacer** consider how to replace; **s'— de** take it into one's head to, venture to
avocat *m.* advocate, barrister, lawyer; **— du diable** (*Latin* advocatus diaboli) Devil's advocate (*an ecclesiastic officially designated at the Papal Court to oppose a canonization recommended by an* avocat de Dieu)
avoine *f.* oats
avoir have, hold, get, bear, wear, feel, make, give, devise; *see* [avoir] beau + *inf.;* — lieu, peur, raison, soin; (1) **j'eus encore le numéro 1** once more I got (*or* drew), *etc.;* **elle eut une émotion poignante** she felt, *etc.;* **Dieu ait son âme!** may God keep his soul! (2) **(la robe) a plus d'une reprise** shows more than one darning;

sa figure n'avait rien d'effarouché (*S–N*) her face showed no sign of alarm; (3) **la maison n'avait plus un souffle** (*AM*) in the house, now, not a breath was stirring; (4) **— cinq pieds de haut** be five feet tall; (5) **il avait les pieds fort plats** he had very flat feet; **ayant le cou pris dans une fourche** with his neck held, *etc.;* (6) **mais qu'as-tu?** but what is the matter with you? **j'en eus l'estomac tout ensoleillé** it filled my stomach with sunlight; (7) [il] **avait de si cruelles inventions** (*MP*) [he] could devise (perpetrate), *etc.;* **il eut un geste** (*BM*) he made a gesture; **il eut à peine un léger haussement d'épaules** (*AM*) he hardly did more than give, *etc.;* (8) **il en avait donc pour six mois** (*VC*) so he had enough to last, *etc.;* (9) **n'— point à se plaindre** have no reason (ground) to complain; (10) **il y a** there is (are); **il doit y — des sentinelles** there must be sentinels; **croyez-vous qu'il n'y ait que vous?** (*Mbl*) do you suppose you're the only one? **il y a dix ans** ten years ago; **qu'y a-t-il donc?** what *is* the matter? **qu'est-ce qu'il y a?** what is wrong?
avoisiner be (*or* lie) near
avouer confess, admit, own, disclose
avril *m.* April
ay- *see* avoir
Ayché [aiʃe] Ayché
azur *m.* azure (*cf.* azuré, –e)
azuré, –e azure, sky-blue

B

babil [babi *or*, seldomer, babij] *m.* prattle, chatter
babiller [babije] prattle, chatter
badaud *m.* idler
badigeon *m.:* (*Mbl*) **un léger —**, a thin coat (*or* just a dash) of whitewash.
badigeonner (*AM*) whitewash
badiner trifle; **On ne badine pas avec l'amour** One cannot trifle, *etc.*
bagage *m.* baggage, luggage

bagarre *f.* hubbub, fray, scuffle
bagatelle *f.* trifle; **être** —, be trivial
bague *f.* [finger-] ring
bah! nonsense! pooh! pooh! pshaw!
well! come now! oh bosh! my
goodness! (*MD*) what was the
use?
baie *f.* berry
baigner bathe, wash (*a river bank*)
bâiller [baje] yawn, gape
bailli [baji] *m.* magistrate, judge,
*particularly in Germany; Erck-
mann-Chatrian (MD) are referring to Heidelberg* (**le grand** —, the
chief magistrate)
bâillonner [bajɔne] gag
bain *m.* bath
baïonnette *f.* bayonet; **la — au fusil**
with fixed bayonets
baiser *vb.* [*more safely, and usually,*
embrasser] kiss; *noun m.* kiss
baisser lower, go down, fall; — **la**
tête bow one's head, look down,
bow, stoop (down); **se** —, stoop
(down)
bal *m.* ball, dance, dancing party
baladin *m.* mountebank, clown,
buffoon
balafo *m.* (*T*) *a musical instrument
used by the indigenous tribes of
Guinea*
balai [balɛ] *m.* broom
balance *f.* balance, scale
balancer balance, sway, swing;
waft
balayer sweep, sweep away
balbutier [balbysje] stammer
balcon *m.* balcony
baleine *f.* whale; **souffler comme
une** —, *or* **des** —**s** (*AWS*) puff
like a porpoise
balle *f.* ball; bullet, shot
ballon *m.* balloon
ballotter toss (about), swing, dangle
balourd, -e thick-witted, doltish
balustrade *f.* railing
bambin *m.* (*fam.*) [*Ital.* bambino]
youngster, brat
banal, -e commonplace
banc [bã] *m.* bench, seat
bande *f.* band, strip, school *or* shoal
(*of fish*), troop, gang; **être de la**
—, belong to that gang
bander bind up, bandage

bandit *m.* robber, blackguard
bandoulière *f.* shoulder belt; **en** —,
slung over one's shoulder
bank-notes [bãknɔt] *f. pl., an English word borrowed by the French:
banknotes (lighter than coin!)*
bannière *f.* banner
banque *f.* bank; **faire une — de
pharaon** (*CP*) take the bank (in a
game of faro)
banqueroute *f.* bankruptcy; **faire**
— go into bankruptcy; **faire** —
à la potence cheat the gallows
banquet *m.* banquet, feast
banquette *f.* bench, seat (*each com-
partment in a French railway car
[Brit. carriage] contains two* **ban-
quettes**, *built across the car and
facing each other*); *in a French
café*, bench (*or* lounge)
banquier *m.* banker
baobab *m.* baobab (*a gigantic tree;
Africa and India*)
baptême [batɛm] *m.* christening,
baptism
baraque *f.* hovel, shed
barbare barbarous, barbaric, outlandish (*AM*)
barbe *f.* beard; — **de chèvre** goatee
barbiche *f.* tuft of beard, billy-goat
beard
barbouiller scribble (on)
barbu, -e bearded; **ce — de vétérinaire** (*VC*) that bewhiskered
veterinary
bardeau *m.* shingle, weatherboard
barette *see* **barrette**
Bariatynski, Prince Alexander B.
(1815–79), *a Russian field marshal
who distinguished himself in the
Caucasus*
Bar-le-Duc *chief town of dept. of
Meuse*
Barnabé Barnabas *or* Barnaby
baromètre *m.* barometer
barque *f.* (small) boat, (ship's)
boat, rowboat
barre *f.* bar, rod, helm (*tiller or
wheel*); streak, stroke; **mettre
la** —, bar the door; —**s de justice**
(*T*) prisoner's bars (*iron bars to
which unruly sailors were fastened
by rings for punishment*)
barrer stripe; — **de noir les prairies**

(*AM*) lie black athwart the meadows, lie in black bands across, *etc.*

barrette *f.* berretta (*or* cap, *red or black; red if worn by a cardinal; generally square, some times triangular*), *worn by Pope "Boniface"* (*MP*) *and by choir boys*

barricader barricade

barrique *f.* cask

bas (1), **basse** low, lower, down; **le — clergé** the lower clergy; **en —se Normandie** in Lower Normandy (*the regions bordering on the English Channel*); **à voix —se** in a low tone; **la tête —se** with his head down; *see* **basse-cour**

bas (2) *adv. and noun* down, *etc.*: **plus —**, lower below; **jeter —**, (*of gunfire*) bring down; **jeter à —**, throw down; **me jeter à — de la gouttière** knock me off the eaves; **tout —**, in very low tones; **de — en haut** (*AM*) from top to bottom; **en —**, down, downward, below; **d'en —**, from below; **le jardinier d'en —**, (*S-N*) the gardener (who lives) below; **les fenêtres d'en —**, the ground-floor windows; **la pièce du —**, (*AM*) the room below; foot (*of stairway*); bottom; stockings [*i.e.*, **— de chausse**]

base *f.* base, basis

basse-cour *f.* poultry yard, farmyard; **un poulet de —**, (*Mbl*) a back-yard hen

bassin *m.* basin, pond, mill pond, (big) pool

bassine *f.* (preserving) pan

bât [ba] *m.* packsaddle

bataille *f.* battle; **en —**, in line of battle; **disposé à la —**, inclined to fight

bataillon *m.* battalion

bâtard, -e: porte —e (*S-N*) garden gate

bateau *m.* boat

bateleur *m.* conjurer, mountebank

bâtiment *m.* building, ship; **— négrier** slave ship

bâtir build

bâtisse *f.* building, masonry

bâton *m.* stick, staff, cudgel

battant *m.* leaf of a folding door, folding door

battant, -e (*of rain*) pelting

battement *m.* beat *or* beating (*of a drum*), roll, rumble

batterie *f.* battery

battre beat, batter, strike; churn (*milk*); **— tous les bois** (*AM*) beat (scour), *etc.;* **— la montagne** scour (explore) the mountain slopes; **— des mains** clap one's hands; **— en retraite** (*mil.*) beat a retreat, retreat; **— à grands coups pressés** (*of the heart*) throb violently; *reflex.* **se — (avec, à)** fight, tussle, wrestle (with)

battue *f.* battue (*for game*), hunt, search

baudrier *m.* shoulder belt (Orion's belt)

Baux [bo] *a village ab. 15 k. E. by N. of Arles*

bavard, -e *adj.* talkative; *m. and f.* babbler, chatterbox

bavardage *m.* idle talk, gossip(ing), chitchat

bavarder prattle, gossip

bavette *f.* bib; **tailler des —s** gossip, indulge in chitchat

béant, -e gaping, wide-open; **demeurer —**, (*AWS*) stop short, with mouth agape; **bouche —e** gaping, mouth agape

béat, -e blissful, sanctimonious; **d'un air —**, (*Élix*) beatifically

beau, bel, belle beautiful, lovely, handsome, fair, fine, happy; **ce que j'avais vu de plus beau** the most beautiful object that I had ever seen; **la belle inconnue** the fair unknown; **un beau nom** (*CP*) a fine name; **un bel homme** a handsome man; **belle humeur** good humor, fine spirits; **le bel air qu'il savait prendre** (*AM*) the impressive air, *etc.;* **à la belle étoile** out in the open; **au beau milieu de** in the very midst of; **il y a belles années de cela** (*Élix*) 'tis many a year ago; **de plus belle** *adv.* harder (faster) than ever; *of weather*, **il faisait beau** the weather was fine; **avoir beau ┼·**

inf.: il avait beau dire *(BM)* talk as much as he might; il eut beau protester it was useless for him to protest; il eut beau compter ses gouttes it did him no good to count, *etc.;* les enfants avaient beau faire whatever the children tried

beaucoup (de) much, a great deal (of), many; greatly, often, far; **contribuer — à répandre** contribute largely toward spreading; **y être pour —,** *(S-N)* have a good deal to do with it

beauté *f.* beauty, loveliness

Beauvais [bòvɛ] *a city (dépt.* Oise) *midway betw. Compiègne and Rouen*

bec [bɛk] *m.* beak; **un coup de —,** *(Mbl)* a (violent) peck; **— de gaz** gas burner, gas light; **— de cane** *(VC)* door-handle *(shaped more or less like a duck's bill),* latch

bégayer stutter, stammer (out)

bégueule *f.* prude; prudish

bel, belle *see* **beau**

bêler bleat

belge (B—) Belgian

Belgique *f.* Belgium

belle *see* **beau**

belligérant, -e warring, belligerent

Bellone: la —, the Bellona

bénédiction *f.* benediction, blessing; **que c'était une —,** *(Élix)* in a most heavenly way, quite unbelievably

bénéfice *m.* profit

bénir bless; *see* **bénit, -e**

bénit, -e *(archaic p.p.* of **bénir,** *now adj.):* **eau —e** holy water

bénitier *m.* holy-water fount

béquille [bekiːj] *f.* crutch

bercer rock, lull

berger *m.* shepherd

bergerette *f. (dimin. of* **bergère)** little shepherdess

berlingot *m.* single-seated berlin *(a vehicle)*

Berthe Bertha

besace *f.* wallet

besicles *f. pl.* spectacles, goggles

bésigue *m.* bézique *or* bezique *(a card game; various combinations, when declared, are scored; see* **Bésigue)**

Bésigue: comme feu —, *(VC)* like the late (Mr.) Bésigue *(Capt. Mercadier speaks, playfully or otherwise, as if the card game bésigue had been invented by a man of that name; the etymology is unknown)*

besogne *f.* task, job, work

besoin *m.* need, want, necessity, craving; **avoir — de** (be in) need (of), need (to); **il n'éprouvait que le — de défendre Françoise** *(AM)* his sole thought was, *etc.;* **elle n'avait qu'un — immense** *(AM)* she had but one mighty yearning

bestial, -e bestial, animal

bête (1) *f.* animal, small creature; **—s fauves,** wild beasts *(see* **fauve)** **les Trois Bêtes** *(Ét)* the Three Horses *which are imagined to be pulling* the Wain, Charles's Wagon

bête (2) stupid, foolish

bêtise *f.* stupidity, nonsense, folly

beurre *m.* butter

Beuzeville *f. a very small town ab.* 10 *k. S.E. of Goderville (N.E. of Le Havre)*

biais [bjɛ]: **de —,** diagonally

bibelot *m.* knickknack *(or* nicknack); trinket, curiosity

bible *f.* bible, Bible

bibliothécaire *m.* librarian

bibliothèque *f.* library, bookcase; *see* **cigale**

bidet *m.* nag

bien (1) *adv. and advbl. adj.* well, clearly, certainly, good, indeed, of course; very, much, fully, quite (— wholly), carefully; **— entendu** of course; **eh —,** well then; **un peu — né** of rather good birth; **ou —,** or on the other hand, or else; **je crois —!** I should say so! **c'était — lui** it was indeed he; **ah! — oui** oh! quite so; **le service de Dieu y perdait —,** *etc. (Élix)* no doubt, *etc.;* **il s'y trouvait — quelques négligences** *(Mbl)* there occurred in it, I admit, *etc.;* **faites — excuse** do excuse me; **je crains — que** I really fear, *etc.;* **je vous réponds —,** please believe me; *quantitatively:* — souffrir suffer greatly; **crier si** —, shout so loudly; — **avant** long before; — **plus** much more; **il y a** — **quatre ans que** it's at least four years since; — **des choses** many things, — **de l'honneur a** great honor; **je veux** —, I'm (quite) willing; **veux-tu** — **descendre?** won't you please come down? **comment ce gredin ... avait** — **pu ensorceler sa fille** (*AM*) how on earth that scoundrel had managed, *etc.; concessively:* — **que** (+ *subjunctive*) although, though; **c'est** —, very well; **avec laquelle j'étais fort** —, (*CP*) with whom I was on very friendly terms; **être** — **en cour** be in favor at court; **elle me semble très** —, it strikes me as very good-looking

bien (2) *m.* goods, property, piece of property; — **donné ne se reprend plus** (*prvb.*) a bargain is a bargain; **un homme de** —, a man of worth, a good man

bien-aimé, -e beloved; **ma** —**e** my well-beloved; « **Ma** —**e est comme un jardin clos** » (*J*) *in the Song of Solomon* (*King James version* iv. 12), "A garden inclosed is my sister, my spouse," *etc.*

bien-être *m.* welfare, well-being

bien-faisant, -e beneficent, kind, beneficial

bienfait *m.* favor, kindness, bounty

bienheureu-x, -se blissful; **je m'endormis comme un** —, I fell blissfully asleep

bientôt soon

bienveillant, -e kind, kindly, well-disposed

bière *f.* beer

bijou *m.* jewel(s)

bijoutier *m.* jeweler

bile *f.* gall, anger; **se faire de la** —, fret, worry

billard [bija:r] *m.* billiards, billiard table, (*VC*) cloth *thereon;* **billes de** —, billiard balls

bille [bi:j] *f.* (small) ball

billet [bijɛ] *m.* ticket; **faire des** —**s** give notes (*i.e.*, sign time-notes —**s à échéance**); **nous fîmes deux** —**s**

we made two slips of paper (*for drawing lots*); — **de logement** (*mil.*) billeting ticket; — **de banque** bank note; — **de mille** thousand-franc note

bique *f.* she goat, nanny goat

bise *f.* north wind

bivac = **bivouac**

bivouac [bivwak] *m.* bivouac, camping ground

bizarre odd, queer, singular

blague *f.* joke, humbug, hoax

blanc (1), **blanche** white; **très** — **de peau** very fair-skinned; **à l'arme** —**che** with sword and bayonet; (2) *m.* white; **un** —, a white man; — **d'Espagne** whiting; **se mettre du** —, [*i.e.*, d'Espagne] (*Mbl*) coat oneself with whiting

blancheur *f.* whiteness

blanchir whiten, paint white

blasphème *m.* blasphemy, curse

blasphémer blaspheme

blé *m.* grain, corn (*not Indian corn*), wheat; **les** —**s** the grain

blême pallid, wan

blesser wound, hurt, shock

blessure *f.* wound, injury

bleu, -e blue

bleuâtre bluish

bleuet *m. see* **bluet**

blond, -e light-colored, fair-haired, fair, golden; (*of smoke*) yellowish brown; **une clarté** —, a golden brightness

blottir: se —, squat, crouch

blouse *f.* blouse (*the usual coat of a French peasant or workingman*)

bluet *m.* (blue) cornflower *or* "bluebottle"

bock *m.* glass of beer

bœuf [bœf] *m.* ox; *pl.* [bø] oxen *or* cattle

bohémien, -ne Bohemian, gipsy

Boilly [bwaji], Louis Léopold (1761–1845), *a French painter, especially of story-pictures and of popular or familiar scenes. Ab.* 1820, *he went in particularly for lithography* (*S–N*), *an art discovered ab.* 1796 *by the Bavarian Senefelder and first practiced in France ab.* 1806

boire drink (*as noun,* drinking); — **un coup** take a drink; **verser**

à —, pour out a drink; **chansons après —**, (*Élix*) songs when in one's cups, drinking songs (**après —**, *instead of* **après avoir bu**, *is a familiar archaism, occurring mostly with* **chanter** *and* **chanson**)

bois *m.* wood(s), timber; **de —**, wooden; **sur les —**, over the woods; **— d'ébène** ebony, *a playful euphemism for* black slaves

boisé, -e wooded, wainscoted

boisseau *m.* bushel basket

boisson *f.* drink, beverage

boîte [bwat] *f.* box (*including* box *of a compass*)

boiter limp; **ma mère alla, en boitant, achever de pleurer** (*Mbl*) my mother limped away, *etc.*

boiteu-x, -se lame, cripple(d)

bol [bɔl] *m.* bowl; **— à punch** punch bowl

bon, bonne good(ly), kind(ly), pleasant, nice, good-natured; useful, fit, right, proper; simple, foolish; **assis au — soleil** basking in the sun; **un — feu** a cheerful fire; **un — tour** (*F*) a clever trick; **de —ne heure** early; **de — cœur** heartily; **à — marché** cheaply; **— à ramasser** worth while picking up; **la —ne place** (*MD*) the right spot; **si je puis vous être — à quelque chose** if I can be helpful to you in any way; **où — leur semblerait** wherever they liked; **une —ne moitié (de)** fully half; **—nes manières** (*MP*) polite attentions; **ta —ne amie** (*Ét*) your sweetheart (your ladyfriend); **le — Dieu** the Lord, God; **la simplicité des —s pères** (*Élix*) the credulity of the worthy friars; **— enfant** *adj.* good-natured; **l'air — enfant** a look of childlike innocence; **j'étais bien — de m'affliger,** *etc.* (*Mbl*) I was foolish indeed, *etc.; advbly.:* **sentir —,** smell good (sweet); **qui sentait — la lavande** (*MP*) which had a sweet fragrance of lavender; **tenir —,** hold out; **tenez —,** (*AM*) keep steady

bonasse: d'un ton —, (*Élix*) with clownish amiability; **personnage —,** (*MD*) goody-goody-looking individual

bond *m.* bound, leap, jump

bondir bound, leap, spring

bonheur *m.* happiness, good fortune, luck; **avoir le — de** be fortunate enough to; **par —,** luckily; **un — n'arrive jamais seul** (*prvb.*) good fortune never comes alone

bonhomme *m.* (good) fellow, worthy man, old fellow, old boy; **le — La Fontaine** (*S-N*) good old La Fontaine

Boniface (*MP*) " *It was during the pontificate of Clement V, who appears never to have entered Italy, that the Papal See was removed [from Rome] to Avignon, where it remained in what Italian writers call the 'Babylonian Captivity' for over seventy years* " [1305-77]. (P. Toynbee, *Dante Dict.*) *Daudet's* "*Boniface*" *is legendary or his own creation, for none of the seven popes who ruled from Avignon during the so-called* " *Babylonian Captivity*" *bore this name, and in any case Daudet's characterization is fanciful*

bonjour *m.* good morning, good day, *etc.*

bonne *f.* servant, (house)maid

bonnet *m.* cap; **— de police** forage-cap

bonté *f.* goodness, kindness

bord *m.* edge, hem, side, rail (*of a ship*), ledge, bank (shore), brim; **à — (de)** on board; **à son —,** on board his ship; **par-dessus le —,** overboard; **virer de —,** tack

bordage *m.* planking (*on ships' ribs*)

border border, skirt, edge, hem; **bordé, -e de** framed in, bordered (*or edged*) with, *etc.*

borne *f.* limit, boundary, bound

borner limit, confine

bosse *f.* bump (*on the head etc.*)

boston *m.* (*R*) boston, *a card game*

botte *f.* boot, (*U.S.A.*) shoe

bottelée *f.* [*dimin.; rare*] (little) bundle

bou- *see* **bouillir**

bouche *f.* mouth; les —s (*F*) everybody's mouth; sa — souriante her smiling lips

bouchée *f.* mouthful; **manger par grandes** —s (*AWS*) gobble one's food in great mouthfuls

boucher (1) stop (plug) up, clog

boucher (2) *m.* butcher

bouchon *m.* cork (stopper); inn (*in the Black Forest*), *a meaning derived from Old French* **bousche** *signifying the* "bush" *of verdure hung over the doors of inns* (*cf.* "good wine needs no bush")

boucle *f.* buckle, curl; — d'oreille earring; à —s buckled

bouder pout, sulk; se —, (*AM*) be sulky with each other

boue *f.* mud

boueu-x, -se muddy

bouffée *f.* puff, whiff

bouffette *f.* knot of ribbons; favor

bouffir swell, bloat

bougeoir *m.* (flat) candlestick, taper stand

bouger stir, budge, move; il n'en bougea plus (*AM*) once there, he stayed

bougie *f.* (wax) candle

bouillie [buji] *f.* pulp

bouillir [bujiːr] boil, seethe

bouillonner [bujɔne] bubble up, seethe, boil

boulanger *m.* baker

boule *f.* ball (*of any size*)

boulet *m.* (canon) ball, solid shot (*used in* 1870)

bouleverser upset, turn topsy-turvy; **bouleversé, -e** quite upset, panic-stricken

Bou-Maza (*VC*) "*an Arab chieftain, b. ab.* 1820, ... *In* 1845, *while Abd-el-Kader* [*q.v.*] *was a refugee in Morocco, he raised all Dahra in rebellion against French rule.*" *Finally,* "*at the end of his resources, he surrendered to Colonel Saint-Arnaud. Brought to Paris, he escaped during the February revolution, was recaptured at Brest and set free later by Louis Napoléon. In* 1854, *he joined the Ottoman troops and subsequently again fell into oblivion.*" (Larousse)

bouquet *m.* bunch, cluster, bouquet, nosegay; flower-like fragrance

bourbeu-x, -se muddy, miry, filthy (*commonly describing a slough with a sediment of thick mud*)

bourdonner hum, buzz

bourengrédel *f.* (*MD*) *a French pronunciation of the German dialectal form* Bauerngredel, *i.e.,* -gretel; Gretel *is a diminutive of* Margarete *and the whole expression means* farmers' girls

bourg [buːr] *m.* (*F*) market town (*usu. a large village*)

bourgeois, -e *in France, applied by the* "proletariat" *to persons of larger means; by aristocrats, to the* "middle classes"; middle-class; (*adj.*) plain; **habits** —, civilian dress, plain clothes; *noun m.* townsman (*pl.* townsfolk); **les principaux** —, the leading citizens (*not including any nobles*); **petits** —, (*VC*) petty tradesmen, plain townsfolk ["lower middle-class persons"]; **cette** —e (*Par*) that middle-class (*or* plain-looking) woman

bourgeoisie *f.* middle class

Bourget: le —, (*Mbl*) *a small town* 6 *k. from* Saint-Denis, *N.E. of* Paris, *now the public landing place for airships*

bourgmestre [burgmɛstr] *m.* burgomaster (*freely,* mayor)

bourreau *m.* executioner

bourrelier *m.* harness maker

bourrer stuff, cram, fill

bourse *f.* purse

boursouflure *f.* swelling

bousculade *f.* jostling; pushing and shoving

bousculer toss (about)

boussole *f.* compass, guide

bout *m.* end, tip (*of tongue, nose*), muzzle; — de cigare cigar-butt; — de corde bit of string; **tout au** — de l'horizon on the very rim, *etc.*; **un bon** — de chemin à faire (*S-N*) quite a distance to go; **son** — de champ his bit (*or* scrap) of field; **au** — de (*of time*) after; **à** — de force(s) with no strength left, worn out; **venir à**

— **de** succeed in, manage to
(*CP*); **si tu en viens jamais à —,**
(*Mbl*) if you ever succeed
bout-rimé *m.* crambo (*a word game*)
bouteille *f.* bottle
boutique *f.* shop
bouton *m.* button, knob
boutonner button (up); **très bou-
tonné** very stiff, unapproachable
bouvier *m.* cowherd, ox driver
braconnier *m.* poacher
brailler bawl (brawl, squall)
braise *f.* embers
brancards *m. pl.* shafts
branchage *m.* (*growing*) branches,
boughs; **—s** (*AWS*) interwoven
branches
branche *f.* branch, bough
branchure *f.* (*rare*) branches, boughs
branle *m.* swinging; **en —,** wagging
branler shake *or* wag (*one's head*)
bras *m.* arm; **sur les —,** on one's
hands; **et des —! and such arms!
ses deux —,** (*AM*) his two strong
arms; **le fusil au —,** (*AM*) carrying their guns
brasserie *f.* café, beer shop (*the
primary meaning*, brewery, *does
not occur in our texts. No English word corresponds exactly to*
brasserie *as used to designate a
public resort where beer is sold
at retail, coffee is drunk, newspapers are read, etc., often at tables
outside the "shop"*)
brave good, fine, worthy, brave;
le — pape! what a fine (*or* good)
pope! **ce — jeune homme** this
good lad; **un — garçon** a worthy
young fellow; **mon — ami** my
good friend; **— soldat** (*VC*) brave
soldier
bravement bravely, boldly, valiantly
braver brave (*a danger*), defy
bravoure *f.* bravery, daring
Bréauté (*F*) *a Norman village between
Le Havre and Goderville*
brebis *f.* sheep (*sg. or pl.*), ewe;
used as a term of endearment
(*Ét*) "lamb"
brèche *f.* breach, break
bredouiller sputter
bref, brève brief, short, laconic;
d'une voix brève (*VC*) laconi-

cally, curtly; **bref** *adv.* briefly, in
short
breton, -ne Breton; *f.* Breton girl
(woman)
brevet *m.* patent, certificate
bréviaire *m.* breviary
brick *m.* brig
bride *f.* bridle, reins
brièvement briefly
brigadier *m.* corporal, (police) sergeant
brigand *m.* brigand, robber
Brigitte Bridget
brillant, -e bright, shining, brilliant,
shiny
briller [brije] shine, glisten, flash,
be aglow; (*of a fire*) blaze *or*
glow; (*of windows*) be full of
light
brin *m.* blade, *or* sprig (*of certain
plants*); **— de mouron** sprig of
chickweed; (*fig.*) bit, wee bit
brique *f.* brick
briser break, shatter, be shattered;
les jambes brisées (*AM*) her legs
being too weary to support her
bristol *m.* Bristol board, pasteboard
britannique British, Britannic
broc [bro] *m.* jug
broche *f.* spit
broder embroider
bronze *m.* bronze; **de —,** bronze
bronzer bronze
brosse *f.* brush, eraser
brosser brush
brosseur *m.* officer's servant (*or*
man), soldier servant
brouhaha [bruaa] *m.* uproar, hurly-
burly, hubbub
brouillard *m.* fog, mist
brouiller embroil; **se —,** fall out,
get into a row
broussailles *f. pl.* brushwood
bruire rustle
bruit *m.* noise, sound, clang; rumor,
report; **à grand —,** noisily; **un —
sourd** a muffled (*or* dull) sound,
a thud; **le — sec** (de la petite
jambe de bois) the click *or* sharp
thump, *etc.;* **la vie de — et
d'insouciance** the noisy, careless
life; **le — court** it is rumored
brûler burn; (*fig.*) kindle, enflame
(*the blood*); (*figure*) **brûlée** sun-

burned; (des herbes) brûlées de
parfums et de soleil (*Élix*) with
their perfumes heightened by the
sun's heat
brumeu-x, -se foggy, misty, hazy
brun, -e brown, dusky, dark-skinned
brusque rough, gruff, blunt; **d'une
voix —,** gruffly
brusquement bluntly, abruptly, suddenly
brutal, -e rough, brutal, brutish
brutalement roughly, viciously
brutaliser treat roughly (*or* bru-
tally), bully
Bruxelles [brysεl *or* bryksεl] *f.*
Brussels (*Belgium*)
bruyamment [bryjamã] noisily
bruyant, -e noisy [bryjã(ːt)]
bu- *see* **boire**
bûche *f.* (*small*) log, fire log
buffet *m.* sideboard
buffleterie *f.* set of "buffalo"-hide
straps *formerly worn by a soldier:
braces, shoulder belt and waist-
belt; pl.* (*VC*) straps
Buffon (1707–88) *author of many
volumes on the natural sciences;
particularly famed for his* « Histoire naturelle », *of which nine volumes* (1770–83) *are devoted to
birds*
Bugeaud (1784–1849). *After a long
military and political career in
Europe, B. was sent to Algeria*
(1836). *In* 1837, *this general
signed, with Abd-el-Kader, a treaty
called disastrous to France. His
chief claim to glory is said to be
his consolidation* (*largely by a
system of raids*) *of French power
over the Algerian Arabs. One
of his chief lieutenants in his great
army* (*over* 100,000 *men*) *was
General Lamoricière. It was his
devotion to his companions in arms
that won him the affectionate epithet:* « le père Bugeaud»
buis *m.* boxwood; **de —,** boxwood
buisson *m.* bush, thicket
bureau *m.* (writing-)desk, office; **—
de police** police station; **dans
le monde des —x** among the
office-holders; **garçon de —,** office
attendant

bureaucratie [-si] *f.* bureaucracy
en style de —, in the language
of officeholders
bureaucratique bureaucratic, of red
tape
burette *f.* cruet
burin *m.* burin (*tool for engraving
on metal*), graver
buste *m.* bust
but [by *or* byt] *m.* aim, purpose,
(*fig.*) target; **un — marqué** (*Mbl*)
a set mark; **avoir pour —,** aim at
buveu-r, -se drinker

C

c' *form of* **ce** *before vowels and, in
highly colloquial speech, even when
initial before a consonant:* **c'** qui
m' faisait deuil, *etc.* (*F*) what,
etc.
ça *a colloq. abbrev. of* **cela; qui ça
qui m'a vu?** (*F*) who's that, that
saw me? **des menteries comme
ça** (*F*) lies like those; **ça, c'est
des raisons d' menteux** (*F*) that's
liars' talk, that is; *general usage:*
avec ça (*AM*) besides, too,
withal; (*contemptuously of a
person*) **ça n'a pas encore un
brin de barbe,** *etc.* (*MD*) the
fellow (*or* why he), *etc.*
çà *adv.* here, hither; **çà et là** here
and there, about; **ah! çà! procédons** well now! (*now then!*) *etc.*
cabaret *m.* wine shop; "public
house," *or* "pub" (*Gt. Brit.*), *and
"tavern" are usually not accurate
equivalents of* cabaret); *in BM,* le
cabaret *and* le café *appear to designate the same place*
cabaretier *m.* wine shop keeper, proprietor of a wine shop; tavern
keeper
cabaretière *f.* innkeeper's wife
(daughter, *etc.*), barmaid
cabestan *m.* capstan
cabinet *m.* study *or* library (*CP*),
private office; small room
caboteur *m.* coasting sailor, coaster
cabrer: se —, rear (up)
cabriolet *m.* gig
cacatoès [kakatoεs] *m.* (*more usually* **cacatois**) cockatoo

cacatois [kakatwa] *m.* (*Malayan* kakatūa; *see* **cacuata**) cockatoo
cacher (à) hide, conceal (from); **se —**, conceal (hide) oneself, hide
cachet *m.* seal
cacheter seal; **cacheté aux armes de Provence** (*Élix*) stamped [*on its side*] with the arms, *etc.*
cachette *f.* hiding place
cacuata (*Mbl*) "*Latin*" *name of the* **cacatois** (cockatoo); *the zoölogists' name is* cacatua
cadavre *m.* corpse, dead body; **ce — aimé** (*Peur*) the body of that dear friend
cadeau *m.* gift, present; **faire — de** give, present'
cadence *f.* cadence, beat
cadencé, -e: les pas —s, the cadenced (even *or* steady) tread
cadran *m.* dial
cadre *m.* frame; **dans le — de la fenêtre** (*AWS*) framed [*like a picture*] in the [open] window
Caen [kã] *an important city on the coast of Normandy*
café *m.* coffee, coffee house, café (*in France, a resort — somewhat more refined and pretentious than a* **cabaret** *or* **estaminet** *— where both coffee and alcoholic drinks are served, indoors or outside, and to which the French go to play cards, dominos, etc., to read the newspapers, and to chat, often for hours*)
cahot [ka(h)o] *m.* jolt
caille [kɑ:j] *f.* quail
caillou *m.* pebble
caisse *f.* box, chest, **— en fer** iron tank; **— à eau** water tank, tank
calcul *m.* calculation; **— de tête** mental calculation; **les —s humains** worldly plans (schemes, ambitions)
calcula-teur, **-trice** calculating, scheming, self-seeking
cale *f.* wedge, prop (*under a cask*)
calebasse *f.* calabash, gourd
calèche *f.* (*CP*) calash *or* "barouche" (*formerly a stylish four-wheeled carriage, open in front with a movable top or hood on the back*)
caleçon *m.* drawers

calice *m.* (*bot.*) calyx, cup
calligraphie *f.* calligraphy; **sa — de sergent-major** (*VC*) his (elegant) penmanship when he was, *etc.*
calme (1) calm, collected; (2) *m.* calmness, stillness
calmer calm, quiet; **se —**, get calm (calmer), overcome one's emotions, compose oneself
calorifère *m.* (*Par*): (**la chaleur lourde du**) **—**, central heating plant, furnace; *but presumably in Maupassant's time, as now,* **calorifère** *might designate a local, visible,* heating apparatus *or* stove
calvaire *m.* Calvary, image of Calvary (of the Crucifixion)
camail [kamaːj] *m.* camail (*a little hooded cape worn by priests, choirboys, etc.*)
camarade *m. or f.* companion, chum, fellow soldier; **— de couvent** former schoolmate at the convent
Camargue *f. an island between the two branches of the Rhone at its mouth*
cambuse *f.* steward's room
camériste *f.* lady-in-waiting, (lady's) maid
camionnage *m.* hauling (*in a* **camion** truck), cartage
camp *m.* camp (*see* **camp-volant**)
campagnard, -e rustic, countrified; *m.* peasant, countryman
campagne *f.* fields and woods, *also* (open) country, countryside; **par la —,** (*AWS*) in the open country; **les gens de la —,** the country folk; **les besognes de la —,** the jobs that farmers must do; (*mil.*) campaign; **la vie de —,** (*VC*) campaigning *or* campaign life; **faire sa —,** see active service
camper camp, encamp
camp-volant [= **camp volant**] *m.:* **comme un —,** (*S–N*) (*lit.*) like a flying camp (*as contrasted with* **un camp de séjour**), always on the go (*a military term*)
canaille *f.* riffraff
canard *m.* duck (*see* **cane**)
cancan *m.* idle stories, gossip

candide frank, outspoken, bright
cane *f.* (*female*) duck; *see* **bec**
canne *f.* cane, (walking) stick
Cannes *chief town, dept. of Alpes-Maritimes*
cannette *f.* beer mug, "pint"
canon *m.* gun, cannon, artillery; — de fusil gun barrel; **un lougre de trois** —s a three-gun lugger
canot *m.* small boat, yawl
cantine *f.* (*mil.*) canteen
cantique *m.* (religious) song, canticle, Song of Solomon
canton *m.* canton (*a* **département** *is subdivided into* **arrondissements;** *these into* **cantons**)
cantonnement *m.* cantonment; **en** —, quartered
capable capable, able; **être** — **de tout,** *etc.* (*AM*) be bad enough to do anything; **très** — **de se venger** (*AM*) not above, *etc.*
cape *f.* hood, cape, hooded cape
capitaine *m.* captain
capital, -e capital, chief
capitale *f.* capital (*city; often* Paris)
capitonner: (**antichambres**) **capitonnées avec des tentures orientales** (*Par*) thickly hung, *etc.*
Capitou [*also written* **capito**] chapter (*of a church*). *In* Élix, *the reference is to the Provençal proverb:* **Es coume l'ase de Capito; fuge en vesènt veni lou bast** He is like the Chapter's donkey; it runs away when it sees the packsaddle coming
caporal *m.* corporal
capote *f.* (*MD*) greatcoat with a hood, hooded cloak
capsule *f.* cap, percussion cap
capti-f, -ve captive, prisoner; (*of cows*) tethered
captiver captivate, enslave
captivité *f.* captivity
capture *f.* capture, taking
capuche *f.* capeline (*ordinarily a woman's hood, like a cowl*)
capuchon *m.* hood, cowl
Capucins (*S–N*) Capuchins (*monks of one of the Franciscan orders; in* Italian, cappuccini; *see* **capuchon**); *the* **couvent des** —, *here mentioned as near the* **rue** de la

Santé, *like other similar religious establishments, was suppressed by the* **Loi des Associations,** *in* 1908
caquetage *m.* cackling, chattering
caqueter cackle, chatter
car *conj.* for
caractère *m.* character, disposition
carambolage *m.* carom (shot), cannon; *pl.* (*fig.*) clashing billiard balls
carcan *m.* iron collar; *a term of abuse for a worthless or lagging horse* (*VC*), "jade," "crowbait"
carcasse *f.* carcass, framework, hulk
Carentan (*R*) *a small town* (*cant. de la Manche*), 22 *k. from inland port Saint-Lo*
caresser fondle, pat, pet
cargaison *f.* cargo, freight
cariatide *f.* (*VC*) caryatid (*properly, a draped female figure of marble used as a supporting column for the entablature of classical bldgs.*)
carillon [karijɔ̃] *m.* peal (*of bells*), chiming, chimes
carillonner [karijɔne] chime
carmagnole *f.* (*R*) *carmagnole:* cutaway coat *with narrow tails, broad lapels, and broad rolling collar; affected during the French Revolution*
carnassiers *m. pl.* carnivores
carré, -e square; **mots** —**s** (*VC*) word square(s); *noun m.* garden bed (*oblong or square*)
carreau *m.* pane (*of glass*); floor (*of squares of stone or wood*)
carreler pave (*with bricks or tiles*)
carrière *f.* career
carriole *f. a small light vehicle with crude springs, used in the country;* trap, *etc.*
carte *f.* card
carton *m.* pasteboard
cartonnier *m.* (*S–N*) filing cabinet
cas *m.* case; **en tous** —, at all events; **au** — **où** in case; **conter son** —, (*F*) tell his story; **des** — **de conscience** (*BM*) matters of conscience, conscientious scruples; **il en fait si peu de** —, he sets so little value on it
case [kɑːz] *f.* hut, cabin

caserne *f.* barracks
casernement *m.* quartering in barracks, barracking
casque *m.* helmet
casqué *p.p.* helmeted
casquette *f.* cap
casser break (off), shatter, annul; **cassé, -e** broken down
casserole *f.* saucepan
caste *f.* cast; *a* social class *that excludes and avoids other social classes or casts*
catéchisme *m.* catechism
cauchemar *m.* nightmare
cause *f.* cause, reason; **à — de** on account of, because of; **à — que** because
causer cause; **— qqch à qqn** cause one to have; chat, confer
causerie *f.* talk, chat
caustique caustic, biting
cavalerie *f.* cavalry
cavalier *m.* rider, horseman, (*AM*) cavalier, (*R*) gentleman
cave *f.* cellar
caveau *m.* cellar, (wine) vault
ce (1), **c'** *pron.* (*see* **cela** *and* **ça**) this, that, it, he, she, they, *etc.;* **c'est-à-dire** that is (to say), I mean; **c'est là un des** ... that is one of the ...; **ce serait vite fini** the thing would be quickly over; **c'étaient comme des diables** they were like fiends; **c'était encore le tic tac** you could still hear, *etc.;* **alors c'étaient des larmes** then came tears; **c'était une foule** there was a crowd; **ce fut d'abord un cri** (*AWS*) first, there was a yell; **ce fut des espérances trompées** her hopes were shattered; **ce fut dans le moulin,** *etc.* (*AM*) there arose, *etc.;* **ça, c'est des raisons** *those* are, *etc.;* **les noirs ...** , comme **c'est simple, cela** ... the blacks ... , as they are simple, they ... ; **ce dont on l'accusait** what he was accused of; **ce dont ils avaient besoin** whatever they needed; **ce qui restait de vin** what wine was left; **ce qui la soulagea** (*MD*) which [action] relieved her; **ce qu'il y a de certain, c'est,** *etc.*

(*AM*) what is certain is, *etc.;* **à ce qu'elle prétendait** as she alleged; **ce que c'est que l'amour** what love is; **ce disant, je tirai mes bottes** (*MD*) so saying, *etc.;* **ce dont je m'acquittai** a duty which I performed
ce (2), **cet, cette, ces** (*see* **-ci** *and* **-là**) this, that, these, those, *etc.:* **cette nuit** tonight, last night (*see* **nuit**); **ce dernier** the latter
ceci (*cf.* **cela**) this
céder give (up, in, way), grant, let ... have, hand over, yield
ceindre (de with) enclose, surround, gird, wreathe
ceinture *f.* girdle, belt
cela (*see* **ça** *and* **ce** *pron.*) that, this, it; *contemptuously of persons:* the (that) fellow, the thing, *etc.;* **tout —** (jouait), *etc.* (*T*) the whole gang; **nous verrons —**, (*CP*) we shall see about that; **c'est —**, that's it; **où — ?** (*Mbl*) where are you going to do that? **par —** même que just because (because of the very fact that); **— (la soulageait d'être seule) it** ...; **de —**, (*of time*) since then
célèbre celebrated
célébrer celebrate
céleste celestial, from heaven
célibat *m.* celibacy; **vivre dans le —,** live single
célibataire *m.* (old) bachelor
cellier *m.* cellar, storeroom
cellule *f.* cell
celui, ceux; *f.* **celle(s)** (**celui-ci,** *etc.*) he, she, they, the one(s), this (these) one(s), the former, the latter, that one, these, those, *etc.;* **celle** [la chambre] **où** the one in which; **de celle dont** of her of whom; **celle** [la femme] **du voisin** (*J*) his neighbor's (wife); **(la misère) de celui qui** of the man who; **à celle de vous qui en voudra** (*Mbl*) to whichever (to any one) of you who may care for it; **celle-ci lui dit** the latter said to him; **celui des acrostiches** (*VC*) the gentleman of the acrostics; **celui-là, par exemple** he, let me tell you; (**me**

demandant des nouvelles) de celui-ci, de celui-là about one person and another; l'un..., un autre..., celui-là... one..., another..., still another...

cendre *f.* ashes; — d'or (*Peur*) gold dust

cent *adj. and noun* (a *or* one) hundred; **un** — [= **une centaine**] **de fagots** (*Mbl*) a hundred faggots *or freely,* a pile of firewood

centaine: une —, about a hundred

centième hundredth

centime *m.* centime (100 —s = 1 franc; *see* **franc** *noun*)

centre *m.* middle, center

cependant however, nevertheless, yet; (*archaically*) meanwhile

cercle *m.* circle, ring; club

cérémonie *f.* ceremony, formality

cerise *f.* cherry

certain, -e certain, sure; **une** —**e nuit que** on a certain night when; **enfin,** — **jour** finally, one day; *pron.* (*bookish*) —**s** (**lui jetaient des mots**) (*AM*) some of them

certainement surely, of course

certes (*literary*) indeed, of course, surely; **non,** —, certainly not

certificat *m.* certificate; **avec de bons** —**s** honorably

certitude *f.* certainty

cerveau *m.* brain; (**qui hantent**) **les** —**x** men's brains (*or* minds)

cervelle *f.* brain; **avoir la** — **dure** be slow of understanding (thickskulled)

cesse: sans —, incessantly

cesser cease, stop, die away; **il ne cessait de l'examiner** he kept examining it; **elle** [**la fusillade**] **ne cessa pas** it was kept up without a lull

chacun, -e everyone, each

chagrin (1), -e sorrowful, sad; (2) *m.* sorrow, grief, disappointment, trouble; shagreen (*leather*)

chaîne *f.* chain, line; **mettre à la** —, put in chains, (*MD*) the chain gang

chair *f.* flesh, meat

chaire *f.* pulpit, chair; armchair; (choir) stall *in a monastery* (*each*

of several seats *built together in a row, often with carved arms*)

chaise *f.* chair

châle *m.* shawl

chaleur *f.* heat; **douce** —, pleasant warmth

chaloupe *f.* longboat, launch

chalumeau *m.* pipe, blowpipe; (*Élix*) condenser

chamarrer bedeck, bedizen; *in AWS* (**chamarré d'or**), *presumably describing the showy uniform worn by officers in* 1870–71 (*gold epaulets etc.*)

chambre *f.* room; — (**à coucher**) bedroom; chamber; cabin; **valet de** —, (*R*) manservant

chambrée *f.* squad room, barracks room

chameau *m.* camel

chamelier *m.* camel driver

champ *m.* field, farm, farm-land, ground; **sur-le-**—, upon the spot, forthwith; *see* **Champs-Élysées**

Champagne: la —, Champaign (*a province of N.E. France*)

champagne: le [**vin de**] —, champagne

champêtre rural; **garde** —, rural policeman, constable

Champignet (*AWS*) *a fictitious name of a village; possibly suggested to Maupassant by* Champigny (*a town E. of Paris*), *scene of attempts* (*Nov., Dec.,* 1870) *to break through the German lines*

Champs-Élysées [ʃāzelize] *m.* Champs-Élysées (*fig.* "Elysian Fields") *a great modern and highly fashionable avenue leading from the* Place de la Concorde *to the* Arc de Triomphe

chance *f.* chance, luck

chanceler stagger, reel; **monter en chancelant** stagger up

chandelier *m.* candlestick

chandelle *f.* (tallow) candle; **brûler de la** —, burn tallow candles

change: donner le — **à** put on the wrong scent, throw off the track

changeant, -e changeful, changeable, fickle; *see* **changer**

changement *m.* change

changer change; **la** —, [*i.e.,* la

servante] (*AM*) get another [servant]; — **de résolution** change one's resolution, waver; **tout changea de face** everything changed (its) aspect; **se — en change** (oneself, itself) into

changeur *m.* money changer

chanoine *m.* canon

chanson *f.* song, ditty

chant *m.* singing, song, canto

chantant, -e (*of intonations*) singsong; *see* **chanter**

chanter sing, chant, celebrate (*e.g.*, mass); (*of a bell ringing for the Angelus*) peal; **un coucou chanta** a cuckoo called

chantonner hum (*a tune*)

chapeau *m.* hat

chapelet *m.* chaplet, beads; — (**de diamants**) string

chapelle *f.* chapel

chaperon *m.* hood; *in MP, Daudet probably refers to a medieval cap with a turn-up brim*

chapitre *m.* chapter

Chaptal: le collège —, (*S–N*) Chaptal College (*or* Technical School), *a huge brick bldg, boul. des Batignolles and rue de Rome, ab. 6 k. or 4 miles, N. by W., from the Panthéon* (*S–N*). *The* Collège Chaptal, *founded in* 1842, *and named after the celebrated chemist* (1756–1832), *is a vocational training school for boys and young men; it offers an eight-year course*

chaque each, every; — **jour** (*F*) each (successive) day

char *m.* wagonette, *etc.; in astronomy* (the) Wagon *or* Wain; **le — des âmes** (**la Grande Ourse**) (*Ét*) Charles's Wagon, *or simply the* Wain (Dipper), *a group of seven stars in the* Great Bear, *or the whole constellation of* Ursa Major (**la Grande Ourse**); — **à bancs** [*sg. and pl. both* ʃarabɑ̃] (*F*) *a light* (open) omnibus, *without a top, containing several benches set crosswise; the word* — **à bancs** *has been adopted in England for a motor omnibus or stage coach*

charbon *m.* coal

charbonnier *m.* charcoal burner,

collier; **charbonnières** *f. pl.* (*MD*) charcoal burners' wives (*or* daughters); *or their* "girls"

charge *f.* duty; **femme de** —, housekeeper

charger (**de**) load (with); entrust (with); — **à son bord** take on board as a load; **se — de** burden oneself with, take charge of, undertake (to), see to; **il se chargeait de tout** (*AM*) he [said he] would take the whole responsibility; **chargé, -e** laden, heavy, in charge

charitable kind-hearted, charitable

charlatan *m.* charlatan, quack

Charlemagne (*Ét*) Charlemagne, the emperor Charles the Great

charmant, -e charming, delightful, highly agreeable

charme *m.* charm, spell

charmer charm, delight

charnel, -le carnal

charpente *f.* framework

charretier *m.* carter; *in astronomy* (*Ét*) *the* Charioteer *imagined to be driving the* Wain; **porte charretière** cart gateway

charrette *f.* cart

charrier carry (*or* bear) away; **être charriées dans le courant** float away down stream

charrue *f.* plough (plow)

Chartreuse: la Grande —, the Great Carthusian Monastery (*near* Grenoble); *whence* **chartreuse,** *a famous French cordial*

chasse *f.* hunting, shooting; **fusil de** —, (*AM*) (hunting) rifle; **ses** —**s** his hunting parties, his experiences as a hunter

chasser hunt (*game*); (**j'allais là**) **pour** —, to do some shooting; drive, drive out (away, off), expel; **chassant l'eau des bénitiers** blowing the water out of, *etc.*

chasseur *m.* huntsman, hunter

chasuble *f.* chasuble (*vestment worn in celebrating mass*)

chat [ʃa] *m.* cat; **têtes de** —, (*VC*) cobblestones; **chatte** [ʃat] *f.* (tabby) cat

châtaigne *f.* chestnut

châtain, -e (*of color*) chestnut (*adj.*)

château *m.* mansion, château

Château-Neuf [des **Papes**] (*MP*) *a village ab.* 15 *k. N. of Avignon; site of a papal castle; also the name of a wine*

chatte *see* **chat**

chaud (1), –e, hot, warm; (2) *m.* heat, warmth; **il faisait** —, it was warm (*or* hot); **lui tenait** —, kept her warm

chaudement warmly

chauffer warm

chausser put on one's boots (*or* shoes); **chaussé, –e de** shod with

chaussette *f.* sock

chaussure *f.* footwear, boots, shoes; **la** —, (*R*) shoes and stockings

chauve bald

chef *m.* head, chief, chieftain; — **de file** leader of the file; superior officer; — **d'escadron** (*caval.*) major; — **d'orchestre** conductor

chef-lieu [ʃefljø] *m.* chief town

chemin *m.* way, road, path, walk; — **de fer** railway; **les grands** —**s** the highways; **C**— **de** (**la**) **Croix** (*Élix, VC*) Calvary (*a representation, in* 14 *pictures, of the Crucifixion*); **le** — **de saint Jacques** (**la voie lactée**) (*Ét*) St. Jacob's Ladder; **un bon bout de** —, quite a journey; **faire plus de** —, travel further; **se remettre en** —, set forth again

cheminée *f.* chimney, fireplace, mantelpiece, chimneypiece

chemise *f.* shirt; file (*for docs.*), (*U.S.A.*) folder, (*Brit.*) wrapper (*open on three sides*); **la mince jaune** (*S–N*) the thin manila folder (*or* letter file)

chêne *m.* oak; **de** —, oak (*adj.*); **en** —, of oak, oaken

chenet *m.* andiron, firedog

cher, chère dear; **rendre** — **à** (*fig.*) endear to; **mon** —, (*Mbl*) my dear chap; **cher** *adv.* dear, dearly

chercher look for, seek, try to find; **aller** —, go for, go to get, fetch; **envoyer** —, send for; **venir** —, come for; — **à** + *inf.* try to; — **querelle à** try to pick a quarrel with; — **si** (*F*) look about ... to see whether

chèrement dearly, dear (*adv.*)

chéri, –e darling, belovèd, dearie

chérir cherish; see **chéri, –e**

chéti–f, –ve puny, delicate, weakly, pitiful; —**ve pour le pays** (*AM*) not sturdy for that region

cheval *m.* horse; **à** —, on horseback; (*fig.*) **être à** — **sur les règlements** insist on strict observation of, *etc.*

chevalier *m.* knight

chevelure *f.* (head of) hair

cheveu(x) *m.* hair(s); **armés jusqu'aux** —**x** (*AWS*) [*usu.* dents] armed to the teeth; (**des tableaux**) **en** —, (*VC*) made of hair

cheville [ʃəviːj] *f.* ankle

chèvre *f.* she goat, nanny goat, goat; **barbe de** —, goatee; **la** — **d'or** (*Ét*) the golden goat (... « *la chèvre d'or, trésor ou talisman que le peuple croit avoir été enfoui par les Sarrasins sous l'un des antiques monuments de la Provence. C'est sans doute une réminiscence du Veau d'or. A Arles on croyait que la chèvre d'or passait tous les matins, aux premiers rayons du jour, sur la colline de Montmajour. A Laudun (Gard), on disait que, le 24 juin, sur la montagne de Saint-Jean s'entr'ouvrait à minuit un antre profond d'où s'élançait la chèvre d'or ...* » Mistral, *Dict.*)

chez *prep.* (to, in) at the house, home, household, residence, apartment, room, quarters, shop, stable (*referring to a mule*) of, *etc.;* among; — **Silvio** at Silvio's; — **lequel** [épicier] at whose shop; — **lui** (*BM*) at his own house; (*fig.*) — **moi** (**une passion**) in my case, in me; **comme** — **une jeune fille** (*R*) as in (the soul of) a girl

chez-soi *m.* (*R*) home

chic stylish, smart

chien *m.* dog

chiffon *m.* rag, scrap; *pl. fig.* (*Mbl*) finery

chiffonner crumple

chiffre *m.* figure (*digit*)

Chine: la —, China; **un merle de la** —, (*Mbl*) a yellowish blackbird

chinois, -e (C—) Chinese
chirurgical, -e surgical
chirurgien *m.* surgeon
choc [ʃɔk] *m.* shock, crash
chœur [kœːr] *m.* choir
choisi, -e carefully chosen, choice
choisir choose; — **dans** select (pick out) from
choix *m.* choice
chope *f.* (*tall goblet-shaped*) beer-glass *or* goblet of beer
chopine *f.* pint (*of beer or wine*)
chose *f.* thing, matter, affair; **c'est quelque** —... **que d'être un merle blanc** it's worth while, *etc.;* **peu de** —, little, a trifle; **autre** —, something else; **le Petit Chose** (*freely*) Thingumbob (*here* Chose *is masc. because merely a ready substitute for some name which one does not know or which does not matter; likewise in* **quelque** —)
chou *m.* cabbage; **la soupe aux** —**x** cabbage soup
Chouan (**c**—) Chouan, *name given to defenders of royalty during the French Revolution:* royalist insurgent (*orig.* brown owl)
choucroute *f.* sourkrout
chouette *f.* owl
choyer pet, coddle
chrétien, -ne Christian
Christophe Christopher
chronique *f.* chronicle
chuchotement *m.* whispering
chuchoter whisper
chut! [ʃːt] hush! *or* sh!
chute *f.* fall; — **d'eau** waterfall
-ci *shortened form of* ici; *used mainly thus:* **cette ficelle-ci** this (*not* that) string
cicatrice *f.* scar
cidre *m.* cider
ciel *m.* sky, heaven [God] (*AM*); **envoyer au** —, send skyward (send "kiting"); **être aux cieux** be in heaven
cierge *m.* (*wax*) taper
cigale *f.* cicada, locust (*the male makes a shrill sound by means of certain membranes and muscles under the abdomen*); **bibliothèque des Cigales** outdoors; **vous aviez des** —**s en tête** (*Élix*) you had a

headful of canaries (*implying songfulness due to intoxication*)
cigare *m.* cigar
cilice *m.* haircloth (*worn by religious penitents for self-chastisement*)
cime *f.* top, tree top
cinq five
cinquantaine (de): **une** —, about (*or* some) fifty
cinquante fifty
circonstance *f.* circumstance, occasion, occurrence
circulation *f.* moving about, passing
cirer wax; **toile cirée** oilcloth
cirque *m.* amphitheater
ciseleur *m.* (*of metal*) chaser, chiseler, sculptor
citadelle *f.* citadel
cité *f.* city (*in a restricted sense*), citadel; **la C**— **de Dieu** (*J*), *an expression derived from the title of Saint Augustine's work* De Civitate Dei
citer mention, refer to, name
citoyen, -ne citizen *and* "citizeness"; *during the French Revolution,* monsieur *and* madame *were proscribed and even dangerous;* hence, — **réquisitionnaire** (*R*) "citizen" conscript, — **Jussieu** (*R*), *etc.*
citre *m.* (*Élix*). *According to Mistral,* « une espèce de pastèque panachée à graine rouge, courge d'Espagne, » "a kind of variegated watermelon with red seeds, Spanish gourd"
citrouille *f.* (*variety of*) pumpkin
civière *f.* stretcher, litter
civilement courteously, civilly
civisme *m.* devotion to the state
clabauder (*AM*) rant
clair, -e clear, bright, fair, light-colored; **un front** —, (*AM*) a fair and candid forehead; *m.* light; **au** — **de lune** by moonlight; *adv.* clearly, audibly
clairement distinctly, plainly
claire-voie *f.* lattice (gate)
clameur *f.* clamor, din; **des** —**s formidables** a fearful din
clapotement *m.* splashing
clapoteu-x, -se choppy (*sea*)

claquement *m.* cracking; —s de
   fouet cracking whips
claquer: faire —, crack
clarinette *f.* clarinet; *m.* clarinet-
   player (*MD*)
clarté *f.* brightness, light; *pl.* (*Peur*)
   gleams (*of phosphorescence etc.*)
claudicant: en —, limping
claustral, -e cloistered
clef [kle] *f.* key; **s'enfermer à —**,
   lock oneself up; **reprendre la —**
   des champs skip out once more,
   escape again
clerc *m.* cleric, (notary's) assistant;
   — (**de maîtrise**) choir-boy
clergé *m.* clergy
Clermont (*S-N*) *in full*, Clermont-
   en-Argonne (*dépt.* Meuse) *a small
   town on the E. edge of the Forest
   of Argonne, ab.* 30 *k. W. of Ver-
   dun*
client, -e client, customer
clientèle *f.:* la —, your patrons
cligner: — de l'œil wink; — les
   yeux blink (one's eyes)
climat *m.* climate
clin: en un — d'œil in the twinkling of an eye, in a trice
cliquetis [klikti] *m.* clank, jingle,
   clink(ing), clatter
cliquettes *f. pl.* clappers
cloche *f.* bell; de —s et de clo-
   chettes of bells, big and small
clocher *m.* steeple, belfry
clocheton *m.* bell turret
clochette *f.* (hand) bell, *or* little
   bell; *see* **cloche**
cloître *m.* cloister
clore close; **avant la nuit close** before nightfall
clos, -e (*p.p. of* clore) closed, enclosed (*Solomon's Song,* iv. 12)
clou *m.* nail
clouer nail
cocher *m.* driver, cabman
cochon, *m.* hog, pig
cocotte *f.* saucepan
cœur *m.* heart, courage; **si le —
   vous en dit** if you feel like it; **serrer le —** à make one's heart ache;
   cela me fait gros —, (*S-N*) that
   makes me sick at heart (*cf.* **avoir
   le — gros** be sick at heart);
   par —, by heart; **de bon —**,

gladly; **d'un tel —**, (*AM*) so
   cheerfully; **à plein —**, to one's
   heart's content
coffre *m.* chest, box, coffer
coffret *m.* (small) box *or* chest,
   jewelry box
cognée *f.* axe, hatchet
cogner knock; **on allait se — dur**
   there was going to be a hot
   fight
cohue *f.* tumultuous throng, mob
coiffe *f.* headdress
coiffer: coiffé de wearing (*on one's
   head*)
coin *m.* corner, nook; **aux quatre
   —s de la France** all over, *etc.;* —
   du feu fireside
col *m.* collar, neck (*cf.* **cou**)
colère *f.* anger; **entrer en —**, get
   angry, fly into a passion
colimaçon *m.* snail; (**escalier**) **en
   —**, spiral, winding
colle *f.* (sticky) paste
collecte *f.* collection (*for charitable
   purposes*)
collection *f.* collection, array
collège *m.* (*usu. a* secondary *or* high)
   school; *also a* (university) college
   (*e.g.,* le **Collège de France**)
coller stick, paste, glue; fasten (*a
   garment*) tightly; **un officier, on
   lui colle une perception,** *etc.* (*VC*)
   an officer, he gets a collectorship
   (*cf.* **lui coller huit jours de prison**
   [*slang*])
collet *m.* collar; **au —**, by the
   collar
collier *m.* necklace
colline *f.* hill
colombe *f.* dove
colombier *m.* dovecote, pigeon loft
colonie *f.* colony
colonne *f.* column
colonnette *f.* small column
colorer color, give color to
colorier color, tint
combat *m.* fight, fighting, battle,
   struggle; **hors de —**, (*AWS*)
   killed, wounded and missing
combattant *m.* combatant, fighter
combattre fight; **combattu** (*AWS*)
   in strife with himself
combien how, how much; — **je
   ressemblais peu à** how little

I, *etc.;* — de how much *or* how many; — de temps how long

comble *m.* top; de fond en —, from top to bottom; mettre ... au —, bring ... to the highest pitch

comédie *f.* comedy, joke, fun, prank, "little game"

comité *m.* committee

commandant *m.* commander, commanding officer

commande *f.* order

commander (à) command, enjoin, order (out); — le feu give the order to fire

comme as, just as, like, as if, as it were, so to speak; how; while (*or* as), when; — hanté as if haunted; douce — un ange as sweet as an angel; — qui dirait as one (you) might say; (je le rassurai) — je pus as best I could; — te voilà effrayée! how scared you are! — il est gentil! how nice he is!

commencement *m.* beginning

commencer (à, de) begin (to); sa maturité commençante his middle age now at hand

comment how; —? (!) how's this? how's that? what did you say? what? — cela? how so? — donc! (*BM*) why of course!

commérage(s) *m.* gossip(ing)

commerçant *m.* tradesman, merchant

commerce (de) *m.* trade (in), business; les objets de son —, (*T*) his (particular) wares; faire le — de deal in, trade in; agenda de —, commercial memorandum book; avoir un — avec les loups (*AM*) have magic relations, *etc.*

commère *f.* godmother, gossip

commettre commit; — des imprudences act recklessly

commi- *see* **commettre**

commis *m.* clerk; petit —, petty clerk

commissaire (de police) *m.* police commissioner *or* superintendent

commissariat (de police) *m.* police station

commission *f.* commission, committee

commode convenient, easy, too easy (*AM*), comfortable

commodément comfortably

communauté *f.* (religious) community

communiquer communicate, tell; — de run from; se —, share

compagne *f.* companion, mate

compagnie *f.* company, society, flock; de bonne —, gentlemanly (ladylike); *see* **mauvais, -e**

compagnon *m.* companion

comparaison *f.* comparison; **en** — de in comparison with

comparaître appear (before a magistrate)

comparer compare

comparoir appear (before a magistrate)

comparut *see either* **comparaître** *or* **comparoir**

compassion *f.* commiseration

compatir (à) sympathize (with)

compatissant, -e compassionate, sympathizing, sympathetic

compère *m.* (godfather), crony, pal

compétence *f.* skill, ability; de ma —, (*CP*) that I know about, in my line

Compiègne *a small city on the river Oise,* 54 *k. from Beauvais; of some importance even before the time of King Louis IX* (13*th C*); *chosen by Anatole France* (*J*) *as the birthplace of his* **Barnabé**

complaire: se — à delight in

complaisance *f.* kindness, benignity; d'un air de —, complacently

compl-et, -ète complete, full

complètement quite, wholly

compléter complete

complice *m.* accomplice, confederate

complicité *f.* complicity

complies *f. pl.* compline (*end of service after vespers*)

compliment *m.* compliment; des —s en vers (*Mbl*) congratulations in verse

complimenter compliment

compliquer complicate, envolve

complot *m.* plot (= *conspiracy*)

componction *f.* contrition

comporter admit of, naturally allow; se —, behave

composé *m.* compound
composer compose, make up; se — de consist of, be composed of
composition *f.* components
comprendre understand, comprehend; **tu comprends que ...** you can realize that ...
compressibilité *f.* compressibility
compri- *see* **comprendre**
compromettre compromise, commit
compte [kɔ̃:t] *m.* account, reckoning; **S. fit son —,** (*CP*) S. marked down what was due; **pour voir si elle avait son —,** (*Mbl*) to see whether they [*her feathers*] were all there; **à votre —,** to your credit; **rendre — (de)** explain; **se rendre — de** get a clear idea of, realize; **pour vous rendre —,** (*Élix*) to make your test (*of your cordial*)
compter [kɔ̃te] count (**la vie ne compte pour rien** life is cheap); number, comprise; expect (to), intend, (firmly) believe, rely (on); **à — de ce moment** (*counting*) from that moment
comptoir [kɔ̃twa:r] *m.* counter, bar; **la dame du —,** (*VC*) the lady behind the bar; **— d'escompte** discounting bank (*though commonly applied to banks doing a general business*)
compulser examine (*documents*), run through
Comtat (*MP, Élix*) [*i.e.,* **le — Venaissin,** *and* **le — d'Avignon**]: **le —** (*cf.* **comté,** county *and* earldom) *comprised various regions round about Avignon; these were papal territory until* 1791
comte *m.* count
comtesse *f.* countess
concentrer concentrate; **concentré, -e** intense
concerto [kɔ̃sɛrto] *m.* concerto, concert
concevoir conceive, feel
concilier: se —, win for oneself
concluant, -e conclusive, quite convincing
conclure conclude, close (up), settle; make up one's mind; **— un marché** wind up (strike) a bargain

conçoi- *see* **concevoir**
concours (de) *m.* competition (in)
conçu- *see* **concevoir**
condamner [kɔ̃dane] condemn, sentence, doom
condition *f.* condition, position, station; **faire — que** stipulate that; **à la — que** provided
conduc-teur, -trice leader, guide; (**de voiture**) driver; **— d'esclaves** slave driver
conduire bring, take, conduct, lead, show (... the way) *or* escort; drive (*vehicles or animals*); ride
conduit *m.* conduit [kɔ̃dit], pipe (*for water etc.*)
conduite *f.* conduct, behavior
confection *f.* making, manufacture
confesser acknowledge, own
confiance *f.* confidence, trust
confidence *f.* confidential remark *or* revelation (*MD*), disclosure, secret
confident, -e confidant, confidential adviser; **son —,** (*R*) the sharer of her secret
confier entrust
confisquer confiscate
confondre: après s'être confondue en révérences (*S–N*) after (making) a profusion of curtseys
conformer: se — à conform to, comply with
conformité *f.* agreement, harmony, conformity; **mettre ses actes en — avec ses paroles** (*BM*) practice what one preaches, be as good as one's word
confortable comfortable, cosy; comfort; **[le] peu de —,** (*VC*) [the] uncomfortableness
confrère *m.* colleague, fellow member, brother
confrérie *f.* brotherhood, sisterhood
confronter: — qqn avec bring one face to face with
confus, -e confused, at a loss, abashed; **ces — rumeurs** (*AWS*) these jumbled sounds
confusément confusedly, dimly
confusion *f.* confusion, shame; **d'un air de —,** (*CP*) looking abashed
congé *m.* leave
congédier discharge

congrûment suitably

conjecture *f.* surmise

conjuration *f.* conspiracy; (magic) spell; *in pl. also* conjuries

conjuré *m.* conspirator

conjurer conjure (up)

connaissance *f.* knowledge, acquaintance; **avoir — de** know (about), be aware of; **reprendre —,** regain consciousness, come to; **sans —,** unconscious

connaisseu-r, -se expert, connoisseur, judge; **son regard de —,** his expert eye

connaître know, be (*or* become) acquainted with, be aware of, understand; **je la connais, ta ficelle!** (*F*) I know all about your string! **qu'on lui ait jamais connue, à ce bon père** (*MP*) that he was ever known to have, this, *etc.*; **ça me connaît** (*VC*) I know all about that (= **je m'y connais**); **se — à** know all about, be a good judge of; **ni vu ni connu** (*F*) and no one's the wiser

connu, -e (well) known

conquérir win, acquire, earn

conquête *f.* conquest; **fier de sa —,** proud of winning her over

conqui– *see* **conquérir**

consacrer devote, consecrate, establish

conscience *f.* conscience, conscientiousness, scruple; **se faire — de** shrink from

conseil *m.* advice, counsel, council; **un bon —,** a good bit of advice; **des —s** (bits of) advice, "hints"

conseiller (1) counsel, advise; **il me conseille la fuite** he advises me to flee; **elle lui aurait conseillé une lâcheté** (*AM*) she would even have urged him to do something cowardly

conseiller (2) *m.* adviser

consentir consent

conséquence *f.* consequence, result; **en —,** accordingly

conséquent: par —, so, therefore

conserver (à) preserve (for), keep; **— l'eau** keep water fresh; (*R*) still wear

considérable considerable, rather large, great, copious

considérablement considerably, a good deal

considération *f.* consideration, regard, esteem

considérer consider, contemplate, examine, deem

consigne *f.* (*mil.*) orders, instructions

consolation *f.* comfort, consolation

consoler comfort, console; **se — de** be consoled for, get over

consommateur *m.* customer (*of a café*)

consommation *f.* drink (*at a café*), beverage

consommé, -e consummate

constant, -e steady, unremitting

Constantine (*VC*) *an ancient Algerian city* 439 *k. from Algiers, above Rummel; unsuccessfully attacked in* 1836 *by marshal Clausel but captured in* 1837 *by general Valée*

constater note, ascertain, establish, state

consternation *f.* dismay

constituer constitute, set up, organize; **se — prisonnier** give oneself up

construction *f.* building, construction, building operation, structure, part (*of a bldg*)

construire build, construct

consulter consult, heed

contagieu-x, -se contagious

conte *m.* story, tale, yarn, fib

contempler gaze at, contemplate

contenance *f.* look, demeanor, bearing

contenir contain, hold

content, -e (de) contented (with), satisfied, gratified (by), glad, happy (over, at)

contenter: se — de be content (satisfied) with; **elle se contenta d'ajouter un couvert** she merely set one more place

contenu *m.* contents

conter tell (of, about), relate

contester contest, dispute

conteu-r, -se *m. and f.* narrator, story-teller

contigu, -ë adjoining

continu, –e uninterrupted, continuous
continuer continue, go on with, keep up, proceed (with, on); — **sa route** pass on
contracter contract; **se —,** (*R*) become drawn
contraindre (de) compel, force
contraire contrary, conflicting; **au —,** on the contrary
contrarier vex, annoy, provoke
contre against, contrary to, close to, opposite (*or* facing), with, on, at, for; **un être glissait — le mur; puis il passa — la porte** (*Peur*) some creature was slinking close to the wall; then it passed close to the door; **tout —,** exactly opposite, quite close (to); **par —,** on the other hand; **le pour et le —,** the pros and cons
contrebasse *or* **contre-basse** *f.* counter-bass, (*MD*) big bass viol
contre-cœur: à —, unwillingly, against the grain
contre-coup *m.* rebound, jolt
contredire contradict, gainsay
contrée *f.* district, country, region round about
contremaître *m.* second mate
contretemps: à —, out of time
contrevent *m.* shutter
contribuer contribute
contribution *f.* contribution; **— de guerre** war levy
contusionner bruise
convaincre convince, convict
convalescent, –e convalescent
convenable suitable, proper
convenance *f.* fitness; **à sa —,** to suit him, to his liking
convenir agree; suit, become (*i.e.,* befit); **il convient de + inf.** it is well (*etc.*) to; **il convient mieux que je . . .** it is more proper for me to . . ; **aussitôt qu'il lui conviendrait** (*CP*) as soon as he saw fit; **après être convenus de** having agreed to (*or* upon)
Convention: la —, the (National) Convention *which followed the* (*French*) Legislative Assembly *and set up the* Republic *in* 1792

converser (*rare*) converse; **en conversant** with conversation
conviction *f.* conviction; **pièce à —,** material evidence
convive *m. or f.* guest
convoi *m.* funeral procession
convoiter covet
convulsi–f, –ve convulsive, jerky, feverish
coordonner arrange . . . in order
copeau *m.* shaving, chip
copie *f.* copy; **faire de la —,** copy manuscripts
copier copy
coque *f.* hull
coquelicot *m.* poppy; *as adj.* poppy-colored
coquet, –te coquettish; (*Par*) smart, stylish; pretty
coquetterie *f.* coquetry, coquettishness; vanity; (*AM*) thought of prettiness
coquillage(s) *m.* (*VC*) shell-work
coquin, –ne rascal, hussy
cor (**de chasse**) *m.* horn
corbeau *m.* raven
corbeille *f.* basket
corde *f.* string, cord, twine, clothesline, halter, rope
cordon *m.* (apron) string
Coriolan Coriolanus, *a Roman hero* (*ab.* 490 B.C.) *said to have died in exile among the Volscians*
cormoran *m.* cormorant (*Mbl.*), *an ungainly, long-necked, black sea bird, used in the Orient as a fish catcher and proverbial for its gluttony*
corne *f.* horn
cornette *f.* mob cap
cornue *f.* (*chem.*) retort
corps *m.* body; **passer sur le — de** trample (him) under foot; **prendre du —,** grow stout; **d'armée** army corps; **— de logis** block of buildings
corpulence *f.* stoutness
correct, –e accurate, exact, right
correction: donner une —, give a lesson (in behavior)
corriger correct; **— (une déception)** remove, amend
corsaire *m.* privateer; *as adj.* privateering

Corse: la —, Corsica; de —, *adj.*
Corsican
corse *m. or f.* Corsican
costume *m.* dress, garb, costume
côte *f.* coast, shore; slope, hill side,
mountain side; — à —, side by
side
côté *m.* side, direction; à —, alongside of it, beside it (them, *etc.*);
à — de beside, by the side of,
along with; à — d'elle at her side;
à ses —s (*Mbl*) at his side; sa
poche de —, his side pocket;
[il] cracha de —, [he] spat to
one side; un peu de —, (*Mbl*) a
little on one side; de — et
d'autre on all sides; (poster des
sentinelles) de —, (*AM*) out of
sight *or* near by; chacun de
son —, (*Élix*) each his own way;
de mon (son) —, on my (his) side,
for my (his) part; du — de in
the direction of (toward), in the
neighborhood of; du — de la
route (*AM*) on the side facing
the road
coteau *m.* hillock, slope
cotonnade(s) *f.* cotton goods
Cottin (*R*) *servant of M*ᵐᵉ *de Dey*
cou *m.* neck
couchant *m.* setting sun, west
couche *f.* bed, layer
coucher lay, lay down; — en joue
aim at (*with a gun etc.*); se —,
lie down, go to bed; (*of the sun
etc.*) set; je couche sous l'escalier
I sleep (my bed is) under the
stairway; couché lying (in bed, *etc.*)
coucou *m.* cuckoo
coude *m.* elbow, bend (*in a road*)
coudre sew, sew on
couler flow, (*of tears*) course, run
down; flow out, leak; go to the
bottom, sink
couleur *f.* color, hue; — de rose
pink, rosy, rose-colored, roseate;
(manuscrit) — du temps of the
same color as the weather (*it
changed with the weather*); — de
rouille (*AM*) rust-colored
coulpe [kulp]: faire sa —, acknowledge one's guilt
coup *m.* blow, stroke, thrust, stab,
jab, shot, shock, peal (*of a bell*),

etc.; un fusil à deux —s a double-
barrelled gun; voilà un joli —!
(*CP*) that was pretty marksman-
ship! avaler d'un —, gulp down;
boire un —, take a drink; déguster [un vin] par petits —s sip;
à grands —s pressés (*AWS*) with
rapid thuds; tout à —, suddenly;
tout d'un —, all at once, all of
a sudden; ajoutées après —,
(*AM*) added as an afterthought;
pour le —, for once; — sur —,
one after another, in (quick)
succession; avoir le plus magnifique — d'archet (*MD*) be able to
do the most magnificent bowing;
— de bec (violent) peck; — de
coude whack with the elbow;
— de cloche peal (*or* ringing) of
a bell; — de couteau stab; — de
crosse blow with the butt of a
gun; — d'éventail tap (*or* stroke)
with a fan; — de feu shot, gunshot; les —s de feu the firing; faire le — de feu (*of an
officer*) join in the firing (*using
any spare gun available*); —
de marteau [= de heurtoir] (*R*)
bang of a (the) door knocker;
d'œil glance, twinkling of an eye;
— de pied kick; — de pistolet
pistol shot; — de poing blow
(with the fist), punch; — de reins
(*MP*) lunge backward; — de tonnerre thunderclap; (en) — de
vent (like a) gust of wind
coupable guilty
coupé *m.* brougham, coupé
coupe-gorge *m.* death trap, awful den
couper cut, cut across, cut off; cut
out; intersect; coupant la prairie
de biais (*AM*) running (*or*
cutting) diagonally across the
meadow;— la figure à qqn slash
up one's face; ne pas —, (*of tools
etc.*) be (very) dull
cour *f.* court, (court)yard; être
bien en —, be in favor (at court);
faire sa —, pay court
courage *m.* courage, fearlessness,
pluck; —! cheer up! ayez bon
—, cheer up
courageu-x, -se brave, courageous,
pluck-y

courant *m.* stream; — d'air draught; dans le — de la semaine in the course of the week

courber curve, bend, *etc.;* se —, bow, bow down, stoop, bend over; courbé, -e bowed (down), stooping

courir run, run about, hurry, speed; go the rounds, flit (about); j'ai couru pour venir I ran all the way; — en déroute (*of clouds*) rush madly; (*of lights*) move swiftly; par le temps qui court nowadays; où court un faible sourire on which there plays a faint smile; le bruit courait it was rumored; un murmure... courut a murmur passed quickly about; ...y firent — (un murmure d'admiration) (*MP*) ... called forth on every hand

couronne *f.* crown; une — de soleil (*AM*) a radiance of sunshine

couronner (de, par) crown (with)

cours *m.* course, flow

course *f.* course, running; à la —, by running

coursier *m.* steed, charger

court, -e short; —es paroles few short words; le plus —, the shortest way; couper — à cut ... short

courtier *m.* broker, agent

courtiser pay court to, court

cous- *see* coudre

couteau *m.* knife

coûter (à) cost, be too costly for (à); il lui en coûte (de) it costs him an effort (to); dût-il nous en — la vie even were it to cost us our lives

coûteu-x, -se expensive, costly

coutume *f.* custom, habit; comme de —, as usual

coutumi-er, -ère accustomed; être — de be used to

couvée *f.* brood, batch

couvent *m.* convent, monastery; convent school; abbés de —, (*MP*) abbots (*in charge of an abbey*)

couver (*Mbl*) sit on her eggs, brood

couvert *m.* cover; à —, under cover, safe, protected; mettre le —, set the table; ajouter un —, set one more place; un — reluisant (*VC*) a glistening array of table things (*i.e., napkin, knife, fork, etc.; the captain's* "place" *was set spotlessly*)

couverture *f.* blanket

couvrir (de) cover (with); — un bruit drown a noise

crachat *m.* spittle

cracher spit

craie *f.* chalk

craindre fear, hold in awe; à —, to be feared; je craignis de n'avoir pas I feared I should not have

crainte *f.* fear, dread; — respectueuse awe

crainti-f, -ve timorous

cramponner: se — (à) cling (to), lay hold (on)

crâne *m.* skull

craquement *m.* creaking, cracking, crackling sound (*as of dry wood when struck by a bullet*)

craquer crack, crackle, creak

cravache *f.* riding whip

crayeu-x, -se chalky

crayon *m.* pencil; au —, with a pencil

créance *f.* credit, credence, trust

créature *f.* creature

crécelle *f.* rattle

crèche *f.* crib, manger

créer create, make

Crémone *f.* Cremona (*Italy*), *where the famous Stradivarius made his violins*

crêpe *m.* crape

crête *f.* crest, ridge, comb (*of a cock or hen*)

creuser hollow (out), scoop, dig, rack; se —, *of dimples* (*AM*) deepen; se — la tête rack one's brains; figure creusée hollow face

creux (1), creuse hollow, racked; (2) *m.* hollow; — de l'estomac pit of the stomach

crevasse *f.* crevice, chink, crack

crever burst, split open, tear, make holes in, slash

cri *m.* cry, shout, yell, scream, screech (*of an owl*); à grands —s loudly

criard, -e screaming, clamorous; dettes —, pressing debts
cribler riddle
cric [kri] m. jack, derrick
crier shout, cry out, yell, crackle, creak, rustle; make an ado; — au sacrilège cry "sacrilege"
crieur m.: — public town crier
Criquetot a Norman village ab. 20 k. N. by E. of Le Havre
crise (f.): — de larmes fit of (hysterical) weeping
crisper shrivel, contract (as a muscle), set one's nerves on edge; la face crispée his face tense
cristal m. crystal, fine glass
critique critical; noun f. criticism
critiquer criticize, make censorious remarks
croire believe, believe to be, trust, fancy; je crois bien que...! I certainly believe; je crois bien! I should say so! je crus sentir I believed I felt; je croyais rêver I believed I was dreaming; — à: — aux revenants believe in (the existence of) ghosts; le maire croyait à un prêtre insermenté (R) the mayor believed there must be, etc.
croisée f. (French) window (opening outward or inward)
croiser cross, meet
croiseur m. cruiser
croisière m. course of a vessel, cruise, cruising patrol
croiss- see croître
croissant m. crescent moon, quarter of the moon
croître grow, increase
croix f. cross; — d'honneur (VC) (cross-like) badge of honor; l'argent de sa —, (VC) the money that went with his decoration; Chemin de (la) Croix, see chemin
croquemitaine m. bogie, bugbear
croquer crunch, munch
crosse f. shepherd's crook, crosier, butt (of a gun)
crosser club, pound, (AWS) bat about
crotte f. (dry) mud, dirt
crotter befoul (or splash) with mud (or dirt)

crouler crumble
croupe f. crupper, rump, buttocks, croup
croyable credible, believable
croyance f. belief, tenet
cru (1) m. growth; du —, of local vintage, homemade, home grown
cru– (2) see croire
cru (3), -e raw
cruauté f. cruelty
cruche f. pitcher; la — au cidre the cider jug
cruel, -le cruel, painful
cruellement cruelly
ct'e (ficelle-là) plebeian pronunciation of cette [sct]
çu (F) Norman patois for ce
cubique cubic
cuculle f. (Élix) monk's cowl
cueillir gather (herbs etc.)
cuiller [kɥijɛːr] f. spoon
cuir m. leather; en —, (made) of leather
cuire cook, bake, roast; vin cuit mulled wine
cuisine f. kitchen
cuisse f. thigh
cuit, -e p.p. of cuire
cuivre m. copper, brass; — rouge (Élix) red copper or simply copper (as contrasted with — jaune brass)
cuivré, -e copper-colored, coppery
cul [ky] m. rump; un lapin, tapant du —, (AWS) a rabbit, stamping with its hind feet
culbuter upset, pitch . . . over, send heels over head; (fig.) overthrow
culotte f. or — courte knee breeches; une simple —, (MD) merely breeches
culotter color (a pipe by smoking)
culte m. worship
cultivateur m. agriculturist, farmer
cultiver cultivate, till
cupidité f. greed, cupidity, covetousness
curé m. parish priest, priest
curieusement curiously, inquisitively
curieu-x, -se queer, interesting, inquisitive; une ville bien —se (Mbl) a city well worth seeing; un —, an inquisitive person, a gossip

curiosité *f.* curiosity; **avec —,** inquiringly
cuver sleep off (*strong drink*)
cymbale *f.* cymbal, drum (*of the locust*)
cymbalier *m.* cymbalist

D

dague *f.* dagger; **— de plomb** toy sword (*of lead*); **fin comme une — de plomb** (*Élix*) *freely,* as dull as a hoe
daigner deign to; **daignez m'apprendre** kindly inform me
d'ailleurs *see* **ailleurs**
dalle *f.* flagstone, stone (*or* marble) slab
damas *m.* damask (*silk, or linen, decorated with flowers etc.*)
dame *f.* lady, dame; **—!** well! to be sure!
damné *noun; see* **damner**
damner [dɑne] damn, curse; **un damné** a lost soul; **se —,** risk damnation, go to perdition
danger *m.* danger; **moins en —,** safer
dangereu–x, –se dangerous
dans in, into, to, within, among, on, about, at, in the course of (time, *etc.*); **— Paris** inside P.; **on m'appelait — la descente** (*Ét*) somebody was calling to me from the road leading down; **— le dos** on the (her) back; **— peu** in a short time; **— lui-même** (*fig.*) in his heart; **les envoyer tous — l'étoile polaire** (*MP*) send every one of them all the way to, *etc.*
danse *f.* dance, dancing
danser dance, caper
davantage more, still more, further, longer, better; **cela effrayait —,** that increased the dismay
de of, about, concerning; off, from, out of, since; on, in, at; with, by, for, through, because of; to; than; (*before numerals*) **moins de sept** less than seven; **étant de mes parents** (*Mbl*) being relatives of mine; **la route d'Argueil** the road to (*or* from) A.; **ce barbu de vétérinaire** that be-whiskered veterinary; **ce vaurien**

de Tistet this rogue of a T.; **n'était-ce pas assez de mon malheur?** (*Mbl*) was not my misfortune enough? **tomber de quelques mètres** (*AM*) fall from a height of a few yards; **(il y a belles années) de cela** (*Élix*) ... since then; **d'un geste** (*BM*) with a gesture; **reculer d'épouvante** shrink back in terror; **trembler de** tremble at; **noir de poudre** black with powder; (*where or when*) **de l'autre côté** on the other side; **de ça** in this direction; **de mon temps** in my time; **haut de cinquante à soixante pieds** fifty to sixty feet high; **sans tarder d'une minute** without delaying (for) a minute; **faire baisser la rente d'un franc** (*Mbl*) make government bonds drop a franc; **se faire aimer des filles** get oneself loved by the girls; **rien de bon** nothing good; **cinq ans de plus** five years more; **et toute la salle de rire aux éclats** (*MD*) and the whole roomful burst into uproarious laughter
débâcle *f.* downfall, defeat, crash
débarrasser (de) rid *or* free (of)
débarricader: — la sortie (*Peur*) remove the barricade from the way out
débat *m.* debate, dispute
débattre debate, discuss; **se —,** be debated; struggle, writhe, (*of flames*) flicker
débauche *f.* debauch, spree
débaucher debauch, lead astray
déblayer clear, flush out
débordement *m.* overflowing
déborder overflow
déboucher open, uncork; **— dans** come out upon (into)
debout [de + bout] standing; **—** (au milieu d'un champ) standing conspicuously (*AWS*); **être** (*or* **se tenir**) **—,** stand; (**tout le monde**) **aussitôt fut —,** was instantly on his feet; **elle se remit —,** she stood (got) up again; **pas un vitrail —,** (*Élix*) not one stained-glass window left whole
déboutonner unbutton

débris *m. sg. or pl.* rubbish, litter, wreckage

début *m.* beginning, introduction

débuter begin, make one's first appearance, begin a career

deçà . . . delà hither and thither

décacheter unseal, break open, open

décembre *m.* December

décent, -e decent, tidy

déception *f.* disappointment

déchaîner unchain, let loose; **se —,** break loose; **le vent déchaîné a gale; des flots déchaînés** wild billows

décharge *f.* discharge, volley

décharger discharge; **se —,** flow

décharné, -e emaciated, gaunt

déchiqueter cut (tear) to shreds, slash to pieces

déchirant, -e heart-rending

déchirement *m.* tearing, (*AM*) tearing sound

déchirer tear, tear up, tear open, rend; **des cris à — les oreilles** ear-splitting shrieks

décidé, -e determined, resolved

décidément unquestionably

décider determine, resolve; **— qqn** win one over; **— de + *inf.*** decide to; **. . . décida de ma vie entière . . .** determined the course of my whole life; **se —,** be decided; **se — (à)** make up one's mind (to), resolve (to); **se décidant au rabais proposé** (*F*) making up their mind to accept, *etc.*

déclaration *f.* statement; **faire sa —,** report oneself

déclarer declare; **— avoir,** *etc.* declare that one has, *etc.*

déclassé, -e who has fallen from his (her) proper station, person with no (recognized) social standing; waif, outcast

décliner decline; (*CP*) give *or* mention (*one's name*)

décollé, -e stripped of its paste

décomposition *f.* dissolution, breaking down (*or* up)

décorer decorate (*e.g.*, with cross of the Legion of Honor)

découragement *m.* discouragement

décourager discourage; **se —,** become disheartened

découvert, -e exposed, open

découverte *f.* discovery

découvrir discover, uncover

décrépit, -e dilapidated

décrire describe; **— un grand cercle** (*R*) stand in a wide circle

décrocher unhook, take down

dédaigner scorn, disdain, jilt

dedans inside; in; in *or* into it (them); **mettre —,** take in (cheat); **(très gai) en —,** inwardly; **là —,** into that, (*AWS*) in there

dédoré, -e with its gilding worn off

défaillance *f.* swoon, faintness

défaillir weaken, grow weak, faint, fail

défaire undo; **se — de** get rid of

défaut *m.* defect, flaw, fault, shortcoming

défavorable unfavorable

défendre defend, protect, stand up for; **— (à qqn de)** forbid . . . (to); **se —,** *as above and* **le cheval de ma femme se défendait** (*CP*) . . . was restive *or* unruly

défense *f.* defence, self-defence; **sans —,** helpless

défenseur *m.* defender

défiance *f.* distrust

défier challenge, defy

défiler (**devant,** *etc.*) file by, march past

définitivement positively, definitely

déformer put . . . out of shape, deform; **déformé, -e** misshapen; **(chapeaux) déformés** battered

défraîchi, -e no longer fresh, faded

défrayer lead, keep up

défunt, -e deceased

dégagé, -e free and easy, easy

dégager release, give off

dégeler: se —, thaw (out)

dégénérer degenerate

dégourdi, -e brisk, lively (*cf.* **engourdi, -e** benumbed)

dégourdir rid of stiffness, take the chill off; **se —,** limber up, get rid of one's numbness, feel warmer

dégoûter disgust, repel, turn one's stomach

dégoutter (*cf.* **goutte**) drip

degré *m.* degree, step, rung (*of a ladder*), percentage

dégringoler tumble (scramble, roll, hurtle, come tumbling, clamber) down

déguenillé, -e tattered, ragged

déguiser disguise

déguster taste

dehors outside; **au —,** outside

déjà already; of itself (*etc.*); anyhow

déjeuner (1) breakfast, lunch; **nous servir à —,** (*MD*) let us have some breakfast

déjeuner (2) *m.* breakfast, lunch

delà: au —, beyond, further on; **au — de** beyond

délai [delɛ] *m.* postponement, delay; **dans un — de** in the course of

délasser refresh

délibérer deliberate

délicat, -e delicate, not strong

délicatement daintily

délicatesse *f.* delicacy; **toutes les —s** (*Par*) all the elegant things in life; **arbitre des —s** umpire on fine points

délices *f. pl.* raptures; **avec —,** blissfully

délicieu-x, -se delightful, delicious

délicieusement delightfully

délié, -e slender

délire *m.* delirium

délivrance *f.* deliverance

délivrer set free, release, deliver, issue; **se —** (de) get rid (of)

déloger dislodge

demain tomorrow

demande (de) *f.* request (for)

demander ask, ask for, wish to see (*a person*); **— des nouvelles de** enquire about; **— qqch à qqn** ask something of one; **lui — à voir ses papiers** ask him to show his papers; **j'allais — à me coucher** I was going to ask leave to go to bed; **— à qqn de + inf.;** ask (request) one to + *inf.;* **se — (si)** wonder (whether); **elle se fit — un loto** she got someone to ask her for a lotto set

démanger (à) itch

démanteler dismantle

démarche *f.* gait; (*fig.*) step, plan

démâter dismast

démence *f.* madness; **en —,** mad

démener: se —, be waved wildly

démentir belie, set aside

démesurément excessively

demeure *f.* dwelling, residence; *in AM the* **demeure** *refers to the combined mill and dwelling;* **la — d'un honnête garçon** (*AM*) a proper abode for a respectable young man; **à —,** permanently

demeurer (*aux.* avoir) reside, dwell, live (**à** at), stay; (*aux.* être) remain, tarry, stay; **— interdit, -e** stand speechless

demi (*or* demi-), **-e** half; **—-encablure** half a cable's length; **—-jour** twilight, (*CP*) dim light; **une —-place** half a seat (a half-fare seat); **les —-portes** (des jardins) (*VC*) the low gates; **à —-voix** in an undertone; **à —,** half; **—-clos, -e** half-shut; **deux heures et —e** (*AM*) half past two

démission: donner sa —, send in one's resignation, resign

démocrate *m.* democrat

démodé, -e (gone) out of fashion

demoiselle *f.* young lady (*not married*), girl; **— à marier** marriageable daughter

démon *m.* demon, devil, evil one, fiend, imp.

démontrer demonstrate, prove

dénaturer distort, misrepresent (*a thing*); **pour — un honnête homme** (*F*) to misrepresent (slander), *etc.* (make unnatural, heartless)

dénégation *f.* denial

denier *m.* (*fig.*) farthing, coin

dénoncer inform against, denounce; (*fam.*) "give . . . away"

dénonciation *f.* denunciation

dénouement (**dénoûment**) *m.* upshot (of it all), how a thing turns (turned) out, ending

dénouer untie

dent *f.* tooth

dentelé, -e (*bot.*) toothed

dentelle *f.* lace, lacework; **une —,** a piece of lace; **la fine — du clocher** (*Élix*) the delicate traceries, *etc.* (*i.e.,* the stone traceries *in the Gothic windows*)

départ *m.* departure, leaving; **point de —,** starting point

départir (à) allot (to), bestow (upon)

dépêche *f.* dispatch

dépêcher: se —, make haste, hurry (up), be quick (about it)

dépeindre depict, portray

dépendre (de) depend (on)

dépens [depā] *m. pl.* expense

dépense *f.* expense, outlay; larder; **en faisant grande —,** at heavy cost

dépenser spend

dépérir waste away, pine away

dépeupler: se —, empty

dépit *m.* spite, vexation; **avec —,** petulantly; **par —,** out of spite, (*CP*) out of sheer desperation

déplaire (à) displease; ... **lui déplaît** he doesn't like ...; fall out of ... 's good graces; **ne vous en déplaise** with all due deference to you; **n'en déplaise à ...** with due deference to ...

déplorer deplore, bewail

déployer display, unfold

déplumer pluck (*feathers off*)

déposer lay down, set down

déposition *f.* evidence, testimony

dépouiller strip

depuis from, since, ever since; since then, later; **il habite (habitait) le pays — longtemps** he has (had) been living in this neighborhood for a long while; ... **lui apparaissaient — un moment** ... had just come into his vision; **— quinze jours** during (for) the last two weeks; **— un instant** (*AM*) a moment before; **— que** (ever) since

déraisonnable unreasonable

déranger disturb, trouble

derni–er, –**ère** last, final, latter, latest, highest; **les —s arbres** (*AM*) the remotest trees; **les —ères fleurs** (*R*) the last autumn flowers

dérobée: **à la —,** by stealth, on the sly

dérober: se — (à) steal away (from), disappear (from), shun

déroute *f.* rout, disorder, disorderly flight; **courir en —,** rush in a wild flight

derrière *prep.* behind; **de —,** back; *adj.,* hind (**sabots de —**); **par —,** (from) behind, from the rear; *m.* back, rear

dès from, as early as, by (not later than); **— le petit jour** at (with) the very break of day; **— le seuil** on reaching, *etc.;* **— son entrée** the instant that he entered; **— le premier couplet** with the very first couplet; **— à présent** from now on, henceforth; **— que** as soon as; — qu'il pérorait whenever he began to hold forth

désagréable unpleasant, disagreeable

désappointer disappoint

désarmer disarm; uncock (*e.g.,* **un pistolet**); **désarmé, -e** unarmed (*or* disarmed)

désarroi *m.* disorder, disarray, confusion, turmoil

désastre [a] *m.* disaster

désavantage *m.* disadvantage

désavantager injure

descendre (1) *intrans.* descend, alight, land, come (go, walk, run, flow) down, go (*or* come) down stairs; (*of a ladder*) reach down; **— à** (*of a stairway*) lead down to; **— en courant** come running down; (2) *trans.* bring (take, carry, get, let, come, go) down; (*of a boat*) sail down (*a river etc.*); lower (*anything*); **un couteau qu'elle avait descendu** (*AM*) a knife that she had brought down with her

descente *f.* descent, getting down, way down

désenfariner [*perhaps coined by Musset, from* **enfariner**]: [**un oiseau**] **désenfariné** (*Mbl*) with all the flour off

désennuyer divert

désert, -e *adj.* deserted, uninhabited; *m.* desert, wilderness, (*fig., of a street*) loneliness

désespéré, -e desperate, in despair; despairing creature

désespérément desperately, woefully

désespérer despair

désespoir *m.* despair, fit of despair; *pl.* fits of despair
déshabitué: — du luxe (*CP*) having become unused to luxury
déshonorer disgrace, disfigure
désigner designate, assign
désir *m.* desire, longing, wish
désirer desire, wish; **je désirerais** ...I should like ...
désœuvré, –e idle; *noun* idler
désolé, –e grieved, sorrowful, in (deep) distress; **des regrets** —s despairing regrets
désoler distress, grieve; **se** —, be distressed, be disconsolate
désordre *m.* disorder; **en** —, disordered
désormais henceforth
desquels, desquelles, *see* **lequel**
dessécher dry up, parch
dessein *m.* plan, intention
desservir clear (the table), serve, attend to
dessin *m.* pattern
dessiner draw (*a picture*), sketch
dessous under, underneath, below; **au-** — (**de**) under; **en** —, below; **par-**—, underneath, from under; **le** —, the under part, the space beneath; **avoir le** —, get the worst of it
dessus over (it, them), above (it, them); **penché** —, stooping over it; **et passaient** —, (*AWS*) and trod over them (*i.e., the women*); **ils lui tireraient** —, (*AWS*) *fam. or vulg. for* ... sur lui they'd shoot at him; **au-**—, over *or* above (it, them); **au-**— **de** above, over; **là-**—, thereupon; **par-**—, over, upon; **par là-**—, besides that; **le** —, the upper part, the top; **le plancher de** —, (*AWS*) the floor above
destin *m.* fate
destination *f.* destination; **il arriva à** —, ... at his destination
destinée *f.* destiny, fate
destiner (**à**) intend (for), mean (for); appoint; **destiné à** (+ *inf.*) intended to
détachement *m.* detachment
détacher detach; **en** — **ses yeux** take his eyes off it; — **un coup**

let drive a kick (blow, *etc.*); **se** —, break (off), get loose
détail *m.* detail, item
détaler take to one's heels, scamper away, be off
déteindre fade
détendre unbend, relax; **se** —, relax
détente *f.* trigger
détirer stretch
détonation *f.* report, sound of firing
détour *m.* way round; *pl.* (*fig.*) twists and turns
détourner turn (thrust) aside; **se** —, turn aside (away); **regards détournés** sidelong glances
détresse *f.* distress
dette *f.* debt
deuil *m.* mourning, grief, sorrow; **faire** —, grieve
Deus meus es tu (*Latin Vulgate Bible, Psalm* xxi. 11) Thou art my God (*King James version, Psalms*, xxii. 10)
deux two; — **fois** twice; **les** — **mains** both hands; **tous (les)** —, both (of them); **pliée en** —, (*BM*) bent double
deuxième second
dévaler go down
devancer arrive ahead of
devant before (*in space*), in front of, ahead of, in the presence of, at; (assis) — **une table** at, *etc.;* — **une attaque** (*Peur*) in the face of, *etc.;* — **le silence général** (*BM*) under the spell of, *etc.;* **reculer** — **un tel devoir** shrink from, *etc.;* **elle marcha** — **elle** (*herself*) she walked straight ahead; **aller** —, go before, lead; **par** —, in front, in the presence of; **le** —, the front (fore part); **aller au-**— **de** (qqn) go to meet
développer: se —, develop
devenir become, grow, get; — **fou** go mad; — **rouge** turn red; **qu'allons-nous** —? what is going to become of us? **savoir ce que devenait** ... (*Ét*) learn how ... was faring; **je ne savais plus que** —, (*CP*) I no longer knew what to do with myself
dévêtir undress

dévier swerve; **faire —**, (*F*) make crooked, warp

devin- *see* **devenir** *and* **deviner**

deviner guess, divine; read (one) aright; **qu'on devine (trempés,** *etc.*) whom one guesses to be, *etc.*; **j'ai deviné la peur** I guessed what fear is; **vous devinez** you can (easily) guess

devoir (1) owe, ought to, must, be destined to, be likely to, be obliged to, have to, be to; **il aurait dû travailler** (*AM*) he ought to have been working; **les Prussiens devaient avoir trouvé le pont** the P. must have, *etc.*; **les Prussiens ont dû battre en retraite** the P. have had to fall back; **ils durent manger . . . jusqu'à onze heures** (*AM*) they must have kept up their eating, *etc.*; **la sentinelle avait dû se coucher par terre** the sentinel had doubtless (must have) lain, *etc.*; **nous devions souper** we were to sup; **une dernière décharge semblait — emporter,** *etc.* (*AM*) it looked as if a final volley must carry off, *etc.*; **tout ce qui devait être nécessaire** everything (that was) likely to be, *etc.*; **ils devraient être ici** (*AM*) they should be here (by this time); **quel effet il dut produire** (*CP*) what effect he necessarily produced; **il doit y avoir des sentinelles** there must be sentinels; **il devait être midi** (*AWS*) it must (he thought) be noon; **il devait marcher du mur à la fenêtre** (*AM*) he evidently was walking, *etc.*; **qu'il ne semblait — lui appartenir** (*Mbl*) than seemed properly to behove her (to show); **je ne veux vous — à rien . . . qu'à vous-même** (*R*) I don't want to be indebted for you to anything except to yourself; **— à qqn de +** *inf.* owe it to . . . to , *etc.*: **des gens comme nous doivent à leur propre gloire de ne pas se marier,** *etc.* (*Mbl*) persons of our sort are bound by their own social prominence

not to get married, *etc.*; **ça se doit** (*AM*) that is proper

devoir (2) *m.* duty, performance of duty; **se mettre en — de +** *inf.* set about -ing

dévorer devour, (*fig.*) swallow eagerly; stifle

dévot, -e (à) devoted (to) *some saint;* **ses —es** (*VC*) his feminine devotees (*here* **dévote** *has its usual unfavorable sense*)

dévotion *f.* devoutness, piety

dévouement *or* **dévoûment** *m.* devotedness, devotion

di- *see* **dire**

diable *m.* devil, fiend, (the) deuce, (the) dickens; **va-t'en au —!** deuce take you! get out! **que —!** deuce take it! **de quoi se donner au —**, enough to drive one to despair (*originally*), **se donner au —** *meant literally* sell one's soul to the devil, *as Faust did, in exchange for worldly benefits*); **(un air) à porter le — en terre** (*T*) hideous enough to drive the devil to his grave; **un pauvre —**, a poor wretch, an unlucky fellow

diablement deucedly, devilish (*adv.*)

diabolique devilish, fiendish

diamant *m.* diamond

dictée *f.* dictation

dicter dictate; **[il] lui dicta des conseils** (*R*) [he] gave her certain injunctions

Dieu *m.* God; **le feu de —**, hell fire; **le bon —**, the (good) Lord, *or simply* God; **la vérité du bon —**, God's own truth; **juste —!** (*Mbl*) Heavens! *or* bless my soul! **— juste!** (*Mbl*) righteous Heaven! **mon —!** dear me! oh dear! my goodness! oh well, why yes, to be sure; *see* **simple**

différent, -e different, otherwise; *of waves* (*Peur*) never the same

difficile difficult, hard; over-particular, hard to please

difficulté *f.* difficulty, objection, obstacle; **faire — de** object to, boggle at, haggle over

digne worthy, deserving, dignified; **— d'intérêt** worth considering, worthy of (further) consideration

dignement worthily
dignité *f.* dignity
dilater: se —, dilate
diligence *f.* diligence; stagecoach
dimanche *m.* Sunday
diminuer lessen, diminish
diminution *f.* decrease, reduction (*of a price*)
dîner (1) dine, have dinner; — **mal** not have a good dinner
dîner (2) *m.* dinner
dîneur *m.* diner
diplomatie [-si] *f.* diplomacy
diplôme *m.* diploma
dire (1) say, tell (about); **c'est-à**-—, that is (to say); **pour ainsi** —, so to speak; **dis donc, Rouleau** say (I say *or* look here), R.; **dites seulement** speak right out, just say what it is; — **non de la tête** shake one's head in negation; — **à l'oreille (de qqn)** whisper to, *etc.;* — **que** + *subjunc.*: **je dis qu'on ne laissât entrer personne** I said not to let anyone in; **il laissa** — (*intr.*) he let them talk; **on dirait deux hirondelles** (*MP*) one might think it was, *etc.;* **on eût dit de la lumière,** *etc.* (*Peur*) one might have imagined it to be, *etc.;* **c'est dit** all right, it's a bargain; **et tout fut dit** (*CP*) and that's all there was to it; **il n'y a pas à** —, there can be no question of it; **vouloir** —, mean; **si le cœur vous en dit** if you feel like it; **se** —, be said, declare oneself, *etc.:* **Mme de Dey se disait indisposée** (*R*) Mme de Dey made herself out to be indisposed; **autrement dit** in other words
dire (2) *m.* assertion, statement
direct, -e direct, short
direction *f.* direction, management; **dans la** — **du vent** with the wind
diriger direct, steer, aim; **se** — (**vers**) proceed (toward), steer (for, toward)
discernement *m.* insight, judgment, discretion
discerner discern, distinguish
discipline *f.* discipline, chastisement; (*Élix*) whip

discours *m.* speech, talk
discret, discrète discreet, tactful, prudent
discrètement cautiously
discussion *f.* argument, dispute
discuter discuss, debate, argue
disette *f.* want, need; **jamais de** —, never any want (dearth)
disparaître disappear, vanish, lie hidden, go away
dispenser (**de**) excuse (from)
disposé, -e disposed, inclined
disposer arrange; **se** —, prepare (oneself), get ready
disposition *f.* arrangement; **prendre des** —**s** make arrangements
disputer contend, wrangle; **se** —, contend (for), squabble (over), wrangle (about)
dissimuler dissemble, conceal (**à** from); **se** —, hide (oneself) away; **ne point se** — **qqch** be quite aware of something
dissiper scatter, dissipate, dispel; **se** —, pass away, (*of smoke*) clear away
dissoudre dissolve
distance *f.* distance; **à** —, at a distance; **à quelques pas de** —, a few steps away
distinctement distinctly
distingué, -e distinguished, very good
distinguer distinguish, descry, discern, make out
distraction *f.* inattention, absentmindedness; amusement, recreation, form of recreation
distraire divert, distract
distrait, -e inattentive, absentminded; **le regard** —, the faraway look
distribuer distribute
dit, -e *see* **dire**
divers, -e different, diverse; several, various
dix [di, diz, dis] ten
dix-huit [dizɥi(t)] eighteen
dix-neuf [diznø, diznœf] nineteen
dix-sept [dis(s)e(t)] seventeen
dizaine *f.* half a score; **une** — **d'eux** about ten
docile docile, obedient
docteur *m.* doctor

doi– *see* **devoir**

doigt [dwa] *m.* finger; **montrer au (du) —,** point to (at), point the finger of scorn at

doléance *f.* complaint, grievance, wail, wailing

dom [dõ] dom (*a title, from Latin* dominus *or* domine, *given in certain monastic orders*)

domestique domestic, private, tame; *m. or f.* servant, maid

domicile *m.* residence, abode

domination *f.* control, dominion, rule, ruling; **j'ai l'habitude de la —,** I am accustomed to have my own way

dominer rule, govern, master, (*fig.*) rise above

Dominique *m.* Dominic

dompter [dõte] subdue, overcome

don *m.* gift, faculty

donc then (therefore), so; pray, please; **offre — le fauteuil à,** *etc.* do offer, *etc.;* **mais elle est — devenue folle!** why, she must have gone crazy! **pensez —!** (*MP*) just think! **qu'est-ce —?** (*Mbl*) what *can* be the matter? **n'est-ce pas —?** (*S–N*) *isn't* it now?

donner give, devote, hand over, put on (them, *etc.*), lend, attribute, bring forth, look out upon; **étant donnés ses principes** (*BM*) given, *etc.;* **il les** [*his books*] **donnait volontiers à lire** (*CP*) he liked to lend them to people to read; (*of trees etc.*) **— (des fleurs et des fruits)** bring forth *or* produce . . .; **— l'assaut** charge; **— sa démission** send in, *etc.,* resign; **on lui donnait quelque chose comme quatre-vingt mille francs** (*AM*) he was supposed to be worth about, *etc.;* (*of doors, windows, etc.*) **— sur** open on, look out upon, lead to

donneurs: — d'eau bénite *m.* (*MP*) givers of holy water (*Daudet probably refers to the beggars who expect a tip or alms for offering holy water to persons entering or leaving French churches*)

dont *rel. pron.* (*implies* de) of whom, whose, of which, in (by, with, from, among, at) which, *etc.;* **la manière —,** the way in which; **à la façon —,** (*AM*) as to how

doré, –e golden, gilded (gilt), golden-hued

dorénavant henceforth

dorer gild, glaze (*with yolk of eggs*)

dormir sleep, be asleep; **allez —,** go to bed

dorure *f.* gilding, gilt, gilt part

dos *m.* back; **sur le —,** on my (your, *etc.*) back; **se mettre (qqch) sur le —,** put on, wear

dossier *m.* collection *or* bundle of documents, file (*of papers*), papers (*or* documents) *concerning a special matter*

dot [dot] *f.* dowry, marriage portion; **en —,** as a dowry

douanier *m.* customhouse officer

doubler double; [il] **doubla ma balle** (*CP*) [he] shot (put) a bullet in the very hole made by mine; **— d'efforts** double one's efforts

douce *see* **doux**

doucement sweetly, pleasantly, softly, quietly, slowly

doucettement [– tout doucement] nicely, demurely; bit by bit

douceur *f.* sweetness, gentleness, softness

douer (de) endow (with), favor (with)

douleur *f.* pain, sorrow, grief

douloureu–x, –se painful

doute *m.* doubt; **sans —,** no doubt, doubtless

douter doubt; **— de (qqch)** doubt, have doubts as to; **ne pas — que . . . ne** (+ *subjunc.*) not doubt (but) that, *etc.;* **se — (de, que)** suspect (that); **je m'en étais douté à votre accent** (*S–N*) I (had) rather thought so from your accent

douteu–x, –se doubtful, questionable, in doubt, dubious (**un dimanche —,** *because it might rain*)

douve *f.* stave

doux, douce sweet, gentle, kind, soft, mild (*weather*); **faire les — yeux** [duzjø] **à** look lovingly at;

d'un air —, kindly; **profond et —**, (*of a forest*) profoundly peaceful

douzaine: une — (de) a dozen

douze twelve

doyen *m.* dean; **— des drapiers** senior member [*hence — morally, at least —* leader] of the woollen drapers' guild

dragon *m.* dragoon

drame *m.* drama

drap *m.* cloth; **(fauteuil) de —**, upholstered; **—s de lit** bedsheets

drapeau *m.* flag

draper (de) drape (with, in); **drapé, -e dans** clad in

drapier *m.* woollen draper, clothier

dresser rear, raise, set (*a table*), *also* (*Peur*) set (*a table*) on its edge; set up (*a battery*); draw up (*a plan*); **se —**, rise, stand up, stand on end; **dressé sur ses pattes** (*of a dog*) standing on all fours; **faire — les cheveux sur la tête à qqn** make . . . 's hair stand on end

Dreyfus [drefys], Alfred, *a French Jew, falsely accused of high treason (1898) and sentenced by a court-martial to life imprisonment on Devil's Island. Owing largely to initiative of E. Zola, D. was ultimately released and rehabilitated*

drogue *f.* drug; (*contemptuously*) stuff

droit (1), -e right, straight, erect, upright, flat; **assise —e** sitting bolt upright; **(le sable) —**, stretching straight ahead; **—** (*or* **tout —**) *adv.* straight ahead; **(2)** *m.* right, law, privilege; **le — de vie ou de mort** (*R*) the power over life or death; **avoir — à** be entitled to; **de —**, by right, rightfully

droite *f.* right hand, right side; **à — et à gauche** to (the) right and to (the) left; **la rangée de —**, the right-hand row

drôle odd, funny, queer; **un** (*or* **une) — de . . . a** queer . . . ; **un —**, a scamp, a rogue

du *and* **du-** *see* **le**, *art.*, *and* **devoir**

dû, due due; *see* **devoir**

duc [dyk] *m.* duke

ducat *m.* (*CP*) ducat, *a gold or silver coin* (*no longer current*) *of variable value but implying a considerable sum — more than "$2.25," its approximate value three or four generations ago. Mérimée uses this word* (*from the Italian ducato*) *partly because it suggests gold coin, partly because it is vague and exotic*

duel [dqel] *m.* duel; **le code du —**, the dueling code

dune *f.* sand hill, dune

duquel *for* **de + lequel**

dur, -e hard, rough, hardened; **—e au jongleur** (*J*) hard for the juggler; **on allait se cogner —**, there was going to be a hot fight; **élevé à la —e** (*S-N*) raised harshly

durant during; **une heure —**, for a whole hour

durcir: se —, harden, grow *or* become hard, stiffen

durée f. duration

durer last, go on, continue

dureté *f.* hardness, harshness, roughness

duvet *m.* down

E

eau *f.* water; **laver à grande —**, scrub, swab, *or* mop (*a floor*)

eau-de-vie *f.* brandy

ébahir amaze; **s'— (de)** be amazed *or* astounded (at)

ébattre: s'—, frolic, romp, gambol (about)

ébaubi, -e dumfounded, nearly speechless

ébaucher sketch; [elle] **ébauche une antique révérence** [she] makes something like, *etc.*

ébène *f.* ebony (*see* **bois**)

éblouir (de) dazzle (with, by)

éblouissement *m.* dizziness, giddiness

ébouriffé, -e unkempt, tousled, in disorder

ébouriffer tousle, disorder

ébranler shake (violently), cause to totter, shake (*something*) from its base; tell on (*one's strength*); **ébranlé** tottering

ébruiter noise . . . abroad, divulge

écaille *f.* shell, scale

écarlate scarlet

écarquiller (les yeux) open . . . wide; **les yeux écarquillés** with staring eyes

écart *m.:* **à l'—,** to one side, aside

écarté *m.* écarté (*a card game in which two players may* discard *some of their cards, or all, and take up others*)

écarté, -e remote, lonely

écarter turn (*or* push) aside, separate, remove; **— les genoux** spread the knees; **elle [la fenêtre] s'écartait de l'échelle** (*AM*) it was (*or* it lay) some distance from the ladder; **les oreilles écartées de la tête** projecting ears

échafaud *m.* scaffold; (*fig.*) death on the gallows *or* (*in France*) under the guillotine

échange *m.* exchange; **en — de in** exchange for

échanger exchange

échanson *m.* cupbearer

échapper (à, de) escape *or* slip (from), keep away (from), elude; **laisser — un geste** make an involuntary gesture; **en laissant — un sourire d'incrédulité** (*R*) allowing a smile of incredulity to steal over his face *or* with a knowing smile; **s'—,** run away, escape; **s'— à la course** run away; **s'— de** (*of a coin*) drop out of; **s'en —,** drop out (of it)

échauffer heat, overheat, excite

échéance *f.* falling due, time for payment (*of a note etc.*)

échec [eʃɛk] *m.* check; **jouer aux —s** play (at) chess

échelle *f.* ladder

échelon *m.* rung, round

échelonner (*mil.*) post . . . one after another; **s'—,** (*AM*) be stationed at regular intervals

échevin *m.* alderman

échine *f.* backbone, spine

échouer run aground, fail

éclabousser splash

éclair *m.* flash of lightning, lightning

éclaircie *f.* glade, clearing

éclairé, -e enlightened, constructive

éclairer light, light up, give light to, illuminate; (*fig.*) enlighten; (*mil.*) reconnoiter; **— (la route)** explore; **s'—,** (*of a face*) light up

éclaireur *m.* scout

éclat *m.* splinter, chip; burst, bursting, outburst, explosion, brightness, brilliance; **— de bois** splinter; **— de voix** outburst, loud ejaculation; **des —s de voix** (*AM*) angry shouting; **un — sourd** (*of artil.*) a low boom (*or* dull explosion); **rire aux —s** laugh uproariously; **action d'—,** (*BM*) brilliant exploit

éclatant, -e ringing (*sound*), resounding; dazzling, splendid; **— de blancheur** glistening white; **un exemple —,** (*AM*) an example that will not be forgotten, a glaring example; **une preuve —e an** overwhelming proof

éclater burst, burst forth, explode, break forth, ring out, crash; **— de rire** burst out laughing, laugh uproariously

écluse *f.* sluice

école *f.* school

écol–ier, –ière pupil, schoolboy, schoolgirl

économe thrifty, economical

économie *f.* economy, thrift, saving, necessity of saving money

écorce *f.* bark, (*nut*) shell

écorcher skin, take (*or* tear) the skin off . . . ; **— vif** skin alive

écouler: s'—, pass (away, by), go *or* slip by, elapse; **l'heure s'écoulait** (*AM*) the hour was coming to an end; **sa vie tout entière s'y était écoulée** (*VC*) his whole life had been spent in that way

écouter listen (to), give one's attention to; hear; **[ils] écoutaient dans la maison** (*R*) [they] were listening for any sound that might be made in the house; **en écoutant si,** *etc.* (*R*) listening to discover whether

écoutille [ekuti:j] *f.* hatchway

écrasant, -e *see* **écraser**

écraser crush, smash, overwhelm;

s'—, be smashed, crushed *or* flattened; **une chaleur lourde écrasait la campagne** (*AM*) the countryside lay sweltering in an oppressive heat; **d'un luxe écrasant** overwhelmingly luxurious
écrevisse *f.* crayfish (crawfish)
écrier: s'—, exclaim, cry, cry out
écrin *m.* jewel case, case
écrire write
écrit *m.* writing, (*written*) work
écriture *f.* writing, handwriting; —s accounts, clerical work; **la [sainte] Écriture** Scripture, the Scriptures, Holy Writ
écrivain *m.* writer
écrouler: s'—, crumble (to the ground), fall in, collapse
écu *m.* shield, escutcheon, crown (*an obsolete coin once worth about three* **livres**); **ses** —s her money, her "cash"; **qui avait des** —s (*F*) who had made his "pile"
écubier, *m.* hawse hole (*for anchor chain*)
écuelle *f.* bowl, porringer
écume *f.* foam
écumoire *f.* skimmer
écurie *f.* stable
édifiant, –e edifying
effacer efface, obliterate, rub out, erase; **s'**—, be (*or* become) obliterated
effarer scare, frighten
effaroucher scare, alarm; **sa figure n'avait rien d'effarouché** (*S–N*) her face bore no sign of alarm; **s'**—, take fright, be (*or* become) alarmed, be startled
effectivement indeed, in truth, in fact, actually
effectuer carry out, bring about
effet *m.* effect, impression; **en** —, in fact, in truth, indeed
effeuiller strip . . . of leaves; **effeuillé, –e** leafless
effilé, –e slender
effleurer just touch, graze
efforcer: s'— (**de**) endeavor, strive, exert oneself (to)
effort *m.* effort, endeavor, strain, resistance
effranger fray (wear out) on the edges

effrayant, –e dreadful, frightful, appalling
effrayer frighten, terrify, appal, fill with dread; **cela effrayait davantage** that increased the dismay
effroi *m.* fright, dread, dismay; **avec** —, in dismay
effronté, –e brazen, shameless, impudent
effroyable: un beau temps —, frightfully fine weather
effusion *f.* effusion, (*of the heart*) overflowing
égal, –e (*pl.* **égaux, égales**) equal, even; **c'est** —, no matter, all the same; **cela m'est** —, I don't care; **égaux dans son cœur** (*VC*) equally dear to him
également equally, evenly *or* smoothly, uniformly; likewise
égaler equal, match
égard *m.* regard (respect); **à l'**— **de** with respect to; **à cet** —, in this (that) respect, about them, *etc.;* **beaucoup d'**—s high regard
égarement *m.* bewilderment
égarer mislead, mislay; bewilder; **s'**—, go astray; **femmes égarées** (*Peur*) women beside themselves; **une balle égarée** a stray bullet
égayer enliven, cheer . . . up, make . . . merry
église *f.* church
égoïsme *m.* selfishness
égorger cut . . . 's throat, slay, slaughter, "butcher"
égosiller: s'—, sing (make) oneself hoarse; **s'**— **à chanter** sing oneself hoarse
égouttement *m.* dripping
égoutter: s'—, drip
Égyptien, –ne Egyptian
eh (!) oh(!!) ah(!) aha! well; hello! I say! **eh bien** very well! (*or* all right); **eh oui** (*or* **eh! oui**) why of course *or* to be sure!
élan *m.* bound, start, outburst (of passion); **la mule prit son** —, the mule got all set; **des** —s **vers un avenir inconnu** (*R*) flights (*of the spirit*) . . .
élancer: s'—, spring (up forward), dash, rush, shoot up (*or* out);

VOCABULARY AND NOTES

je m'élançais pour partir (*Mbl*) I was about to dash away

élargir widen; s'—, widen, spread (out); le silence s'élargit encore (*AM*) the silence deepened

électeur *m.* elector; avenue de l'Électeur (*MD*) *in German* Kurfürstenallee

élégant, –e elegant, graceful, refined

élève *m. or f.* pupil, student

élever raise, start (*an argument*), bring up, rear; s'—, rise, spring up, (*AM*) rise in loud (*or* heated) discussion

élire elect

élixir *m.* elixir (*used by Daudet with the implication that Gaucher's cordial is exquisite and rejuvenating; in fact, it "rejuvenates" a ruinous building and, possibly, some of the persons who drink it*)

elle she, it; her; itself, herself; he (une sentinelle); et pour — [la jeunesse] (*CP*) and for youth; Françoise, — aussi (*AM*) F., too; —s they; them; themselves

éloigné, –e distant, far (away), remote, not near

éloigner remove, drive... away; dont l'extérieur seul éloigne de pareilles idées (*CP*) whose mere outward appearance banishes such ideas (de is *partitive*); s'— (de) move away, go (walk, sail) away, leave; *of a sound* (*VC*) die away

Elster (*VC*) *known as* Elster Blanche, *a German river which rises in Bohemia, flows through Leipzig, and joins the Saale above Halle*

élu, –e elected, elect

élucider elucidate, clear up

Élysées Elysian; *see* champ

émailler enamel; (*fig.*) embellish (*speech*); les mots patois dont la grand'mère émaillait ses phrases (*S-N*) ... sprinkled colorfully into her sentences; elle [la petite ville] s'émaillait des grands parapluies (*VC*) it was bedizened with, *etc.*

emballer pack, pack... up

emballeur *m.* packer

embarcation *f.* (small) boat

embarquement *m.* embarking

embarquer embark, load on

embarras *m.* perplexity, embarrassment

embarrassant, –e puzzling, awkward, embarrassing

embarrasser embarrass, encumber, perplex, puzzle, befog; embarrassé de + *inf.* puzzled as to how to, *etc.*

embaumer perfume; embaumé, –e fragrant

emboîter *fit one thing into another;* hence j'emboîtais le pas (*MD*) I was treading in my companion's tracks

embouchure *f.* mouth (*of a river*)

embranchement *m.* branch line

embrasser kiss, embrace; take up (*an occupation*)

embrocher put (*a fowl*) on the spit

embrouiller tangle, entangle *or* "mix up" (*a person*); ni vu ni connu, je t'embrouille (*F*) *a popular locution, nearly equivalent to* "and no one's the wiser," *though its second part means* "*literally*" I'm muddling you

émeraude *f.* emerald

émerger emerge, come out

émérite: un ivrogne —, a prize drinker; *pl.* (*CP*) champion boozers

émerveiller astonish, amaze

émietter (*cf.* miette crumb); elle émietta encore la muraille (*AM*) she crumbled more mortar out of the wall

émigration *f.* emigration (*R*) (*flight of many French nobles during the Revolution*)

émigré *m.* emigrant, (political) refugee

émissaire *m.* emissary, agent

emmener take (lead) away, take (lead) along; (*of death*) carry (*or* take) off

émotion *f.* emotion, feeling, agitation, excitement, anxiety; ses —s her agitation

émouvoir move (*the feelings*), stir, excite, stir to pity; s'—, be *or*

become moved *or* excited; **ému, –e**
moved, *etc.*, *also* moving, touch-
ing, deeply felt
empanacher adorn (deck) with
plumes (*or the like*); **toute empanachée d'herbes et de mousses**
(*AM*) all plumed and feathered
with grasses and mosses
emparer: s'— de take possession
(hold) of, take in hand
empêcher (de) prevent, keep, hinder (from)
empereur *m.* emperor
empeser starch
empire *m.:* — **sur soi (soi-même)**
self-control
emplette *f.* purchase
emplir (de) fill (with); **s'—** (de)
fill up (with)
emploi *m.* employment, use; **faire
l'—** de put . . . to use
employé *m.* employee, clerk; **ses
—s** (*S–N*) his subordinates
employer use, make use of, apply
emportement *m.* excitement; **avec
—,** excitedly, passionately
emporter carry away (off, out),
sweep away (along), blow away;
— chez soi carry home; **l'—** (**sur**)
get the upper hand (of), prevail
(over)
empourpré, –e (*fig.*) crimson (*with
blushes*)
empreindre impress, stamp, impart, mark; **empreinte dans,** *etc.*
(*R*) stamped upon, characteristic of; **empreints de** (*R*) characterized by: (**baisers**) **empreints
d'une sorte de frénésie** (*R*) in
which there was a kind of frenzy
empreinte *f.* imprint, footprint
empressement *m.* eagerness; **avec
—,** eagerly
empresser: s'— (**de**) be eager (to),
lose no time (in)
emprunter (à) borrow (from)
ému, –e *see* **émouvoir**
en (1) *prep.* in, into, within, to, at,
while, with, by, like (a), as (a),
of (made of, in the shape of); **en
Avignon** (*so used archaically or
dialectally for* **à Avignon**) in (*or* to)
A.; **entrer en paradis** (*Ét*) *archaic
for* **dans le p.**; **en un jour** in

a day (in 24 hours); **dans un
jour** *expresses, not* how long, *but*
how soon; **en lui-même** (*Élix*)
to himself; **en choux, navets** in
the form of, *etc.*, like, as, *etc.;*
partager en frères go shares like
brothers; **en bon voisin** like a
good neighbor; **en faisant cela**
while (upon, by) doing that; **en
s'asseyant** as she sat down; **dire
en souriant** say with a smile;
monter en courant run up
en (2) *adv. and pron. corresponding
to, or implying,* de + *a noun or
pronoun* (*test words:* thereof,
therefrom, thence, thereby,
thereat, for that, therefore,
thereby, of it, of him, of her,
of them, *etc.*); **il y en avait qui**
there were some who; **tout le
monde en veut** everybody wants
one; **y en a-t-il encore pour longtemps?** (*Mbl*) is this going to
last much longer? **comme si je**
n'en étais pas as if I weren't one;
en voilà assez! enough of this!
je n'en crois rien (*see below*) I
don't believe anything of the
sort; **en être à . . .** (*or* **en être
arrivé à . . .**) be at (*or* have
reached) a certain point: **j'en suis
là** (*Élix*) this is what I've come to;
**lorsqu'on en fut à se partager les
casquettes** (*CP*) when we had
come to the moment for dis-
tributing caps; **lorsque j'en fus
à toucher,** *etc.* (*Mbl*) when I came
to touch upon, *etc.;* **il en est
ainsi** such is the case; **quoi qu'il
en soit** whatever the truth may
be; **comment en eût-il été autrement?** how could it have been
otherwise? **le malheureux en fut
pour sa démarche** (*BM*) all that
the poor man got out of it was
his inconvenience; **la malheureuse bête n'en dormit pas de la
nuit** (*MP*) it kept the poor beast
from sleeping a wink; **il en fut
malade toute la nuit** (*F*) he was
sick over it all that night; **la
roue en paraissait plus gaie** (*AM*)
the wheel looked all the gayer;
j'en avais fait le héros (*ĈP*) I

had made of him the hero; **ils
en feraient une bouillie** (*AWS*)
they would make pulp of him
encablure *f.* cable's length
encadrer (**dans, de**) frame (in)
encens [ãsã] *m.* incense
enchaîner chain, fetter, shackle
enchanté, -e (**de**) delighted (to),
very glad (to)
enchanter (**de**) enchant, entrance,
delight (with)
encoignure *f.* corner; *pl.* nooks and
corners
encombrement *m.* obstruction, jumble of things, litter, clutter
encombrer clutter, litter, crowd
encore again, yet, still, also, besides, more, further; — **une fois**
once more; — **une goutte!** (just)
one drop more! — **une demi-
heure** half an hour more (*or*
longer); — **des détonations** further detonations; **c'est** — **une
chose** (*Mbl*) that's one more
thing; **ça se monte** —; **mais,**
etc. (*MP*) it can be climbed up,
of course; but, *etc.*; — **le disait-il
en provençal** (*MP*) even so, he,
etc.; **et** —, and then; — **que** (*with
subjunc.*) although, even though
encre *f.* ink; **tache d'**—, inkspot
endiabler: faire —, drive . . . wild
endimanché, -e (all) dressed up
endimancher: s'—, put on one's
best clothes
endormi, -e sleeping, asleep, sleepy;
air —, sleepy (*or* drowsy) air
endormir send (put) . . . to sleep;
s'—, fall asleep, go to sleep; **il
s'endormit d'un sommeil fiévreux** (*AWS*) he fell into a feverish sleep
endroit *m.* place, spot, passage (*in
a book etc.*); **le notaire de l'**—,
(*F*) the local notary
endurcir harden
énergie *f.* energy, force
énergique energetic, forceful, vigorous, strong, emphatic
enfance *f.* childhood, boyhood
enfant *m. or f.* child, boy, lad, girl,
infant; **un** —, (*in contrast*) a
mere boy; **c'est là qu'il a vécu** —,
. . . as a boy; **bon** —, good fellow,

good-natured; **l'air bon** —, **a**
look of childlike innocence; —
trouvé foundling
Enfants-Trouvés *m. pl.* Foundlings'
Asylum
enfantin, -e boyish, childish, childlike
enfariner sprinkle . . . with flour
enfer *m.* hell, hell fire
enfermer shut up, lock up (*or* in),
hide; **s'**—, shut oneself up, retire
to one's private rooms, closet
oneself; **s'**— **à clef** lock oneself up
(*or* in)
enfiévré, -e (*fig.*) feverish
enfin at last, finally, after all, anyhow, however, in short
enflammer inflame; **le vitrage enflammé** the flame-lit panes; **tout
enflammé** (*fig.*) all aglow, flushed
with pride
enfler swell; **enflé, -e** swollen,
bulging
enfoncement *m.* recess
enfoncer sink, thrust, bury, smash
through; **s'**—, sink in, go far *or*
deep (*as into a forest*); (*of doors
etc.*) be (*or* get) smashed in
enfouir bury
enfuir: s'—, flee, run away, (off,
out), take to flight, escape
engagements *m.* liabilities, obliga-
tions
engager enlist, hire; pledge, pawn;
urge, persuade
engelure *f.* chilblain
engloutir swallow . . . up, engulf,
bolt down (*food*); **s'**—, go to the
bottom (*of the sea*)
engouffrer swallow up; **s'**—, be
swallowed up, pour; (*of wind*)
rush down
engourdi, -e benumbed, drowsy
engourdir benumb; **ses idées s'engourdissaient** (*AWS*) his ideas
were getting hazy
enhardir [ãardir] embolden; **s'**—,
become bold (*or* bolder); **s'**—
(**à**) be (*or* become) emboldened
(to), make bold (to)
énigme *f.* riddle, enigma
enivrer [ãnivre]: **s'**—, get drunk
enjamber stride (*or* climb) **over;**
straddle (put one leg over)

enjoué, -e playful, merry, lively

enlacer interweave, tangle

enlever take (carry) off, sweep away (off), lick off

enluminer color, tint; en plâtre doré et enluminé (*VC*) *Coppée means* tinted tawdrily, *though* enluminer *commonly means* illuminate *a MS.*, *or other object, with bright, flat pigments*

enluminure *f.* coloring *or* illumination (*of a MS.*)

ennemi, -e [ɛnmi] hostile, (*mil.*) enemy; *noun* enemy, foe

ennui [ɑ̃nɥi] *m.* boredom, tediousness, weariness, annoyance

ennuyer [ɑ̃nɥije] bore, tire, annoy; s'—, be (*or* become) bored (*or* weary); il se serait trop ennuyé he would have got too bored

ennuyeu-x, -se [ɑ̃nɥijø(:z)] wearisome, tiresome, tedious

énorme enormous, huge, unheard of, flagrant

énormément tremendously

enquérir: s'— (de) inquire (about)

enqui- *see* enquérir

enragé, -e mad, furious, wild; madman, crazy fellow; ces —s de tambourins (*MP*) those mad tambourine players

enrager enrage, drive . . . wild

enregistrement *m.* registration, recording; receveur de l'—, registrar

enrichir enrich: s'—, get rich

enroué, -e hoarse

enseigne *f.* sign, shop sign

enseigner teach

ensemble together, in company, at the same time

ensemencer (de) sow (with); ensemencé d'étoiles (*Peur*) strewn with stars

ensevelir bury (*usu. a body*)

ensoleillé, -e filled with sunlight, sunny, aglow

ensommeillé, -e drowsy, half asleep

ensorceler bewitch

ensuite afterward, subsequently, next

entamer graze, slash

entendre hear, listen to, *and* (*in certain forms*) understand; —

dire hear (hear . . . said); — parler hear (hear tell); — marcher (*AWS*) hear somebody walking; se faire —, make itself heard, be heard; j'entendis qu'on m'appelait I heard myself being called; c'est entendu (*or* bien entendu) of course, quite so; sans y entendre malice (*Élix*) with no mischievous intention, (*elsewhere*) without taking anything amiss; je ne l'entends pas ainsi (*Mbl*) that is not what I mean; s'—, understand each other, come to an agreement

enténébrer darken, wrap in darkness

entêté, -e stubborn; quelques —s some stubborn persons

entêter: s'—, persist in one's obstinacy, (*AM*) hold out stubbornly

enthousiasme *m.* enthusiasm

entiché, -e (de) tainted (with), full (of), "wedded (to)"

enti-er, -ère entire, whole; des semaines —ères weeks at a time; tout —, wholly

entièrement wholly, altogether

entonner (un air) strike up, begin singing

entourage *m.* company, persons standing about

entourer (de with, in) surround, wrap; (*fig.*) hang about

entrailles *f. pl.* entrails, bowels

entrain *m.* zest, "go," life, animation

entraîner draw *or* drag (away, out)

entre between, among; — les mains de in the hands of, at the mercy of; un d'— eux (*never* un d'eux) one of them

entre-bâillé, -e half-open, ajar

entre-choquer: s'—, strike against each other, clash, come into collision; des arbres entre-choqués (*Peur*) . . . rubbing violently together

entrecoupés: des mots —, inarticulate words, broken words

entrée *f.* entrance

entrefaites: sur ces —, in the midst of all this

entremets *m. sg. or pl.* (*S–N*) sweet-dish (*e.g., a jelly omelet, pastry, etc.*, *served between, say, a salad and cheese; in Theuriet's story the* **entremets** *is a* tôt-fait, *followed by roasted chestnuts*)
entrepont *m.* 'tween-decks (*space between two decks*), steerage
entreprendre undertake
entreprise *f.* undertaking
entrer (**dans, à, en**) enter; go (come, get, walk, flow) in *or* into; **faire** —, let (*or* show) in; **laisser** —, let in; — **en conversation** engage in, *etc.;* **il entra dans une telle colère** he got so angry
entretenir entertain
entretien *m.* maintenance, support
entrevoir catch a glimpse of
entrevue *f.* interview
entr'ouvert, –**e** half-open, half-parted, ajar
entr'ouvrir open . . . a little, half-open; **en entr'ouvrant prudemment les fenêtres** (*AM*) on peeping through the shutters
énumérer enumerate, reckon up
envahir invade, pour into, overrun, take possession of; **le froid m'envahissait** the cold was chilling me to the bone
enveloppe *f.* envelope
envelopper wrap . . . up, surround, cover
envenimer inflame; **les soupçons s'envenimèrent** (*R*) suspicions became virulent
enverr– *see* **envoyer**
envers toward, to
envi: à l'—, vying (with each other); **célébrer à l'**—, vie in celebrating
envie *f.* (a) desire, (a) mind (to); **j'avais** — **de répondre** (*Ét*) I should have liked to answer; **avoir** — **de dormir** feel sleepy; **avoir** — **de pleurer** feel like crying; **je n'ai plus** — **de** + *inf.* I no longer care to . . . ; **faire** — **à qqn** fill . . . with longing, make . . . yearn; **porter** — **à qqn** envy . . .
envier envy
environ about
environner surround

environs *m. pl.* neighborhood; **aux** —, (*F*) abroad
envoler: s'—, fly away, soar (away), float away; **of an odor** (*F*) be wafted (away)
envoyer send, send out (forth, up); dispatch; order *or* assign (à **un régiment**); — **chercher** send for
épais, –**se** thick, dense
épanouir: s'—, bloom, blossom, brighten up, (fairly) beam
épargner spare, save
épars, –**e** scattered, stray, miscellaneous, wandering; (*of hair*) disheveled, in disorder
épaule *f.* shoulder
épauler bring (one's gun) to one's shoulder, take aim
épaulette *f.* epaulet, gold epaulet, shoulder strap
épée *f.* sword
éperdu, –**e** distracted, (*Peur*) dismayed, frenzied, wild, frantic
éperdument wildly, frantically
éperon *m.* spur
épicier *m.* grocer
épier watch (furtively), observe secretly
épigramme *f.* epigram
épine *f.* thorn; — (dorsale) spine, backbone
épingle *f.* pin
épingler pin (on)
épithète (de) *f.* epithet
éplucher preen, clean
éponger mop (*one's brow*)
époque *f.* (*particular*) time, period; **faire** —, be epoch-making, be a real event
épouse *f.* wife, spouse
épouser marry, wed; adapt oneself to
épouvantable frightful, fearful; (*Peur*) ghastly, awful
épouvante *f.* fright, terror, horror (horrible thing); **plein d'**—, (*Élix*) horrified; **être dans l'**—, be terror-stricken
épouvanter terrify, appal
épreuve *f.* proof, test
éprouver experience, feel
éprouvette *f.* gauge, test tube
épuiser exhaust, wear out, use up, waste

équarrir (*carpentry*) square; **son pilon mal équarri** (*VC*) . . . roughly made (*a* **pilon** *is usually cylindrical*)

équerre *f.* square; **en —,** forming a right angle

équilibre *m.* equilibrium, balance; **en —,** balanced; **mettre en —,** (*in juggling*) balance

équipage *m.* crew; **dix hommes d'—,** a crew of ten men

équipée *f.* (*Mbl*) prank

équiper equip, fit out, supply

équivoque equivocal

éraflure *f.* scratch

Érasme (*Élix*) Erasmus, *a Dutch humanist and philosopher, b. in Rotterdam* (1467); *famous for both his scholarship and his wit, displayed in his many writings, e.g., his Anecdotes; he died at Bâle in* 1536

ermite *m.* hermit, recluse

errant, –e roving, stray

errer wander, rove, stray

erreur *f.* error, mistake, misconception

érudit *m.* scholar

escabeau *m.* stool

escadre *f.* squadron

escadron *m.* squadron; **chef d'—,** (*CP*) major (*in the cavalry*)

escalier *m.* stairs, staircase; **monter l'—,** go upstairs

esclavage *m.* slavery

esclave *m. or f.* slave

escogriffe *m.* great lanky fellow of forbidding appearance

escompte *m.* discount; **comptoir d'—,** (*BM*) discounting bank

espace *m.* space

Espagne *f.* Spain; *see* **blanc**

espagnol, –e Spanish

espèce *f.* kind, sort

espérance *f.* hope, expectation

espérer hope (to, for), expect

espiègle frolicsome, waggish, mischievous

espionner spy (upon)

espoir *m.* hope, expectation

esprit *m.* mind, spirit, sense, nature, cleverness, wit; sprite (*a being*), **le Saint Esprit** the Holy Ghost; **la situation des —s** the state of men's minds

essai *m.* trial, test; **en faire l'—,** try it, test it

essayer try, try on, test, attempt; **— de** try to

essieu *m.* axle

essouffler put out of breath; **s'—,** get out of breath (winded); **essoufflé, –e** breathless, out of breath

essuyer dry, wipe (away), "mop"

est [εst] *m.* east

estaminet *m.* bar room, beer shop (*commonly a small and rather low-class resort*)

Estérelle: cette fée —, (*Ét*) that fairy Estérelle (« *Ces montagnes* [*d'Estérelle*] *étaient autrefois, suivant la tradition du pays, le séjour d'une fée appelée Estérelle, qui leur a donné son nom. Selon les actes de saint Hermentaire, on lui offrait des sacrifices.*» Mistral, *Dict. Prov.*)

estime *f.* esteem

estimer esteem, respect

estocade *f.* thrust, lunge

estomac [-ma] *m.* stomach

estropier cripple, maim

et [*only* e] and; **et... et** both... and; so; but; **un triste et doux espoir** (*R*) a sad yet sweet hope

étable *f.* cattle shed, cow house, cow shed, pig sty, sty

établir stow, pack, establish; **— le pour et le contre** settle the pros and cons; **— ses comptes** reckon up one's accounts; **s'—,** settle (down)

établissement *m.* settling, moving in

étage *m.* story, floor; landing (*of a staircase*); **le premier —,** (*acc. to French usage*) the second story (the ground floor *is* **le rez-de-chaussée**)

étain *m.* pewter

étaler spread out, display; **s'—,** spread out, stretch away

étang *m.* pond

étape *f.* (**lieu d'—**) halting place

état *m.* state, condition occupation, trade; **de mon —,** by trade (*or* occupation); **en — de** in a position to, fit to (**en — de servir** usable, seaworthy)

état-major *m.* (*mil.*) staff
été (1) *m.* summer
été (2) *p.p. of* être
éteindre put out, extinguish; **de son œil presque éteint** with his almost sightless eyes; **s'—**, go out, die out
étendre spread (out), stretch (out); (jambes) étendues (*MD*) (legs) making great strides; **s'—**, reach, stretch (out)
étendue *f.* extent, expanse
éternel, -le everlasting, perpetual; **cet — enfant gâté** (*CP*) that eternally spoiled child
éternité *f.* eternity
étinceler sparkle, twinkle; **les yeux étincelants** (*CP*) his eyes blazing
étincelle *f.* spark
étique underfed, emaciated
étiqueteur *m.* labeler; **frères —s** brothers to do the labeling
étiquette *f.* tag, label
étoffe *f.* fabric, material; **la laideur des —s** (*Par*) *probably refers to* the goods in the window curtains, *but may include all* the upholstery
étoile *f.* star; *Étoile du berger* (*Ét*) *a name given popularly to the planet Venus, visible as a* morning star, *if west of the sun; as an* evening star, *if east;* **— filante** shooting star; **à la belle —,** under the open sky
étoilé, -e starlit, starry
étonnant, -e wonderful
étonnement *m.* astonishment
étonner astonish, amaze; **s'— (de)** be astonished (at), wonder (at)
étouffer suffocate, smother; **j'é-touffe** (*R*) I'm stifling (*i.e.*, I find this situation unendurable); **elle étouffait** she was choking with emotion
étourdir stun, daze, deafen
étourneau *m.* starling; (*fig.*) thoughtless fellow, scatterbrain
étrange queer, odd, (*AM*) uncouth
étrangement oddly, queerly
étrang-er, -ère strange, foreign, unfamiliar; *noun*, foreigner, stranger
étrangler strangle, choke

être (1) be; (*as aux.*) have; **le maître de la maison n'était plus au jeu** (*CP*) the thoughts of the master of the house were no longer on the game; **qu'est-ce donc?** (*Mbl*) what *can* be the matter? **non, n'est-ce pas?** no, I don't, do I? **qu'est-ce que vous feriez?** what would you do? **tu n'es pas de la bande?** you don't belong to the gang? **d'où sont-ils?** whence do they come? **c'est de son âge** (*Mbl*) that's natural at his age; **il en est quelques-uns,** *etc.* [*literary style equiv. to* **il y en a,** *etc.*] there are some; **il en est ainsi** such is the case; **comment en eût-il été autrement?** how could it have been otherwise? **soit!** [swat] very good! *or* all right! **soit** [swa] **que ... soit que** (*or* ... **ou**) whether ... or; **tant soit peu** (just) a bit; **c'est que ...** the reason is ...; **ce fut une agitation** (*AM*) there arose, *etc.;* **y être pour beaucoup** (*S–N*) have a good deal to do with it; **être à qqn** belong to ...; **c'était à moi de tirer le premier** (*CP*) I was to be the first to shoot; **comme j'étais ainsi à ressasser ...** (*MD*) as I was thus sifting again and again ...; **lorsque j'en fus à toucher,** *etc.* (*Mbl*) when I came to touch upon, *etc.;* **j'en suis là** (*Élix*) I have reached this point; **le malheureux en fut pour sa dé-marche** (*BM*) all the poor man got out of it was his inconvenience; **il est venu** he has come *or* he came; **m'étant couché** having gone to bed
être (2) *m.* being, existence, life; (living) creature: **l'— moral** (*MD*) the moral (*or* ethical) life; **la vie des —s** (*Ét*) the life of animate beings
étreindre clasp, squeeze
étreinte *f.* embrace, grasp, clasp
étriqué, -e scanty
étroit, -e narrow, cramped, pinched; narrow-minded, petty, mean
étude *f.* study

étudier study, examine, scrutinize, scan (*with a field-glass*)

étui *m.* case, box

eu, –e *pp. of* avoir

européen [œrɔpeɛ̃], **–ne** European

eux *m. pl.* them, they, themselves

évaluer (à) estimate (at)

évangile *m.* Gospel (gospel)

évanouir: s'—, faint, faint away, swoon, vanish

évanouissement *m.* fainting fit

évasi–f, –ve evasive

évasion *f.* escape, flight

éveillé, –e wide-awake, watchful, lively

éveiller awaken, wake up, rouse, arouse; s'—, wake (up), waken

événement [evɛnmɑ̃] *m.* event, incident, occurrence

éventail *m.* fan

éventrer rip up, rip open, gut

éventualité *f.* contingency, outcome, issue

évêque *m.* bishop

évidemment [evidamɑ̃] evidently, obviously, (*BM*) of course (not)

évident, –e evident, obvious

éviter avoid, dodge

évoquer conjure up, evoke

exact, –e exact, precise, accurate, thorough

exactement exactly, correctly

exactitude *f.* accuracy

exalter exalt

examen [ɛgzamɛ̃] *m.* examination, scrutiny

examiner examine, scrutinize, inspect, look sharply at

exaspérer exasperate; drive frantic; s'—, become exasperated

excentrique eccentric

excepté except, (all) but

exception *f.* exception; à l'— de with exception of

exceptionnel, –le unusual

excès *m.* excess; avec —, to excess

excessi–f, –ve excessive

exciter excite, rouse, arouse

exclamer: s'—, exclaim

excuse (de) *f.* excuse (for), apology (for); faites —! excuse me! faire des —s apologize

excuser excuse; s'—, excuse oneself, apologize

exécuter carry out, perform, fulfil

exécution *f.* execution; peloton d'—, firing squad

exemplaire exemplary, model

exemple *m.* example, sample, specimen; par —, for example, for instance, (*MP*) let me tell you

exempt, –e (de) free (from), devoid (of)

exercer exercise, train, practice; — des ravages create havoc, do damage; à l'œil exercé with experienced eye; s'— à train oneself in, practice

exercice *m.* exercise, drill; faire l'—, (*mil.*) drill

exhalaison *f.* exhalation

exhaler breathe out; utter (*a sigh*); s'—, be breathed out

exhiber show, display, exhibit

exhorter urge, beseech

exigence *f.* requirement

exiger demand, require, exact

exiler exile, banish; s'—, seclude (*or* "bury") oneself

existence *f.* existence, way of living

exister exist; [telle chose] n'existe pas there is no [such thing]

ex-mari *m.* former husband

exorciser exorcise; un exorcisé a person being exorcised, a "maniac"

expansi–f, –ve expansive, free, open-hearted

expédient *m.* expedient, way out (*of a difficulty*), shift

expérience *f.* experience, experiment; par —, by (*or* from) experience

expirer expire, pass away

explication *f.* explanation; avoir une —, (*CP*) get the matter straightened out

expliquer explain, account for, set forth

exploit *m.* feat, deed

exposer lay open, set forth, state; expose; risk

expression *f.* expression; avec —, (*MD*) meaningly

exprimer express, squeeze out

expulser drive out

exquis, –e exquisite, dainty

extase *f.* ecstasy, raptures

exténuer wear . . . out; **exténué, –e** worn out, utterly fagged

extérieur *m.* exterior, outside, outward appearance

exterminer exterminate, wipe out, kill to a man

extraire (de) extract *or* take (from)

extraordinaire extraordinary, unusual; **et, chose** —, and, wonderful to relate, . . .

extravagance *f.* excess

extravagant, –e fantastic

extrême extreme, very great, (*fig.*) boundless

extrêmement extremely

extrémité *f.* extremity, very end, tip

F

fable *f.* fable, story, tale

fabrique *f.* manufacture, make

fabriquer manufacture, make

fabuleu–x, –se fabulous

façade *f.* front, front wall (*of a bldg.*)

face *f.* (front) face, aspect, look (of things); **ces bois-là, en** —, . . . over there (facing us); **l'épicier d'en** —, the grocer across the way; **en** — de facing, opposite, by, in the presence of; **en** — de risques vagues when one faces, *etc.*

fâché, –e angry, sorry, displeased

fâcher vex, make . . . angry; **il n'était pas fâché d'être un peu oracle** (*VC*) he didn't mind being regarded as a bit oracular; **se** — (**de**) get (*or* be) angry (about), be annoyed (at)

fâcheu–x, –se vexatious, annoying, troublesome

facile easy

facilement easily, readily

facilité *f.* ease

façon *f.* fashion, manner, way, turn; **à la** — de in the style of, like; **réfléchir à la** — dont . . . reflect how . . . ; **de** — à so as to; **de cette** —, in that (*or* this) way; **sans** —, without ado

facultati–f, –ve permissible

faculté *f.* faculty (*see* libre)

fadaise (*or pl.*) *f.* twaddle, bosh, rubbish

fagot *m.* faggot (*a bundle of firewood*)

faible weak, feeble, slight, faint; meager, scanty; **un** — détachement a little detachment; *m.* weak man

faiblement weakly, faintly

faiblesse *f.* weakness, frailty, faltering, faint-heartedness; some sign of weakness; fainting fit; **il se sentait dans les jambes de telles** —s (*AWS*) he felt so wabbly

faiblir get weak

faïence [fajɑ̃ːs] *f.* earthenware, delftware

faillir + *inf.* be on the verge of . . . , come near . . . , *etc.*: (les gardes) **faillirent le prendre** almost caught him; **qui faillit me jeter à bas de la gouttière** that well-nigh knocked me off the gutter

faim *f.* hunger; **avoir** —, be hungry

fainéantise *f.* slothfulness, laziness, idleness

faire make, make up, constitute, compose; do, perform; get, obtain; *causally,* have, let, make, cause to, enable to, get . . . to, *etc.; in third person only,* say; (1) **comment c'est fait** (*BM*) how it looks; **c'en était donc fait** (*AM*) so all was over; (la longueur de ma queue) **n'en fait pas les deux tiers** (*Mbl*) isn't two thirds of it [my tail]; (2) **si fait** (*S–N*) yes indeed, yes they do, *etc.;* (3) **elle se laissait** —, (*S–N*) she made no resistance; **nous ne ferions pas mal de** + *inf.* we might well . . . ; **comment faisait-il?** (*CP*) how did he do it? **ce qu'elle faisait de cette drogue** (*Mbl*) what she used that stuff for; — **comme si**, *etc.* (*Mbl*) act as you would if, *etc.;* (4) — **sa provision d'air** take in a stock of air; (5) — **peu de cas de** hold . . . cheap, care little about; — **le commerce de** deal in, trade in; — **sa cour à** pay court to, court; — **grande dépense** incur heavy expenses; — **une exclamation** utter, *etc.;* — **plus chemin** . . . travel further . . . , go a longer distance; — un pas go (take, walk) a step; une promenade take a walk; — du feu build (make, kindle) a fire; — feu sur (*mil.*) fire at; — le coup de feu (*of an officer; AM*) join in the firing; — sa partie de dominos play his game, *etc.;* — pitié à un tigre soften the heart of a tiger; fais-moi le plaisir de ... be so good as to ..., please ...; — une question ask (*or* put) a question; — un bon mari be (*or* make) a good husband; — le personnage de play the part [rôle] of; (6) — le même effet produce the same effect; — le malheur de bring misfortune to; (7) à la bonne heure! fit la vieille dame "that's something like," said the old lady; tiens, fit-il (*R*) "there," said he; quand ses voisins... lui faisaient d'un air malin, *etc.* (*Élix*) ... would say to him, *etc.;* (8) il fait beau the weather is fine; il fait chaud it (*the air*) is warm (hot); il commençait à — sombre it was beginning to grow dark; il faisait un jour de pluie it was a rainy day; il faisait un temps de neige extraordinaire it (the weather) was extraordinarily snowy; il faisait un beau temps effroyable (*Mbl*) it was awfully fine weather; dans une heure, il fera jour (*AM*)... it will be light; (9) ce que ces choses-là pouvaient me —, (*Ét*) how such things could matter to me; — envie à (*Élix*) fill with envy; (10) s'ils n'avaient fait que lui voler son vin if they had only (merely) stolen her wine; (11) se — aimer de qqn get oneself loved by ..., win the love of ... ; il fit apporter des cartes he had cards brought in; après qu'il l'eut fait asseoir after he had caused her (asked her) to be seated; comme on fait conter sa bataille au soldat qui, *etc.* (*F*) as one gets a soldier who ... to tell about his battle; — danser invite (*or* cause) to

dance; qui fait danser des moinettes (*Élix*) who goes dancing off with little nuns; elle se fit demander un loto (*R*) she got them to ask her for a lotto set (se *is the indirect object of* demander); [il] se fit descendre [he] had himself landed; sans se — écraser (*AM*) without getting crushed; je fais entendre ma voix I make my voice heard; faites-la entrer show her in; faites — l'élixir have the elixir made; — observer (des lois) enforce; il la fit partager à toute la compagnie he caused it to be shared by, *etc.;* faisant passer balle sur balle dans, *etc.* (*CP*) firing bullet after bullet into, *etc.;* — venir summon; je lui fis voir mon livret I showed him (I had him look at) my *livret;* ses leçons nous faisaient vivre his lessons enabled us to live; — que : le hasard fit que je passai un mois, *etc.* (*CP*) chance caused me to spend a month, *etc.;* (12) puis, il se fit un grand silence then there was a deep silence; le silence se fit (*AM*) silence was restored; un lourd silence se faisait (*AM*) an oppressive silence was coming on; il se fit un tumulte épouvantable there arose a frightful uproar; se — vieux grow old; se — conscience de shrink from; me — à mes nouvelles connaissances get used to my new acquaintances

fait *m.* fact, act, feat, deed, matter, truth; — d'armes feat of arms; dire son — à qqn tell a man just what one thinks about him; mettre qqn au — de qqch acquaint one with ... ; en —, in fact; tout à —, quite, completely, exactly

fait, -e *p.p. of* faire

falloir (*impers.*) be necessary, be needed, *etc.;* il faut être honnête one must be honest, *and* (*colloquially*) *without* il: faut être honnête (*BM*); il ne fallait plus songer à retourner à la ferme

(*Ét*) it was now quite out of the question to think of, *etc.; il n'y fallait pas* (*lit. style;* = *il ne fallait pas y*) *songer* that was not to be thought of; *il fallait voir quel accueil, etc.* (*Élix*) you should have seen what a welcome, *etc.; il fallait voir* (*AM*) that would have to be looked into; *il nous faut un exemple* we need (*or* we must have), *etc.; il me faudrait une servante!* I ought to have a servant! *comme il faut peu de chose*...! how little it takes...! *combien n'avait-il pas fallu d'autres réformes, etc.* (*VC*) how many other reforms it had cost, *etc.; il a fallu que le père Bontemps me contât les choses* (*AM*) if old B. hadn't told me all this, I shouldn't have known anything about it

falot *m.* (large) lantern

fameu–x, –se renowned, famous; *la* —se [chanson] (*Élix*) the famous one

familiariser familiarize, acquaint, accustom

familiarité *f.* familiarity

famili–er, –ère familiar; *un* — (*de la cour*) one frequently in attendance (at court), a frequenter

familièrement familiarly

famille *f.* family

fanfaronnade *f.* brag(ging), boasting

fange *f.* (thick) mud, muck

fantaisie *f.* fancy, notion, whim

fantassin *m.* infantryman; *pl.* infantry

fantastique fantastic; *des terreurs* —s (*Peur*) weird and terrible things

farandole *f.* farandole (*a Provençal dance performed by a long row of dancers holding hands*)

farce *f.* farce, prank, joke

farceur *m.* joker, humbug

fardeau *m.* burden, load

farine [de blé] *f.* flour

farouche wild, grim, forbidding

fass– *see* **faire**

faste *m.* display, ostentation

fatal, –e fatal, fateful

fatalité *f.* fatality

fatigue *f.* fatigue, weariness, hard work; *pl.* hardships

fatiguer tire, weary; **fatigué, –e** tired, weary

fatuité *f.* conceit, idiocy

fau– *see* **falloir**

faubourg *m.* suburb, outskirts

fauchage *m.* reaping, mowing

faucher mow

fausseté *f.* falseness, untruthfulness; *la* — *de sa position* (*R*) her false position

faute *f.* fault, mistake, sin (*of Adam*), fall (of man); *comme si la* — *en était à elle* as if she were to blame; — *de for lack of;* — *de pouvoir* ... (*BM*) not being able to ...; *ne pas se faire* — *de* + *inf.* not fail to + *inf.*

fauteuil *m.* arm chair, easy chair

fauve wild; *les* —s the wild beasts (*esp. lion, tiger, etc.*)

fauvette *f.* warbler

faux (1), fausse false, untrue, wrong, mistaken; (*of a necklace*) paste

faux (2) *f.* scythe

faveur *f.* favor

favorable favorable, auspicious

favoris *m. pl.* whiskers, side whiskers

favoriser favor

fécond, –e prolific

fécondité *f.* copiousness, fecundity

fée *f.* fairy

féerie [feri] *f.* fairyland, fairy scene

feindre feign, pretend, sham

félicitation *f.* congratulation; ... *de* —, congratulatory

femelle *f.* female

féminin, –e feminine, female

femme *f.* woman, wife; *leurs* —s (*F*) their womenfolk; *bien qu'il n'eût pas de* — [wife], *il ne convoitait pas celle du voisin* [his neighbor's (wife)], *parce que la* — [woman *in general*] *est l'ennemie des hommes forts* (*J*); — *de charge* housekeeper; *jocularly,* — *de plume* (*Mbl*) authoress, *pun on* **plume**, pen *or* feather(s)

fendiller [fɑ̃dije] crack; (se) —, split

fendre cleave, split, crack; **se —**, split
fenêtre *f.* window
fente *f.* cleft, crack, chink, slit
fer *m.* iron; **le —** de ses sabots her iron-shod hoofs; **chemin de —,** railway; **une échelle de —,** an iron ladder; **une volonté de —,** an iron will; **(des) —s** irons, shackles; **en —,** made of iron
fer- *see* **faire**
ferme (1) firm, steady, strong, resolute
ferme (2) *f.* farm
fermement firmly
fermer shut, close (up), fasten, lock (up); **— le verrou** bolt the door; **— à clef** lock, lock up; **se —,** close, be closed; **une figure moins fermée** a more open countenance
fermeté *f.* firmness, steadiness, strength
fermeture *f.* fastening, clasp
fermier *m.* farmer
ferrure *f.* iron work; **des —s** (*AM*) bits of iron
fervent, -e fervent, devout
ferveur *f.* fervor; **avec —,** fervently
fête *f.* festivity, jollification, party, ball; feast; holiday; **[le moulin] était en grande —,** (*AM*) ... was the scene of merrymaking; **—,** (*of some saint*) patron saint's day; **— patronale** parish feast
Fête-Dieu: **la —,** Corpus Christi
fêter celebrate, do honor to, entertain, make much of, receive with open arms; **à Paris, on ne fête pas ce saint-là!** in P., they don't keep that saint's day!
fétiche *m.* fetish
feu (1) *m.* fire, flame, light, gleam, shot; **en —,** on fire, afire; **faire du —,** make (*or* light) a fire; **mettre le — à** set fire to; **prendre —,** blaze (up); **le — est dans la maison** the house is on fire; **faire — (sur)** fire (at); **un coup de —,** a shot (*a gunshot*); **faire le coup de —,** (*of an officer*) join in the firing
feu (2) *adj.* (the) deceased; **le — comte** the late count; **— Bésigue** the late B.

feuillage (*also pl.*) *m.* foliage, leaves
feuille *f.* leaf, sheet; **— de punitions** guardhouse record (of disciplinary punishments)
février *m.* February
fi! fie! fi donc! for shame!
fi- *see* **faire**
fiacre *m.* cab (*a* "four-wheeler," *drawn by one horse and hired for given distances or by the hour; largely replaced by* taxis *after ab.* 1900; *now rare*)
fiancer betroth; **on devait la —...** **avec Dominique** she was to be betrothed to Dominic (*formally and publicly*)
ficeler tie (up), lash
ficelle *f.* string, twine; **La Ficelle** (*title of Maupassant's story*) A Bit of String
fichtre! hang it! by George!
fidèle faithful
fidélité *f.* fidelity, faithfulness, accuracy, honesty
fier (1) entrust; **se — à** trust, depend on
fier [fjɛːr] (2), **fière** proud, haughty; rare; **tu as un — courage** you're mighty brave
fièrement proudly
fierté [fjɛrte] *f.* pride, dignity; **avec —,** proudly
fièvre *f.* fever
fiévreu-x, -se feverish; **un —,** a person ill of a fever, a fever-patient
fifre *m.* fife, fifer
fignolette *f.* (*dialectal*) *fignolette, a local cordial*
figure *f.* figure, face, countenance; **faire —,** cut a figure, be prominent; **elle prit une petite —,** (*AM*) she began to have a nice little face
figurer figure, represent, picture; **se —,** fancy, imagine; **figurez-vous que...** let me tell you, *or* just think!
fil *m.* thread, string; **dessin de — blanc** white stitchwork (*or* threadwork) pattern; (*fig.*) **quelques —s gris** (*S–N*) some grey hairs; **— de la Vierge** air threads, gossamer threads
filante (*of a star*) shooting

file *f.* file, row; à la —, in file, in a line

filer spin, (*of a star*) shoot

filet *m.* thread, net, network; slender stream (*of blood*)

fille *f.* girl, daughter, child; (*requiring* jeune) **une jeune** —, a girl, a young lady; (*without* jeune, *but not in a bad sense*) se faire aimer des —s (*AM*) get oneself loved by the girls; **la** — d'auberge (*MD*) the hired girl (of the inn)

fillette *f.* little girl, lassie

filouterie *f.* cheating; des —s (*Mbl*) cases of swindling

fils [fis] *m.* son

filtrer filter, (*of light*) glimmer (through)

fin (1) *f.* end, close; **inventaire de** — d'année (*Élix*) annual inventory; à la —, at last; **sans** —, endless, endlessly, again and again; **mettre** — à put an end to

fin (2), -e fine, exquisite, delicate, dainty, refined; (*of a metal*) pure; **ma perle** —e my precious pearl; — **voilier** (a) trim sailing ship; **meubles** —s delicately wrought furniture; (*of mentality*) keen, sharp, knowing, clever, shrewd; — **comme une dague de plomb** (*Élix*) about as sharp as . . . ; **d'un air** —, (*R*) shrewdly

finauderie *f.* cunning, craftiness; — **de Normand** Norman cunning [*a proverbial trait*]

finesse *f.* fineness, shrewdness, craftiness; — **native** inborn shrewdness; les étroites —s (*R*) the expressions of narrow craftiness; — **dangereuse !** (*R*) a perilous game ! **lutter de** — **avec** match one's wits with

fini *m.:* (le) — (de) finish, excellence of workmanship

finir finish, end, put an end to; **en** —, have done with it; **finissons-en** (*AM*) let's have done with all this; — **par** + *inf.* finally . . . : — **par s'éteindre** finally die out; **elle devait** — **par être ronde,** *etc.* (*AM*) she was destined to be

ultimately as plump, *etc.;* **finit-il par dire** (*AM*) said he, finally; **fini,** -e finished, all over, settled, done for, ruined, *etc.*

fiole *f.* phial, vial

fit-il said he (*see* **faire**)

fixe steady, (*of the eyes*) staring; **regarder d'un œil** —, look steadily (at)

fixement steadily; **regarder** —, stare at

fixer fix (= *fix something so that it will not move*); fasten; — les yeux sur look steadily at; [il] **fixa les têtes qui l'entouraient** [he] gazed at, *etc.;* — **une heure** set an hour

flacon *m.* (*small*) bottle (*with a glass stopper*), flask

flagellants *m. pl.* (the) Flagellants, a *R. C. order* (13*th*–15*th Cs.*) *who scourged themselves as a sign of contrition and who, by regarding this act as an equivalent even of baptism, incurred charges of heresy.* "*Certain brotherhoods of Flagellants* — *by the way, submissive to the authority of the Church* — *continued to exist until rather late, e.g., the Flagellants of Avignon,* called les blancs-battus *because of the color of their long gowns and of their cowls*" (*Nouv. Larousse illustré*); *also because they scourged themselves*

flageller scourge (*see* **flagellants**)

flambeau *m.* (torch), candlestick, sconce

flambée *f.* blaze

flamber blaze (up), flame (up)

flamboyant, -e flamboyant (*architecture; see* **gothique**)

flamboyer gleam, flame, (*of a red cordial or wine*) flash

flamme *f.* flame; **pleine de** — **claire** (*F*) full of bright flames

flanc *m.* side, flank

flanquer flank; **flanqué de tourelles** with turrets on each side; (*fam. for* **donner, jeter,** *etc.*) **on le flanque aux Invalides** (*VC*) he's slammed into the Pensioners' Hospital; **on allait leur** — **une raclée soignée** (*AM*) they [the

Prussians] would get a jolly good licking

flatter flatter; **se —** (de) fondly hope (to), trust (to)

flatteu-r, -se flattering

Flaubert (1821–80,) Gustave, *writer of naturalistic school*

fléau *m.* (*fig.*) scourge, plague, curse

flèche *f.* arrow

fléchir flinch, bend, give way

flegmatiquement phlegmatically, coldly

flegme *m.* coolness, impassiveness; **garder son —,** remain cool

fleur *f.* flower, blossom; **— d'o- ranger** (*S–N*) orange blossoms; **en —,** in bloom, in blossom; **ru- ban à —s** (*Ét*) flowered ribbon; **assiette à —s** (*VC*) plate with a floral design; **à la — de l'âge** in the prime of life, (*R*) in the bloom of her girlhood

fleurer be fragrant with

fleuri, -e flowery, flowered; **les sacristains —s en robes de juges** (*MP*) sextons gorgeously ar- rayed in judges' robes (*which in France are red*); **colonnettes —es** . . . richly ornamented (with flowery carvings)

fleuve *m.* (*tidal*) river

flocon *m.* flake; puff (*of smoke*)

florin *m.* (*MD*) florin (*a coin worth somewhat less than a dollar in Germany about* 1860)

flot *m.* billow, wave, flood, stream; **à —,** afloat; **mettre à —,** launch; **des —s déchaînés** wild billows; **— d'argent** silvery wave; **un — d'hommes** a surging throng

flotter float, drift (about), wave, waver, blow in the wind, hang loosely

fluxion *f.* inflammation (*of lungs*)

foi *f.* faith, belief; **digne de —,** worthy of trust, trustworthy; **ma — (!)** upon my word (!) to be sure (!) of course (!)

foin *m.* hay

foire *f.* fair, market place (*usually a square — particularly in small towns — utilized on certain days by farmers for the sale of their cattle and other animals; formerly,*

by merchants of all sorts; **—s générales,** *now replaced by small circuses or by individual acrobats and the like*); **jours de —,** mar- ket days; **un paillasse de la —,** a clown of the market place

fois *f.* time (*a given* occasion); **une —,** once; **deux —,** twice; **qu'une — assis** (*VC*) until he had got comfortably seated; **toutes les — que** every time that, whenever; **à la —,** at once (at the same time)

fol (1) *see* **fou**

fol (2) *m.* (*archaic form of* **fou**) "fool" or jester (*medieval jesters com- monly feigned madness*)

folâtre playful, frolicsome, sportive

folgar *m.* *probably the Portuguese word meaning "enjoy oneself." Many Portuguese words came into use along the African coast, where the first explorers and traders were Portuguese*

folie *f.* madness, lunacy, (*occasion- ally*) folly

folle *f.* crazy woman (*see* **fou**)

follette (*f. of* **follet**): **une barbe —,** a downy (*or* silky) beard

fonctions *f. pl.* duties

fonctionnaire *m.* official, (govern- ment) employee

fond *m.* bottom, lowland; depths; back, background, far end; **la porte du —,** the back door *or* rear door; **au — du Marais** (*Mbl*) in the heart of the M.; **à —,** thoroughly, utterly; **au —,** at (the) bottom, in reality; **de — en comble** from top to bottom

fonder found, establish, ground, base

fondre melt; **— en larmes** burst into tears; **— sur** swoop down on

fonds *m.*: **— de commerce** stock in trade; **un petit — de mercerie** a little mercery (dry goods) shop

font *see* **faire**

fontaine *f.* fountain, spring, tap, spout

Fontaine *see* **La Fontaine**

fonte *f.* cast iron

force (*or* **forces**) *f.* strength, force, ability, skill; **à bout de —,** exhausted; à — de through, by, by dint of; à — de boire through drinking; (silencieux) à — de solitude through living alone; hébétés à — de prêter attention (*R*) dulled by the strain of watching; à toute —, at all hazards, at all costs; avec —, violently; — lui fut de ... he had to ..., he could but ...

forcer (à, de) compel, oblige, force (to)

foresti–er, –èrc forest *adj.*

forêt *f.* forest; **la Forêt Noire** (der Schwarzwald) the Black Forest, *extending ab.* 150 *k. from N. to S. and from* 20 *to* 40 *E. to W.; mostly in the Grand Duchy of Baden, partly in Württemberg* (*pines and firs*)

forme *f.* form, shape

formel, –le (*BM*) explicit, unqualified

former form, devise (*a plan*), shape, frame, make

formidable formidable, terrific

formule *f.* (conventional *or* well-known) form, formula

fort (1), –e strong, big, heavy, loud, labored; (*of heat*) oppressive, intense; **une —e somme a considerable sum; — du service** ... (*R*) relying upon the value of the service ...; —, *adv.* very (much), greatly, hard, loud; — **en l'air** [fɔrtɑ̃lɛːr] high in the air; — **sujette** (à) often subject (to)

fort (2) *m.* fort

fortement strongly, markedly, very much, firmly

forteresse *f.* fortress

fortifier strengthen

fortune *f.* fortune (income *or* wealth), (good) luck; **sans —,** of small means; **la — du pays** (*R*) the fortunes (*or* fate) of the country round about; **une bonne —,** a happy chance, a piece of good luck

fossé *m.* ditch

fossette *f.* dimple; **à —s** dimpled

fou (1), **fol** (*before a m. noun beginning with a vowel, or archaically for* fou), **folle** crazy, mad

(insane), wild; **à l'œil fou** with a wild eye; **verdure folle** wild greenery (*unrestrained natural growth*)

fou (2), **folle** madman, lunatic; crazy woman (girl)

foudre *f.* thunder (bolt), thunder and lightning; **comme la —,** like lightning

foudroyant, –e blasting *or* withering (*words*), thunderous (*voice*); *see* **foudroyer**

foudroyer strike (*as a thunder bolt strikes*), strike down, overwhelm; crush; **foudroyé par une insolation** smitten down (overwhelmed) by, *etc.*

fouet [fwɛ] *m.* whip; **le —,** a whipping; **— de poste** horsewhip

fouetter whip, lash, beat

fouiller search (*a person*); **— dans sa poche** rummage (*or* fumble) in one's pocket

fouillis *m.* jumble, confusion

fouine *f.* marten

foule *f.* crowd, throng

fouler tread (upon), trample

four *m.* oven

fourbe (1) *f.* (low) trick, wile

fourbe (2) *m.* impostor, knave

fourche *f.* fork, cleft stick; **coups de —,** (*Élix*) jabs of pitchforks

fourchette *f.* (*table*) fork

fourmi *f.* ant

fourmiller swarm, tingle

fourneau *m.* stove, range

fournir furnish (supply), provide; **— qqch à qqn** supply (furnish, provide) ... with ...; **— (des services)** render

fourré (1) *m.* thicket

fourré (2), –e thick (densely grown); (*of gloves*) (warmly) lined

fourrer poke, stick, thrust; line; **se — (dans)** thrust oneself (into), hide away

fourrure *f.* fur; (*fig. of a bird*) **ma — naissante** (*Mbl*) my half-fledged feathers

foyer *m.* hearth, fireside; home

fracas *m.* crash

fracasser break (*to bits*), smash, shatter

fragment *m.* chunk, bit

fraîche *see* frais (1)

fraîcheur *f.* coolness, freshness; coolness of early morning

frais (1), fraîche cool, fresh, fresh-looking, healthy; (des liqueurs) fraîches (*CP*) *apparently means* freshly made *rather than* cool

frais (2): de —, freshly

frais (3) *m. pl.* expenditure, cost

franc (1) *m.* franc (*a French silver coin worth in modern times, until* 1919, *ab.* 10 *pence or* 20 *cents*)

franc (2), franche free; compagnies franches (*AM*) guerilla companies (*companies not regularly enrolled in the army; an individual member is a* franc-tireur)

français, –e (F—, –e) French, Frenchman, *etc.;* à la —e (*Mbl*) in the French style

Francet ["Franky"] Mamaï (*MP*)

franche *see* franc (2)

franchement frankly, really

franchise *f.* openness, freedom, candor

Françoise Frances

franc-tireur *m.* (*pl.* francs-tireurs) *soldier belonging to a light irregular troop, or a civilian fighting without orders and liable, if caught by the enemy, to be executed*

frapper strike, pound, hit, beat, knock; slap, tap; inflict, impose; — dans la main smite the hand; (*fig.*) frappé au cœur stricken to the very heart; — (Rocreuse de mesures terribles) smite

fraternel, –le fraternal, brotherly, kindred

frayeur *f.* fright

fredonner hum (*an air*)

frégate *f.* frigate

frémir shudder, tremble, quaver, quiver

frénésie *f.* frenzy

frénétique frantic

fréquenter associate (*or* be) with

frère *m.* brother, friar; *pl.* (*eccl.*) brethren, brothers, friars

friand, –e dainty, appetizing

friper rumple; une robe fripée a rumpled and shabby gown

fripon *m.* rogue, rascal

frisé, –e curly

frisottant, –e (*S–N*) frizzly (*by nature*)

frisson *m.* shiver(ing), quiver, shudder, (*on water*) ripple; me donna le —, gave me the shivers; le — des futaies (*S–N*) the rustling of the forest

frissonner shudder, shiver, quake, (*of water*) ripple

frivole frivolous, trivial, shallow

froid, –e cold, chilly, cool; *m.* cold, coolness, chill; j'ai —, I am cold; il fait —, it is cold

froidement coldly, coolly

froideur *f.* coldness, coolness

froissement *m.* rumpling, ruffling

froisser hurt (*one's feelings*), offend; d'un air froissé with an offended look

frôlement *m.* rustling

frôler just touch, graze, (*BM*) hover close to

fromage *m.* cheese

fromageon *m.* (*Ét*) *dialectal*, white cheese made from ewes' milk (*S. France*)

front *m.* forehead, brow

frotter rub, polish; strike *or* scratch (*a match*)

fruiti–er, –ère fruiterer, greengrocer; des arbres —s fruit trees

fu– *see* être

fuir flee, flee from, shun, take refuge, (*fig.*) fly

fuite *f.* flight (escape); prendre la —, take flight

fumée *f.* smoke; fume, cloud of smoke *or* of vapor

fumer smoke, (*of food*) steam

fumier *m.* dunghill, manure heap

funeste fatal, disastrous, dire

furet *m.* ferret

fureter pry about

fureur *f.* rage, fury; avec —, vehemently; de —, (*adv.*) in a rage

furieu–x, –se furious, mad, raging; *m.* maniac, madman

furti–f, –ve furtive, sly

furtivement slily

fusée *f.* rocket

fusil [fyzi] *m.* gun, rifle; — de chasse (*AM*) hunting rifle; — à pierre flintlock; — à deux coups double-barrelled (shot)gun; la baïonnette au —, with fixed bayonets; le — au bras (*AM*) carrying their guns

fusillade [fyzijad] *f.* fusillade, rifle-fire, firing

fusiller [fyzije] shoot; son fils était fusillé (*R*) her son was being shot

futaie *f.* forest (*in which trees are allowed to reach their full growth*)

futaille *f.* cask (*commonly holding ab.* 200 *litres*)

futur, -e future, coming

fuy- *see* fuir

G

gager stake, bet, wager

gageure [gaʒyːr] *f.* wager, bet

gagner earn, make (*money*), gain, gain possession of, win (over), reach (*a place*); il aura gagné les bois (*AM*) he must have escaped to the woods; (*of sleep*) overcome

Gagny (*AM*) *imaginary place*

gai [ge], -e gay, merry, gleeful, cheerful, lively, jolly; affecter un air —, feign high spirits; l'âme du — moulin (*AM*) the soul of the blithe old mill

gaïac (*sometimes* gayac) [gayak] *m.* lignum vitae tree

gaiement gaily, merrily, (*of the sun's rising*) cheerily

gaieté [gete] *f.* mirth, merriment, cheerfulness, liveliness, fun; (un campagnard) en —, gleeful with wine; une vraie —, (*describing a mill; AM*) a real delight; allumer les —s make everyone merry

gaillard, -e sturdy, lusty; *m.* sturdy (*or* strapping) fellow (boy, rogue, dog); (*naut.*) — d'arrière quarter-deck; — d'avant fore-castle (deck)

gaillardement efficiently, manfully

galamment with great politeness, handsomely, gallantly

galant, -e *gal*lant *and* gal*l*ant, jaunty, smart; d'un air —, smartly, gallantly; une cour —e a gay court (*gay with love affairs and flirtations*); *m.* lover, sweetheart; de nouveaux —s (*Ét*) new suitors *or* new admirers

galanterie *f.* gallantry, compliment

galère *f.* galley

galerie *f.* gallery; la — de bois (*AM*) the wooden gallery (*leading to a mill wheel and enabling the miller to inspect it*)

Galice *f.* (*Ét*) Galicia, a province of N.W. Spain

galon *m.* stripe, braid (*on a cap*)

galop [galo] *m.* gallop; au —, at a gallop; au grand —, at full gallop; partir au —, gallop off; prendre le —, get into a gallop

galoper gallop, (*of the heart*) bound, throb (violently)

galopin *m.* scamp, imp

gamin *m.* (lively) little boy, urchin, little scamp

gamine *f.* used by Capt. Mercadier (*VC*) *as a term of endearment:* little tot, lassie

gant *m.* glove

garance *f.* (*bot.*) madder

garçon *m.* boy, lad, young man, hired man, (old) bachelor; — de bureau (*S–N*) office attendant; — (de café *etc.*) waiter

garçonnet *m.* (*dim. of* garçon) lad

garde (1) *f.* guard (monter la —, mount guard), watch, care, keeping, protection; de —, on guard; sur ses —s on one's guard, watchful; n'avoir — de be very far from (*some act*), take (good) care not to . . . ; Macha n'avait — de me croire M. knew better than to believe me; prendre — (à) pay heed (to), heed, take notice (of), take care (of), mind

garde (2) *m.* guard, keeper, watchman, warden; — champêtre rural policeman, constable

garde-robe *f.* wardrobe

garder keep, guard, watch (over), take care of, hold in reserve; — au cœur une haine . . . (*AWS*) have a heartfelt hatred . . .; se — de + *inf.* be careful of . . ., take care not to . . .

gardien *m.* guardian, keeper

gare *f.* railway station, (*possibly*) terminus

garnement (*or* mauvais —) *m.* blackguard, scamp, ne'er-do-well

garnir furnish, fit up, hang (*with curtains*), adorn, cover, fill; — **des vases** fill (*or* adorn) vases (*with flowers*); **garnie de feuilles encore** with its leaves still on; **se** — **de** provide oneself (with), fill up (with)

garnison *f.* garrison

garnisonner (*a neologism*): **où il avait garnisonné** (*VC*) where he had been garrisoned

garrotter bind ... firmly, put ... in irons

gars [ga] *m.* lad

gâteau *m.* cake

gâter spoil

gauche left; clumsy, awkward; *f.* left (side); **à —,** to (*or* on) the left; **de —,** to the left

gauchement clumsily, awkwardly

gaudriole *f.* broad joke, spicy story

gaule *f.* switch

gavotte *f.* gavotte; **le petit pas de —,** (*MP*) little gavotte step (*implying a* brisk, dancing gait)

gaz [gaːz] *m.* gas; **bec de —,** gas burner, gaslight

gazette *f.* (*now generally replaced by* journal) newspaper

gazon *m.* turf, greensward

gazouiller warble, chirp

geai [ʒɛ] *m.* jay

geler freeze

gelinotte (*Par*) hazel hen (*or possibly some other kind of gallinaceous bird*), *freely,* some delicious game bird

gémir groan, moan, whine

gémissement *m.* groan, moan, whine

gênant, –e bothersome, annoying

gendarme *m.* gendarme, constable

gendarmerie *f.* constabulary

gendre *m.* son-in-law

gêne *f.* annoyance; embarrassment, uneasiness; **sans —,** without ceremony, cheeky

gêner bother, bore, embarrass, annoy, trouble; **cela ne la gênait nullement pour écrire** that in no wise bothered her in writing

général, –e general, all-round

généralement generally, widely

généreu-x, –se generous, hand-

some, mettlesome (*charger*), manly (*effort*)

générosité *f.* generosity, liberality **ces —s** those acts of generosity

génie *m.* genius

genou *m.* knee; **être à —x** be kneeling; **se jeter à —x** throw oneself upon one's knees

genre *m.* sort, kind; **dans ce —,** of this (that) kind; **ou autre chose dans ce —,** or the like

gens *m.* (*though variable descriptive adjs. immediately preceding* gens *are feminine*) people, persons, men, folks; **jeunes —,** young men [*cf.* jeunes filles], young folks; **les — des champs** (*F*) (the) rustics; **les — de sa maison** (*R*) her own servants; **les —,** (*R*) the servants; **deux bonnes —,** (*Mbl*) two good souls (*a pair of blackbirds*)

gentil [ʒãti], **–le** [ʒãtij] nice

gentilhomme [ʒãtijɔm] *m.* nobleman

gentillesse [ʒãtijɛs] *f.* attractiveness, prettiness

gentiment nicely, prettily

germinal *m.* seventh month *in the calendar of the first French Republic* (21 *March* — 16 *April*)

gésir (*with* **gît,** gisait, *etc.*) lie; **gisait** was lying

geste *m.* gesture, motion, movement; **un — de main** a wave of the hand

gesticuler gesticulate

gi– (**gît,** gisait) *see* gésir

giberne *f,* cartridge pouch, (leather-covered) cartridge box

gibet *m.* gibbet, gallows

gibier *m.* game

gigantesque gigantic, huge

gigot (**de mouton**) *m.* leg of mutton

giron *m.* lap

girouette *f.* vane, weather vane, weathercock, whirligig

gisait *see* gésir

gîte *m.* shelter, night's lodging

glace *f.* ice; mirror

glacer freeze, chill; **un bruit les glaça** some noise made their blood run cold; **glacée d'un frisson** (*AM*) benumbed by a cold shudder glacial, -e icy, freezing; (fig.) cutting

gland m. tassel

glapir yelp, squeak

glapissant, -e yelping, squeaky

glisser glide (along), slide, slip, creep; (of a boat) sail smoothly, glide along; (un être) glissait, etc. (Peur) was slinking; se —, slip, glide, creep; (of fear) je sentais se — dans mes os la peur, etc. (Peur) I could feel, creeping into my bones, fear, etc.; faire —, slip

gloire f. glory, pride, social prominence (Mbl); nos —s militaires our glorious military achievements; avec —, gloriously; (se) faire — de glory in

glorieu-x, -se glorious, triumphant, elated, conceited; l'air —, (MP) the conceited look, the swagger

gloriole f. vainglory, petty satisfaction

glouglou m. gurgling

gobelet: — de vermeil m. (Élix) silver-gilt goblet

Goderville [gòdervil] a small town ab. 27 k. N.E. of Le Havre

goguenard, -e jeering, mocking, bantering

gommier m. gum acacia, gum tree

gonfler swell, blow up (inflate), puff up, bulge

gorge f. throat, neck

gorger gorge

gosier m. gullet, throat

gothique: — flamboyant m. (VC) flamboyant Gothic [architecture] ("characterized by waving or flame-like curves, as in the tracery of windows," Webster)

gourdin m. cudgel

gourmand, -e greedy

Gourouli f. an onomatopoetic name coined by Musset (Mbl) but given by herself to a cooing turtledove (cf. roucouler coo) whom we may dub "Cooey"

gousset m. (MD) (watch) pocket

goût m. taste, flavor, savor; liking, relish; d'un — médiocre in rather bad taste

goûter (à, de, or trans.) taste, try, relish, like; — [qqch] médiocre-

ment not particularly like; que je n'y ai goûté (S-N) since I've tasted one

goutte f. drop, gout (the malady); — à —, drop by drop; suer à grosses —s perspire profusely

goutteu-x, -se gouty

gouttière f. gutter, eaves; comme des chats de —, (Mbl) like (a pair of) common roof cats

gouvernail m. helm

gouverne f. guidance

gouvernement m. government

gouverner govern

gouverneur m. governor

grâce f. grace, graciousness, gracefulness, charm; mercy; de la meilleure —, with the utmost graciousness; des —s (AM) charming freshness (i.e., attractiveness); avec —, gracefully; — à thanks to, owing to; — au ciel thank Heaven; de —! I entreat you! or for goodness sake! faire — à spare, show mercy to; faire — (à qqn) de pardon...

gracieusement favorably

gracieu-x, -se gracious

grade m. rank; — de capitaine captaincy

grain m. grain

grainetier m. seedsman

grand, -e (with the old, but familiar feminine grand', as in grand'mère grandmother) great, large, big, tall, main, loud; (une ligne) de —s pas of long strides; avec de —s cheveux with masses of hair; laver à —e eau scrub or mop (a floor); de — matin very early (in the day); sous le — soleil (AM) in the hot sunshine; (je n'ai pas) — temps a long time, many years; — ordre [grãtɔrdr] major (contrasted with petit ordre minor); —'peine great difficulty; une —e révérence a low curtsey; garder le plus — silence keep absolutely silent; un — homme [grãtɔm] a tall man; le — bailli the chief magistrate; les —s chemins the highways, la —'route the (main) highway; la —e rue the main street; **la Grande** (*Élix*) *abbreviation of* **la Grande Chartreuse** the Great Carthusian Monastery; **le** —-**livre** the ledger; **le** — **mât** the mainmast; **la** —'**messe** high mass; **la** —**e mode** (**de notre temps**) the reigning fashion; **la** —**e salle** (**du moulin**) the main room; **sa** —**e occupation** (*CP*) his chief pastime; **en** — **uniforme** in full uniform

grandir grow (up); gain strength; **grandissant sa haute taille** (*AM*) drawing himself up to his full height

grand'mère, grand'peine, *etc., see* **grand**

grange *f.* barn

Granville (*R*) *a town in the Département de la Manche; besieged in 1793 by the Vendéens*

grappe *f.* cluster

gras, –se fat, plump, greasy

gratification *f.* reward, bonus

gratter scratch

grave solemn, serious; (*of a sound*) deep, dirgelike; — **mélancolie** (*R*) grave melancholy

gravement gravely, seriously

Graveson *a village near Arles*

gravir climb, clamber (over)

gravité *f.* gravity, seriousness; **avec** —, gravely

gré *m.* pleasure, will; **bon** —, **mal** —, willing(ly) *or* unwilling(ly), willy-nilly

gredin *m.* rascal, villain; **ce** — **de braconnier** that scoundrel of a poacher

gréer rig (*a vessel*)

greffier *m.* recorder (*of a tribunal*), clerk of the court

grêle (1) slender, slim; **une beauté** —, a slender loveliness; (*of a voice*) shrill

grêle (2) *f.* hail, hailstorm

grelot *m.* (*small round metal*) bell (*fastened to a mule, sheep, or other animal*)

grelotter shiver

grenier *m.* loft, garret

grès [grɛ] *m.* sandstone

grésil *m.* sleet

griller broil (grill); — **au four**

(*S–N*) roast; bake; (*fig.*) scorch *or* bake

grimace *f.* grimace, wry face

grimper climb, creep

grincement *m.* gnashing, grinding

gringalet *m.* runt, pigmy

grippe (*f.*): **prendre en** —, take a dislike to

gris, –e grey; tipsy

grisâtre greyish, leaden

griser: se —, get drunk

grisette *f.* [*French*] *girl of the working class* (*so called because such girls formerly dressed in* grey; *see* **gris**), gay (*or* coquettish) shopgirl

grisonner (*of hair*) turn (*or* get) grey

grogner grunt, grumble, growl

grognon grumpy, peevish

grommeler grumble, mutter

gronder rumble, growl, scold

gros (1), –**se** big, large, stout, fat; heavy, rough, coarse, gruff; **cette** —**se besogne** that heavy work; — **rire** loud laughter; (**personne**) **à** —**se voix** loud-voiced; (**il écarquillait**) **ses** — **yeux** (*AWS*) his bulging eyes; **cela me fait** — **cœur** (*S–N*) that makes me sick at heart

gros (2) *m.* bulk, main body

grossi-er, –**ère** gross, coarse, crude, uncivilized

grossièreté *f.* rude thing, scurrility

grossir magnify, swell, enlarge

grotesque grotesque, uncouth

groupe *m.* group

gué *m.* ford; **passer à** —, ford

guenille *f.* rag; **pendre en** —**s** hang in tatters

guère hardly, scarcely; **ne** ... —, hardly, by no means, (not) by any means; **il ne possédait** — **que ses deux bras** he possessed hardly anything but his two strong arms; [**elle**] **n'y était** — **demeurée qu'un mois** (*CP*) [she] had stayed there at most a month

guérir cure, heal, get well

guérison *f.* cure, recovery

guerre *f.* war; **cri de** —, war cry

guerri-er, –**ère** war (*adj.*); **chant** —, war song; *m.* warrior

guetter watch (for), spy about

gueule *f.* mouth (*of animals*), jaw

guide *m. or f.* guide

guider guide, act as guide for, direct, lead

guigne *f.* black-heart cherry

guilleret, **-te** [gijərɛ(t)] lively, cheerful, "chipper"

guillotiner [gijɔtine] guillotine

guinée *f.* guinea (*an English coin worth 21 shillings; not struck after 1817, though still used as a word in counting money*)

guiriot *m.* (*French form of an African negro word*) magician, voodoo man

guise [*cf. our* wise] *f.*: à sa —, in one's own way

guitare *f.* guitar

H

habilement skilfully, cleverly

habileté *f.* skill, ability

habiller (de) dress *or* clothe (in), cover (with); s'—, dress (oneself)

habit *m.* coat, garment; *pl.* clothes; en —(s) bourgeois in plain clothes (civilian dress)

habitacle *m.* binnacle

habitant, **-e** inhabitant

habiter inhabit, live in

habitude *f.* habit, wont, custom; familiarity, practice; d'—, usual, usually; avoir l'— de be accustomed to; en avoir l'—, be used to it; la grande — qu'elle avait du monde her great familiarity with society

habitué *m.* frequenter, regular patron

habituel, **-le** customary, well-established

habituer accustom; habitué, -e à accustomed (used) to; s'— à become accustomed (get used) to

hâbleur *adj.* talkative, loquacious

'**hache** *f.* axe

'**hagard**, **-e** haggard; d'un air —, wildly, with a wild stare

'**haie** *f.* hedge; faire la —, line up (*in a row along a passage*)

'**haillon** *m.* rag; ces —s cuivrés (*AM*) those ragged coppery clouds

'**haine** *f.* hatred

'**haïr** hate, be filled with hatred (for)

'**hâle** *m.* sunburn, "coat of tan"

haleine *f.* breath; reprendre son —, get back one's breath (*or* wind)

'**haleter** pant, gasp, breathe hard

'**halle** *f.* (town) market (*a large space, roofed over but open on the sides*)

'**hallebarde** *f.* halberd ("*an ancient long-handled weapon, of which the head had a point, and several long, sharp edges, curved or straight, and sometimes additional points.*" Webster)

'**halte** *f.* halt, stop; faire —, halt, stop

'**hangar** *m.* shed

'**hanneton** *m.* may beetle, cockchafer

'**hanter** haunt

'**harangue** *f.* speech, harangue

'**hardi**, **-e** bold, daring

'**hardiesse** *f.* boldness, courage, daring

'**hardiment** boldly

harmonie *f.* harmony; table d'—, sounding board

'**harnacher** harness, rig (out), caparison

'**harpe** *f.* harp

'**harpiste** *m. or f.* harper, player on the harp

'**hasard** *m.* chance, hazard(s); au —, at random; par —, by chance, perchance

'**hasardé**, **-e** risky, venturesome

'**hasarder** risk, venture, hazard, expose (*with some risk*); se —, venture, risk it

'**hasardeu-x**, **-se** hazardous; et c'était le plus —, and this was the biggest risk

'**hâte** *f.* haste, hurry; à la —, hastily; en —, quickly

'**hâter** hasten; se —, hasten, make haste

Hauchecorne: Maître (Maît') — de Bréauté (*F*) *a name suggesting a cantankerous character* (**hocher** la tête shake the head in denial, *and* **cornes** horns; *cf.* Grumpy *and like English names*)

'haussement *m.:* — d'épaules shrug

'hausser lift, lift up, raise; — les épaules shrug one's shoulders; se — (sur la pointe des pieds) stand on tiptoe

'haut (1), -e high, tall, lofty; loud; une —e passion an exalted passion; le chemin —, (*Ét*) the upper road; le — clergé the higher clergy; à —e voix aloud; (2) *adv. and noun* high, up; loud, loudly, aloud; très —, (*AM*) well above his head; répéter tout —, repeat aloud (quite audibly); là- —, up there; de —, from above; tombant de —, (*S–N*) falling from well above her; en —, above; de bas en —, (*AM*) from top to bottom; (le) —, top, height; de —, in height; avoir . . . pieds de —, be . . . feet high (*or* tall)

'hautain, -e haughty, lofty

'hauteur *f.* height; à la — de (up) to the level of

'hé (*or* hé [e]) ! hello ! *or* holloa ! (*derisively*) oh ho ! (*representing laughter*) hee hee ! *or* ha ha !

hébéter stupefy, daze, blur

Heidelberg [èdɛlbɛːr] Heidelberg, *on the river Neckar, in Baden; famous for its university, its ancient castle, and its picturesque setting*

'hein (? *or* !) eh? *or* hey? *or* huh? (h'm ?) *or* what?

hélas ! [elɑs] alas !

hélice *f.* screw, propeller

herbages *m. pl.* pastures, pasture (*or* grazing) lands

herbe(s) *f.* grass, herb; mauvaise —, weed

hérissé, -e bristling, bristly

hérisser cause (*hair*) to bristle *or* stand on end; se —, bristle (up), stand on end

héritage *m.* estate, inheritance

hériter (de) inherit, receive an inheritance

hériti-er, -ère heir, heiress

héroï-comique mock-heroic

héroïque heroic, drastic

héroïquement heroically

héroïsme *m.* heroism; un —, an act of heroism

'héros [(h)ero] *m.* hero

hésitation *f.* hesitation, faltering, wavering

hésiter hesitate, falter, waver

hétairiste *m.* (*CP*) hetairist, *member of a Greek political secret society or* hetairia [hɛtair'ia]

heure *f.* hour, time; à l'— même (*AWS*) at that very hour; à l'— qu'il est now, at the present time; tout à l'—, presently, just now; à la bonne —! well and good ! fine ! d'— en —, hourly; de bonne —, early; regarder l'—, look to see what time it is (was, *etc.*); quelle — est-il? what time is it? une —, one o'clock; après trois —s (*MD*) after three o'clock *or* after three hours (*according to the context*); neuf —s et demie half past nine; sur les trois —s about three o'clock

heureusement luckily, fortunately; — que . . . fortunately . . .

heureu-x, -se happy, lucky, fortunate, successful; souhaiter — voyage (à) wish . . . godspeed; le véritable —, (*noun*) the really lucky (*or* happy) one; la bienheureuse vierge Marie (*J*) the blessèd Virgin Mary; *see* simple

'heurter knock, knock at, dash against, hit

'hibou *m.* owl

'hideu-x, -se hideous

hier [i(j)ɛːr] yesterday; ce n'est pas d'— que je rime (*Mbl*) it's not merely since yesterday that I've been riming

'hiérarchie *f.* hierarchy

hirondelle *f.* swallow

histoire *f.* history, story, yarn; des —s stupides the sheerest rubbish; — de rire for the fun of the thing, just for a joke; c'était — de parler (*BM*) . . . was just for the sake of saying something

historiette *f.* (little) tale

hiver *m.* winter; l'—, *adv.* in winter

hochement: un — de tête a toss (*or* shake) of the head (*to express negation or doubt*)

hocher shake *or* wag (*the head*)

hommage *m.* homage, respect; *pl.* acts of homage *or* respect; **rendre — à** pay homage to

homme *m.* man; **— d'affaires** (*CP*) business agent, manager

honnête honest, virtuous; **— homme** honest (*or* respectable law-abiding) man; **—s gens** respectable people

honnêtement honestly, respectably, courteously, properly

honnêteté *f.* honesty

honneur *m.* honor, credit, good faith; **en l'— de** in honor of; **faire — à** honor, make good (*e.g.*, **une signature**)

'honte *f.* shame, disgrace; **avoir —,** be ashamed; **n'as-tu point de —!** (*note* **de**) have you no sense of shame?

'honteu-x, -se shameful, ashamed

hôpital *m.* hospital

horizon *m.:* **à l'—,** on the horizon

'hoquet *m.* hiccup

horloge *f.* (*large*) clock (*with its dial, or dials, exposed to public view*)

hormis except, save

horreur *f.* horror, loathing

horrible frightful, fearful

horriblement horribly

'hors (de) outside (of), out (of); **les yeux — de la tête** (*MD*) her eyes bulging out of their sockets; **— de combat** disabled, *also* killed, wounded, and missing; **— de lui** beside himself

hospice *m.* hospice, asylum

hostilité *f.* hostility

hôte *m.* [*f.* **hôtesse**] host *or* guest, visitor

hôtel *m.* hotel, (*private*) mansion; (*government*) building; **— (du ministère)** palace

huile *f.* oil

huissier *m.* (*official*) doorkeeper, usher; bailiff

huissier-priseur *m.* (*VC*) appraiser (*of goods to be sold at auction*); *now called* **commissaire-priseur**

'huit eight; **— jours** a week

huître *f.* oyster

hum! (*spelled also* **hom**) *a mild expletive, commonly pronounced*

[œm], *or* [m] *sounded with the lips closed:* er . . . er *or* h'm h'm

humain, -e human, humane, kind; **les intérêts —s** (*R*) worldly interests; **les —s** *m.* human beings, mankind

humanité *f.* fellow feeling

humble humble, meek

humblement humbly, meekly

'humer sniff

humeur *f.* frame of mind, mood, humor, temper; **ne pas être d'— à mourir** be in no mood to die; **bonne —,** cheerfulness, good humor; **en belle —,** in good spirits; **plein d'—,** in a bad temper, out of sorts; **de mauvaise —,** testily

humide damp, moist, wet; (*of the mouth*) watering

humilier humble, humiliate, mortify

humilité *f.* humility, humbleness, meekness

'hurlement *m.* howl, roar; *pl.* (*of wind*) shrieks, howling

'hurler howl, yell

'hussard *m.* hussar

Huysmans, Joris-Karl (1848–1907), *a French novelist, at first a "naturalist" and follower of Zola; later a Neo-Catholic mystic*

hymne [imn] *m.* hymn

I

i *represents a frequent and general pronunciation of* il *or* ils *before a consonant, though in* La Ficelle (**i m'a vu**) *it is intended to represent, and does represent, peasant speech*

ici here, this place, here and now; **même** on this very spot

idée *f.* idea, notion, thought, reason, plan, theory

identiquement identically

if *m.* yew tree, yew

ignominieu-x [iɲòminjø], **-se** ignominious

ignorant [iɲòrɑ̃], **-e** ignorant; *m.* ignoramus, man of no learning

ignorer [iɲòre] not know, know nothing of, be unaware of; **ne rien — de** know all about

il (*cf.* i) he, it, *etc.;* **il y a** *and* (*in lit. style*) **il est** there is *or* there are; **il est mort trois esclaves** there have died three slaves; **il montait une petite fumée** there rose a little cloud of smoke; **il a été perdu, ce matin,** ...**un porte-feuille** there was lost, *etc.;* **il me prit un éblouissement** I was seized by (*there took hold of me*) a dizziness; **il lui sortit de la bouche cinq roses** there came forth from his mouth five roses; ...**qu'il vînt à faire un jour de pluie** (*Mbl*) ...for a rainy day to come; **il se fit un tumulte épouvantable** there arose a frightful uproar
île *f.* island
illusion *f.* illusion, delusion
illustre renowned, distinguished
illustrer illustrate
ils (*cf.* i) *m. or inclusive* they
image *f.* image, picture (*in a book*), likeness, (visible) symbol: **des —s de la Vierge** (*J*) images (*i.e.*, visible symbols) of the Virgin
imagination *f.* imagination; **mon — romanesque** my romantic turn of mind; **toutes les —s** everybody's imagination
imaginer think out, think up, devise, contrive, design; **— de** + *inf.* conceive the idea of –ing; **s' —,** imagine, fancy; **qui s'imagine apercevoir un spectre** who fancies he perceives, *etc.*
imbécile idiotic, foolish; *noun* idiot
imiter imitate
immédiatement [immedjatmã] at once
immense [immã:s] huge, mighty
immobile motionless, still
immodéré, –e excessive, immoderate
immoler sacrifice
immortaliser immortalize
immortel, –le immortal, deathless
impassible impassive, unmoved
impatienter put ...out of patience, provoke; **s' —,** lose (all) patience
impératrice *f.* empress
imperceptible imperceptible; (*Ét*) very faint

impériale *f.* outside *or* top (*of a stagecoach etc.*)
imperturbable impossible to shake, immovable, unyielding
impétuosité *f.* impetuosity; **avec —,** impetuously
impitoyablement ruthlessly, pitilessly
implacable relentless
implorer implore, entreat for
importance *f.* importance, self-importance; ...**d' —,** important, weighty
important, –e important, self-important
importer matter; **n'importe** no matter, it doesn't matter; **n'importe de quoi** (*Mbl*) anything whatever (*normally,* **de n'importe quoi**)
importun, –e importunate, tiresome
importunité *f.* troublesomeness, importunity
imposant, –e imposing, impressive
imposer impose, enjoin, inspire respect *or* a sense of awe; **— un interrogatoire à qqn** (*R*) force an examination upon one
imposteur *m.* impostor
impôt *m.* tax
imprégner [ẽprene] impregnate
imprévu, –e unlooked-for, unforeseen
imprimer print, impress, press, impart; **s' —,** be printed
imprimerie *f.* printing press
imprudence *f.* recklessness, carelessness; **commettre des —s** (*R*) act recklessly
imprudent, –e imprudent, reckless
impulsion *f.* impulse, impetus, push
imputer (à) impute (to), charge ...with
inaccoutumé, –e unaccustomed, unwonted, unusual
inattendu, –e unexpected, unlooked-for; **plus —,** (*CP*) less commonplace
incendier set on fire, set ablaze
incertain, –e uncertain
incertitude *f.* uncertainty
incliner incline, bend (down *or* over), tilt, slope; **— la tête** nod; **s' —,** lean, slant, bend down, bow

down *or* over; (*of a vessel*) heel over, list

incommode uncomfortable

inconnu, -e unknown; l'—, (*m. or n.*) the unknown; des —s strangers

incontestable unquestionable

incontinent *archaic adv.* forthwith

incrédule incredulous; *m. or f.* unbeliever

incrédulité *f.* incredulity, unbelief

incroyable incredible, past belief

indéterminé, -e indefinite

indication *f.* indication, sign, clue

indice *m.* clue; *pl.* evidence

indicible inexpressible, unutterable

indifférent, -e indifferent, unconcerned, careless, listless; d'un air —, unconcernedly, as if one didn't care; *noun.:* (l'opinion) des —s (*CP*) of persons in whom I am not concerned; quelques —s some who didn't care

indigène *m. or f.* native

indigné, -e indignant

indigner exasperate, make ... angry (*or* indignant), anger; s'—, become indignant (angry)

indiquer designate, point out, show; appoint (*or* name)

indiscipline *f.* insubordination

indisposé, -e indisposed, ailing, unwell

indistinct, -e indistinct, faint

indistinctement without distinction

individu *m.* individual

inégal, -e [inegal] unequal, irregular, uneven

inégalité [inegalite] *f.* inequality

inespéré, -e [inèspere] unhoped-for, unlooked-for, unexpected

inestimable [inès-] priceless

inévitable unavoidable, sure

inexprimable [inɛks-] inexpressible

infailliblement unmistakably

infâme infamous, scoundrelly, vile

inférieur, -e lower, inferior

infini, -e infinite, endless; une peine —e no end of trouble; avec des précautions —es taking every precaution possible; *m.:* à l'—, *ad infinitum*

infirme weak, feeble, frail

infirmité *f.* infirmity

inflexible inflexible, unbending

infliger (à) inflict (on)

influence *f.* influence, ascendancy, sway

informer inform; s'— (de) inquire (about), ascertain

infortune *f.* misfortune, adversity

infortuné, -e unfortunate, ill-starred

infraction (à, de) *f.* breaking (of *rules etc.*)

infuser (à, dans) infuse (in), steep (in)

ingénument frankly, artlessly, openly

ingrat, -e ungrateful; *noun* ingrate

inhabité, -e uninhabited

inhumanité [inymanite] *f.* inhumanity, cruelty

inintelligible [inɛ̃tɛlliʒibl] unintelligible, incomprehensible

injure *f.* insult; (*rarely*) injury (a wrong)

injurier insult, berate, abuse

innocent, -e [inòsɑ̃(:t)] innocent, guileless, harmless

innommable [innɔmabl] (*F*) unnamable, nondescript

inonder deluge, surge over

inoubliable [inubliabl] never-to-be-forgotten, unforgettable

inouï, -e [inwi] unheard-of, unparalleled, extraordinary

inqui-et, -ète worried, anxious, uneasy, disturbed, restless

inquiétant, -e disquieting, disturbing

inquiéter make ... uneasy, cause ... to worry, worry (*a person*), trouble, disturb; s'— (de) be uneasy (about), worry

inquiétude *f.* uneasiness, disquietude, anxiety, worry

insaisissable impossible to grasp, elusive

insensé, -e insensate, crazy; qui firent de nous des —s which made us behave like madmen

insensible unsusceptible (*to emotions*), indifferent, unfeeling

insensiblement imperceptibly, bit by bit

insermenté [*more usually,* inassermenté] unsworn (*said of priests who refused to swear allegiance to*

the civil constitution of 1790,
First Republic)
insignes *m. pl.* insignia
insinuer insinuate
insister insist, persist
insolation *f.* sunstroke
insolent, –e insolent, overbearing,
impertinent; **doué d'un bonheur
plus** —, (*CP*) endowed with a
more undeserved happiness
insouciance *f.* unconcern, carelessness, heedlessness; **vie d'**—,
carefree, heedless life
insouciant, –e **(de)** unconcerned
(as to, about); **bravoure** —e **du
danger** reckless bravery
inspecter inspect, examine
inspecteur *m.* inspector
inspirer **(qqch à qqn)** inspire . . .
(with), arouse . . . (in)
installer instal; **s'**—, settle (down),
take up one's abode, establish
oneself
instance *f.* entreaty, urgent pleading
instant *m.* instant, moment
instinct [ĕstĕ] *m.* instinct; **leur** —
d'élégance their instinctive rec-
ognition of elegance
instincti–f, –ve instinctive
instruction *f.* instruction, education
instruire instruct, inform **(de as
to);** tell
insulter (*sometimes with* à) insult
insupportable unbearable
insurgé *m.* insurgent
insurger: s'—, retort
intact, –e untouched
intelligence *f.* intelligence, mind,
understanding, quickness of understanding; **les** —**s normandes**
(*R*) the cleverness of Norman
minds; **en bonne** —, on good
terms
intelligent, –e intelligent, keen,
showing comprehension; **d'un
air** —, (*R*) as if he were in the
secret
intention *f.* intention, purpose;
avoir l' — **de** intend (*or* mean)
to; **à bonne** —, with a good intention; **à votre** —, for your
sake
intercaler insert, put in
interdire **(qqch à qqn)** forbid;

interdit, –e forbidden; overwhelmed, stunned, speechless
(*with astonishment*), abashed
intéressant, –e interesting, of interest
intéresser interest; **s'** — **à** take
an interest in, be interested in
intérêt *m.* interest, self-interest *or*
personal advantage; considera-
tion; **prendre** — à take an interest
in; **les** —**s de la comtesse** the
business interests, *etc.;* **vos** —**s**
(*R*) whatever is to your advantage; **des** —**s de cœur** dictates
of the heart; — **superposés** compound interest
intérieur (1), –e inner, inward
intérieur (2) *m.* interior, inside;
à l'—, inside, within; **sortir de
l'**—, (*AM*) come from within;
(**les royalistes**) **de l'**—, (*R*)
within the borders (of France)
interprète *m.* interpreter
interrogatoire *m.* examination
interroger interrogate, question
(closely), "buttonhole"
interrompre interrupt; **s'**—, break
off, stop (speaking), pause
intervalle *m.* intermediate space
intervenir interfere
intime intimate, private; **ami** —,
close friend; **cette** — **jeunesse**
that deep-lying youthfulness
intimider intimidate, overawe; **s'**—,
become abashed
intimité *f.* intimacy; **les** —**s fémi-
nines** (*S–N*) the feminine touch
intonation *f.* intonation, inflection(s)
intrigant *m.* intriguer, "wirepuller"
intrigue *f.* intrigue, plot; **voilà ce
que c'est que l'**—, that's what
scheming can do
intriguer puzzle (*a person*)
introduire introduce, bring in, show
in; — **auprès de** (*or* **près de**) admit into the presence of; — **chez
qqn** (*AM*) take into somebody's
household; **s'** — **(dans)** get in
(into), creep (into); **venir s'**—,
(*Mbl*) intrude
inutile [inytil] useless, needless,
not needed, vain
inutilité [inytilite] *f.* uselessness,
needlessness

invalide *adj.* invalid; *m.* disabled soldier; **les Invalides** (*VC*) *presumably an allusion to the* **Hôtel des Invalides** (Pensioners' Hospital for Aged and Infirm Soldiers) *in Paris*

invariablement invariably

invasion *f.* invasion; **vous êtes de l'—**, (*Mbl*) you belong to the time of the Invasion [*when the Allies entered Paris, after Waterloo* (1815)]; *freely:* you're behind the times

inventaire *m.* inventory

inventi–f, –ve inventive; **esprit —**, inventiveness

invention *f.* invention, trick

invétéré, –e inveterate, deeply rooted

invincible unconquerable, uncontrollable

invitation *f.* invitation; (**quelques ivrognes comprirent) cette —**, (*MD*) this hint

inviter (**à**) invite (to), entice

invoquer call upon, appeal to

ir– *see* **aller**

ironie *f.* irony

irréguli–er, –ère [irr-] irregular, straggling, desultory

irrégulièrement [irr-] irregularly, stragglingly

irresponsable [irr-] not responsible

irrévérencieu–x, –se [irr-] irreverent

irriter [irr-] irritate, make ... angry; **phrases irritées** angry words

isolé, –e isolated, solitary, cut off; **des coups —s** (*AM*) single shots

isolement *m.* isolation, loneliness

isoler isolate; **isolé, –e de** cut off from, aloof from

issue *f.* way out, escape; **sans —**, (*fig.*) hopeless

Italie *f.* Italy

italien, –ne Italian

ivoire *m.* ivory

ivre drunk

ivresse *f.* drunkenness, intoxication

ivrogne *m.* drunkard, inebriate

J

j' (*before a consonant*) *is intended to represent highly colloquial and* more or less plebeian speech: **j' vous l' donne** [ʒvuldɔn] (*F*)

Jacques [ʒɑk] James; **saint — de Galice** (*Ét*) St. James of Galicia. *The Way of Saint James crosses the Pyrenees and continues through northern Spain to Santiago de Compostela in Galicia, where the body of Saint James is believed to lie. Referring to the stars* **le chemin de saint Jacques** *is* St. Jacob's Ladder

jadis [ʒɑdis] formerly, once upon a time, of yore

jaillir gush, gush out, spurt (out)

jalousie *f.* jealousy

jalou–x, –se jealous

jamais (*with or without* **ne**) ever, never; **à —**, for ever; **à tout —**, for ever (and ever); **— de réclamations** (there were) never any protests; **— de disette** never any want; **ne —**, never; **projet ne fut**, *etc.* no plan was ever, *etc.*

jambe *f.* leg; **je ne tiens plus sur mes —s** I'm ready to drop

jambon *m.* ham

janvier *m.* January

jaquette *f.* coat (*falling below the knees*), frock; **traîner sa — dans tous les ruisseaux** (*MP*) loaf about all the gutters

jardin *m.* garden

jardinier *m.* gardener

jargon *m.* lingo

jarre *f.* jar; **—s d'olives** (*Élix*) big (earthenware) jars, *etc.* (*often two feet tall*)

jaser chatter, prattle

jaunâtre yellowish

jaune yellow

jaunir become (*or* make) yellow

je (*before a consonant or aspirate* **h**); **j'** (*before a vowel and, sometimes, colloquially, even before a consonant*) I

Jean John; **— de Milan** *name given in Provence to the star Sirius*

Jeanne [ʒan] Jane *or* Joan

Jeanneton [ʒan(ə)tɔ̃] *dimin. of* **Jeanne**; **et pas la moindre —**, (*MP*) and not even one little Jane (*or* Jenny dear) to love (*quoted from Béranger's song:* le

Roi d'Yvetot; *found also in other popular songs and other lyrics as the pet name of a sweetheart)*

Jersey [ʒɛrzɛ] *m.*, *a British island in the English Channel* (**la Manche**), *20 k. from the French coast*

jeter throw, fling, cast, toss, dash, shed; — **un cri** utter a cry; — **de la neige** (*of clouds*) scatter showers of snow; **lui jetant une tape** giving him a pat (*or* tap); **lui jetant au cœur une audace désespérée** (*AWS*) suddenly nerving him with the boldness of desperation; — **bas** (*and* **à bas**) (*AM*) bring down [*by gunfire*]; **se** —, throw oneself, fall (**sur** upon), jump, rush; **se** — (**derrière un arbre** *or* **dans la forêt**) take shelter, dash for safety

jeu *m.* game, gambling, performance; **dettes de** —, gambling debts; **être au** —, be in the game; [**il**] **n'était plus au** —, (*CP*) his thoughts were no longer on the game

jeune [ʒœn] young, youthful; **une** — **fille** a young lady, a girl; **dans votre** — **temps** (*Mbl*) in your youthful days; *cf.* **jeûne**

jeûne [ʒøn] *m.* fast (*abstention from food*), fasting

jeunesse *f.* youth, youthfulness, boyhood, girlhood, young people

joaillier [ʒwaje] *m.* jeweler, maker (*or* seller) of jewels

Joale (*T*) Joal, *a town in Senegal, 50 k. S. of the French island of Gorée*

joie *f.* mirth, delight, joy; ... **m'avaient mis le cœur en** —, (*Mbl*) ... had filled my heart with joy

joign– *see* **joindre**

joindre join, add, clasp (together); catch ... up (overtake), meet (with), reach; **à pieds joints** with one's feet together

joli, -e pretty, handsome, fine

joliment mighty (*adv.*), uncommonly, ... and no mistake

joncher (**de**) litter, strew *or* spot (with)

jongler juggle

jongleur *m.* juggler; **le Jongleur de Notre-Dame** described by A. France is not only a juggler but a clown and tumbler (*in Old French*, **tombeor**, as in the *12th–C.* poem — **Li tombëor Nostre Dame** "*Our Lady's Tumbler*" — from which A. France derived his story). *In the Middle Ages, the word* **jongleur** *included professional entertainers of many kinds, minstrels, acrobats, clowns, men with trained animals, etc.* — all in low repute in "*respectable*" society (*particularly in ecclesiastical circles*) but very popular

joue *f.* cheek (*see* **coucher**)

jouer play, gamble; **faire** — **le ressort** make the spring work; — **à** play (*a game*); — **de** play (*an instrument*)

joueur *m.* player, card player, gambler; — **de fifre** fifer

jouir de enjoy, avail oneself of

jouissance *f.* enjoyment, pleasure

joujou *m.* plaything, toy

jour *m.* day, daylight, light, daybreak; life; **une nappe de trois** —**s** a tablecloth three days old (already used for three days); — **pour** —, to a day; **tout le** —, (*F*) all day long; (**faire qqch**) **le** —, by day (*not* at night); **au petit** —, at dawn; **demain, au** —, (*R*) tomorrow, at daybreak; **au** — **levant** at daybreak; **demain, il fera** —, **et nous verrons** (*AM*) tomorrow when daylight comes we shall see what is going to happen; **voir le** —, first see the light of day (*be born*); **mettre au** —, bring to light, put forth, publish; **chaussettes à** —, socks full of holes; **la vie est à** — **dans une petite ville** in a small town every one can see what is going on; **des** —**s bien durs** very hard times; **au péril de ses** —**s** at the peril of one's life

journal *m.* newspaper; **il se rendit** ... **aux journaux** (*Par*) he called ... at the newspaper offices

journée *f.* a day, conceived as a unit devoted to a given quantity

of work, to certain festivities, etc.: (**un bal superbe termina**) **la —,** (*Mbl*) the day's festivities; **bonne —,** (*MD*) a fine day (*not a greeting*); **toute la —,** all day long (*here interchangeable with* **tout le jour,** *but more familiar*)
joyeu-x, -se cheerful, joyful, merry, jolly; **tout —x** full of joy
joyeusement cheerfully, merrily
judas [ʒydɑ] *m.* peephole
juge *m.* judge
juger judge, appraise, deem, make up one's mind as to, think (of), guess; **— de ce nouveau péril** see what this new peril might be; **on juge facilement** (*T*) it is obvious
jui-f, -ve Jewish; *noun* Jew, Jewess
juillet [ʒyijɛ] *m.* July
juin [ʒɥɛ̃] *m.* June
Julien Julian
jument *f.* mare
jupe *f.* skirt
jupon *m.* petticoat
jurement *m.* oath
jurer swear, give one's word; **— entre ses dents** mutter an oath; **— (avec)** clash (with)
jus *m.* juice, gravy
jusque till, until, to, as far as, even; **— là** (*AM*) up to this time; **— passé minuit** till after midnight; **jusqu'aux genoux** up to the knees; **nus jusqu'à la ceinture** naked down to the girdle (*or, fig.,* waist); (*laugh*) **jusqu'aux larmes** to the point of tears; **tous, jusqu'aux donneurs d'eau bénite** all, even the, *etc.;* **même jusqu'à des filouteries** (*Mbl*) even out-and-out cases of swindling; **jusqu'à ce que** (*usually with subjunctive*) until
juste (1) just, fair, righteous, correct, right, exact; **— Dieu!** merciful Heaven! **Dieu —!** (*Mbl*) righteous Heaven! **au —,** precisely, exactly; (2) *adv.* just, right, exactly
justement just, exactly, in fact, as luck would have it; **— ce soir-là** (on) that particular eve-

ning; **Françoise, —, mettait la table** F., as it happened, was setting the table; **elle venait — d'être blanchie** (*AM*) it had, in fact, just been painted white
justice *f.* justice, (the) law, punishment; **— de paix** office (*or* court) of a justice of the peace (*a* **juge de paix** *is authorized to deal with petty cases, both civil and criminal;* each **canton** *and each* **arrondissement** *in Paris has such a judge*); **les hommes se faisaient —,** (*R*) the men passed judgment on themselves, restrained themselves; **barres de —,** (*T*) iron bars *to which unruly sailors were fastened* for punishment
justifier justify

K

Kacatogan (*Mbl*) *fanciful name of an imaginary poet; coined to match* **cacuata, kakatoës** (*or* **kakatoès**), *and* **cacatois** (*see these words*)
kakatoès [kakatwa] *m.* (*Mbl*) *old spelling* (*along with* **cacatoès** *and* **cacatoës**) *of* **cacatois** [kakatwa] cockatoo
Karl (*German*) Charles
képi *m. a light* cap *of various shapes, with a small visor; worn before ab.* 1915 *by French soldiers in undress* (forage cap) *and by schoolboys;* **le haut — droit** (*VC*) the high straight **képi** *originated in Algeria shortly after the French conquest of* 1830
kilomètre *m.* kilometer (0.62138 *of a mile; exactly* 1000 *meters*)
Kingston *seaport and capital of Jamaica*
kirsch *m. abbrev. of* kirschwasser (*German*), cherry brandy
Kouzka (*CP*) *name of a servant or orderly*
kreutzer *m.* (*MD*) *a German copper coin* (*no longer current*) *worth* (*formerly*) *ab.* 4 *centimes or a little less than a Brit. halfpenny or one U.S. cent*

L

la *see* **le, les,** *and* **La Fontaine**

La Fontaine (*S–N*), Jean de, *the most celebrated and delightful of all authors of Fables; b. at Château-Thierry in 1621, d. in Paris in 1695. His Fables began to appear in 1668 with the modest title* Fables d'Ésope mises en vers par M. de La Fontaine; *the last of them were composed in 1694. He wrote also various* Contes (*likewise in verse*), *etc. The verse quoted by Theuriet* (**Ai-je passé le temps d'aimer?**) *is from a poem composed when La F. was 57 years old:*

Ah! si mon cœur osait encore se ren-
flammer!
Ne sentirai-je plus le charme qui
m'arrête?
Ai-je passé le temps d'aimer? *Etc.*

là *and* **-là** (1) there, yonder, thither, to that place; then, at that time; here; **j'allais là pour chasser** I was going *there* (*emphatic*), *etc.* (*the unstressed form here would be* **j'y allais pour chasser**); **ce que je vous dis là** what I'm telling you; **qu'est-ce que j'entends là?** what's *that* I hear? . . . **est-ce là siffler?** (*Mbl*) is *that* whistling? **c'est là notre vie** that is our life; **c'étaient là des images de la Vierge** those (*or* these) were, *etc.;* **c'était là qu'il voulait en arriver** (*BM*) that was what he was driving at; **j'en suis là** (*Élix*) I've reached this point; **[il] me laissa là,** *see* **laisser;** (2) **là** (**-là**) *as suffix and after preps.:* **cet état-là** that state; **ces ficelles-là** those strings; **loin de là** (*AM*) far from it; **à quelque temps de là** some time after that; **jusque-là** (*AM*) until now; **par là** that way, in that neighborhood; (3) **là** (**-là**) *may also mean* close to one, here; **vous êtes là** (*AM*) you are here (*not* "there"); **pourquoi suis-je là?**(*AM*) why am I here? (4) *prefixed, with or without a*

hyphen: **là-bas** over (back) there, there, yonder; **là-dedans** in there, in it (them), inside; **là-dessous** under that, under (all) that, under it (them); **là-dessus** thereupon (*see* **dessus**); **là-haut** up there **là-bas, là-dessus,** *etc.; see* **là**

laboratoire *m.* laboratory

lâche cowardly

lâcher let go, release, drop, loosen

lâcheté *f.* cowardice, act of coward-ice

lâcheur *m.* turncoat, "traitor," (*U.S.*) quitter

lactée: la voie —, the Milky Way

lai [lɛ], *m. adj.* [*f.* laie] lay *brother* (*one who has not taken the monastic vows and who performs the duties of a servant*)

laid, -e ugly, plain (*to look at*), un-seemly

laideur *f.* ugliness

laine *f.* wool; **de —,** woollen

laisser leave, leave . . . alone, let, let . . . alone, let . . . have, allow (to); [**il**] **me laissa là** (*CP*) [he] dropped my acquaintance (*in R,* left me to my own devices) ; **avec un — aller** (*R*) [*sometimes written* **laisser-aller**] with an uncon-cernedness; **se — aller à** indulge in; **on se laissait aller à sourire** one could not help smiling; **il laissa dire** he let them talk; **— faire** not concern oneself; **se — faire** make no resistance, not in-terfere; **— tomber** let fall, drop; **je laisse à penser** you can easily imagine; **ne laissez pas de faire,** *etc.* don't fail to act, *etc.;* **ne pas — que de** + *inf.* (*Mbl*) can (*or* could) have no other effect than to. . .

lait *m.* milk

laiterie *f.* dairy, milk house

lame *f.* blade; wave(s)

lamenter: se —, grieve (at one's fate), lament; **— de** bewail

Lamoricière (*VC*), Louis-Chris-tophe-Léon Juchault de (1806–65), *statesman as well as general, first distinguished himself at the siege of Algiers* (1830) *and con-tinued to win renown in later*

African campaigns. His political career began, at the Chamber of Deputies, in 1847. An Algerian town, formerly called Ouled-Mimoun, bears his name

lampe *f.* lamp

lancer fling, hurl, dart, cast, toss, shoot, call forth (announce); **se —**, make a start, venture

lancier *m.* lancer; **— de Leipsick** (*VC*) *i.e.*, **Poniatowski**

langage *m.* style of utterance, language

langue *f.* tongue, language

languir languish, pine; stagnate; **se — de** yearn for

languissant, -e languid, pining

lanterne *f.* lantern

lapidaire *m.* lapidary

lapin *m.* rabbit

laquais *m.* footman, liveried servant

laquelle *see* **lequel**

lard *m.* bacon

large (1) broad, wide; big, large

large (2) *m.:* **de long en —**, up and down, to and fro; **ouverte tout au —**, wide open

largeur *f.* breadth, width; **en —**, from side to side

larme *f.* tear; **une crise de —s** a fit of (*hysterical*) weeping

larmoyant, -e tearful, full of tears, pathetic

larron *m.* thief; *adj.* [*f.* **larronne**] thievish

las [lɑ], **lasse** [lɑːs] weary

lasser [lɑ-] weary, tire; **se —**, grow weary, weary

lassitude *f.* weariness

latin, -e Latin

lavande *f.* lavender

laver wash, wash clean, wash out, (*a pipe*)

le (1), **la, les** the; **portant la blouse neuve** . . . a new blouse; **la fourche à la main** (his) pitchfork in (his) hand; **le panier au bras** with a basket on her arm; **à la française** (*Mbl*) cut in the French style; **le lundi 18 janvier** Monday the 18th of January; **le dimanche** on Sunday; **à cinq sous la page** . . . a page; **le matin, le père Merlier** (*AM*) that morn-

ing, old M.; **la Saint-Louis** (*AM*) the festival of St. Louis; (**ne pas dormir**) **de la nuit** all night long; (**agir**) **de la sorte** in that way; **l'heureux temps!** what happy days! ah! **le bon enfant!** (*Mbl*) oh, what a guileless child (you are)!

le (2), **la, les** him, her, it, so, them; **vous le pouvez** you can (be helpful); **comme l'espérait son mari** as her husband was hoping; **mon cœur me le dit** my heart tells me so

lé *m.* width (*of cloth*)

leçon (**de**) *f.* lesson (in)

lec-teur, -trice reader

lecture *f.* reading

légendaire *m.* (collection of) legends, folklore

lég-er, -ère light (*not heavy*); slight, faint, flimsy, airy; light-hearted, thoughtless; **un — papillon bleu** (*S-N*) an airy (*i.e., unsubstantial*) blue butterfly; **— comme** (**une alouette**) as light-hearted as

légèrement lightly, slightly, gently

légèreté *f.* lightness, slightness, thoughtlessness

légitime lawful, justifiable

légume *m.* vegetable

Leipsick [*or* -**zig**] Leipzig (*a city in Saxony, round which the battle of Leipzig was lost by Napoleon I to the Allies, 18–19 Oct., 1813*)

lendemain next (*or* following) day; **le — matin** the next morning

lent, -e slow, deliberate, (*of a crowd*) slow-moving

lentement slowly; **couler —**, (*of tears*) trickle down

lenteur *f.* slowness; **avec des —s,** *etc.* with the slow, majestic movements, *etc.*

lequel, laquelle, lesquels, lesquelles which, who, whom, what (*adj.*); **desquels je suis** (*Mbl*) to whom I belong; *interrog.* **lequel** [**prix**]? how much?

les *see* **le, la**

lésiner (**sur**) be stingy (with)

lessive *f.* wash *or* washing (*with lye*)

leste lively, brisk
lestement briskly; et —! and let's
be quick about it!
lettre *f.* letter; la **carrière des** —s
the literary career
lettré, -e literary, learnèd
leur (1) *pers. pron. (implying* à
eux, à elles) them, to (for, from)
them
leur (2), **leurs** *adj.* their; — **trace**
(any) trace of them; le (la) —,
les —s *pron.* theirs, their own;
une **vingtaine des** —s a score of
their men (*or* of them)
levant: au jour —, at daybreak
levée *f.* rising, uprising; la — **en
masse** (*AM*) a general uprising
(*of the nation, in self-defence*)
lever lift, raise, hoist, hold up, tilt
up; — **les bras** wave one's arms;
— **les jambes** prance; — **les yeux**
look up; (le blé) **qui lève** growing,
ripening; **se** —, rise, get (*or*
stand) up
lèvre *f.* lip
lézard *m.* lizard
liane *f.* bindweed
liberté *f.* freedom, liberty; **rendre
à la** —, set free
libraire *m.* bookseller
librairie *f.* bookshop
libre free, independent, not engaged; — **de liens** (*AWS*) free
of his bonds; **faculté** —, independent faculty (*not a state institution*)
librement freely
lice *f.* warp (*in weaving, the vertical
threads, crossed horizontally by the
woof*); **haute** —, high warp (*a
warp made by the formation of
vertical symmetrical obtuse angles
in a diagonal pattern*)
licence *f.* lack of restraint, liberty
licol [likɔl] (*or* **licou** [liku]) *m.*
halter
licou *see* licol
lien [ljɛ̃] *m.* bond; *see* libre
lier tie (up), bind, attach; **être
lié, -e avec qqn** be on friendly
terms (*or* intimate) with . . .
lierre *m.* ivy; *pl.* ivy vines
lieu *m.* place; **au** — **de** instead of;
avoir —, take place; **se rendre
sur les** —x proceed to the spot

lieue *f.* league (*ab.* 2½ *miles*); **pendant des** —s for many a mile
lieutenant *m.* lieutenant; —**-général**
(*R*) Lieutenant General (*here*, of
the Realm; *an officer empowered
to assist the King or to exercise
the King's authority in case of
illness etc.*)
lièvre *m.* hare
ligne *f.* line; **un officier dans la** —,
(*CP*) a line officer (*as distinguished
from a staff officer, a medical
officer, et al.*); (**pêcher**) **à la** —,
with rod and line
lime *f.* file (*a tool*)
limer file (through, off)
limpide limpid, clear
linge *m.* linen, (*generally* cotton)
cloth, soiled clothes; (la **tête
enveloppée d'**)**un** — **blanc** a
white (cotton) cloth
liqueur *f.* cordial, spirits
liquide *adj. or noun m.* liquid,
fluid
lire read; discern, detect
lis [lis] *m.* lily (*mentioned frequently
in Solomon's Song*)
lisière *f.* border, edge (*of a wood*)
lisse *f.* warp (*see* lice)
liste *f.* list
lit *m.* bed, bedstead
liteau *m.* stripe; **à** —x striped
lithographie *f.* lithograph
litre *m.* liter (*a little more than one
quart*); **un** —, (*fig.*) a pot of beer,
a jug of wine, *etc.*
littéralement literally
livide ashen, livid
livre (1) *m.* book; **le grand** —,
(*com.*) the ledger
livre (2) *f.* pound (*a weight, ab.* 490
*grammes; a coin, no longer in use,
worth somewhat less than a* franc;
the word **livre** *is used in modern
French only in speaking of a
person's income and thus as a
synonym of* **franc**)
livrer deliver, hand over, surrender,
betray; **se** — **à** give oneself up
to, devote oneself to, indulge in
livresque bookish
livret *m.* small book, soldier's hand-
book; (*MD*) passport (*identification book*)

locataire *m.* tenant, lodger, house-holder

locution *f.* idiom, expression, phrase

logement *m.* lodging, quarters, dwelling, apartment; (*mil.*) billet, quarters; **billet de** —, billeting ticket

loger lodge, house, take in; (*mil.*) billet; **je loge (une balle) (*AM*)** I can place; **se** —, lodge, be lodged

logis *m.* lodging, house, dwelling, abode; (*of a mill*) building; **corps de** —, block of buildings; **regagner son** —, go home

loi *f.* law; **sans** —, without laws, lawless

loin far (off); away; **au** —, far away, in (into) the distance; **de** —, at (*or* from) a distance, a long way off, from afar; **de** — **en** —, at long intervals

lointain, -e distant, far-away, from afar; *m.* distance; **dans le** —, far away

Lolotte *dimin.* of **Charlotte** (*a favorite name for pet cats*) Lottie; *freely*, Pussy

Londres *m. sg.* London

londrès [lɔ̃drɛs] *m.* French name of a Havana cigar *originally made for the London* (**Londres**) *market*

long (1), -ue long, lengthy; **plus d'une** —ue **minute** (for) more than a full minute; **de** —s **pays** (*Peur*) far-reaching countries; **il fit un** — **signe de tête** (*AM*) he slowly nodded "yes"

long (2) *adv. or noun:* **en dire plus** —, go on, say more; **de** — **en large** up and down, to and fro; **le** — **de** along; **le** — **du lierre** (*AM*) [as he climbed] down the ivy; **tout de son** —, at (his) full length

longanimité *f.* forbearance, long-suffering

longer skirt, keep along

longtemps long, a long while; **depuis** —, for a long while; **y en a-t-il encore pour** — ? is this going to last much longer?

longuement at length, a long time

longueur *f.* length; **de** —, in length, long; **en** —, lengthwise

loque *f.* rag, tatter

lorgnette *f.* field glass

Lormière (*AM*) *imaginary town*

lorrain, -e of (*or* from) Lorraine

Lorraine *f.* Lorraine (*before* 1870 *and after* 1918, *a province of E. France*); **un saucisson de** —, a Lorraine sausage (*not necessarily made in L.*)

lors then; **depuis** —, from that time, thenceforth; **pour** —, then, thereupon

lorsque when, whenever; if

loto [lòtò] *m.* lotto; **un** —, a lotto set (*the cards and revolving wheel required for a game of lotto*)

louable praiseworthy, laudable

louange *f.* praise

louche suspicious (of dubious reputation), sinister, "fishy"

louer (1) rent, hire; **à** —, (*of houses*) to let, to be let

louer (2) praise

lougre *m.* lugger (*a small armed sailing vessel, used particularly by smugglers and pirates*)

Louis (*J*) Louis (IX), *king of France* (1226–70), *canonized as* Saint Louis

louis (d'or) *m.* old twenty-franc gold piece (= *about* $4.00 *or* 16 *shillings*)

loup *m.* wolf

lourd, -e heavy, thick, dull, clumsy; (*of legs*) heavy, stiff and weary; oppressive, enervating; **avoir la main trop** —e (*Élix*) be a bit heavy-handed (*i.e., pour out too big a drink*)

lourdement heavily, clumsily

loutre *f.* otter; **casquette de** —, fur cap

loyal, -e faithful, honest

Loyola (*VC*), *i.e.,* Ignacio de, *b. at Guipuzcoa* (*N.W. Spain*) *in* 1491, *d. at Rome in* 1556. *Shortly after* 1534, *Pope Paul III approved the statutes of the religious society founded by Loyola and later known as* the Company of Jesus, *i.e., the Jesuits. He was canonized in* 1622

lu– *see* lire

Luberon [*or* Léberon]: le —, (*Ét*) *a low mountain range in S. France* (*Basses-Alpes and Vaucluse*)

lucarne *f.* skylight, dormer window

Ludwig (*German*) Lewis, Louis

lueur *f.* gleam, glimmer; **d'une** — **de veilleuse** (*AM*) with the dim light of a night lamp *or*, *freely*, dimly

lugubre dismal, doleful

lui him, he (*emphatic*), it; (for, to, from) him (*or* her); **qu'on lui ait jamais connu, à ce bon père** (*MP*) that he was ever known to have, this good father; **il songeait, lui** as for him, he was thinking; **il souriait, lui, il souriait** (*AWS*) *he* was smiling; **mais lui (ne paraissait pas comprendre) but** *he* ...; **lui, (était vaincu)** as for him, he ...; **lui-même (venait de** ...) he himself ...; **l'Océan lui-même** the Ocean itself

lui-même *see* **lui**

luire (*with* **luisait** *etc.*) shine, gleam, glisten

luisant, -e shining, gleaming, glistening, glossy

lumière *f.* light; *pl.* (*fig.*) intelligence, enlightenment

lumineu-x, -se luminous, glowing

lundi *m.* Monday (*in France, the first day in the week*)

lune *f.* moon; **une grande** —, (*Peur*) a great full moon; *cf. Solomon's Song*, vi. 10: "*Who is she that looketh forth as the morning, fair as the moon, clear as the sun* ...?"

lunettes *f. pl.* spectacles

lurette: (*derived from* **h-ure**, *an old dialectal form of* **heure**, + **la**; *cf.* **l'endemain**, *now* **lendemain**) *occurs only in* **il y a (avait) belle lurette** it is ages since ...

luthier [*spelled also* **lutier**] *m.* maker of musical instruments (*including stringed instruments as well as lutes and other wind instruments*); **le Luthier de Crémone** the violin-maker of Cremona (*Stradivarius*)

lutte *f.* struggle, tussle, strife, fight, ordeal

lutter (**avec**) struggle (with); — **contre** contend with; — **d'adresse avec** cope with (in a trial of skill); — **de finesse** match one's wits

luxe *m.* luxury, luxurious feature; **tous les** —**s** every kind of luxury; **de** —, luxurious, magnificent; **d'un** — **écrasant** overwhelmingly splendid

lys [*old spelling of* **lis**] *m.* lily

M

M. *abbrev. of* **monsieur**

ma *see* **mon, ma, mes**

Macha (*French form of a Russian woman's name*) Masha

mâcher chew

machinalement mechanically, involuntarily

mâchoire *f.* jaw

mâchonner (**un cigare**) chew

maçonner (**les boutons de sonnettes**) seal up (*with cement or plaster*)

maculer (**de**) spot *or* bedaub (with)

madame (*abbrev.* **M**me) Madam, Mrs.: — **la comtesse** her ladyship (the countess), *or* your ladyship; — **la marquise** (*Mbl*) your ladyship; **Madame** (*in addressing the Virgin*) my lady; (*archaically*) — **la Vierge** my Lady Virgin; — **est souffrante** the lady is ill

mademoiselle *f.* Miss, (the) young lady; (**eh bien!**) —, (*S–N*) ... Miss Claudette (*English has no good equivalent for* — *used alone*)

maëstro *m. from Ital.* [ma'estro]; *cf. Engl.* master = composer

magasin *m.* shop, (*U.S.*) store; warehouse

magicien, -ne magician

magique magic (*adj.*)

magistrat *m.* magistrate

magnanime high-spirited, magnanimous

magnanimité *f.* elevation of soul (*or* of mind), magnanimity

magnificence *f.* magnificence; *pl.* displays of magnificence

magnifique magnificent, splendid

Maguelonne (*Ét*) Maguelonne, *name*

of a star: l'**Étoile du berger** (*a Provençal hamlet also has this name*)

mai [mɛ] *m.* May

maigre lean, thin, meager

main *f.* hand; **grand comme la —,** no bigger than one's hand; (**fait**) **à la —,** by hand; (**porter, tenir**) **à la —,** in (one's) hand; **à deux —s** with both hands; **ramener** (**un cheval**) **en —,** lead (a horse) home (*by rein or halter*)

maint(s), –e(s) many (a)

maintenant now; immediately

maintenir maintain, keep up, stick to (*a price*); **se —,** maintain itself (oneself), remain

maintien *m.* bearing, behavior

maire *m.* mayor

mairie *f.* mayoralty, mayor's office, town hall

mais but; *excl.* why; **— oui!** *or* **— si!** why yes! *or* yes indeed! **— rien** why nothing

maison *f.* house, dwelling, building, home; **à la —,** home, at home; **tu es donc de la —?** (*VC*) so you're one of the family? **la —** (**des Prémontrés**) the establishment; **la — de ville** the town hall

maît' [mɛt] *colloq. for* **maître**

maître *m.* master, head, employer, owner; *also title regularly given to members of the French Bar* (*abbreviated to* **Mᵉ**) *and, in certain rural regions, to more or less elderly men of some local importance; no English equivalent, but may be freely translated* Mr. *or* Master; **— un tel** Master (*or* Mr.) So-and-So; **petit —,** fop; **passé —,** past master, expert; **le — de la maison** the master of the house (our host); **le — avait raison** (*BM*) her husband was right; (**la fille de**) **mes —s...** my master and his lady; **j'étais — de sa vie** his life was in my hands; **nous restons —s de la place** (*AWS*) we hold the fort

maître-autel *m.* high altar

maîtresse *f.* mistress, sweetheart; (*in direct address*) my mistress; (*folk-speech*) miss *or* lady; **la —**

de la maison (**du logis**) the hostess; **une — branche** a main branch; **la — ancre** the sheet anchor; **œuvre —,** master work (*magnum opus*)

maîtrise *f.* singing school (*for choir boys*)

majesté *f.* majesty

majestueusement majestically

mal (1) ill, badly; **c'est —,** that's wrong, you did wrong, *etc.*

mal (2) *m.* (*pl.* **maux**) evil, harm, ill, pain, trouble; **faire — (or du —) à** hurt, pain, do harm to; **faire — à la tête à** give... a headache; **son estomac lui faisait —, ...** was aching

malade ill, sick, unwell

maladie *f.* illness, sickness, ailment

mâle *m.* male, man (*emphatic*)

malédiction *f.* curse, malediction

malgré in spite of, notwithstanding

malheur *m.* misfortune, bad luck, unhappiness, calamity; **par —,** unfortunately; **pour mon —,** unfortunately for me

malheureusement unfortunately

malheureu-x, –se unhappy, unfortunate, miserable, wretched; **ce n'est pas —,** that's a good thing; *noun* poor man, unhappy fellow, wretch, scamp; **oh! la —se** (*MD*) oh! the naughty girl; **descends, —se!** come down, wretched creature! **le seul —,** (*Mbl*) the only sufferer

malice *f.* love of mischief, mischievousness; (*F*) craftiness; **avec ses —s** (*Ét*) with her mischievous, sallies (sly thrusts); **entendre —,** take amiss; **sans y entendre —,** (*Élix*) with no mischievous intention

malicieu-x, –se mischievous, malicious

maligne *see* **malin**

malin (1), **maligne** crafty, cunning, shrewd, knowing, clever; **cela n'est pas plus —,** (*T*) that's all there is to it (it's no more clever than I've told you); (2) *m.* crafty *or* shrewd fellow, **wag; vieux —, va!** (*F*) sly old fox! **go**

'long! **gros —!** you big humbug!
or big rogue!
malle *f.* trunk
malpropre dirty, untidy
maltraiter ill-use, hurt; (*of a storm*)
beat roughly upon; **maltraités
de la nature** (*Mbl*) ill favored
(by nature), born ugly
Mama-Jumbo mumbo-jumbo, "*a
god . . . worshiped by certain negro
tribes*" (*Cent. Dict.*)
maman *f.* mamma, mother
manant *m.* boor, lout
manche (1) *f.* sleeve; **en —s de
chemise** in his shirt-sleeves; **en
—s de veste** (*VC*) coatless; **la
Manche** the (English) Channel
manche (2) *m.* handle
mander send for, summon
manège *m.* horsemanship, riding-
school
mangeaille *f.* victuals, edibles
mangeoire *f.* manger
manger eat; **salle-à-—,** dining
room
mangeur *m.* eater
manier handle, have in one's
hand
manière *f.* manner, way, style;
faire de bonnes —s (*MP*) show
polite attentions; **de — à** so as
to; **de — que** so (in such a way)
that
manifester show, display, make
known
Manneville *a village N.E. of Le
Havre*
manœuvre *f.* maneuver
manœuvrer handle
manque *m.* want, lack
manquer miss (*e.g.,* **— le train**)
be missing, be lacking, lack;
pour que rien ne lui manquât in
order that he should lack nothing;
**(ce personnage important) leur
manquait . . .** was missing; **— à
la sobriété** fail to keep sober;
rien ne manqua à mon bonheur
my happiness was complete;
les répons manquaient d'entrain
the responses were lacking in
zest; **— tomber** come near falling; **il n'y manquait pas plus
qu'à prendre son verre d'eau de**

vie (*CP*) he no more failed to do
that than take, *etc.; il ne manquait jamais de s'agenouiller* he
never failed to kneel; **— de périr**
(*T*) barely escape perishing
mansarde *f.* garret (*often furnishing
a proverbially cheap lodging
cramped by the slant of the man-
sard roof and not too well lighted
by one or two dormer windows*)
manteau *m.* cloak, mantle, (soldier's) overcoat
manufacture *f.* manufactory, factory
manuscrit *m.* manuscript
maquignon *m.* horse dealer
maraîch-er, -ère: jardin —, vegetable garden, market garden;
l'odeur —ère du jardin the odor
of the vegetable garden; *m.* market gardener
marais *m.* marsh, *marshy land
suited to a* market garden; **le
Marais** (*Mbl*) "the Marsh," "the
Market Garden," *a quarter of
Paris* (*3rd and 4th* arrondissements) *containing the* Place des
Vosges; *as late as the 16th C.,
a region of marshy ground; but
under Henri IV le* Marais *had
begun to be the center of aristocratic
Paris, a prestige transferred before
Musset's time to other parts of the
city*
marbre *m.* marble, marble slab,
marble top
marchand, -e shopkeeper, tradesman; **vos —s** (*Mbl*) your pur-
veyors; **un — de . . .** a dealer in
. . . ; un gros — de bois (*S–N*)
a big lumber dealer [*Brit.* tim-
ber-. . .] (*in France, a man who
buys and sells trees or wood from
the Government or communal forests*); **— de drap** cloth merchant;
— d'esclaves slave trader; **— de
tabac** tobacconist
marchandage *m.* bargaining, hag-
gling
marchander haggle (over), bargain
(for); be niggardly with, grudge
marchandise *f.* wares, goods
marche *f.* walk(ing), going, gait,
progress, course, speed, march-

(ing); step (*of a stairway*); être en —, (*R*) be on one's way; se mettre en —, set forth

marché *m.* market(place), bargain, dealing, price; à bon —, cheap(ly); avoir bon — de qqn make short work of one

marcher walk (on, onward, along, to and fro), tread, step, stride, march; — (dans une chambre) walk about ... ; **marchant en mesure** (*of verses; J*) keeping the right meter

mardi *m.* Tuesday

mare *f.* pool; **une — d'encre** (*fig.*) a sea of ink

marguillier *m.* churchwarden

mari *m.* husband; (*AM*) **son —,** her intended

mariage *m.* marriage, wedding, matrimony; **faire un —,** (*AM*) perform a marriage service (*referring to the civil marriage which is required by law and which the mayor may perform; the religious ceremony is optional and is not legally binding in France*)

Marie *f.* Mary; — **l'Égyptienne** (*J*) Mary the Egyptian, *a saint, b. in Egypt ab.* 345 A.D., *d.* 421 A.D. *in Palestine. After 17 years of debauchery at Alexandria, a whim took her to Jerusalem where she was converted by a vision. She withdrew then to the desert where she lived with great austerity for 47 years. St. Zosimus discovered her retreat and gave her the communion* (420 A.D.). *Upon his return, a year later, he found her dead. Her (saint's) day is April 2. Her life has often been portrayed by artists and was a favorite subject in medieval literature as well as in medieval painting*

Marie de France, *a French poetess who wrote in England* (12th *C.*) *short tales in verse and fables of the Esopic type — all of great interest, simplicity and charm*

mariée *f.* bride; **des bouquets de —,** (*VC*) bridal flowers *such as French brides put in their hair for the wedding ceremony (these flowers, if*

artificial, are sometimes preserved sous un verre; *see* **verre**)

marier marry (*i.e., unite in wedlock; said of a father, a priest, a mayor, etc.*); (**une fille** *or* **demoiselle**) **à —,** marriageable, to marry off; **— ... avec** marry ... to (*i.e., give in marriage to*); **se —,** get married, marry; **marions-nous** (à l'anglaise) (*Mbl*) let's get married ... ; **se — richement** make a rich marriage; (**ses deux fils,**) **mariés** (*Peur*) ..., married men; (**la belle Maguelonne** [*a star*]) **se marie avec** (**Pierre de Provence**) (*É.*) comes into conjunction with

marin *m.* seaman

marine *f.* navy

maritorne *f.* slattern, dirty wench (*from* Maritornes, *the name of a servant girl in an inn, described in Cervantes' Don Quijote,* i. 16)

marjolaine *f.* marjoram

marmotter mumble

maroquin *m.* morocco (leather)

marque *f.* mark(ing), token, evidence, sign

marquer mark, set down, give evidence of; **— le pas de beat** time for; **un but marqué a set** mark

marquise *f.* marchioness

marri, -e (*an old word, used for its quaint effect*): **si —,** (*Élix*) so woeful, so crestfallen

marron *m.* chestnut

marronnier *m.* chestnut tree

mars [mars] *m.* March

Marseillaise: leur damnée —, (*R*) their damned " Marseillaise," *now the French national anthem, composed in its earliest form by Capt. Rouget de Lisle at Strasburg in or shortly after April* 1792 (*his authorship of the music has been disputed*); *by June* 1792 *this revolutionary war song had journeyed triumphantly to Marseilles, whence it soon returned to Paris and was there called* **la Marseillaise,** *i.e.,* **la chanson marseillaise**

Marseille [marsɛːj] *f.* Marseilles, *the oldest city in S. France and the* *most important seaport of the W. Mediterranean*

marteau *m.* hammer; knocker (*on an outer door*)

Martinique *f. a French island in the West Indies*

martyr *m.* martyr; **rue des Martyrs,** *a broad, rather short, unfashionable street running northward into the juncture of the Boul. de Clichy and the Boul. de Rochechouart*

martyre *m.* martyrdom

mas *m. a Provençal word which the French pronounce* [mɑ] farmhouse

massacrer slaughter, murder

masse *f.* mass, throng; **en** —, in a body; **la levée en** —, a general uprising

massue *f.* club, (heavy) cudgel; **coup de** —, stunning blow

masure *f.* old hovel, tumbledown hut *or* shanty

mât *m.* mast; **grand** —, mainmast; **— perroquet** topgallant mast

matelas *m.* mattress

matelot *m.* sailor; **simple** —, ordinary seaman

maternel, –le maternal

maternité *f.* motherhood

mathématiques *f. pl.* mathematics

matière *f.* matters; **en — de** in respect to

matin *m.* morning; **le** —, (*adv.*) in the morning, that morning; **de grand** —, very early (in the day), bright and early

matinal, –e morning (*adj.*)

matinée *f.* morning; **dans la** —, in the course of the morning

matines *f. pl.* matins, morning prayers

maturité *f.* maturity, middle age

maudire curse

maudit, –e (*pp. of* **maudire**) cursed, cursèd, confounded

maugréer (**contre**) fume, grumble (at), curse

maussade cross, surly, sullen, bad-tempered; **de très — humeur** very cross

maussadement sullenly, crossly, gloomily, dismally

mauvais, –e bad, poor, cheap, evil, wretched, wrong: **trouver** —,

dislike, take amiss; **ce n'est qu'un — moment** (*Ét*) this isn't going to last; **la meilleure —e compagnie de Carentan** (*R*) the pick of Carentan's social ineligibles; *noun* **mauvais!** villain!

maux *pl. of* **mal** (2)

me (**m'**) me, myself; for, to *or* from me (myself)

mé (*F*) *Norman patois for* **moi**

mécanique mechanical; **arts —s** mechanic arts

mécanisme *m.* mechanism, machinery, gear, device

méchanceté *f.* wickedness, malice, unkind act

méchant, –e wicked, malicious, mischievous, naughty; *noun* naughty boy (*or* girl)

méconnaître be unable to recognize, ignore, overlook; **méconnu, –e** unrecognized, ignored

mécontenter displease, not please, dissatisfy, upset, put out

mécréant, –e unbelieving, godless

médaille *f.* medal, badge; **l'argent de sa** —, (*VC*) his medal money (*a stipend paid to a soldier decorated with a* **médaille militaire**)

médecin *m.* physician, doctor

médiocre middling; **d'un goût** —, in rather bad taste

médiocrement only moderately, indifferently

médisance *f.* backbiting

méditati-f, –ve pondering, thoughtful, steeped in thought

Méditerranée (**la mer** —) Mediterranean

méfiance *f.* mistrust, distrust, suspiciousness, caution

méfiant, –e mistrustful, distrustful, wary, suspicious

méfier: se — de mistrust, be wary (of); **méfiez-vous!** beware!

meilleur, –e better, best; **les —s amis** (*CP*) the best of friends; **la —e mauvaise compagnie de C.** the pick of C's social ineligibles; **de la —e grâce** with the utmost graciousness

mélancolie *f.* melancholy

mélancolique melancholy, in a dismal mood, mournful

mélancoliquement mournfully, gloomily

mélange *m.* mingling

mélanger mingle, mix, blend; **mélangés** (*F*) mingled confusedly

mêlée *f.* scrimmage, scuffle

mêler (*F*) mingle; **se — à** mingle in, take part in; **se — de** meddle in; **mêlez-vous de vos affaires** mind your own business; **je ne me mêle plus de cela** I'll have nothing more to do with it

mélodie *f.* melody, tune

mélodieu-x, -se melodious

membre *m.* limb (*leg, arm*)

même same; (the) very; self (selves); even; **en — temps** at the same time; **moi-—,** myself, **eux-—s** themselves, they themselves; **l'azur — des cieux** the very azure of the skies; **à l'heure —,** at that very hour; **dans le moulin —,** (*AM*) in the mill itself; **par cela — que** just because; **ici —,** on this very spot; **tout de —,** just the same

mémoire *f.* memory; **... me revint en —,** ... came back to my mind

menace *f.* threat, menace

menacer (**de**) threaten (with, to)

ménage *m.* housekeeping, housework, household, family; **faire le —,** clean up (do one's housework); **faire son petit — à sa guise** (*CP*) have his own way; **les affaires du —,** (*AM*) their family affairs

ménager save, spare, be sparing with, husband (*resources*), make the best (*or* most) of; fit in, build in; **une écluse était ménagée** (*AM*) a sluice had been built (*so that there might be a waterfall*)

ménagère *f.* housewife, housekeeper

mendiant, -e *m. and f.* beggar

mener lead, take (*to*), carry on

ménétrier *m.* fiddler

menottes *f. pl.* handcuffs, manacles

mensonge *m.* lie, falsehood

-ment: **un interminable adverbe en -ment** (*VC*) corresponding to Engl. **-ly** in rapidly

menterie *f.* (*F*) lie, fib (*coll. synonym*

of **mensonge** *and used by peasants or the like instead of* **mensonge**)

menteur *m.* liar

menteux *m.* (*F*) Norman patois for **menteur** liar

mention *f.* mention, comment

mentir tell a lie, lie

menton *m.* chin

menu, -e small, little, minute, minor, petty, trifling

méprendre: se — (à) be mistaken (about); **s'y —,** be mistaken about it (them)

mépris *m.* contempt, scorn; **... de —,** contemptuous ...

mépriser treat with contempt, scorn, despise, make light of

mer *f.* sea

mercerie *f.* mercery, haberdashery; (*U.S.*) dry-goods (business)

merci *f.* mercy; *m.* thanks, (I) thank you; **bien des —s** many thanks

merci-er, -ère (*small*) dry-goods merchant, mercer, haberdasher

mercredi *m.* Wednesday

mère *f.* mother; *used familiarly of an elderly woman, whether a mother or not;* **et vous, la —, voulez-vous... ?** and you, ma'am, will you... ? **la — Grédel Dick** (*MD*) old Mrs. Grédel Dick *or* mother G. D.; **la grosse —,** (*MD*) the big old woman; **la fille du père et de la — Merlier** (*AM*) the daughter of old Mr. and Mrs. Merlier

méridional, -e southern, southerner

mérinos [merinos] *m.* merino

mérite (**à**) *m.* merit (in), worth, good quality; **le — du paysage** (*CP*) the skill with which the landscape was executed

mériter deserve

méritoire meritorious

merle *m.* blackbird (*a name given to some fifteen species of birds akin to the thrush; but Musset's* **merle blanc** *is necessarily a very "rare bird," a freak. Musset's story is a pendant to a medieval tale, in verse, which has given currency to the saying:* **C'est l'his-**

toire du merle et de la merlette
[*or* de la merlesse], *based on an
eternal and futile argument between
a peasant and his wife as to the
sex of a* merle *which he had
brought home as a tidbit for a
saint's-day feast*); **tout ce qu'il y a
de —s** everything there is in the
shape of blackbirds
merlesse *archaic f. of* merle
merlette (*f. of* merle *but hardly used
except as a term of heraldry*) lady
blackbird, *used jocularly* (*Mbl*)
because the normal fem. of merle
is merle femelle *or* femelle du
merle
merlichon *m. perhaps coined by
Musset as a dimin. of* merle (*Mbl*);
notre —, our blackbirdie
merveille *f.* wonder, marvel; **faire
—s** work wonders; **à —,** wonder-
fully well
merveilleusement marvelously
merveilleu-x, -se wonderful, mar-
velous; *noun* **le — (de sa guérison)** the marvelousness ...
mes *see* mon
messe *f.* mass; **grand'—,** high mass
messieurs [mèsjø] gentlemen (*see
monsieur*)
mesure *f.* measure, step (*procedure*);
outre —, excessively; **charger
outre —,** overload; **marchant en
—,** (*J*) *of verses,* moving with
measured step; **à — que** in proportion as; **à — que je chantais**
(*Mbl*) as I progressed in my song;
prenez vos —s en conséquence
proceed accordingly; **des —s
terribles** (*AM*) terrible punishment
mesurer measure, measure off, pace
off, estimate
métal (*pl.* métaux) *m.* metal
métier *m.* trade (profession); **—s
à dentelles** (*MP*) lace makers'
looms (*as is indicated by* le tic tac),
*possibly an anachronism, for it
seems more likely that in the* 14*th
C. lace makers wrought their laces
noiselessly on a frame or cushion
— the present method of making
lace "by hand" (without any* tic
tac); *however, hand looms are at*

*least imaginable for the period in
question*
mètre *m.* meter (39.37 *inches*),
freely (one) yard
mets *m. sg. or pl.* dish, *i.e.,* food *of
some special kind*
mettre put, put on, don, lay (*hands
on*), place, set, set down, drive;
mettons vingt gouttes (*Élix*)
fig. (let us) say, twenty drops;
— la table set the table; **— sous
la table** put under the table, out-
drink; **se — à table** sit down at
table; **— pied à terre** alight; **—
au désespoir** drive to despair; **—
à l'épreuve** put to the proof,
test; **— (un oiseau) à nu** strip
(a bird) of its feathers, strip; **—
à sec** drain dry, leave penniless; **—
— à la retraite** pension off (*an
officer*); **— le lecteur au fait de**
acquaint the reader with; **—
au jour** publish; **y — beaucoup
de prudence** go about it with
great caution; **— dans l'erreur**
lead into error; **je vais le —
dans vos intérêts** (*R*) I'm going
to get him to help you; **est-ce
que tu mettrais (à trente pas dans
une carte?)** (*CP*) could you hit
...? **la crainte d'être mis dedans** (*F*) the fear of being taken
in; **— en appétit** give ... an
appetite; **— le cœur en joie
[à qqn]** (*Mbl*) fill ...'s heart
with joy; **— en pièces** blow to
pieces; **se — en devoir de +** *inf.*
set about -ing; **se — en marche**
(*or* en route) set forth, start;
se — en mouvement begin to
move; **se — en tournée** start
out on a round (of the town);
se — à la besogne (*or* à l'œuvre)
set to work; **il se mit à hurler** he
began to howl; **rien à se — sur
le dos** nothing to wear
meu– *see* mouvoir
meuble *m.* piece of furniture; **—s**
furniture
meubler furnish (*a room*)
meuglement *m.* bellowing (*of a
cow*), mooing
meunier *m.* miller
meurtre *m.* murder

meurtrier *m.* murderer
meurtrir bruise, batter
miarro *m.* a *Provençal word (Ét)
which Daudet himself translates by*
garçon de ferme farm boy
mi- (1) half-, mid-
mi- (2) *see* mettre
microscopique microscopic, tiny
midi *m.* midday, noon
miel *m.* honey
mien, -ne (le, la, *etc.*) mine, my own
miette *f.* crumb; **réduire en —s**
smash to atoms
mieux better, best, best way; better-(*or* best-)looking; **tant —**, so
much the better; **j'aimerais —**,
I should prefer (to); **ne pas —
demander ask** for nothing better;
embrasser —, kiss more fondly;
— valait la solitude better (was)
solitude [than such company];
**c'est ce que nous avons de — à
faire** that's the best thing for
us to do; **je la rassurais de mon
—**, I did my best to restore her
confidence; **il est des — que j'aie
pondus** (*Mbl*) he's one of the best-
looking I have ever hatched
mignon, -ne darling, pet; pretty
milieu *m.* middle, midst; environ-
ment, surroundings; **au — du
jour** at midday; **au — des moqueries** to a chorus of jeers
militaire military, in the army; *m.*
soldier, officer
mille (a) thousand; **— dangers**
countless dangers
mince thin, slender, meagre, in-
significant, paltry
mine *f.* countenance, look(s); **de
bonne —**, good-looking, pleasant-
looking; **avoir (la) — de + *inf.***
look as if one were... (might,
would, *etc.*); **faire — de + *inf.***
pretend to...
ministère *m.* (government) ministry, (government) office (Ministry
or Department *of*...); la fête du
Ministère, the Ministerial ball
ministériel, -le ministerial
ministre *m.* minister, cabinet minister; (*U.S.*) Secretary (of); le
Conseil des Ministres the Cabinet
Council

minuit *m.* midnight
minutieu-x, -se very careful, minute, precise
mirer: se —, look at oneself (*as in a
mirror*)
miroir *m.* mirror, looking-glass
mis (mise) *see* mettre
mise *f.* setting; stake (*in gambling*);
— en scène stage setting, theatri-
cal effect
miser bid (*at an auction*), stake (*in
gambling*)
misérable wretched, pitiful, sorry;
noun scoundrel, (wicked) wretch
misérablement pitiably, sorrily
misère *f.* poverty, wretchedness,
misfortune, trouble(s), shabbiness; **toutes les —s** every kind
of misery; **— honorable** (*VC*)
respectable poverty; *adj.* l'air
—, a poverty-stricken look
miséricorde *f.* mercy; **—!** mercy
on us! (on me! *etc.*)
mitraille *f.* grapeshot
Mme *abbrev. of* Madame
mobilier *m.* furniture, set (*or* suite)
of furniture
mode *f.* fashion, way; à la —, in
fashion
modèle *m.* model
modeste modest, unpretentious,
moderate, slight
modestement modestly
modifier modify, alter, change, give
a new look (*or* turn) to
moelle [mwal] *f.* marrow
moelleu-x [mwalø], -se soft
moellon [mwalɔ̃] *m.* a *small, rough
stone used as filling in masonry;*
hence —s rubble, rough stone
mœurs [*usu.* mœrs] *f. pl.* manners
(customs, habits), ways
moi me, myself, I; **et — je ne pouvais pas,** *etc.* and, as for me, I
couldn't, *etc.*
moindre less, least, slightest; **le
— bruit** the slightest noise; **le
— de ses gestes** his every gesture; **et pas la — Jenneton**
(*MP*) and not even one little
Jenny dear
moine *m.* monk; **ronfler comme un
—**, (*provbl. locution*) snore loudly
moineau *m.* sparrow

moinette *f.* (*quaint dimin.* of **moine**) little nun

moinillon *m.* (*Élix*) little monk (*here a choir boy not necessarily destined to become a* **moine**)

moins less, least; **c'est bien le —** **que** (**le second produise**) (*Mbl*) the very least to be expected is that . . . ; **— de temps** less time . . . ; **— de gens** fewer people; **au —,** at least; **de — en —,** less and less; **du —,** at all events, at least; **pour le —,** anyhow, (*CP*) if nothing else

moire *f.* moire (*name of various iridescent textiles*), watered silk

moirer render (make) iridescent (*as watered silk*)

mois *m.* month

moisson *f.* harvest

moitié *f.* half; **la — de** half (of); **à —,** half, partly, (*AM*) in part

mol, -le *see* **mou**

mollement softly, gently

moment *m.* moment, instant; **jusqu'au — où il tomba** until, at last, he fell; **. . . lui apparaissait depuis un —, . . .** had just come into his vision; **du — où il vivrait** (*AM*) so long as (provided) he should remain alive; **par —s** at times; **dans le —,** at that instant

momie *f.* mummy

mon, ma, mes my; *often used in direct address, as in* **oui, mon père** yes, father; **non, mon colonel** no, colonel

monastère *m.* monastery

monde *m.* world, people, company, crowd, throng, society; **venir au —,** come into the world (be born); **peu de —,** few people; **tout le —,** everybody; **dans le — des bureaux** among officeholders; **le plus simplement du —,** with the utmost simplicity; **pas le moins du —,** not the least bit

monnaie *f.* money (coin, coins), change; **pièce de —,** coin

monologuer soliloquize, talk to oneself

monosyllabe *m.* monosyllable

monotone monotonous

monseigneur my lord (your grace, your worship: *in Musset's story, the strange bird encountered by the* **merle blanc** *seems to be slily likened to an ecclesiastic of high rank*); **— l'abbé** (*Élix*) my lord abbot

monsieur [məsj ø *or* msjø], *pl.* **messieurs** [mèsjø] Mr., Messrs.; Sir, Sirs; the gentleman, gentlemen; **conduis — à . . .** take the gentleman to . . . ; **— le doyen** (*simply*) the dean; **— le maire** his honor the mayor; **— mon père** (*Mbl*) my respected father; **— le prieur** (*voc.*) your reverence

monstre *m.* monster, freak

monstruosité *f.* monstrosity

mont *m.* mount; **le Mont-de-l'Ure** (*Ét*), *generally called* **la Montagne de Lure**, *a mountain range ab.* 40 *k.* *N. of the Luberon and towering over the W. bank of the Durance;* **quatre —s de sable** (*Peur*) four mounds of sand; (*poetically*) **les —s et les plaines** the hills and the plains

montagne *f.* mountain

montante: une robe —, a high-necked dress

monter go (come, walk, run) up, climb (up), ascend, mount (*see* **garde**), rise; (*of foam*) bubble up; carry up (bring up); furnish, equip; **qui montaient (la chaloupe)** who were in . . . ; **— (à cheval)** ride (horseback); **— dans un bateau** get into a boat; **— dedans** climb (get) into them (*or* it); **le chemin qui monte** the road that leads up; **faire —,** raise, cause to rise, make too high; **ça se monte encore** (*MP*) of course you can go *up* that

Montivilliers *Norman town ab.* 10 *k. N.E. of Le Havre*

montre *f.* watch

Montredon *imaginary town*

montrer show (off), display; point to; **— au** (*or* **du**) **doigt** point to; **— le poing** shake one's fist

moquer: se — de laugh at, make fun of, care nothing for; **nous nous moquons de (votre maëstro)** we don't care a hang for . . .

moquerie *f.* scoff, scoffing; —s jeers

moral, -e moral; **l'être** —, the moral (*or* ethical) life

Morbihan *m.* *département in the S. half of Brittany*

morceau *m.* bit, piece, morsel; **par —x** into shreds (pieces)

mordre bite

Morelle *f.* *imaginary stream, which Zola situates in Lorraine*

Morfontaine (*or* **Mortefontaine**) *small town,* 13 *k. from Senlis, near Ermenonville forest, N.E. of Paris*

morne gloomy, dismal, downcast

mort (1) *f.* death; **les Morts de Poniatowski** (*VC*) the oft-repeated "Death of Poniatowski"

mort (2), **morte** (*p.p. of* **mourir**) dead, lifeless; **un** —, a dead man; **deux nouveaux —s** two more men killed

mortel, -le mortal, deadly

mortifiant, -e mortifying

mortifier depress, (*fig.*) hurt

mortuaire funeral (*adj.*)

Moscou *m.* Moscow (*in Russia*)

mot *m.* word; **écrire un** — (**à**) drop a line (to); **jeter des —s** fling disparaging remarks; **—s carrés** (*VC*) word square(s), "*a set of words so chosen that when they are written under each other the letters read downward in columns give the same words*" (*a kind of game which commonly takes the form of a charade:* **mon premier est** —, *etc.*):

R A T	I É N A
A D O	É M O I
T O O	N O Ë L
	A I L E

motif *m.* motive, cause, ground(s), impulse

mou (*before a noun beginning with a vowel,* **mol**), *f.* **molle** soft

mouche *f.* fly; bull's-eye; **faire —**, hit the bull's-eye

moucheté, -e spotted, speckled

mouchoir *m.* handkerchief; **plus pâle que son** —, as pale as a sheet

moufle *f.* mitten

mouiller wet, soak; drop anchor; (**l'odeur**) **mouillait les bouches** ... made everybody's mouth water; *p.p.* **mouillé,-e** wet(ted); **la campagne avait des grâces mouillées de bouquet** (*AM*) ... was as charmingly fresh as a nosegay moist with dew

mouillure *f.* wetting, wetness, drenching; **trembler de** —, shiver from having been drenched

moule *m.* mould (*pattern*)

moulin *m.* mill, gristmill

moulinet: faire le — **avec** whirl round, twirl

mourant, -e dying, ready to perish; **un** —, a dying man; **-e** (*R*) half dead with fear

mourir die; — **de faim** starve (to death); — **de froid** freeze to death; **d'impatience** (**de** + *inf.*) hardly be able to wait (to); — **pour** —, (*MD*) as well die one death as another; **il nous est mort** ... we have lost (by death) ...

mouron *m.* chickweed (*a favorite food of certain birds*)

mousquetaire *m.* musketeer

mousse (1) *f.* moss; froth, foam

mousse (2) *m.* cabin boy

mousser froth (up), foam

moustache *f.* moustache; (*of a cat or dog*) whisker(s)

moustachu *of a dog* (*Peur*) whiskered, with long whiskers

moutarde *f.* mustard

moutardier *m.* mustard maker; **le premier** — **du Pape** (*MP*) the Pope's head mustard maker (*cf.* **se croire le premier** — **du Pape** put on airs)

mouton *m.* sheep; **peau de** —, sheepskin

mouture *f.* grist

mouvement *m.* movement, motion, impulse, life; **se mettre en** —, begin to move; **un beau** — **oratoire** a fine flourish of eloquence

mouvoir (cause to) move; **se** —, move, stir

moyen (1) *m.* means, way; **au** — **de** by means of; **le** — **de** ...? how can (could, *etc.*) I (you, *etc.*)...? il y a — de there's a way to...

moyen (2), –ne middle, middling, average

m'sieu *represents the most usual pronunciation of* **monsieur**, *though Maupassant's spelling (F) implies plebeian usage*

mucre damp (*Norman patois: in Old French,* **mucre** *means* mouldy)

mue *f.* moulting

muet, –te dumb, mute, silent, speechless

mugir (*of cattle*) low, (*fig.*) bellow, roar

mule (1) *f.* (she-)mule; *but note the pun (see below) in* **la — du pape**; *in* les Étoiles, — *is used as a synonym of* **mulet**

mule (2) *f.* slipper, *but used only of the Pope's slipper* (**la — du pape**) *on which there is a cross and which symbolizes papal power or the power of the Church; whence the expression* **baiser la — du pape** kiss the Pope's slipper, *in token of submission to his authority; but, in Daudet's story,* Tistet Védène *rashly brings unwitting papal vengeance upon himself by his defiance of the respect due to* **la** — (mule *or* slipper) **du pape,** *which kicks him into eternity*); *the mule in question may be spoken of correctly as* she

mulet *m.* (he-)mule

muletier *m.* mule driver

multiple manifold

multiplier multiply

mur *m.* wall; — **d'appui** retaining wall, *or* (*AWS*) breast-high wall (*base of a window sill*)

mûr, –e ripe; (very) careful

muraille *f.* wall

murmure *m.* murmur, murmuring, faint sound, faint noise

murmurer mutter, whisper

musicien *m.* musician

musique *f.* music; band; **une —, a** kind of music, a melody; **faire de la —,** play

mutuel, –le mutual, on each side

myrte *m.* myrtle

mystère *m.* mystery (*including a type of medieval religious play*), mysteriousness

mystérieu–x, –se mysterious

N

nacre *f.* mother-of-pearl

nager swim, swim about; **nageant des pattes dans le vide** (*MP*) swimming with all four legs in empty space

naguère not long ago (*or* since), lately, formerly

naï–f, –ve ingenuous, unsophisticated, guileless, simple, frank; **l'œil —,** with a guileless eye

naiss– *see* **naître**

naissance *f.* birth, high birth

naissant, –e new-born, growing

naître be born, spring up, grow; **un peu bien né** (*Mbl*) of rather good birth

naïvement artlessly, ingenuously

Nanterre *f. a town* 12 *k. N.W. of* Paris; *ab.* 14,000 *inhab.*

Nantes *an inland port* (*Loire Inférieure*), 397 *k. from* Paris; *ab.* 133,000 *inhab.*

Naples *f.* Naples, *the most important city of S. Italy*

Napoléon (Bonaparte) *b.* 1769 *at* Ajaccio, Corsica, *d.* 1821 *in St.* Helena

Napoléon III (Charles-Louis-Napoléon Bonaparte) *son of Louis Bonaparte, a brother of Napoleon I. From* 1852 *to* 1870 *Napoleon III was "Empereur des Français." In* 1870 *he declared war against Prussia. Other German states rallied to the support of Prussia. France was defeated and Napoleon III lost his throne*

napoléonien, –ne Napoleonic

napolitain, –ne Neapolitan

nappe *f.* tablecloth (**de trois jours** three days old, already used for three days); **une — d'eau** a sheet of water; surface (*of a river*)

naqu– *see* **naître**

narine *f.* nostril

narrer [nare] narrate

natal, –e native *or* of one's birth (**ville —e**); **pays —,** birthplace

nati–f, –ve native, inborn; — **de**
... born in ...
nation *f.* nation, race
nativement by birth, naturally
nature *f.* nature, character
naturel (1), –le natural, unaffected;
— **aux femmes** characteristic of
women; (2) *m.* naturalness
naturellement naturally, by nature;
of course
naufragé, –e shipwrecked, wrecked;
un —, a shipwrecked man
navet *m.* turnip
navette *f.* shuttle
navire *m.* ship, vessel
navrer break one's heart; **navré, –e**
broken-hearted
ne *neg. particle (commonly accompanied by* **pas, point,** *etc.*) not;
ne pas couper (*of a blade*) not
cut (well), be dull; **il n'arriva
que très tard** he didn't arrive till
very late; **ne ... plus aucun** no
further; **depuis que je ne t'ai
vue** since I saw you last; **je ne
doute pas qu'il ne vive** I don't
doubt that he is alive; **je ne
doutai pas que ... ne dissipât,**
etc. (*Mbl*) I did not doubt (but)
that ... would dispel, *etc.;* **plus
maigre que je ne le croyais
possible** thinner than I had
thought possible
né, –e (*p.p. of* naître) born; **bien —,**
of good birth
néanmoins nevertheless
nébuleu–x, –se (*fig.*) gloomy
nécessaire necessary, needed
nécessairement necessarily, of
course
nécessité *f.* necessity, need; **par —,**
because one has to; **la — où elle
se trouvait de + inf.** the necessity of her –ing
nécessiteu–x, –se needy
nécromancien *m.* necromancer
nécromant *m.* (*archaic synonym of*
nécromancien) necromancer
nef [nɛf] *f.* nave
néfaste ill-omened, unlucky
négligence *f.* carelessness; **quelques
—s** (*Mbl*) some examples of carelessness (*or* of bad workmanship)
négliger neglect, overlook, miss;

ne rien —, leave nothing undone,
take all possible care
négociant *m.* (wholesale) merchant,
trader
nègre *m.,* **négresse** *f.* negro, negress; **la traite des —s** the slave
trade
négrier *m.* slaver, slave ship; **bâtiment —,** slave ship (*for negroes*)
neige *f.* snow; **un temps de —,**
snowy weather
Nemours *a town ab.* 10 *k. S. of
Fontainebleau;* **le duc de —,** (*VC*)
Louis-Charles-Philippe, Raphaël
d'Orléans (1814–96), *second son
of Louis Philippe. This Duke of
Nemours began his Algerian campaigns in* 1836, *was with Gen.
Lamoricière* (*q.v.*) *at the taking of
Constantine in* 1837 *and, at this
time, became lieutenant general*
nerveu–x, –se nervous, of the
nerves
net [nɛt], –te neat, clear; **arrêter
—,** stop short (*or* suddenly);
mettre au —, make a fair copy of
nettement clearly, plainly
netteté *f.* distinctness
nettoyer clean (up), wipe clean
neu–f (1), –ve new, unused
neuf (2) nine
neveu *m.* nephew
nez *m.* nose
ni neither (either), nor (or); **Katogan ne s'enfuyait ni ne
s'endormait** K. was neither fleeing nor falling asleep; **ni d'un
côté ni de l'autre** (*after* sans)
on either side
niaiserie *f.* silliness, foolery, trifle;
(**des**) —s stupid nonsense
niche *f.* niche, kennel
Nicolas: saint–—, Saint Nicholas, *of
Myra in Lycia* (4th *C.*); *known
best as the patron saint of Russia
and of all Christian children:*
saint–—, sur son âne (*S–N*)
Santa Claus, on his donkey
(*according to our tradition, driving — generally through the sky
or over housetops — a sleigh drawn
by reindeer*); **la** [fête de] **Saint-
Nicolas** *occurs on the* 6th *of
December, but may be prolonged!*

nid *m.* nest

nier deny

nimbe *m.* aureola, halo

nimbé, –e surrounded with a nimbus (*or* halo)

Nîmes *m.* *a picturesque city in Provence, 722 k. S. of Paris; famous for its Maison Carrée and its Coliseum, Roman buildings in good preservation*

nippé, –e dressed up, rigged out

niveau *m.* level

no *abbrev. of* **numéro**

noble noble, aristocratic; *noun* noble, nobleman

noblesse *f.* nobility, nobleness

noce *f.* (*or* —s) wedding, wedding-party; wedding festivities; **le matin des —s** our wedding morning

noctambule that roves about at night, noctambulant

nocturne nocturnal

Noël *m.* Christmas; **la —, (la fête de —)** Christmas (day)

noeud [nø] *m.* knot, bow

noir, –e black, blackened, dark; **un —,** a black man, a negro; **une —e** a black woman, a negress; **voir tout en —,** always look at the dark side

noisette *f.* hazelnut

nom *m.* name; **au — de** in the name of; **au — du ciel!** for heaven's sake! **un beau — (CP)** of a distinguished family; **— d'un —!** (*the second* **nom** *stands for some stronger word*) hell and blazes! the devil!

nomade roving, wandering

nombre *m.* number; **depuis — d'années** for some years; **le plus grand — de** (the) most of . . .

nombreu–x, –se numerous, many

nomination *f.* appointment

nomme *italicized by Theuriet (S–N) as a dialectal equiv. of* **n'est-ce pas?**

nommer name, call (*by a certain name*), appoint; **comment les nommez-vous?** what do you call them? **comment le nommez-vous?** what do you say his name is? **il se nomme . . .** his name . . . , he gives his name as . . .

non no, not; **— pas** not (*emphatic*), no indeed; **ni moi — plus nor I** either; **lui — plus ne possédait,** *etc.* (*AM*) neither had he, *etc.*

nonchalamment carelessly

nord [nɔːr] *m.* north; **—-est** [nɔrɛst] northeast

normand, –e Norman (*often connoting craftiness*)

Normandie *f.* Normandy

nostalgie *f.* homesickness, longing (*for something one has had or felt but has lost*); **une — de tendresse** (*S–N*) a longing for tender affection (*such as one may at some time have received*)

notaire *m.* notary (*but* **un — is** *more commonly employed to draw up deeds etc., as well as to affix his signature and seal*); attorney

notamment especially, particularly

note *f.* note; bill (*e.g., a bill presented by a hotel*)

notion *f.:* **il perdit doucement la — des choses** (*AWS*) gradually he ceased to be conscious of objects

notre (*pl.* nos) our; **— demoiselle** (*Ét*) miss (*a rustic use of* **notre** *instead of* **ma;** *Molière causes a rustic to address his master as* **notre maître**)

nôtre(s) [noːtr(ə)]: **le (la) —,** **les —s** ours, our own; **vous n'êtes pas des —s** you're not one of us

Notre-Dame Our Lady, *the Virgin Mary;* **Notre-Dame [de Paris]** Notre-Dame cathedral, *the famous Gothic cathedral whose two square towers are visible from various points outside of Paris*

nourri, –e fed, full; (*of feminine beauty*) buxom; (*of rifle-fire*) steady, well-sustained

nourrir (de) feed (on), sustain; **se — de** live on

nourriture *f.* food

nous we, us, ourselves; to (for, from) us; **nous nous regardâmes** we looked at each other (at one another); **— autres** we, the rest of us

nouveau, nouvelle new, fresh, other, further; **d'un — signe [de tête]**

(*AM*) with another motion of the head; **un — venu** a newcomer; **deux —x morts** two more men killed; **une nouvelle bouteille** a fresh bottle; **de —,** once more, again

nouvelle *f.* news, tidings; short story, tale; **une —,** a bit of news; **prendre des —s de** get news (enquire) about; **vous m'en direz des —s!** you shall see how good it is!

nouvellement lately, recently

Novare Novara, *city in N. Italy*

Novelles (*AM*) *imaginary town*

novembre *m.* November

novice *m.* novice, probationer

noyau *m.* stone *or* pit (*of a fruit*), kernel

noyer (1) *m.* walnut (tree)

noyer (2) drown; **se —,** drown oneself, be (get) drowned

nu, nue naked, bare; (**les**) **pieds nus** barefoot; **mettre à nu** pluck the feathers off, strip

nuage *m.* cloud

nuire (à) harm, hurt, injure

nuis- (**nuit**) *see* **nuire**

nuit *f.* night, nightfall, darkness, dark; **cette —,** tonight *or* last night; **la —,** *adv.* at (by) night; **la — venue** after nightfall; (**la malheureuse bête n'en dormit pas**) **de la —,** (*MP*) all that night

nuitamment in the night

nul, -le no (any), no one; **—le part** nowhere

nullement not at all, not in the least, (not) in any wise

numéro *m.* number (*in a series*)

nuque *f.* nape of the neck

O

obéir (à) obey, comply (with)

obéissance *f.* obedience

objecter object

objet *m.* object, aim, subject, thing (in question), article; **les —s de son commerce** (*T*) his (particular) wares; **avoir pour —,** be concerned with

obliger (à, de) oblige, compel, force (to)

oblique slanting, oblique

obscur, -e dark, dim, obscure

obscurcir darken, dim

obscurité *f.* darkness

observateur *m.* observer

observation *f.* observation, comment; **se remettre en —,** resume (one's) watching; (*for mil. style*) **il se remit en —,** he again went on the lookout

observer watch, look at, examine; comply with (*laws*); maintain (*silence*)

obstacle *m.* hindrance, difficulty

obstruer obstruct, clutter

obtenir get, obtain; (**sans pouvoir**) **— qu'on m'ouvrît la porte** to get anyone to open the door for me

occasion *f.* occurrence, opportunity; **avoir l'— de** have a chance to; **c'est une —,** that's a rare opportunity

occulte occult

occuper occupy, take; **— (un fauteuil)** sit in; **s'— (de)** busy (*or* concern) oneself (with), attend (to), take up, be (*or* become) engaged (in), (*or* interested) (in), take a hand in, meddle with; **occupée à (couper)** occupied in; **occupé de** busy with, engaged in

occurrence *f.* emergency

octogénaire *m. or f.* octogenarian

odeur *f.* smell, scent, odor

odieu-x, -se odious, hateful

odorant, -e fragrant

œil *m.* (*pl.* **yeux**) eye, look, glance; **often œil** *includes* both eyes: **l'— ouvert** with (one's) eyes wide-open; **de son — presque éteint** (*Peur*) with his almost sightless eyes; **d'un — fixe** with a steady glance; **un coup d'—,** a glance; **à vue d'—,** as one can see at a glance; **en se faisant les doux yeux** (*AM*) while looking fondly at each other; **sous ses yeux** (*MP*) before his own eyes *or* under his personal supervision; **les yeux perdus au fond des ténèbres** (*AM*) gazing vacantly into the darkness

œsophage [ezòfaːʒ] *m.* gullet

œuf [œf] *m.* [*pl.* ø] egg; **dans**

mon —, (*Mbl*) even before I was hatched

œuvre *f.* work; *m.* (*collective*) writings

offenser offend, shock, injure

offensi–f, –ve: un retour —, (*AWS*) a counter (return) attack

offert, –e *p.p. of* **offrir**

office *m.* (church) service, prayers; **chanter l'—,** (*J*) chant matins and lauds; **chanter l'— de la Vierge** chant the office of the Virgin (*a special devotional service*)

officiant *m.* officiating priest

officiel, –le official

officier *m.* officer

offrande *f.* offering

offre *f.* offer; **l'— de cinq points d'écarté** an invitation to play five points, *etc.*

offrir offer, present, exhibit, display; **s'— qqch** treat oneself to something

oie *f.* goose

oiseau *m.* bird

oisi–f, –ve idle; (an) idler

olympien, –ne Olympian

ombrage (*or* —s) *m.* shade

ombre *f.* shade, shadow(s), gloom, darkness; **une — d'émotion** a trace of excitement; **des —s glissaient dans (les fourrés)** (*AWS*) shadows (of men) were stealing among . . .

omelette *f.* omelet

omettre omit, leave out

omis, –e *p.p. of* **omettre** (*q.v.*)

on one, they, people, *etc.*; **quand on est brave** when one (*or* a man) is brave; **on dit** it is said; **on remonta (sur le pont)** we went up; **on vint (annoncer)** some one came; **on aperçut (l'ennemi)** they perceived . . . ; **on était couché** (*Mbl*) everybody was in bed; **bien! on marchera** (*VC*) very well, then we [*i.e.*, I] shall walk; **on s'expliqua** explanations were offered (on both sides); **mais l'on m'a convaincu** (*Mbl*) but I have been convinced (**l'on** *is generally a bookish or stately equiv. of* **on** *and recalls the fact that* **on** *was originally a noun, from Latin* homo)

oncle *m.* uncle

ondé, –e (*of hair*) wavy

onduler undulate, wave; (*of a cry*) **monter en ondulant** rise in waves

ongle *m.* (finger) nail; claw

ont *see* **avoir**

onze eleven

opéra-comique *m.* (*applied to* Carmen) *simply* opera

opiat *m.* soothing salve

opiniâtre stubborn

opposé, –e opposite

opposer oppose, set against; **— ces rivalités les unes aux autres** play off these rivalities against one another; **s'— à** oppose

oppresser oppress

oppresseur *m.* oppressor

or (1) *m.* gold; **d'or** gold (*adj.*), golden

or (2) *adv.* now (*resumptive*); **or, tout de même** however (*or* now), just the same

orage *m.* storm

orageu–x, –se stormy

oraison *f.* prayer (to God), (*poet.*) orison

oranger *m.* orange tree; **fleur(s) d'—,** orange blossoms (*suggesting a wedding!*)

orateur *m.* speaker

oratoire oratorical, of eloquence; *m.* oratory (*small room for private prayers*)

orbe *m.* orb

ordinaire (1) customary, usual, everyday; **en temps —,** normally; (2) *m.* **l'—,** the daily fare; **plus qu'à l'—,** more than usual; **à son —,** in his usual fashion; **d'—,** usually

ordonnance *f.* (medical) prescription

ordonner order, give an order

ordre *m.* order (*pl. also* instructions); command; **mettre — à** set in order, settle; **rentrer dans l'—,** become orderly again; **des rapports petit ordre et des rapports grand ordre** (*S–N*) of the minor and major reports; **chevalier des —s** (*R*), *in full,* **chevalier des —s du roi** *i.e.,* **chevalier de Saint-Michel** [St. Michael] **et du Saint-**

Esprit [the Holy Ghost], *a title existing under the monarchy before the Revolution* (1789)
ordure *f.* filth, dirt; *pl.* slops, sweepings
oreille *f.* ear; tendre l'—, strain one's ear(s), listen intently
oreiller *m.* pillow
Oremus Domine (Lat.) let us pray, O Lord
orfèvre *m.* gold- and silversmith
orgie *f.* orgy
orgue *m. (in some uses the pl. is fem.)* organ
orgueil *m.* pride *(usu.* excessive self-esteem *or* conceit)
orgueilleu–x, –se proud
orient *m.* east, Orient; en Orient in the East (Orient)
oriental, –e eastern, oriental
origine *f.* source, beginning
Orion *m.* Orion *(constellation)*
orme *m.* elm
orner (de) adorn (with)
ornière *f.* rut, trough *(in a quagmire or slough)*
orphelin, –e orphan
os [*sg. and pl.* ɔs *or* oːs] *m.* bone(s)
oser dare, have the courage to; tout —, take any risk
osier *m.* osier, wicker *(of pliant withes)*
osseu–x, –se bony
ostensiblement openly
ôtage *m.* hostage
ôter take away, take out, take off *(one's clothes etc.)*
ou or; ou bien or on the other hand, or else; ou . . . ou either . . . or
où *adv. and pron.* where, wherein, whither; at, to *or* in(to) which; when; partout où wherever; d'où whence, from where; (la route) d'où (vous venez) by which; (un ballon) d'où (sortaient) out of which; par où? which way? how? où que (+ *subjunc.*) wherever; (au temps) où (j'étais enfant) when; jusqu'au moment où (il tomba) until, at last; du moment où il vivrait *(AM)* provided he remained alive; au cas où il viendrait in case (if) he should come; l'ignorance où

j'étais de moi-même my ignorance about myself
ouailles *f. pl.* flock *(of a priest)*; *(Ét)* archaic or dialectal for brebis
Ouargla *fortified settlement ab.* 500 *k. S. by E. of Algiers*
oublier (de) forget (to), overlook
ouest *m.* west
oui yes; oui-da *or* oui da *(old-fashioned or provincial)* yes indeed, to be sure (I am); oh aye
oui-da *see* oui
ouragan *m.* hurricane
ourdir warp, *(fig.)* weave
ourdisseur *m.* [*f.* —se] warper
ours [urs] *m.*, ourse [urs] *f.* bear; Grande Ourse Great Bear *(the constellation of* Ursa Major)
outil [uti] *m.* tool, implement
outre beyond, besides; — mesure excessively; en —, besides, moreover
ouvert, –e opened, open, frank
ouverture *f.* opening, aperture
ouvrage *m.* work *(e.g., a book)*
ouvragé, –e wrought artistically, figured
ouvrier *m.* [*f.* —ère] workman, *(on a farm)* laborer
ouvrir open; s'—, open, make an opening, draw aside; des fenêtres s'ouvraient *(AM)* there were window-openings; (mes gens) s'ouvraient devant lui made way for him; (qui vint) lui ouvrir to open the door for him

P

pacifique peaceful, peaceable, peace-loving, good-natured
pacifiquement peaceably
Pacôme *(Élix)* [*spelled also* Pachôme] Pachomius, *an Egyptian saint (ab.* 276–349 A.D.), *founder of the first monastic community (his "day" is* 14 *May)*; la tour —₁ St. Pachomius' tower
paillasse (1) *f.* straw mattress
paillasse (2) *m.* clown
paille *f.* straw; en —, straw, o' straw; chaise de —, straw bottomed chair
paillette *f.* spangle, golden flake

pain *m.* bread; **un —,** a loaf

paire *f.* pair, couple, brace (*of pistols*)

paisible quiet, placid, peaceable, in peace

paix *f.* peace, peacefulness, declaration of peace

palais *m.* palace, mansion; **dans mon — vert** (*Mbl*) in my green mansion (*i.e., in the green forests and fields*)

Palais-Royal *m. a solid group of bldgs. near the Théâtre-Français and the Louvre; built in 1629 by Card. Richelieu for a theater etc.; now occupied by a theater, by shops, restaurants, apts., etc.*

pâle pale

palette *f.* paddle (*of a wheel*)

pâleur *f.* paleness

palier *m.* (*stairway*) landing

pâlir grow (turn) pale, fade out

palissade *f.* (board *or* picket) fence, paling, stockade

palme *f.* palm, palm-branch; *South. French for* **paume** (palm of the hand); **ah! — de Dieu** (*MP*) oh heavens!

pâmer: se —, faint away; **pâmés par la chaleur** (*AM*) overcome by the heat

Pampérigouste (*MP*) *a distant imaginary country to which reference is made in children's stories; also written* **Pamparigouste** *or* **Papeligosse** (*mentioned by Rabelais*)

pan (1) *m.* skirt (*of a mantle*)

pan (2) **—! bang!**

panache *m.* plume

panetière *f.* [*m.* **panetier**] pantry mistress (*who supplies bread or the like*)

panier *m.* basket, hamper, (*on a mule*) pannier; **à la fin du —,** having emptied the basket (having exhausted all arguments)

panique *f.* panic

panneau *m.* panel

panse *f.* paunch

pantalon *m.* trousers; **[il] ouvrit son —,** [he] opened his trousers pocket; **des —s rouges** (*AM*) red trousers (*typical of French*

privates, particularly, until the adoption of khaki in 1914; in 1870, and later, made very full and tucked into the boots just below the knee)

Panthéon: le —, the Pantheon, *a great government bldg. in Paris on the highest point of the left bank of the Seine at the top of the rue Soufflot; built between 1764 and 1790 from the plans of the architect Soufflot as* Ste. Geneviève (*a church*), *transformed in 1791 into a Pantheon to receive the remains of the great men of France and bearing the inscription:* AUX GRANDS HOMMES LA PATRIE RECONNAISSANTE

panthère *f.* panther

pantoufle *f.* slipper

paon [pã] *m.* peacock; **jeter des cris de —,** shriek like a peacock

pape *m.* pope

paperasses (**administratives**) *f. pl.* dusty documents, red tape

papier *m.* paper, documents (*of identification*), wall paper

papillon *m.* butterfly; **— bleu** (*S–N*) blue butterfly (*in French fig. language, the butterfly symbolizes inconstancy, but in Theuriet's story only the image of Claudette is intended, not her character*)

papillote *f.* curl paper

Pâques *f. pl.* Easter

paquet *m.* parcel, package, bundle; **—s de nourriture** chunks (*or* gobbets) of food

par through, out through, out of, along, by, on, in, during, at, about, for, on account of, because of, with; (1) *of space:* **je suis descendue par la fenêtre** (*AM*) I came down by way of the window; (il est **sans doute à pied,**) **par les chemins** (*R*) along the roads; **par terre** on the ground; **par la figure** in one's face; **par-ci, par-là** here and there, now and then; **par là** that way, in that neighborhood; **par là-dessus** above (over) it all; **par contre** on the other hand;

par-dessus upon, over; **par-dessous** under, underneath; **par devant** in front; **par derrière** behind; **par où** which way; (2) *of time:* **par an** a year (per annum), yearly; **par jour** a day, daily; **par soirée** an evening, every evening; **par une sombre après-midi** on a gloomy afternoon; **par une nuit de décembre** on a night in D.; **par moments** every now and then, at times; **par le temps qui court** in these days, nowadays; (3) *of cause:* **par amitié** through friendship; **par plaisanterie** in jest, for a joke; **par cela même que ... just because ... ; **par amour pour moi** (*AM*) out of love for me, for my sake; **par amour du sang** (*MD*) because he liked to shed blood; (4) *of agency:* [il] **lui fit écrire par** [by] **sa femme un mot** (*R*) [he] had his wife write her a note; (5) *of manner:* **par un mouvement convulsif** with, *etc.;* (**tomber, couler,** *etc.*) **par torrents** in floods; (6) *expressing distribution:* **deux par deux** two by two, two at a time; **un plan par cantines** (*VC*) a map according to (*or* made expressly to show) canteens; (7) *for emphasis:* **par deux fois** twice in succession, at least twice; **par trop** far too, unduly

paradis *m.* paradise, heaven
paraître appear (to), seem (to) look; make one's appearance
parapluie *m.* umbrella
parbleu! by George! upon my word! good gracious!
parc *m.* park, enclosure, cowpen, sheepfold; **elle entra dans le parc** (*Ét*) here sheepfold (*enclosed by a picket fence or the like*)
parce que because
parchemin *m.* parchment
par-ci *see* par
parcourir run through, travel (wander) over, rove about; glance at *or* through (*a book etc.*)
par-dessous *see* dessous
par-dessus *see* dessus

par-devant *see* par *and* devant
pardon *m.* pardon; —! excuse me!
pardonner (à) pardon, forgive
pareil, –le like, alike, similar, equal, such (a); **une** [mule] **—le** (*MP*) one to match her; — à like; **sans** —, unequalled, unprecedented
pareillement likewise, in the same way
parent, –e relative, relation; **est-elle ta —e?** is she related to you? **son dernier** —, (*R*) the last of her kith and kin; *m. pl.* relatives, kindred, parents
parer (1): **se** —, dress (oneself) elegantly; **ne pouvant être parée** (*Par*) being unable to dress luxuriously
parer (2): — à be ready for
paresseu-x, –se lazy, slothful, indolent, slow, slow-moving; **un** —, a lazy (*or* idle) fellow, an idler, a sluggard
parfait, –e perfect, complete
parfaitement perfectly, quite, perfectly well, very well
parfois at times, sometimes, every now and then
parfum *m.* fragrance; (**des herbes**) **brûlées de** —**s et de soleil** (*Élix*) burned by the warmth of perfumes and of sunshine
parfumé, –e sweet-scented, fragrant
parfumer perfume, make ... fragrant; **parfumé d'une forte odeur d'étable** (*VC*) reeking strongly of a stable
parier bet, wager
parisien, –ne Parisian
parler speak, talk; **dont il est parlé** (*J*) spoken of
par-là *see* par-ci
parmi among, amid
paroi *f.* (partition) wall, side
paroisse *f.* parish, parish church
paroissial, –e parish (*adj.*), parochial
paroissien, –ne parishioner
parole *f.* word, speech; — **d'honneur, je ...** on my word (of honor), I ... ; **adresser la** — **à** address
paroli wager of double stakes, *a term of faro* (**pharaon**); [il] **fit**

un faux —, [he] "doubled" the wager by mistake (*without being aware of it*)

paroxysme *m.* paroxysm

parquet *m.* hardwood floor ("*French floor*"); office of the public prosecutor

parricide *m.* parricide, murder of parents

part *f.* part, share, side; **de — en —**, through and through, from wall to wall; **de toutes —s** from (*or* on) all sides; **quelque —**, somewhere, anywhere; **nulle —**, nowhere; **de notre —**, on our part; **à — lui** [*with* **penser**] (*BM*) in his own mind, to himself; **prendre — à** join in

partager divide, distribute, share, go shares *or* have a share in; **partagé entre** (**deux émotions diverses**) (*Mbl*) a prey to . . .

partant *m.* person departing, departing friend

parterre *m. in French theaters, all parts of the "*floor of the house*" between the back of the auditorium and the orchestra seats* (*Brit.* stalls); *archaically or figuratively,* (the) pit

parti *m.* decision, course (of action); **prendre le — de** make up one's mind to . . . ; **prendre un —**, come to a decision; **en prendre son —**, make up one's mind

partibus: in —, (*Mbl*) *eccles. Lat.* (*in full, in* — *infidelium* among the infidels, *referring to a bishop whose title is purely honorary and who is without jurisdiction*

participation (à) *f.* taking part (in), participation (in)

participer (à) participate (in), share, take part (in)

particuli-er, -ère particular, special, peculiar; private

particulièrement particularly

partie *f.* part, portion; party; game, match; **faire — de** belong to, take part in; **faire une — de** play a game of (*cards etc.*)

partir (de) depart (from); go, come *or* start (from); go away, set out, leave; **— en courant**

run off; (et les chevaux) **partirent** sped away; (*of firearms, aux.* avoir*) go off; (*of a ship*) sail (away); **à — de** (*in dates*) from; **un autre volet partit** another shutter fell; **le voilà parti** he's gone now; **et la voilà partie** and she was off

partout everywhere; **— où** wherever; **de —**, on all sides

paru- *see* **paraître**

parure *f.* ornament, adornment; (*in Maupassant's story*) necklace; **—s** sets of jewels

parvenir (à) reach, succeed (in)

pas (1) *m.* step, footstep, pace, footfall, stride; **pas** (**de la danse**) time (of the dance); **allonger le pas** lengthen one's stride; **marcher à grands pas** stride along, hasten; **à pas lents** with slow steps; **de ce pas** forthwith; **sous ses pas** (*MD*) under his tread; (ils étaient) **sur mes pas** at my heels; (**marcher**) **du même pas** at the same pace; **cela ne se trouve point dans le pas d'un âne** (*Mbl*) that is no everyday occurrence

pas (2) *neg.* (*with or without* **ne**) not; **pas une heure** not one hour; **pas de bijoux** no jewels; **non pas même noire** not even black; **ne . . . pas** not (il ne vient pas he doesn't come); **pas une voile ne + *vb.*** not a sail . . .

passablement fairly well, middling, "so so"

passage *m.* passage, passing, crossing, road (through), runway; **sur son —**, (*Élix*) as he passed by; (il cherchait à saisir la petite Annette) **au —**, (*MD*) as she went by him

passag-er, -ère passenger; (*adj.*) fleeting, transient

passant *m.* passer-by, person passing by

passavant *m.* gangway

passé (1), **-e** *adj. or p.p.* past, over, by-gone; **— maître** past master, expert

passé (2) *m.* (the) past

passé (3) *prep.*: **jusque — minuit** till after midnight

passementer trim (with lace), adorn (*with gold or silver lace, etc.*), deck

passer pass, move, go (by, up, down, through, round), march by *or* through, cross; spend (*time*); — **et repasser** (*VC*) go to and fro; (**les plats**) **passaient** (*F*) were passed round; **les gens qui passaient** passers-by; **lui — sur le corps** trample him under foot; **faisant — balle sur balle dans** ... shooting bullet after bullet into ... ; **passe, (je t'ai vu!)** (*MP*) zip! *or, still more freely,* presto change! (**passe,** *here imperative, may imply a swift movement of the hand across the speaker's neck, symbolizing a hasty departure*); **passant** (près de la **fenêtre:** *of a ladder*) running close to; (**gonflant sa gorge**) **en passant** (*AWS*) on the way down; (**voyez-vous le bout de ses oreilles**) **qui passe?** sticking out? [il] **se regarda — (dans les glaces)** (*VC*) [he] followed his reflection; **qui passa (à un sentiment d'effroi)** (*Mbl*) which changed to; **— pour** be considered; **en passant** incidentally; **il est minuit passé** it's past midnight; — ... **au gué** ford (*a stream*); — (**une jambe par la lucarne**) thrust; — (**mes habits**) put on; **se — (cette petite satisfaction)** (*BM*) give oneself; **se —,** elapse, go by, pass away, occur, take place, be going on; **que se passe-t-il?** what is happening? **il ne s'est pas passé un jour** not a day has gone by; **se — de** do without, get along without

pastèque *f.* watermelon

patatin, patatan, tarabin, taraban (*Élix*) fol-de-rol, de-rol-rol-rol, *or the like*

pâté *m.* pasty, patty, meat pie; blot (*of ink*)

pâtée f. paste; cat's *or* dog's meat; [il] **me donna même la —,** (*Mbl*) he even fed me pap; **pâtée** *designates a mixture of flour, oil cakes, bread, bran, etc. diluted in water or milk and used for fattening poultry, but* **donner la — aux enfants**

means (*commonly*) feed (the) children, give the children their pap (*of course the father blackbird gave his child worms; so Musset is humanizing his birds*)

patenôtre *f.* Lord's prayer (Pater Noster qui..., **Notre Père qui êtes aux cieux...**); **dire ses —s** say one's prayers

pater noster [pater noster] *m.* paternoster, Lord's prayer

patère *f.* hat peg

paterne kindly, motherly

paternel, –le fatherly, a father's..., paternal

patience *f.* patience; **en —,** patiently

patois, –e local; **des mots —,** local lingo; *noun m.* folkspeech

pâtre *m.* (*poet.*) herdsman, shepherd

patriarcal, –e patriarchal

patrie *f.* (one's) native land, (native) country, fatherland, home

patron *m.* employer, "boss," proprietor; **les —s du lieu** the masters of the place (*i.e., the proprietor of the café and his wife*)

patronale: fête —, patron saint's day

patronne *f.* mistress (*e.g., of an inn*)

patte *f.* foot, leg *or* paw (*of a quadruped*); foot, leg *or* claws (*of a bird*); **je pris mon courage à deux —s** (*Mbl*) *a humorous parody of* **prendre son courage à deux mains** pluck up one's courage; *but, in Musset, the actor has only feet or claws:* I plucked up my courage with all my claws; *note* **à quatre —s** on all fours

pâturage *m.* grazing ground, pasture

pâture *f.* pasture, food; (*fig.*) (*Élix*) a livelihood, pastures new

paume *f.* palm (*of the hand*)

paupière *f.* eyelid

pauvre poor, poor dear, poor little; wretched, forlorn, shabby

pauvreté *f.* poverty, bareness, shabbiness

pavé *m.* paving stone, pavement

paver pave

pavoiser dress (deck) with flags

payer pay (*a person*), pay for (*a thing*); **payée d'une grosse com-**

mande paid for a big order; — **une bouteille** stand treat, pay for the drinks; (le village) **payera pour lui** (*AM*) shall take the consequences; (votre père) **payera pour lui** (*AM*) shall pay the penalty in his stead

pays [pèi] (1) *m.* country (*of a nation*), land, region, neighborhood, home, native place; **il est du —**, (*S–N*) he comes from my country; **dans le —**, (*AM*) in that neighborhood; **pour le —**, (*AM*) for that region; **le maire du —**, (*AM*) the mayor of that region (*for Merlier's jurisdiction included some of the territory lying round Rocreuse*); **des plats du —**, (*S–N*) home dishes; **cette liqueur du —**, (*S–N*) that cordial made in her own province

pays [pèi] (2), **payse** fellow countryman, fellow countrywoman

paysage *m.* landscape

paysan, –ne peasant, peasant woman (girl); *m. pl.* country people, country folk, peasantry

pé (*Norman patois for* **père**) daddy

peau *f.* skin; **très blanc de —**, very fair-skinned

pécaïre [pekair] (*Lat.* peccator = sinner) *a Provençal oath or interjection* (*MP*) Heaven knows!

péché *m.* sin

pécher sin

pêcher fish; **— à la ligne** fish with rod and line, angle

péch–eur, –eresse sinner

peigner comb; **mal peigné, –e** ill-kempt, with frowsy hair

peindre paint, portray, depict

peine *f.* difficulty, pain(s), trouble, labor; **une — infinie** no end of trouble; **avec —,** laboriously; **faire — à qqn** fill . . . with sorrow; **en porter la —,** (*Mbl*) suffer for it; **donnez-vous la d'(entrer)** be so good as to . . .; **ce n'est pas la —,** it isn't worth while; **à —,** hardly, scarcely; **à — vêtue d'un jupon en loques** (*VC*) wearing hardly anything but, *etc.;* **à — (fus-je venu au monde,) que,** *etc.* hardly . . . ,

when, *etc.;* **c'était à — si j'avais** (le temps de lui répondre) I could scarcely get . . .

peiner pain, grieve

peintre *m.* painter

peinture *f.* painting, paint

pêle-mêle *m.* jumble

pèlerinage *m.* pilgrimage

pelisse *f.* fur coat

pelle *f.* shovel

peloton *m.* platoon; **— d'exécution** firing squad; **feu de —,** platoon firing, volley

penaud, –e abashed, sheepish

pencher lean; **se —,** bend (down), stoop

pendant during, for; **— que** while

pendre hang (up); **faire —,** cause . . . to be hanged; **pendus au gibet** swinging on the gallows; **ce qui leur pendait à l'oreille** (*T*) what kind of music they were going to have to face

pendule *f.* (*portable*) clock, timepiece; **— -borne** mantel clock *shaped like a* **borne** (*here a boundary stone with a spreading base*)

pénétrant, –e piercing

pénétration *f.* sagacity, keenness of insight

pénétrer (**dans**) go (through), make one's way (into), go *or* get (into); **— jusqu'à** make one's way as far as; **pénétré, –e (de)** deeply impressed, filled *or* imbued (with)

pénible painful, trying, hard, difficult

péniblement painfully

pénitent, –e penitent, Penitent (*a name distinguishing certain Roman Catholic orders, such as the* Penitents of St. Magdalen, *the* White Penitents, *the* Black Penitents, *etc.*)

pensée *f.* thought, idea, mind, reflexion; **étroites —s** narrow ideas, prejudices

penser think, reflect, imagine; **(Maître Hauchecorne) . . . pensa** (*F*) . . . bethought himself; **vous pensez** (quelle humiliation) you can imagine; **on pense** (quel coup) you can easily imagine; **— à** think of (*direct one's mind*

to); — de think of (*have an opinion as to*)
pensi–f, –ve thoughtful, pensive; il souriait, —, he was smiling, pensively
pension *f.* board, meals
pente *f.* slope; en —, sloping
perçant, –e sharp, shrill
perce *f.:* mettre en —, tap, broach
percepteur *m.* (tax) collector
perception *f.* collection (of taxes), collectorship
percer pierce, bore a hole in *or* run through; poches percées torn (leaking) pockets; être percée (*of a window*) be situated, set in; une porte percée dans (un long mur) a door opening through
percevoir perceive, collect (*taxes*)
percher *or* se —, perch, roost
perçu– *see* percevoir
perdre lose, waste, ruin; *with neg.* (*R*) not fail to observe; se —, be lost, lose one's way; n'était-ce pas à en — la tête (*Ét*) wasn't it enough to make one lose his head (*on account of it*)? *p.p.*
perdu, –e lost, ruined, done for, doomed; les yeux perdus (*AM*) gazing vacantly; une balle perdue a stray bullet
père *m.* father, head (of a family); *often applied to elderly men* (*generally married*) *affectionately or familiarly:* le — Rouleau (*BM*) old Mr. Rouleau; le — X papa (daddy) X
pérégrination *f.* (a) journey (*or* travel) in foreign lands
perfide treacherous; un —, a traitor
péril *m.* peril, danger
périlleu–x, –se perilous, dangerous
périodique periodical; promenade —, constitutional
périr perish
péristyle *m.:* (elle resta un moment) sous le — de l'escalier (*R*) behind the colonnade supporting the stairway
perle *f.* pearl; faire la —, bubble when stirred
perlé, –e pearly
permettre (à) permit, allow; —

à qqn de + *inf.* enable... to ...; se — (une pareille démarche) venture to take
permi– *see* permettre
permission *f.* permission, leave
pérorer hold forth, orate
perpendiculairement perpendicularly; couchés — aux premiers (*T*) lying with their feet toward those already mentioned
perpétuel, –le everlasting
perplexe perplexed, puzzled
perquisition *f.* (strict) search; faire des —s institute an official search
perron *m.* perron, flight of steps (*with masonry terrace, outside a bldg.*), steps
perroquet *m.* parrot; mât —, topgallant mast
perruque *f.* wig
persan, –e (*modern*) Persian
Perse *f.* Persia; tapis de —, Persian carpet (= P. rug)
persistance *f.* persistency
persister persist, keep it up
personnage *m.* person, individual, character; les principaux —s (d'une ville) the leading citizens
personne (1) *f.* person; ma —, myself, my own person; une jeune —, a girl, a young lady; deux charmantes —s (*Mbl*) two charming (young) creatures
personne (2) *m. pron.* (*with or without* ne) nobody, anybody, no one, anyone; — d'entre nous none of us
perspective *f.* outlook, prospect
persuader persuade, convince
perte *f.* loss, ruin, death; à — de vue as far as the eye can (could) reach
pesant, –e heavy
pesée *f.:* par la — sur la charrue by bending heavily over the plough
pèse-liqueur *m.* hydrometer (*graduated glass tube ending in a bulb and stem, used for determining the specific gravity of liquids, hence the alcoholic content of liquors*)
peser weigh; bear, lie, hang, rest (sur on); (*of a suspicion*) hang (*over one*)

pétard *m.* (*MP*) firecracker (*in Daudet's story, an anachronism: firecrackers were not known in Europe until after the* 14*th century*)

pétiller crackle, sparkle

petiote [*m.* **petiot**] little pet, tiny girl, little lass

petit, –e little, small, petty; —es voitures (*Par*) cabs; *petit ordre* minor; **au — trot** at a slow trot; **— commis** petty clerk; —s clercs (*MP*) choir-boys; des —s verres (*MD*) glasses of brandy; — -maître dandy; —e-fille granddaughter; **le — jour** dawn, daybreak; **un — air de** ... a bit the look of ...; **elle prit une —e figure** (*AM*) she began to have a nice little face; **de —es murailles** (*AM*) bits of wall; **le —,** the little boy; **la —e** the little lass; **cette toute —e** [étoile] (*Ét*) that tiny one; **les —s** (*AWS*) the little ones

petite-fille *f.* granddaughter

petitesse *f.* smallness, meanness; **les —s les plus dures** (*R*) the most trying kinds of pettiness

petit-maître *m.* dandy

pétrifier petrify

petto: **in —,** (*Ital.* in one's breast) at heart, secretly

pétulant, –e saucy, frisky

peu little, few; not very, not at all, seldom; **peu de** little, not much, few; **peu de chose** nothing much, hardly anything; **peu à peu** little by little; **à peu près** about, nearly; **dans peu** [de temps] shortly; **tant soit peu** a (wee) bit, just a bit; **peu croyable** hardly credible; **peu élégante** inelegant, not very refined; **un peu sévère** rather stern; **trop peu agréable** too unpleasant; **laissez un peu que je ...** do let me ...; **un peu bien nés** of rather good birth; **le peu de plumes** the few feathers; **le peu de confortable** (*VC*) the uncomfortableness

Peuls *m. pl. name of an African race of Arab and negro blood* (*in Senegambia and along the Niger*)

peuple *m.* (a) people; **le —,** the plain people, the masses; **filles du—,** girls of humble origin

peupler (de) people (with), throng or enliven (with)

peuplier *m.* poplar

peur *f.* fear; **de — de** for fear of; **avoir —,** fear, be afraid (*or* frightened); **avoir — que ne** (+ *subjunc.*) fear lest; **faire — à** (qqn) scare, frighten; **ça fait —,** it frightens one

peut *see* **pouvoir**

peut-être (que) perhaps; **peut-être songeait-il** (*BM*) perhaps he thought (*note inversion of subject and verb after* **peut-être**)

pharaon *m.* (game of) faro (*a card game "in which all the other players play against the dealer or banker, staking their money upon the order in which the cards will lie and be dealt from the pack"*)

Phénix *m.* Phenix, *a fabulous bird of ancient mythology; there was but one, which, however, could rise from its own ashes and reassume its original form (like a white blackbird, something very rare)*

philosophe *m.* philosopher, deep thinker; *fam.* (*MD*) student of philosophy

phrase *f.* sentence, (*occasionally*) phrase, words; **—s pompeuses** pompous speech

physionomie *f.* countenance, face, look, expression

physique physical

piaffer paw the ground, prance

piailler squall

Picard, –e native of Picardy, Picard

picholine *f.* (*Provençal* pichoulino): olives à la —, pickled olives

picorer (*of a bird*) peck about for food, pick up food

pie *f.* magpie

Pie X (*Mbl*) Pius X, *an imaginary pope; in Musset's time there was a pope* Pius IX (1846–78), *but Musset is punning; see* **pie**

pièce *f.* piece, coin (*also* — de monnaie coin); gun; room, chamber;

la —, (adv.) for each, apiece; mettre en —s blow into bits, tear to shreds; (document) une — à l'appui de a bit of evidence in support of; — à conviction (BM) material evidence; — de théâtre play

pied m. foot; le — sûr sure-footed; —s nus barefoot; vers comptés par —s (J) verses counted according to feet, as in Latin; à —, on foot, afoot, walking; il est à — par les chemins! (R) he's tramping somewhere on the roads! — à —, step by step; coup de —, kick; mettre — à terre get down, alight; se tenir sur la pointe des —s stand on tiptoe

Pied-de-Mouton (MD) Sheep's-foot Inn (presumably displaying a sheep's foot on the sign over its entrance)

piège m. trap, snare

Piémont m. Piedmont (a province of N.W. Italy, bordering on France)

pierre f. stone, (à fusil) flint; fusil à —, flintlock; — à feu flint; (bâti) sur de la —, on stonework, on masonry; en —, (of) stone

Pierre m. Peter; — de Provence (Ét) name given in S. France to the planet Saturn

pierreries f. pl. gems, precious stones

Pierrette f. of Pierre, no Engl. equiv.

pieu m. (pl. pieux) stake, pile

pigeon m. pigeon; — ramier (Mbl) or simply ramier wood pigeon

pigeonnier m. pigeon house

pilier m. pillar, mainstay (regular customer)

piller [pije] loot, pillage

pilon m. pestle, rammer, drumstick; (fig.) of a wooden leg

pilote m. pilot

pince-nez m. eyeglasses

pincer pinch, squeeze (together); — le bec (Mbl), a parody of — les lèvres purse one's lips (as if to avoid saying something improper); en pinçant le bec avec une pudeur britannique shutting her beak tight, etc.

pingouin m. penguin

pioche f. mattock

piquant, -e stinging, biting, pointed; (fig.) spicy

piquer peck (out)

pire worse, worst

pis adv. worse; tant —, so much the worse

pistolet m. pistol

pitié (de, pour) f. pity (on, for); un œil de —, a pitying eye; faire — à qqn excite one's pity; pleurer de —, weep out of compassion

pitoyable pitiable

pittoresque picturesque

place f. place, spot, room, seat, town square, market place; (mil.) stronghold; à sa —, in his stead, instead; sur —, on the premises, on the spot; sur la —, at the market place; les murmures de la — et de la nuit (R) the faint sounds in the town square, etc.; faire — à make room for; prendre —, sit down; tenaient si peu de —, (S–N) had so small a share; nous restons maîtres de la —, (AWS) we are still in control of the position

placer place, set, stow; être placée (S–N) be set at work (after passing the prerequisite exams.); se —, station oneself, stand

plafond m. ceiling; (fig.) canopy

plage f. beach, shore, strand

plaindre pity, be sorry for; être à —, deserve pity; se —, complain, lament

plaine f. plain, lowland; field

plainte f. lamentation, wail, groan, sigh; —s sourdes low (muffled) groaning

plainti-f, -ve doleful, plaintive, wailing, mournful

plaire (à) please, be pleasing (to), be liked (by), win one's favor; — à qqn de + inf. suit one's convenience to . . . ; s'il vous plaît if you please, (Mbl) I should like to know; . . . attendait qu'il lui plût de sortir . . . was waiting until it suited his convenience to leave; plût au ciel que . . . !

would to Heaven that ... ! **comme il vous plaira** as you please

plaisant, –e funny, laughable, droll; pleasing; **un** —, a wag, a joker

plaisanter joke, jest, be merely "playing"; banter, chaff

plaisanterie *f.* joke, fun; **par** —, for a joke, in jest

plaisir *m.* pleasure, delight, enjoyment; **par** —, (*AM*) for the sheer pleasure of doing so; **travailler pour le** —, work for the pleasure of it; **faire** — **à** give pleasure to; **faire à qqn le** — **de** + *inf.* do one the favor of ...; **prendre** — **à** take pleasure in, enjoy

plan *m.* plan, map, sketch map

planche *f.* plank, board; —s planking, boarding

plancher *m.* (*cf.* **planche**) floor, flooring

plante *f.* plant

planté, –e: **bien** —, sturdy, hale and hearty

planter (**de**) plant (with), set

planteur *m.* planter

plaque *f.* plate, slab

plat (1) [plɑ], **plate** [plat] flat, mean, pointless, commonplace; **à** — **ventre** flat on the ground

plat (2) *m.* plate, platter, serving-dish, dish (*each course at a meal*); —s **du pays** home dishes

plat-bord *m.* gunwale [gun'l]

plateau *m.* tray

plate-bande *f.* flower bed

plate-forme *f.* platform

plâtras *m.* rubbish; *pl.* rubbish heaps

plâtre *m.* plaster, mortar; **battre comme** —, (*fig.*) wallop soundly

Pléiade *f.* Pleiades, *a group of several hundred stars in the constellation Taurus. It is popularly called* la **Poussinière**, *the chicken coop. To the seven largest stars of the group the Greeks gave mythological names. Several coteries of poets have taken the name* Pleiades

plein, –e full; **il avait le cœur** —, his heart was full to overflowing; **à** — **cœur** to one's heart's content; **en** — **champ** out in the fields; **en** — **chapitre** before the whole chapter; **en** — **jour** in broad daylight; **en** — **juillet** in mid-July (*with all its heat*); **en** — **vent** (*Mbl*) in a gale

pléni–er (*rare*), –ère plenary

pléonastique redundant

pleurer weep, shed tears, cry

pleuvoir rain, pour (in), shower, fall in showers, come in multitudes; — **à verse** rain in torrents, pour

pli *m.* fold, wrinkle; **un** — **de colère au front** (*AM*) an angry frown (on his forehead)

plier fold (up); **pliée en deux** (*BM*) bent double; **plié,** –e **en quatre** double-folded

plisser: — **les lèvres** compress one's lips (*to express derisive doubt*)

plomb *m.* lead, leading (*of windows*); **de** —, lead (*adj.*), leaden

plombé, –e leaden (*hue*)

plonger plunge, sink, dive

plu *see* **plaire** *and* **pleuvoir**

pluie *f.* rain, shower, wetting (*Mbl*): **un jour de** —, a rainy day

plumage *m.* plumage, feathers

plume *f.* feather, pen, quill; **femme de** —, (*Mbl*) authoress (*woman who wields a pen*). Musset is playing with words; the normal expression is **homme de plume;** **femme de plume** is a "woman" with feathers, i.e., a bird. Note that **plume** and **plumes** are phonetically identical

plumer pluck (*a bird*)

plupart (**de**): **la** —, most (of ...), the majority (of ...)

plus more, most; **ne** ... —, no longer, not again; — **que lui** more than he, *but, before a numeral,* — **de deux** more than two; **le** (**la, les**) —, (the) most; — ..., — ... the more ..., the more ...; **ni** — **ni moins qu'** (**un poulet**) just like; **au** —, at most; **de** —, besides, in addition, more; **pas une minute de** —, not one minute longer; **de** — **en** —, more and more; **le moment était on ne peut** — **favorable** (*T*) the moment was most happily chosen; ce que j'avais vu de — beau the most beautiful thing I had ever seen; le — tard possible as late as possible; *in negations:* nous ne découvrions — de trace de route we could no longer find any trace of a road; — de Quiquet no more Q.; lui non — ne possédait pas, *etc.* (*AM*) he, too, hadn't; ni moi non —, nor I either; (le démon) ne le lâcha —, (*Élix*) never let him go again; que je ne te voie —! may I never see you again! je ne sais —, (*AM*) that's all I know about it; il ne restait — que... the only thing left was...; il ne demanda — que... he limited his demand to...; il n'y est — guère retourné (*S–N*) he has hardly been back there since; il n'était — qu'un arbre dépouillé de ses feuilles (*J*) he was (*or* had become) nought but, *etc.;* je n'entendis — rien I heard nothing further; tu n'as — rien you've nothing else; il ne s'en séparait —, (*BM*) henceforward he never let it out of his sight; il ne s'arrêta —, (*AM*) he kept it up; la maison n'avait — un souffle (*AM*) in the house not a breath could now be heard; lorsqu'ils ne me trouveront —, (*AM*) when they find I've escaped

plusieurs several

plût *see* plaire *and* pleuvoir

plutôt rather; écoutez —, but listen

poche *f.* pocket

poêle [pwal] *m.* stove

poème *m.* poem

poésie *f.* poetry, poesy, poem

poète *m.* poet

poétique poetic, about poetry

poids *m.* weight, load, burden

poignant, –e poignant, harrowing

poignard *m.* dagger

poignarder stab (*with a dagger*)

poignée *f.* handful

poignet *m.* wrist, wristband

poil *m.* hair, coat (*of hair*); le — sur sa peau (*AWS*) all the hair on

his skin; chapeaux à longs —s (*F*) long-napped hats

poindre (*of heights*) loom up

poing *m.* fist, hand; montrer le — (à) shake one's fist (at); frapper du —, (*intr.*) pound (on) the table; (serrer) les —s (dans des menottes) (*MD*) wrists

point (1) *m.* point; à —, just right, perfectly; au dernier —, in the highest degree; en tout —, in every way

point (2) *neg.* (*with or without* ne) not (at all), never, not even, *etc.;* peu ou — de discipline little or no discipline; — de neige no snow whatever (*except in folk speech,* point *is usually more emphatic than* pas *and is more or less bookish*); c'est — tant la chose (*F*) it ain't so much the thing itself (*note colloquial* c'est point *for* ce n'est point); non —, not at all

pointe *f.* (*sharp*) point, very top, tip, tiptop; spike (*of a helmet*); à —, pointed; casque à —, spiked helmet; sur la — du pied (des pieds) on tiptoe; sur ses —s on tiptoe

pointu, –e pointed, sharpened (*at the end*)

poire *f.* pear; — (à poudre) powderhorn

poisson *m.* fish

poitrine *f.* breast, bosom, chest; (fluxion) de —, of the lungs

polaire polar; pole(-*star*)

poli, –e polished, well-bred

police *f.* police; agent de —, policeman; bonnet de —, foragecap; salle de —, guardroom

poliment politely

polisson *m.* young scamp, naughty child, mischievous boy

politesse *f.* politeness; avec —, politely

politique (1) political; (2) *f.* policy

polonais, –e Polish; *noun* Pole

pommade *f.* pomade, pomatum

pommader smear with pomade

pomme *f.* apple; — de terre potato

pompeu–x, –se pompous

pompon *m.* topknot, tuft
ponceau *m.* poppy; *adj.* (*inv.*), poppy red, flaming red
ponctuel, –le punctual, always on time
ponctuellement scrupulously, in every detail
pondre lay (*eggs*), hatch (out *a brood*)
Poniatowski, Joseph Prince Joseph-Anthony P., *a Polish general (1762–1813) whom, in* 1809, *Napoleon appointed lieutenant general and minister for Poland (Grand-duchy of Warsaw). P. joined N. in his campaign against Russia* (1812). *His valor at the battle of Leipzig won him a marshal's bâton, but three days later, while trying to cover the French retreat, he was attacked on the banks of the Elster and, being in danger of capture, rode his horse into the flooded river and was drowned.* (Larousse)
pont *m.* bridge, deck
ponte *m.* punter (*in faro, any player except the banker*)
pontife *m.* pontiff (*pope*)
populaire popular
porche *m.* porch, portico
portafeuille (*F*) *Norman patois for* **portefeuille**
portail *m.* doorway, gateway, gate, portal
porte *f.* door, doorway, doorstep (*F*); **sur les —s** (*AM*) in the (*or* their) doorways; **fermer sa —,** (*fig.*) not be at home (*to receive visits*); **mettre à la —,** turn out of doors; **le passage des Portes de Fer** (*VC*) *presumably an allusion to an episode in the capture of the Arab stronghold of Constantine in Oct.* 1837, *portrayed in three great paintings which Horace Vernet exhibited at the Paris Salon of* 1839
porte-bannière *m.* standard bearer
portée *f.* range (reach); **à quelques —s de fusil** a few gunshots away
portefaix *m.* porter; (*fig.,* symbolizing strength, *Mbl*) "prize-fighter" *or* "navvy"

portefeuille *m.* pocketbook, wallet
porter carry, bear, wear (*garments*), bring, raise; **— la main (à son front)** raise one's hand; **en — la peine** (*Mbl*) suffer for it; **l'effort allait —** (du côté de la campagne) (*AM*) the resistance was going to be made; **for se —,** *also* move, turn, be directed; **se — sur la route** (*AM*) go out upon the highway
porteu–r, –se bearer, carrier
porti–er, –ère doorkeeper, portress
portrait *m.* portrait, likeness
poser lay, set, put (down); ask (*a question*); hold (*an opinion*); — **une règle** lay down a rule; **posé en arrière** (*of a hat*) tilted backward; (une mouche) **posée sur** (le mur) resting on; **se —** (sur) alight *or* rest (on); **se — en...** set oneself up as (a) ...
positi–f, –ve positive, sure
possédé, –e person possessed (by the devil)
posséder possess, own, have command of; **se —,** control oneself
possesseur *m.* owner, possessor
possession *f.* possession, diabolical possession
possible possible, as possible
poste (1) *f.* post, mail; **fouet de —,** horsewhip
poste (2) *m.* post, position; **à leur — de combat** (*AM*) at their posts
poster post, station; **se —,** stand, take one's stand
postérité *f.* offspring
postillon *m.* postilion
potager [= **jardin —**] *m.* kitchen garden
pot-au-feu [pɔtofø] *m.* beef stew (*beef boiled with vegetables*)
potée *f.* potful; stew
potelé, –e plump, chubby
potence *f.* gallows
poterie *f.* pottery, earthenware
pouce *m.* [thumb] inch
Pouchkine Alexander Pushkin (1799–1837), *a Russian poet, novelist and historian*
poudre *f.* powder, gunpowder; **poire à —,** powderhorn

poudreu-x, -se dusty
poule *f.* hen; — **mouillée** chicken-hearted fellow, milksop
poulet *m.* chicken
poupe *f.* stern; **de** —, aft
pour for, as for, in respect to, in order to, to, because of; **le** — **et le contre** the pros and cons; **la noce sera** — **dans huit jours** the wedding will be put off till a week from now; — **cette fois** *this* time; **jour** — **jour** to a day; **gêner qqn** — **écrire** hinder one in writing; **mourir** — **mourir** (*MD*) as well die one death as another; **reconnaître** —, (*Mbl*) recognize as; (**mon isolement**) — **être glorieux** however glorious (it was); — **que je voie** so that (in order that) I may see; **trop bien** — **que je méconnaisse** (**un confrère**) too well for me not to be able to recognize
pourquoi why
pourrir rot
poursuivre pursue, follow, beset, continue, go on (with)
pourtant however, nevertheless, for all that, yet
pourvu que + *subjunc.* provided
pousser push, shove, thrust, drive, urge (on), prompt; utter, breathe (*a sigh*); spring up, sprout, grow (up); — **une porte** push open (*or* shut) a door; — **le verrou** bolt the door; — **du coude** nudge; **les coudes se poussaient** (*BM*) there was a nudging of elbows; — (**un projet**) **jusqu'au bout** carry out, carry through (to the very end); [**elle**] **poussait mal** (*AM*) [she] was slow in getting her growth
poussière *f.* dust, haze, spray; **une** — **de soleil** (*Ét*) sunlit haze; — **de neige** (*MD*) fine dry snow
poussinière *f.* chicken coop
poutre *f.* beam
pouvoir (1) be able to, can (could), may (might); **il ne pouvait pas ne pas** (**le rendre**) (*BM*) he could not help; **vous pouviez vous tuer** (*AM*) you might have killed yourself; **vous avez pu**

remarquer (*CP*) you may have noticed; **il a pu vous paraître singulier** (*CP*) it may have seemed queer to you; **il aurait pu se reposer** he could (might) have taken a rest; **n'en pouvant plus** (**d'émotion et de fatigue**) (*AWS*) worn out by . . . ; **que nous ne puissions rien** (**pour vous**) that we can do nothing; **rien ne pouvait** (**contre le démon de l'élixir**) (*Élix*) naught availed; **le moment était on ne peut plus favorable** the moment was most auspicious; **il se peut que . . . it** may be that . . .
pouvoir (2) *m.* power
prairie *f.* meadow, pasture
praticien *m.* practitioner
pratique (1) practical; (2) *f.* practice, experience, practical side; **vieille** —, (*F*) *commonly applied to a frequenter of evil resorts,* old scamp
pratiquer practise
pré *m.* meadow, pasture
préau *m.* yard (*amid buildings*)
précaution *f.* precaution, caution; **avec** —, cautiously
précédent, -e preceding, before
précéder precede
précepte *m.* precept
prêcher preach
précieusement with great care
précieu-x, -se valuable, precious
précipitamment in haste
précipitation *f.* haste; **avec** —, in haste
précipité, -e: (**sa respiration forte et**) —**e** gasping
précipiter: se —, fling oneself, rush, dash (out), dart (forward)
précis, -e precise; **à six heures** —**es** at exactly six o'clock; **à l'heure** —**e où** at the very hour when
précisément precisely, exactly so; (*BM*) as fate would have it
précision *f.* precision, preciseness, accuracy
prédire foretell, predict
préfecture *f.* office *or* district of a (the) prefect; — **de police** police headquarters
préférer prefer (to)

préfet *m.* prefect (*chief magistrate of a department*)

premi–er, –ère first, chief, foremost; former, earlier, already mentioned; le — (chapelet) the other, the original; au — étage (*according to gen. American usage*) on the second floor; (au pied du) — saule nearest willow tree; le — moutardier the head mustard maker; tirer le —, be the first to shoot

Prémontrés *m.* Premonstrants (*members of a religious order founded in* 1120)

pren– *see* prendre

prendre take, take hold of (on), grasp, catch, seize, clasp, capture, get, hit (upon), take on (*a look*); take (pick) up, assume; carry off; se — la main clasp hands; — par terre pick up off the ground; aller—, go to get; — des dispositions make arrangements; (sa résolution) fut prise was made; — son courage à deux mains (*Mbl*) pluck up one's courage; il prit feu (*CP*) he blazed (*with anger*); elle prit une petite figure (*AM*) *properly* elle eut (began to have), *etc.*; — garde à heed *or* notice; — en patience bear patiently; pris de pitié filled with pity; Françoise fut prise d'angoisse (*AM*) F. was stricken with an agony of fear; *intrans. with* à *or dative:* s'il prenait fantaisie à la cabaretière de... if the barmaid took it into her head to...; il me prit un éblouissement (*Mbl*) I was seized by a giddiness; se — à + *inf.* begin to (go about); je me pris à penser I fell to thinking

préoccupation *f.* preoccupation; —s cares

préoccuper preoccupy; engross (*the interest of*)

préparatifs *m. pl.* preparations

préparer prepare, get (make) ready; (une résistance) préparée duly arranged

près near, near by; à peu —, nearly, (just) about; de (si) —, (so) close; — de near (to), close to, beside; voler — d'elle (*Mbl*) fly to her; — de la reine Jeanne to the court of Queen Joan; — de + *inf.* on the point of

presbytère *m.* rectory, vicarage

présence *f.* presence, sight; en — de in the presence of

présent, –e (1) present, now; (2) *m.* present; en —, as a gift; jusqu'à —, thus far; dès à —, from now on

présenter present, offer; — (mes hommages) pay; se — (chez) appear, call (on); se — à l'Académie (*tech.*) seek election to the Academy

préserver (de) preserve, save (from)

président *m.* presiding judge

presque almost

pressant, –e pressing, urgent, (*of danger*) imminent

pressé, –e anxious, hurried

pressentiment *m.* presentiment, foreboding

pressentir have some idea of, have a foreboding of

presser press (close); squeeze, clasp, urge, hurry; se —, hurry, hasten; ne pas se —, take one's time; se — autour de crowd round

prestance *f.* noble bearing (*or* look)

preste quick

prêt, –e (à) prepared *or* ready (to)

prétendant *m.* suitor

prétendre claim (to), assert, allege, state; intend; [elle] prétendit seule savoir (*R*) she averred she was the only person who knew; je prétends (me comporter) I intend...

prétention *f.* pretension, claim; affecter la — de assume the right to

prêter lend, impart; pay (*attention*)

prêteur *m.* lender

prétexte *m.* pretext; sous — de under (the) pretence of

prétexter allege

prêtre *m.* priest

preuve *f.* proof; à — Tistet Védène let T. V. be my witness

prévenance *f.* thoughtfulness, consideration

prévenir anticipate, forestall, prevent; warn, inform
prévoir foresee
prévu, -e *p.p. of* **prévoir**
prier pray, request, entreat, invite; **je t'en prie** I beg you (please); **se faire** —, require urging
prière *f.* prayer, entreaty, request
prieur *m.* prior
prince *m.* prince; good fellow
principal, -e principal, leading (*citizens*), chief, main
principalement especially
principe *m.* principle, primary cause; **il avait pour** —, it was his set conviction; **le** — **de la vie** the springs of life; **dans le** —, (*MP*) at the outset
printani-er, -ère of springtime, full of springtide freshness
printemps *m.* spring
pri- *see* **prendre**
prise *f.* hold, prize (*a prize ship or* "capture")
prison *f.* prison; —**s d'état** state dungeons
prisonni-er, -ère prisoner
privation *f.* hardship
priver deprive
privilégié, -e privileged
prix *m.* price, cost, rate
probable likely, plausible
probablement probably, (very) likely
probant, -e conclusive
probe honest, upright
probité *f.* honesty, uprightness
procédé *m.* proceeding, way (of doing things)
procéder (à) proceed (to), go on (with)
procès-verbal *m.* (official) report
prochain, -e nearest, neighboring, coming, approaching
proche near
procurer procure, provide, get
procureur *m.* attorney, public prosecutor *or* prosecuting attorney; —**-syndic** (*R*) general attorney
prodigieusement prodigiously; — **de** huge quantities of
prodigieu-x, -se prodigious, tremendous, amazing

produire produce, bring forth; **se** —, occur, happen
profil *m.* profile, outline
profit *m.* gain, advantage, personal advantage
profiter (de) profit (by), avail oneself (of)
profond, -e deep, deeply rooted, profound, fervent; — **et doux** (*of a forest*) profoundly peaceful; **un** — **ennui** [pròfɔ̃tɑ̃ɥi] utter boredness; **une terreur** —**e** (*Peur*) overmastering terror
profondément deeply, soundly; — **absorbée** deeply absorbed in thought; — **endormie** fast asleep
profondeur *f.* depth, depths
proie *f.* prey; **en** — **à** a prey to
projet *m.* plan, scheme
projeter project, cast
prolongé, -e long-drawn-out
prolonger prolong, lengthen, extend; **se** —, extend
promenade *f.* walk, drive, ride; **faire une** —, go out for (take) a walk *etc.;* **leur** — **périodique** their constitutional; **sa** —, (*AM*) his tread (*his walking*)
promener take out for a walk *etc.;* — **le** (**son**) **regard sur** survey; — **ses regards** look about; — **sa curiosité dans le pays** (*BM*) roam inquisitively about the neighborhood; **se** —, go for (take) a walk, walk about, stroll; **aller se** —, go (out) for a walk; **il s'alla** —, (*VC*) *archaic for* **il alla se** —, he hied himself off for a stroll
promettre promise
promi- *see* **promettre**
promise *f.* betrothed, future bride, (*fam.*) sweetheart
prompt, -e [prɔ̃(t)] prompt, quick, quickly made
promptement [prɔ̃tmɑ̃] promptly
promptitude *f.* [prɔ̃tityd] quickness
pronom *m.* pronoun
prononcer pronounce, declare (solemnly), speak, state, proclaim; **se** —, declare oneself
prophète *m.* prophet
proportion *f.* proportion; *pl.* size, magnitude

propos *m.* remark, talk; à —, by the way; à **tout** —, continually, at every turn; **échanger des** —s exchange ideas
proposer propose, offer
proposition *f.* proposition, proposal, offer, overture(s)
propre own; clean, neat, tidy; **nous voilà** —s! we're in a pretty fix!
proprement: à — **parler** properly speaking
propreté *f.* cleanness, neatness
propriétaire *m. or f.* owner, land-owner, landlord, landlady
propriété *f.* property, estate
pro-recteur *m.* vice rector (*officer authorized to preside over a German university as* acting head, *the nominal head being the reigning prince*)
prose *f.* prose; *pl.* pieces in prose
prospérité *f.* prosperity
prosterné, -e prostrate
prosterner: se —, prostrate oneself
protection *f.* protection, patronage
protéger protect
protestation *f.* protest *or* protestation of innocence
protester protest
proue *f.* bow, prow
prouver prove, show
provençal, -e Provençal; à la —e in Provençal style
Provence *f.* Provence (*Latin* provincia), *a great region in S.E. France; ruled until* 1487 *by its own kings and, after them, for a time, by its counts*
proverbe *m.* proverb, old saw
providence *f.* providence, God
province *f.* province; **en** —, in the provinces, in the country (out-lying districts); **dans sa** —, (*VC*) in his (own) province (*just where he is happiest to settle down*); **de** —, provincial, country . . . , "countrified"
provision *f.* store, stock, supply, food; **faire sa** — (de) lay in one's stock (of); **prendre des** —s stock one's larder; **faire des** —s **plus considérables** lay in a larger stock of provisions
provoquer call forth, give rise to

prudemment prudently, cautiously, warily
prudence *f.* prudence, caution; **avec** —, cautiously; **par** —, as a matter of precaution
prudent, -e prudent, safe
prunelle *f.* pupil (*of the eye*)
Prusse *f.* Prussia
prussien, -ne Prussian
psaume *m.* psalm
pu- *see* **pouvoir**
publi-c, -que public, notorious, for hire; **accusateur** —, prosecuting attorney; **crieur** —, town crier; **le** —, the public
publier publish, make public, expose
pudeur *f.* bashfulness, modesty, sense of propriety (decency)
pui- *see* **pouvoir**
puis then (= next), after that, next, later, besides, also
puisque [pɥisk(ə)] since, as, be-cause; — **tu me l'as rapportée** (*Par*) but you, *etc.*
puissance *f.* power
puissant, -e powerful, mighty
puits *m.* well; **le Puits des eaux vives** (*J*) *cf. Solomon's Song,* iv. 15: "*A fountain of gardens, a well of living* [= *flowing*] *waters*"
punch [pɔ̃ʃ] *m.* punch, toddy; **bol** à —, punch bowl
punir (de) punish (for)
punition *f.* punishment
pur, -e pure
purement purely
puss- *see* **pouvoir**

Q

quai [kɛ] *m.* quay [ki] (*stone em-bankment, with parapet, on a river bank*)
qualité *f.* quality, qualification, capacity
quand when, whenever, as soon as, even if; — **même** + *vb.* even if, even though; — **même** *with no vb.* nevertheless, notwithstand-ing
quant: — à as for
quantité *f.* quantity, plenty, a lot
quarantaine: une —, about forty
quarante forty

quarante-huit forty-eight
quart *m.* quarter; **un — d'heure** quarter of an hour; **être de —,** stand one's watch (*on French vessels, six hours*); **officier de —,** officer of the watch
quartier *m.* quarter, part of town; *(mil.)* quarter; **nos —s** *(CP)* our lodgings
quasi [kazi] nearly, all but
quasi-campagnard almost rustic
quasiment [kazimã] almost, as it were
quatorze fourteen; *(VC)* "fourteen [points]" *scored at piquet for four aces, four kings, etc.*
quatre four; **— à —,** four steps at a time; **plié, (–e) en —,** double-folded
quatre-vingts eighty
que (1) *conj. and adv.* that, so that, as, how; since, when; than; *often not to be translated: (a)* **heureusement que nous...** fortunately we...; **répondre que oui** say (answer) yes; **écoutez que je vous dise** (*Élix*) listen and I'll tell you; **que personne ne sorte!** (let) nobody go out! *often used to avoid repetition, as in* **parce que ...et que** because... and because, *and to avoid repeating* **comme, quand,** *etc.:* **comme (as) le feu s'était ranimé, que (as) la chaleur se répandait...,** et **que (and as) le verrou me parraissait solide; pendant que... et que** while... and while; **quand... et que** when... and when; **à peine + vb. + que** hardly..., when; **il n'avait pas achevé qu'une décharge effroyable eut lieu** he had not yet finished speaking when, *etc.;* **il y a quatre ans que je...** it's four years since I...; **il y avait deux heures qu'elle avait quitté le moulin** two hours had passed since, *etc.;* **et que ce fût** [*subjunc.*] **sur la place, au cabaret ou chez lui** *(BM)* and whether it was..., or, *etc.;* **il aurait eu un commerce avec les loups..., que cela n'aurait surpris personne** *(AM)* he might have had...,

and nobody would have been surprised; **si beau que (si bien que) + subjunc.** however beautiful (however well)...; **aussitôt que as soon as; le même que** the same as; *(b) exclamatively:* **que diable! deuce take it! que tu es bête!** how stupid you are! **qu'il y en a! que c'est beau!** how many there are! how beautiful it is! **oh! que mon cœur sautillait!** oh, how my heart would go pit-a-pat! **qu'il y a peu de cœurs qui,** *etc.* how few are the hearts that, *etc.;* **que le sang coulait vite dans mes veines!** how fast ...! **que de larmes!** how many tears! *(c) before words in apposition:* **ce n'était pas un saint homme que le capitaine** *(VC)* he was no saint, the captain; **c'est quelque chose que d'être un merle blanc** it's worth while to be, *etc.;* **monsieur ne sait pas ce que c'est que la Saint-Nicolas** the gentleman doesn't know what St. Nicholas' day means; *(d) expressing exclusion and the like:* **rien que cela** nothing but that; **il n'y a que ça** there is nothing but that; **comme s'il n'y avait eu là que Françoise** as if there had been nobody there but *F.;* **je n'appris cela que plus tard** I did not learn that until later; **son cigare ne lui semblait bon que s'il,** *etc. (VC)* his cigar did not seem good to him unless he, *etc.;* **je ne veux vous devoir à rien... qu'à vous-même** *(R)* I don't wish to be indebted for you to anything but to yourself
que (2) *rel. pron.* whom, that; *(in inversions, for shift of emphasis)* **le bruit du timbre que toucha la dame** the sound of the bell rung by the lady; **qu'est-ce que c'est?** what is that?
que (3) *interrog. pron.* what; **que se passe-t-il?** what is happening? **qu'est-ce qui nous force à partir?** what forces us to leave? **mais que faire?** *(AWS)* but what is (was) to be done?

quel, –le what (a), how great, which, who; **—le vie** what a life; **je ne sais — mystère** some mystery or other; **vous devinez —le (est la personne en question)** (*CP*) you can guess who . . . ; **quel, –le que + subjunc.** whatever, whichever, whoever

quelconque any, of any kind

quelque some, any; **— chose (de + adj.)** something *or* anything (**+ adj.**); *pl.* some, any, certain, several, a few

quelquefois sometimes

quelqu'un (–'une), quelques-uns (–unes) somebody, someone, some, a few

querelle *f.* quarrel

quereller quarrel with, scold

question *f.* question, enquiry; **le voyageur dont il est ici —,** the traveler whom we now have in mind; **où il était — de,** *etc.* (*VC*) wherein something was said about, *etc.;* **il n'en fut plus —,** no one talked about it any more; **faire une —,** ask *or* raise a question

questionner question, ply . . . with questions

quête *f.* search, quest

quêteu–r, –se begging, mendicant

queue *f.* tail, tail end (*of a storm*)

qui (1) *rel.* who, whom, that, which; **de qui** of whom *or* whose; **par qui vous voudrez** (*Élix*) by whomever (anyone) you please; **qui que who(m)ever;** (**on apercevait ⁀es bandes de gros poissons) qui nageaient** (*AM*) swimming about; (**et tout Avignon) qui la regardait** looking at her; **F. le trouva qui bouchait déjà,** *etc.* (*AM*) F. found him already stopping up, *etc.;* **chez qui** at whose house; **comme qui dirait** (*Mbl*) as one might say, so to speak; (*distributive*) **qui . . . , qui . . . some . . . ,** others; **some . . . , some . . .**

qui (2) *interrog.* who, whom

quiconque whoever

quinte *f.* (*VC*) quint (*a sequence, in piquet, of five cards of like color*);

rêvant de — et quatorze dreaming of having command of all the cards

quinzaine fortnight; **de —,** fortnightly

quinze fifteen; **— jours** two weeks, a fortnight

quitte: **être — avec qqn** be quits with, be (get) rid of . . .

quitter leave, leave off, part with, drop, throw (off)

quoi (1) *interrog. or excl.* what; **mais —?** (*S–N*) but what can be done about it? **un brosseur, —!** (*VC*) . . . , huh! **n'importe de —,** (*Mbl*) of anything whatever (*normally* de n'importe —); **je ne sais — de tourtereau** (*Mbl*) something turtledoveish

quoi (2) *rel.* which, what; **sur —,** whereupon; **de — se donner au diable** enough to drive one to despair; **il y avait bien de —,** there was a good reason why; **il y aurait de — se rompre,** *etc.* one might easily break, *etc.;* **de — faire (une bonne potée)** everything necessary to make . . . ; **— que je dise** whatever I say; **— qu'il arrive** whatever happens; **— qu'il en soit** however that may be; **— qu'il en soit de votre mérite** whatever the truth may be as to, *etc.*

quoique although, (even) though

quotidien, –ne daily

R

rabais *m.* lower price

rabattre bring (pull, turn) down, lower

raccommoder mend, patch up, "fix up," set to rights

race *f.* race, stock, breed, pedigree; (*fig.*) kind

racine *f.* root

raclée *f.* beating, thrashing, licking

raconter tell (about), narrate; **eurent à — une fable** had a story to tell

radieu–x, –se radiant, beaming (with joy)

radoter rave, gabble

rafale *f.* squall, blast
raffoler (**de**) be passionately fond (of), be crazy (about)
rafraîchir cool
rafraîchissement *m.* refreshing coolness; *pl.* refreshments
ragaillardir cheer up
rage *f.* rage, anger, passion; **avec —,** in (a) rage
raide stiff, rigid, unbending; **tuer —,** kill ... on the spot (*or* outright)
raideur *f.* stiffness
raidir stiffen; **se —,** draw oneself up stiffly, stiffen
raie *f.* streak, beam (*of light*)
railleu r, **-se** jesting, bantering
railleusement banteringly, mockingly
raison *f.* reason(s), explanation, motive, ground; **avoir —,** be right; **rendre — à** give satisfaction to
raisonnable reasonable, reflective, thoughtful
raisonné, -e rational, supported by argument, reasoned (out)
raisonnement *m.* reason, reasoning, arguing
ralentir slacken, slow down
râler breathe hoarsely, have a rattling in the throat
ramassé, -e thickset, heavy
ramasser pick up
rame (1) *f.* oar
rame (2) *f.* ream (*of paper*)
ramener bring (take, lead) back; **— un cheval en main** lead a horse home
ramer row
rameur *m.* oarsman
ramier *m.* wood pigeon *or* ringdove; *see* **pigeon**
rampe *f.* railing, rail, balustrade
ramper creep, crawl
rancune *f.* grudge, spite
rancuni-er, -ère spiteful, vindictive
rang *m.* row, rank; **se mettre sur les —s** enter the running (*fam.* try to get the job); **rompre les —s** break ranks
rangée *f.* row
ranger range, set in order, put to rights; **— en bataille** draw up

in battle array; **se —,** (*mil.*) form in line (standing abreast)
ranimer revive, cheer up; **se —,** revive, come back to life, brighten up; (*of embers or a flame*) flare up again
râpé, -e threadbare, shabby
rapide swift, fleet, quick, fast; **arme —,** nimble weapon
rapidement quickly, fast
rapidité *f.* swiftness, speed; **avec —,** swiftly
rapiécer patch, patch up
rappeler call back, recall; **— qqch à qqn** remind one of; **se —,** recollect, recall
rapport *m.* report, relation
rapporter bring (carry) back, return; tell; record (*in a book etc.*); **se — à** refer to; **s'en — à** leave it to, rely on
rapprocher bring nearer together; **se — (de)** draw nearer (together), (*fig.*) become reconciled (with)
rapt [rapt] *m.* abduction
rare infrequent, unusual, scanty, scarce; **les —s fois** the few times
rareté *f.* scarcity
ras: velours —, short-napped velvet
raser [raze] shave
rassasier satiate, glut
rassembler bring together, assemble
rasseoir: se —, sit down again
rassi– *see* **rasseoir**
rassurer reassure, tranquillize, cheer up; **plus rassuré** more confident
rat [ra] *m.* rat; **comme des —s** (*MD*) [eyes] like a rat's
rata *m.* (*mil. or common slang*) stew (*often composed mainly of potatoes or beans*)
râteau *m.* rake; **le Râteau ou les Trois rois (Orion)** (*Ét*) the Belt (of Orion, *imagined as a "rake" when to the three central stars we add the nebula as the end of a long handle*)
Ratier (*AWS*) *a proper name coined, or employed, by Maupassant to cast additional ridicule on the colonel of militia, also* **marchand de drap,** *who was decorated for false heroism;* **ratier** *means* ratter *or one who has queer notions, or*

a journeyman tailor *who takes home cloth on which to work*
ratifier ratify, seal (*a bargain*)
rattacher fasten, link; **se —** à be connected with, belong to, cling to
rattraper catch again, overtake
rauque(s) hoarse, harsh, rough
ravage(s) *m.* devastation, havoc, ruin
ravager lay waste
ravin *m.* ravine, gorge
ravir delight, enrapture; **ravi** (–e) **de** delighted (highly pleased) with
raviser: se —, change one's mind
rayer strike out, cancel
rayon *m.* ray, beam; **— de miel** honeycomb
rayonnant, –e radiant
rayonnement *m.* radiance
rayonner beam, be radiant
razzia *f.* raid
réalité *f.* reality
rebelle rebellious
reboucher stop up (again)
rébus [rebys] *m.* rebus, *a kind of riddle wherein a name, phrase, or sentence is represented by objects whose names offer homonyms* (*e.g., an eye* = I) *or by other words with similar sounds*
rebut *m.* riffraff, trash
réception *f.* reception; **salle de —,** drawing-room
recette *f.* receipt, recipe
receveur *m.* collector, receiver of tax payments; **— de l'enregistrement** registrar
recevoir receive, entertain; get
réchapper: en —, escape (*from a serious danger*); **si j'en réchappe** if I get out of this
recharger load again
réchaud *m.* chafing dish, heater
recherche *f.* inquiry, research
recherché, –e sought after, courted, in (great) demand, select
rechercher search for, try to find, seek, inquire (as to), investigate; **— . . . en mariage** seek (*a lady's*) hand; *see* **recherché, –e**
récit *m.* narration, account, recital, statement, tale
réciter recite

réclamation *f.* claim, protest, complaint, objection
réclamer claim, demand, ask for, implore, protest, object
reçoi– *see* **recevoir**
récolte *f.* crop, harvest
récolter get in (*a crop*)
recommander (qqch à qqn) recommend, urge
recommencer begin (*or* do) again
récompense (de) *f.* reward (for); **vingt francs de —,** a reward of twenty francs
récompenser (de) reward (for)
reconduire take (escort) back, show . . . (the way) out; **— jusqu'à** see . . . as far as
reconnaissance *f.* gratitude (**de** for), acknowledgment; **envoyer en —,** (*mil.*) send . . . (out) on a reconnaissance; **des —s** reconnoitring parties
reconnaître recognize, acknowledge, admit; reconnoiter
reconter tell again
recoucher: se —, lie down again
recourir have recourse
recouvert, –e *see* **recouvrir**
recouvrer get back, recover
recouvrir cover (all over); **se —,** become covered again
récréer: se —, refresh oneself, take (some) recreation
recrue *f.* recruit
reçu *m.* receipt
reçu– *see* **recevoir**
recueil *m.* collection
recueilli, –e absorbed in thought; (*of shade or darkness*) peaceful, placid
recueillir gather, collect, pick up; take in, shelter; **recueillez bien vos souvenirs** try to remember (everything); **se —,** be (*or* become) absorbed in contemplation
reculé, –e remote
reculer draw (go, fall) back; give way, retreat; **— devant** shrink from; **— de vingt ans en arrière** go back twenty years
redemander ask (for) again, ask back
redescendre come (*or* go) down again

redevenir become again

rédhibitoire redhibitory (that annuls a contract)

redingote *f.* frock coat

redonner give again, restore

redoubler redouble, increase, make still greater; — d'efforts exert oneself still more; le vent redoublait the wind was blowing harder and harder; (des) **coups redoublés** blow after blow

redoutable formidable, dreadful

redouter dread

redresser straighten (up); se —, straighten up, sit (stand) upright, stand stiffly

réduire reduce, lower; — en miettes smash to atoms

réduit *m.* (little) room

réel, -le real, actual

réellement really, actually

refaire go over ... again

refermer close (*or* shut) again, close; se —, close again

réfléchi, -e reflective, thoughtful; [il] avait son visage —, his face had its thoughtful look

réfléchir (à) reflect (on), think (about, over), ponder, weigh the (a) situation; **réfléchissez** think it over

reflet *m.* reflection

refléter reflect

réflexion *f.* reflection; faire —, bethink oneself; je fais une —, (*CP*) come to think of it; mais, — faite but, on second thought; toute — faite on thinking it all over

réformer (*mil.*): un soldat réformé (*CP*) a soldier honorably discharged on account of physical disability

réfugier: se —, take refuge, flee, seek shelter

refus *m.* refusal

refuser refuse, withhold, deny; se — à (des jouissances) hold aloof from; après s'y être longtemps refusé (*CP*) having repeatedly refused to do so; se — (de) refuse (to)

regagner regain, get back to; — son logis go home

régaler (de) regale (with), entertain (with), treat (to)

regard *m.* look, glance; tous les —s (*AWS*) every eye; le — dans le vide staring into empty space; nos —s (*MD*) our eyes (= our powers of vision); en — de facing (opposite)

regarder look, look at (upon), watch, see, regard (concern); — fixement gaze (at); — si ... (look to) see whether ... ; — l'espace look out into space; [il] se regarda passer (dans les glaces) (*VC*) [he] followed his reflection; ceci ne vous regarde pas this is none of your business

régate *f.* [regatta] sailor tie

régime *m.* (*gram.*) object

règle *f.* rule; en —, in proper form; en — (avec sa conscience) at peace ...

règlement *m.* rule, regulation; *pl.* rules and regulations

règlementaire according to regulations

régler settle

regret *m.* regret, longing; des —s désolés despairing regrets

regretter regret; miss (*something lost*); feel (*or* be) sorry, be sorry to have lost, yearn for

réguli-er, -ère regular, even

régulièrement regularly, evenly, symmetrically

rein *m.* kidney; *pl.* loins, haunches, back; autour des —s round the waist; d'un coup de —s (*MP*) by a sudden lunge backward

reine *f.* queen

reinette *f.* pippin (*apple*)

rejaillissement *m.* splash

rejeter throw back (*or* down)

rejeton *m.* scion, offspring

rejoindre join again, overtake

réjouir gladden, delight, enliven; se — (de) rejoice (at), be delighted (with, at); enjoy oneself; toute réjouie fairly beaming with joy

réjouissance *f.* rejoicing, festivity

relâche *m.* (*theater*) "no performance" (*temporary closing or discontinuance*) reléguer put away *or* aside

relever raise, lift (raise, set up) again; on releva (la tour Pacôme) they restored . . . ; il fut relevé (*AWS*) he was lifted to his feet; — une sentinelle relieve a sentinel; — de spring from, depend on, belong to; se —, rise (again); (*of a ship*) right itself

relief *m.* (*sculp.*) relief

religieu-x, -se religious, devout; un —, a monk

religion *f.* religion, devoutness

reluire glisten, shine

reluisant, -e bright, glistening

remarquable noteworthy, conspicuous

remarquer note, notice, observe

rembarquer: se —, re-embark, (*T*) again enter seafaring service

remède (à) *m.* remedy (for)

remercier (de) thank (for)

remettre put (*or* carry) back (again); — à deliver (hand over, entrust) to; — du bois au fourneau put more wood in the stove; se — en observation resume one's watching; elle se remit debout (*AM*) she stood up (again); je m'y remis [au tir du pistolet] I took it up again; se — en ses mains (*AWS*) deliver himself to him; se fit — le prisonnier had the prisoner turned over to him; se — en chemin set forth again; se — à attendre resume one's waiting; se — à courir begin to run again; se —, (*physiologically*) recover, regain one's composure

remonter go (come, climb, run) up (again), rise again, reach up, come back upstairs; — le fossé (*AM*) go back up the ditch

remords *m.* remorse

rempart *m.* rampart

remplacer replace, take the place of; me —, take my place

remplir (de) fill *or* refill (with); fulfil, perform

remporter carry off; gain, win

remuer move (*or* stir) about, stir; fidget; — la tête shake (wag) one's head (*to express disbelief*)

renard *m.* fox; pelisse de —, fox-fur coat

rencontre (de) *f.* meeting (of, with), encounter; aller à la — de go to meet; aller à sa —, go to meet him (her)

rencontrer meet (with), come across, find

rendez-vous *m.* appointment, promise (to meet), appointed (meeting) place, meeting, gathering

rendre return, give (back), restore, deliver; make; — hommage pay homage; — à la liberté set free; — (un son grave) give forth . . .; render (*a service*); se — compte de realize; pour vous — compte (*Élix*) to make your test (*of your cordial*); (cette bête) nous rendait fous was driving us crazy; — . . . cher (chère) à endear . . . to; se —, surrender; se — à (tel endroit) betake oneself to; rendu à destination (*BM*) having arrived at his destination; j'étais rendu (*Mbl*) I was worn out

renfermer shut up, contain, enclose, hold

renfler swell; renflé, -e swollen, bulging

rengorger: se —, swell up (*with pride*)

renom *m.* renown, name, repute

renommée *f.* fame, renown, public report

renoncer à give up, forgo

renouveler renew, refresh, repeat

renseignement(s) *m.* information

renseigner inform, instruct

rente *f.* interest (money), income, dividends; *often pl.*; la —, (*Mbl*) government bonds (*the* "yield" *for investors who bought at par*)

rentier *m.* [*f.* rentière] gentleman of property, man of means

rentrer come (go) back, return (home); — dans re-enter; — en rampant (*AM*) crawl back; — dans l'ordre become orderly again; *trans.:* quand nous le [le troupeau] rentrons (*Ét*) when we bring it in; lèvres rentrées receding lips; (des entre-ponts étroits et) rentrés (*T*) . . . sloping

renverse: à la —, over backward; **manquer tomber à la** —, (*fig.*) be utterly taken aback

renverser turn upside down, upset, throw down (back)

renvoyer send back (away), dismiss; refer

répandre spread, scatter, pour out; **se** —, get abroad, scatter, become scattered

reparaître reappear

réparer repair, mend

reparler speak again

repartir set out again

repas *m.* meal

repasser: passer et —, go to and fro, go in and out; **se** — le doigt sous le nez again pass one's finger...

repentir: se — (de) repent

répertoire *m.* repertory

répéter repeat, say again

répétiteur *m.* tutor

replier fold (up); **se** —, coil (*or* double) up, (*mil.*) fall back, retreat

réplique *f.* retort, rejoinder, reply

répliquer retort, answer in one's turn ("answer back")

replonger: se —, plunge (*or* dive) again

répondre (à) answer, reply *or* respond (to); assure; **je vous en réponds** take my word for it

répons *m.* (*Cath. liturgy*) response(s)

réponse *f.* answer, response, reply; **avoir** — à tout be never at a loss for an answer

reporter take (carry, bring) back, return

repos *m.* rest, pause, peace of mind, retirement

reposé, –e calm, quiet, refreshed, restful, leisurely

reposer rest, lie resting; **se** —, rest, take one's rest

repousser push away *or* back, reject, repulse, repel, resent

reprendre take (get) back, catch (seize) again, resume (possession of), go on (with)...; begin again; — **la clef des champs** *see* clef; — **une route** (**un chemin**) go back by the same way, turn back; —

connaissance regain consciousness; **la nature reprit** (**un calme effrayant**) (*R*) Nature returned to...; (**le jeune officier**) **reprit** (*AWS*) continued, went on; **reprise d'espoir** (*AM*) taking fresh hope

représentation *f.* performance

représenter represent, portray, fancy; **se** —, imagine; **qu'on se représente** (**des femmes**) let one picture to himself...

repri– *see* **reprendre**

réprimander rebuke

réprimer repress, restrain

reprise *f.* darning; **à plusieurs** —**s** over and over (again), several times

réprobation (*f.*): **être en** —, (*F*) *a peasant's way of saying* be under suspicion (be "suspicioned")

reproche *m.* reproach; (le public) **ne m'en ferait pas un** —, wouldn't hold that up against me

reprocher (qqch à qqn) reproach

réquisition *f.* (*mil.*) levy

réquisitionnaire *m.* conscript

réservé, –e reserved, shy

réserver (à) keep in store, save up (for), keep back

réservoir *m.* great store

résigner resign; **un ton résigné** a tone of resignation

résistance *f.* resistance, opposition; **une** — **préparée** a prepared defence

résister (à) resist, hold out (against)

résol–v– *see* **résoudre**

résolu, –e resolute, determined

résolution *f.* resolve, determination, resolute character; **ma** — **fut prompte** I made up my mind quickly; **prendre la** — **de** resolve to

résonner resound, rattle

résoudre resolve, solve

respect [respe] *m.* respect; **sauf votre** —, with all (due) deference, saving your presence

respectable revered, late lamented

respecter have (great) regard for, respect

respectueu–x, –se respectful; **crainte** —**se** awe

respiration *f.* breathing, breath

respirer breathe (in); **ici, je respire** here I can breathe freely; **je ne respirais plus!** (*fig.*) I had almost ceased to breathe! **les autres respiraient haletants** (*MD*) the others were gasping; (*fig.*) be manifest

resplendissant, –e resplendent

ressasser (*fig.*) sift again and again; think over and over

ressemblance *f.* likeness

ressembler à look (*or* be) like

ressentir feel (the effects of)

ressort *m.* spring

ressortir go out (again)

ressource *f.* resource, means

ressusciter revive, resuscitate

restant *m.* remainder; **les dix —s** the ten that remain(ed)

restauration *f.* restoration

reste *m.* remainder, remnant, rest; **du —,** however, besides

rester remain, stay, be left (behind), linger, stop, stand; **il ne reste que . . .** there's nothing left but **. . .; qu'il lui restait** which he still had; **— en arrière** lag behind; **ils ne resteront que trop sur leurs pieds** (*T*) they'll be kept standing more than enough; **(le paysan) resta suffoqué** (*F*) . . . choked (so that he could not speak); **il resta stupéfait** he stood aghast; **tout en restant délicate** though still delicate

restituer give back, pay (up)

résultat *m.* result, outcome

rétablir re-establish, restore; **le silence s'était rétabli** silence had come again; **se —,** recover (one's strength)

retard *m.* delay; **en —,** behind time, late

retarder delay

retenir keep (*or* hold) back, keep hold of, detain

retentir resound, ring (forth)

retenue *f.* self-control

retirer (**de**) draw back (from), take (from), take away, extract; **(l'argent) qu'il retira de quelques prises . . .** that he got out of some captures; **— qqch à qqn**

take . . . away *or* withdraw . . . from one; **un jardin retiré a** secluded garden; **se —,** withdraw, look for a safer place

retomber fall again, fall back

retour *m.* return; **— offensif** counter attack; **faire — à revert** to

retourner return (go back), turn inside out; **en rêvant de roi retourné** dreaming that he had turned up a king; **se —,** turn round (over), look about

retracer recall

retraite *f.* retreat, retirement, pension, withdrawal; **en —,** retired; **battre en —,** fall back; **mettre à la —,** retire (*an officer*) on pension; **faires des —s si fréquentes** go so often into seclusion; **au fond de sa —,** in the depths of his refuge

retranchement *m.* retrenchment, intrenchment

rétrospecti–f, –ve retrospective (*looking back*)

retrouver find (again), rediscover, recover (*a quality*), get back; meet with (again); look up (*a person*); find waiting for one; **pour aller — votre dîner** (*S–N*) to get back to, *etc.*; **se —,** find one's way again *or* get back (**à** to), meet again

réunion *f.* gathering, meeting

réunir bring together, join, unite; **se —,** gather, meet

réussir (**à**) succeed (in), be a success; turn out (well); *trans.* succeed with, do successfully

revanche *f.: en —,** to make up for that, on the other hand

rêvasserie *f.* musing, idle dream

rêve *m.* dream

réveil *m.* awaking

réveiller wake (up); **se —,** wake (up), re-awake

révéla–teur, révéla–trice revealing, telltale

révélation *f.* disclosure

révéler reveal, disclose

revenant *m.* ghost

revenir come back, return; **reviens-nous** (*CP*) come back to us; — sur ses pas retrace one's steps; ce qui lui revenait what was due him; — de qqch give up . . . , recover from . . .

revenu *m.* income

rêver (à *or* de) dream (of), be in a revery, ponder, wonder (about)

réverbère *m.* street lamp

révérence *f.* bow, curtsey

révérencieusement reverently

révérend, –e reverend; le — (*Élix*) the reverend brother; mon Révérend your Reverence

revers *m.* reverse, facing(s)

reversi *m.* (*R*) reversis (*a card game, won by the player who takes the fewest tricks*)

revêtir (de) clothe (with); (*of dust*) lie thick over, cover; revêtu, –e de clad in, covered with

rêveu–r, –se dreamy

revivre come to life again

revoir see again; se —, meet again; au —, good-bye for the present

révolte *f.* revolt, mutiny

révolté *m.* rebel, mutineer

révolter stir up to rebellion; révolté de l'injustice shocked by the unfairness; se —, rebel, be shocked

révolutionnaire revolutionary

revolver [revɔlvɛːr] *m.* revolver

revue *f.* review; à la —, in review; passer en —, inspect, review

rez-de-chaussée *m.* ground floor

rhabiller dress again

Rhin *m.* Rhine; vin du —, Rhine wine

rhingrave *f.* wide breeches, *with a flaring ruffle emerging from a broad skirt cut knee-high* (*a style introduced into France by the Rheingraf von Saim, ab. 1670*)

Rhône *m.* Rhone (*flows from its glacial sources in Switzerland southward, ab. 860 k., through Avignon, Arles, etc., into the Mediterranean*)

rhum [rɔm] *m.* rum

rhumatisme *m.* rheumatism; —s twinges of rheumatism

ricaner laugh derisively, sneer; — tout bas titter

riche wealthy, well-to-do; costly; pas —, (*often* =) poor, hard up

richement (*S–N*) to her great financial advantage

richesse(s) *f.* wealth, riches

ricocher glance, rebound

ride *f.* wrinkle, ripple

rideau *m.* curtain, screen

rider wrinkle, shrivel

ridicule ridiculous; *m.* ridiculousness, absurdity

rien (*with or without* ne) nothing; anything; je n'en crois —, (*Peur*) I don't believe a word of it; y a — qui vous nuit, etc. (*F*) there ain't anything that, etc. (*illit. for* il n'y a — qui vous nuise); on n'est pas pour — la mule du Pape it *means* something to be, etc.; — d'effarouché (*S–N*) no sign of alarm; — que pour moi (*Ét*) all to myself; — qu'en les regardant (*Ét*) simply by looking at them

rieu–r, –se smiling, merry; non plus — ainsi que . . . no longer smiling as . . .

rigide stiff, rigid, unbending

rigoureusement strictly

rigoureu–x, –se severe, stern, strict, rigorous

rigueur *f.* severity, sternness; à la —, at a pinch; de —, indispensable

rime *f.* rime (rhyme)

rimer rime (rhyme), make verses

rire (1) laugh (de at), smile; — aux éclats laugh uproariously (*see* de); en riant with a laugh; il vous riait si bien he would laugh so kindly for you; (cette belle journée) ne faisait — personne . . . brought no gladness to anyone; ce qui ne faisait pas — les cardinaux which didn't seem funny to the cardinals; vous voulez —, you must be joking

rire (2) *m.* laughter, laugh; *pl.* (bursts of) laughter; gros —s loud laughter; petit —, chuckle; le père Merlier avait son — silencieux (*AM*) old M. chuckled to himself

ris: — de veau *m.* sweetbreads

risque *m.* risk

risquer risk, endanger; **se —** (à) venture (to), go so far (as to)
rissoler brown, do brown and crisp (*on the surface*)
rivage *m.* (*river*) bank, (*sea*)shore
rivalité *f.* rivalry
rivière *f.* stream, river; **en —**, in the stream; **— de diamants** diamond necklace
robe *f.* dress, robe; **en —s de juges** (*MP*) in judges' gowns (*which, in France, are red*)
robinet *m.* tap, (*U.S.*) faucet
robuste sturdy, stalwart, strong
Roche-Oysel: la —, *an imaginary town* (=" Oysel-Rock ")
Rocreuse *m.,* *an imaginary village*
rôder rove, roam; (*of an odor: Élix*) hover temptingly
rogner cut off (out), retrench
roi *m.* king
roide, roideur *see* **raide, raideur**
roidissement (*old spelling of* **raidissement**) *m.* stiffening
rôle *m.* part
roman *m.* novel, (*fig.*) romance
romancier *m.* novelist
romanesque romantic (*highly fanciful*)
rompre break, break open (*or* off), cut short; *see* **rompu**
rompu, -e broken down, dilapidated
ronce *f.* bramble, briar
rond, -e round, plump; **— des épaules** round-shouldered; **des yeux tout —s** wide-open eyes
ronde *f.* round(s), beat, patrol; **à la —,** round about
rondelet, -te plump
rondement roundly, outspokenly, summarily
rondeur *f.* roundness; (*fig.*) outspokenness, heartiness
rondin *m.* billet, round block
ronflement *m.* snore, snoring; roar, roaring
ronfler snore; rumble, roar
ronger gnaw; **[il] se rongeait les sangs** (*F*) [it] preyed upon his heart
rosace *f.* rose window (*with spoke-like mullions, round and usually containing stained glass*)

rose (1) *noun f.* rose; **— trémière,** hollyhock, rose mallow; **couleur de —,** rose-colored, (*fig.*) delightful; **rose** (2) *adj.* rosy, pink, flushed
roseau *m.* reed
rosée *f.* dew
rosier *m.* rosebush
rossignol *m.* nightingale
rôtir roast; **rôti, -e** roast(ed)
rouages *m.* *pl.* gearing(s), machinery
roue *f.* wheel, mill wheel
Rouen [rwã] *m.* Rouen (*the chief city of Normandy*)
rouge red, red in the face, flushed, blushing; *m.* red; **devenir — pâle** turn pink
rougeur *f.* redness, flush
rougir grow red, redden; **— de** blush at (with); **rougissant de colère** flushing (getting red) with anger
rouille *f.* rust
rouiller rust, get rusty; **se —,** get rusty; **rouillé, -e** rusted, rusty
roulade *f.* quaver; (*Mbl*) roulade, "*a smoothly running passage of short notes* (*as semiquavers, or sixteenths*) *uniformly grouped, sung upon one long syllable*" (Webster)
roulement *m.* roll (rolling); beating (*of a drum*), drumming
rouler roll (up), roll over and over; drive hither and thither; ramble, rove, knock about; **le tambour roula** (*F*) the beat of a drum was heard; **— sur** (*of conversation*) turn to
rousse *see* **roux**
roussin: son vigoureux —, his lusty little steed
route *f.* road, way, route; course, march; **grand'** (*or* **grande**) **—,** highway; **en —,** on the way; **en —!** let's start! go ahead! **se mettre en —,** set out (*or* forth); **continuer sa —,** pass on; **laisser en —,** leave behind
routine *f.* routine, dull round; **esprit de —,** set ways
rouvrir open again, reopen
roux (1), **rousse** reddish, brown,

russet; — de barbe with reddish-brown beard; (2) *noun m.* reddish brown

r'porter *see* reporter

ruade *f.* kick (with both legs); d'une —, (*MP*) by letting fly her hind legs

ruban *m.* ribbon

rubis *m.* ruby

ruche *f.* hive, beehive

rude rough, hard, strenuous; un homme —, a rough man; un — fardeau a heavy burden; les —s travaux hard toil

rudement roughly, hard, strenuously; — contente mighty glad

rudesse *f.* roughness

rue *f.* street, way; (*fig.*) lane; *advbly.* habiter rue... live in ... Street; aller — de la Santé go to, *etc.*

ruelle *f.* lane, alley

rugir roar

ruine *f.* ruin

ruiner ruin

ruisseau *m.* brook, stream; gutter; flood (*of tears*)

ruisseler stream, drip, trickle

rumeur *f.* sound, noise, groaning

ruse *f.* trick, dodge, "game," craftiness

rusé, -e crafty, wily, sly

russe Russian

rusticités *f. pl.* countrified manners, clownish acts

rustique plain, homely

S

s' *see* se *or* si

sa *see* son *poss. adj.*

sable *m.* sand

sabler toss off (*a drink*), gulp down; — le [*or* du] champagne (*VC*): a mould, made of sand (sable), swallows quickly any liquid metal poured into it

sabot *m.* wooden shoe, hoof *or* shoe; coup de —, kick

sabre *m.* sabre, sword; traîneur de —, swashbuckler, blustering soldier; son uniforme sur son —, (*CP*) with his military coat resting on his sword

sac *m.* bag, sack, knapsack; — à bière (*fig.*) beer swiller

saccadé, -e jerky, jolting

sach- *see* savoir

sacrificateur *m.* sacrificer, priest (*in the synagogue*)

sacrifier sacrifice

sacristain *m.* sexton (vestry keeper, sacristan)

Sadi: — le Persan (*Mbl*) Saadi, the Persian (*ab.* 1184–1291), *one of the two most popular Persian poets; said to have lived some 107 years*

safran *m.:* de —, saffron-colored

sagacité *f.* sagacity, good sense

sage wise, good, sensible, prudent; être —, be good, behave (well)

sagesse *f.* wisdom

sai- *see* savoir

saillie *f.* flash (*of wit*), sally, witticism

sain, -e healthy; — et sauf (—e et sauve) safe and sound, unscathed

sainfoin *m.* sainfoin (*a leguminous plant with a purplish or yellow flower; cultivated for fodder*)

saint, -e holy, sacred, blessèd; (*as a prefix*) saint; but —-Nicolas Santa Claus; ce n'était pas un — homme he was no saint; —e mère de Dieu! holy Virgin! — bon Dieu! good Heavens! *m. and f.* saint

Saint- *prefix* Saint *or* St.

Saint-Agrico [*or* -Agricol] *an old church in Avignon*

Saint-Christophe St. Christopher

Saint-Cyr (*VC*) once Saint-Cyr-l'École (*near Versailles*); *in 1808 part of this establishment was transferred to Fontainebleau and became, as Saint-Cyr, the chief military training school of France for officers in the cavalry and infantry*

saintement holily; — protégée par under the holy protection of

sainteté *f.* holiness, sanctity

Saint-Jean St. John

Saint-Louis: le jour de la —, on St. Louis' day (*in full,* le jour de la fête [de] Saint Louis, *i.e.,* 25 *August*)

Saint-Nicolas: la —, (*title of Theuriet's story*) St. Nicholas' day (6 *Dec.*)

Saint-Sulpice (*VC*) *a church and quarter* (*in Paris*) *where shops for the sale of church furnishings* (*images, pictures, etc.*) *are particularly conspicuous; Coppée alludes to the bad taste of the commercially manufactured articles so characteristic of the* quartier Saint-Sulpice (St. Sulpicius)

saisir seize, lay hold of, clutch, catch; strike (*with wonder*); **se — de** get hold of

saisissement *m.* shock

saison *f.* season; **la mauvaise —,** = winter

sale dirty, filthy

saler salt; **chair salée** salt meat

salle *f.* room, hall; **— à manger** dining room; **— de réception** drawing-room; **— de police** guardroom (*military prison*)

Salomon (King) Solomon

salon *m.* drawing-room, parlor; **petit —,** little anteroom

saluer greet, bow (to), bow down before, pay one's respects to, salute, say good-bye to

salut *m.* salvation; **—, (maîtresse)** good luck ...

salutaire wholesome

Samson Samson (the Nazarite), *whose giant strength enabled him to subdue the Philistines, but who was at last overpowered, blinded, and cruelly enslaved by them through the treachery of his mistress Delilah, to whom he had rashly confided the secret of his strength: his long locks; she caused them to be shorn off during his sleep* (Judges xvi)

sang *m.* blood; **se ronger les —s** *see* ronger

sang-froid *m.* coolness, self-control

sanglant, –e bloody

sanglier *m.* wild boar

sanglot *m.* sob

sangloter sob, be sobbing

sanguinaire bloodthirsty

sans without, with no, without any; but for; ... less; **— que**

+ *subjunc.:* **— que je le sache** without my knowing it; **— qu'on pût les voir** without anyone being able to see them

santé *f.* health; **rue de la Santé** *a short street in Paris connecting E. end of Boul. St. Jacques with Boul. de Port Royal;* «la Santé» *is a prison*

saoul (*old spelling of* soûl) [su], **soûle** [sul]: **— de** glutted with

sapin *m.* fir

Sarrasin Saracen (*ancient name of the Arabs*)

satire *f.:* **faire la — de** satirize

satisfaction *f.* gratifying (*of self-esteem*); amends

satisfaire (à) satisfy, comply (with), appease, gratify, indulge

Saturne *m. the planet* Saturn

saucisse *f.* (small) sausage

saucisson *m.* (large) sausage

sauf (1), **sauve** safe, sound

sauf (2) *prep.* save, except; **— votre respect** saving your presence, with all deference to you

saule *m.* willow

saur- *see* savoir

saut *m.* leap, jump, bound

sauter leap, leap about, jump, spring, (*of corks*) fly *or* pop; **— au cou de...** fall on ...'s neck; **— sur ses pieds** leap to one's feet; **nous sautions sur nos sabres** we were leaping for, *etc.;* **— en l'air (comme une fusée)** dart up

sautillant, –e (*of a gait*) skipping, frisky; (*of a tune*) merrily tripping

sautiller skip, hop, trip; (*of the heart*) go pit-a-pat (*with joyful expectation*)

sautoir: en —, slung over his (one's) shoulder

sauvage wild, savage

sauvagerie *f.* shyness, avoidance of society, (*CP*) unsociability

sauver! save, rescue; **le sauver!** save him! **se —,** make one's escape, get (*or* run) away, make off; **sauve-toi!** (*MD*) run! **sauvé, –e** safe

sauvetage *m.* rescue

savant, -e learnèd, scientific, skilful, knowing

saveur *f.* flavor, savor; odor

savoir (1) know, know of (*or* about); learn, find out, discover; — + *inf.* can, know how (be able) to, manage to; **ne — plus que devenir** be at a loss what to do next; **vous saurez ...** (*Élix*) let me tell you ...; **je ne sais quelle chanson** some ditty or other; **ils nous savent ici** they know we're here; **on le savait** (**un brin vantard**) (*BM*) they knew him to be ...; **vous savez bien tante Bégon** (*Élix*) you have of course heard of, *etc.;* **je n'en sais pas un plus pittoresque** I know of none, *etc.;* **savoir de leurs nouvelles** get any news about them; **je n'en saurais douter** (*R*) I really cannot doubt

savoir (2) *m.* (great) knowledge, learning

savoir-faire *m.* skill, ability

savonner soap, wash with soap (**savon**), do the wash; (*fig.*) scrub

savoureu-x, -se savory

scandale *m.* scandal

scandaliser scandalize, shock; **se — (de)** be shocked (at)

scander scan (*verses*); **— ses phrases à contretemps** make one's pauses out of time

scarabée *m.* scarabee (scarabæus, scarab); beetle (*of various kinds, including the* sacred *beetle or* scarab *of ancient Egypt, often represented by a small image of greenish stone*)

Scarron, Paul (1610–60), *a French novelist, known chiefly through his* Roman comique, *a burlesque novel describing the ways of the wandering players of his time and ridiculous provincial cranks*

scélérat *m.* scoundrel

sceller seal; (**des barres**) **scellées dans le mur** cemented into the wall

scène *f.* stage

sceptique skeptical

Schwarz, Berthold, *a Swiss monk* (*ab.* 1310–*ab.* 1384), *formerly sup-*

posed to have invented gunpowder; he is said to have been put to death by order of the Venetian Senate for too great insistence on being paid for his services

science *f.* science, knowledge, learning

scolastique *f.* scholasticism, scholastic philosophy, *characterized by being largely, if not wholly, based upon the authority of the Church fathers, of Aristotle, and of Arabian commentators, and by its stiff and formal method of discussion*

Scott, (Sir) Walter (1771–1832), *the famous Scotch poet and novelist, contrasted by Musset with* Scarron. *Walter Scott was much read, admired, and imitated by the French of Musset's period (the "Romantic Movement")*

scrupule *m.* scruple

scrupuleusement scrupulously

scrupuleu-x, -se scrupulous, **very** careful, thorough

sculpteur [skyltœːr] *m.* sculptor, carver; **— d'or** goldsmith, goldworker

se (**s'**) oneself, himself, herself, itself, themselves, each other

séance *f.* session, sitting, meeting; **— tenante** then and there, forthwith

sec (1), **sèche** dry, dried (up), thin, spare, withered; **la taille sèche** [women] with a lean figure; **la tête sèche** with a trim head; **l'air —,** with a hard (*unsympathetic*) look; **le bruit —,** (*of a wooden leg*) the sharp thump *or* the click; **sec** (2) *m.:* **mettre à —,** drain dry, leave penniless

sèchement drily, curtly

sécher dry, dry up, parch; (*fig.*) turn out all right; **faire —,** dry

second, -e (1) [səg-] second

seconde (2) [səg-] *f.* second; **en deux —s** in a trice

seconder [səg-] second, help

secouer shake, shake off (up), rattle (*a door*), wave; **il secouait gentiment ...** (*MP*) he would flourish prettily ...

secourir help (succor), relieve; **être secouru, -e** receive help

secours *m.* help, relief; **chargé des —,** in charge of relief work; **au —! help!**

secret, secrète secret, private, inward; *m.* secret

secrétaire *m.* secretary, clerk

séculaire centuries-old, venerable, ancient

séduire fascinate, captivate

séduisant, -e charming, alluring

seigneur *m.* lord; **Seigneur!** (*cry of dismay*) God in Heaven! **le Seigneur-Dieu** Lord God

sein *m.* bosom, breast

Seine *f.* (*river*) Seine

séjour *m.* stay, visit; **le — de l'estaminet** (*VC*) tarrying at a café

sel *m.* salt

selle *f.* saddle

selon according to

semaine *f.* week

semblable (à) like, similar (to); such; **mon —,** my like

semblablement similarly, likewise

semblant *m.* semblance; **faire — de** pretend (feign) to

sembler seem (to), seem like, strike *or* impress (*one as*); **il lui semblait voir** it seemed to him he saw; **une dernière décharge semblait devoir...** (*AM*) it looked as if a final volley must ...; **où bon leur semblerait** wherever they saw fit

semelle *f.* sole; length of a sole; **ne pas reculer d'une —,** not budge a foot

semer (**de**) sow, strew *or* sprinkle (with), scatter

Sénégal *m.* Senegal, *a great region in W. Africa under French control; peopled by blacks; hence the* **merle du —** *in Musset's story* (*Mbl*) *is a black* **merle** (*with a greenish sheen*)

sens [săs] *m.* meaning, sense; direction

sensation *f.* feeling

sensibilité *f.* sensitiveness, delicacy of feeling; **ma —,** (*Mbl*) the emotional side of my nature

sensible sensitive

sentier *m.* path, footpath, trail

sentiment (**de**) *m.* feeling (for), sense (of), sensation; sentimental interest, emotion

sentinelle *f.* sentinel, sentry

sentir feel, smell (of), sniff; **il le sent!** (*Peur*) he smells him! — **l'étable** reek of the cowshed; — **bon** smell good; — **bon la lavande** (*MP*) have a sweet fragrance of lavender; **se —,** feel (*well, ill, etc.*); **se — la force de...** feel strong enough to...; **je me sens + obj.** (*Mbl*) I feel in myself...

seoir (à) befit, become, suit

séparer separate, sever; **se —,** leave each other, part (company); **chacun se sépara** (*BM*) each went his own way; **il ne s'en séparait plus** (*BM*) henceforward he never let it out of his sight

sept seven

ser– *see* **être**

sérénité *f.* serenity

sergent *m.* sergeant

sergent-major *m.* first sergeant

série *f.* series

sérieusement seriously

sérieu–x, -se serious, real, (in) earnest, grave

serment *m.* oath; **faire —,** take one's oath, swear

serpent *m.* snake; spiral (*of smoke*)

serpentin *m.* worm (*of a still*)

serre *f.* greenhouse

serré, -e crowded, pinched, stingy, (*S-N*) financially cramped (*life*)

serrement *m.* squeezing; **— de cœur** heart pang, heaviness of heart

serrer squeeze, clasp, press (together); draw (*a garment*) tight; **sa gorge se serrait** he felt a tightening of the throat; **la poitrine de Boinville se serra** (*S-N*) B. felt a clutching of the heart; **cette idée me serra le cœur** that thought made me sick at heart; **se —,** crowd together, gather closely; **se — contre...** cling tightly (press close) to...; **serrés l'un contre l'autre** close-

locked in each other's arms; **les
lèvres serrées** with lips tight-set
serrure *f.* lock
servante *f.* housemaid, servant
service *m.* service; (*S–N*) performance of (official) duties; **le — de
Dieu** divine worship; **au — de**
in the service of; **je suis en —**,
(*VC*) I'm a hired girl
serviette *f.* napkin, serviette
servir serve, be of service, be useful,
wait upon; **pour vous —**, (*as a
homely expression of politeness*,
(*VC*) at your service; [il] **se fit —**,
[he] had himself waited on; **commencez par nous — à déjeuner**
(*MD*) begin by letting us have
some breakfast; **à quoi lui aurait
servi sa fanfaronnade?** what
could his bragging have done for
him? **leur charme leur servant
de naissance** their charm taking
for them the place of high birth;
ce qui nous sert d'horloge what
we use for a clock; **se — de** make
use of, use, resort to
serviteur *m.* (man)servant
ses *see* **son** (2)
seuil *m.* threshold, doorstep, doorway
seul, –e only (one), alone, single;
un — témoin only one witness;
ce — mot that one word; **—e
héritière** sole heiress; **le souvenir
—**, the mere recollection; **le
hasard —**, pure chance; **dont
l'extérieur —**, (*CP*) whose mere
appearance; **quelques buveurs
—s** merely a few drinkers; **—, je
ne pus ...** I alone could not ... ;
à lui (elle) —, all by himself
(herself), all alone
seulement only, merely, even, however; **on venait de s'apercevoir
— de l'évasion** the guard had
only just become aware, *etc.;*
il ouvrit — la bouche pour dire
(*AM*) he opened his mouth
merely to say; **dites —, monsieur** (*S–N*) just say what it is,
sir
seul–et, –ette all alone
sévère severe, stern, austere
sevrer (de) sever (from), wean

sey– *see* **seoir**
si (1) *conj.* if, (as to) whether;
ne ... que si ... only if, not ...
unless; **si on peut dire !** (*F*) how
can anyone tell (*such lies*)! **s'il rencontrait (des paysans)?** suppose
he were to meet ... ? **si je le
leur montrerai?** (*BM*) (they're
wondering) am I going to show it?
si je l'ai connu ! (*CP*) have I
known him! [of *course* I have!]
si (2) *adv.* so (much); **j'avais si peur**
I was so frightened; (*contradicting
a negative statement*) yes; **si fait**
yes indeed; **si stupide qu'il fût**
however stupid he was
sicilien, –ne Sicilian
siècle *m.* century, world; **le Siècle**
(*VC*) *a Paris political daily newspaper with anti-clerical tendencies,
founded in* 1836
sied *see* **seoir**
siège *m.* seat, chair; (*mil.*) siege
sien, –ne (*with* **le, la, les**) his, hers,
his own, her own, one's own;
(**l'inquiétude**) **des —s** (*Ét*) of her
family; **les —s** (*AWS*) the folks
at home
sieste *f.* siesta, nap
sifflement *m.* whistling, whizzing
siffler whistle; *to express disap-
proval, the French often* whistle
whereas we hiss *or* boo
sifflet *m.* whistle
signal *m.* signal (**de** for, to)
signalement *m.* description
signe *m.* sign, mark, gesture; **— de
tête** nod; **d'un nouveau — [de
tête]** (*AM*) with another nod of
the head; **faire — à** beckon to
signet [sinɛ] *m.* bookmarker
signifier mean, signify; **que signifie ... ?** what is the meaning
of ... ?
silence *m.* silence, stillness, pause
(*in conversation*); **faire —**, become silent; **garder le —**, keep
silent; **les longs —s de son père**
her father's habits of taciturnity
silencieusement silently, quietly
silencieu–x, –se silent, of few words;
rire —, inner chuckle; **les —
échos** (*R*) the sleeping echoes
silhouette *f.* silhouette, outline

Silvio *Ital. name of the hero of Mérimée's* Coup de Pistolet
simple simple, plain, mere, simplehearted; **elle fut —,** *(Par)* she dressed plainly; **le plus — sera** the simplest course will be...; **heureux les —s** *(J) according to* Gospel of Matthew (v. 3), "Blessed are the poor in spirit," *but according to Luke* (vi. 20), "Blessed be ye poor"
simplement merely, just
simples *m. pl.* simples *(medicinal herbs)*
simplicité *f.* simpleness, artlessness, credulity
sincère sincere, real
sincèrement sincerely
sincérité *f.* truthfulness
singularité *f.* peculiarity, singularity, queerness, oddity
singuli-er, -ère singular, peculiar, queer
singulièrement singularly; **(souffrir) —,...** sorely
sinistre sinister, forbidding, ominous
sinuosité *f.* bend *(of a river)*
sire : **le — de Védène** *(MP) ironically archaic for* (le) **seigneur de V.,** *freely* my lord de Védène *(as if our Tistet had been a noble of high degree)*; **sire** *is obsolete or limited to a few expressions*
sitôt que as soon as; **— entré** the instant he was inside
situation *f.* state, case, plight
situé, -e situated, standing
six six; *(in dates)* sixth
sixième sixth; *see* étage
Skouliani *(CP) a town (E. of Jassy) on the Russo-Rumanian frontier*
sobriété *f.* sobriety; **manquer à la —,** fail to keep sober
société *f.* society, social group ("set"), company, party; **les dames de la —,** the society ladies; **sa —,** *(R)* her usual visitors, her social set
Socrate Socrates, *a Greek philosopher,* 468–400 *(or* –399) B.C., *whose sayings and teachings have come down to us through Plato, Xenophon, and Aristotle. S.*

concentrated his philosophic enquiries *("Know thyself")* on man. *On a charge of having corrupted the youth of Athens with his undermining of accepted beliefs, he was condemned to die and tranquilly drank a cup of poisonous hemlock*
sœur *f.* sister; *(fig.)* **la — de mon âme** *(Mbl)* kindred soul, my soul's affinity
soi *(stressed form of* se) oneself, himself, *etc.*
soi- (**sois,** *etc.*) *see* être
soie *f.* silk
soif *f.* thirst; **avoir —,** be thirsty
soigné, -e careful, thorough, fine, sound *(thrashing)*
soigner do carefully
soigneusement carefully
soigneu-x, -se careful
soin *m.* care, concern, task; **—s attention(s),** care; **avec —,** carefully; **avoir — (de)** take care (of, to); **avoir — que...** take care that..., be careful to have *(something done)*; **donner des —s à** attend to
soir *m.* evening; **l'office du —,** evening prayers; **le —,** *adv.* at (in the) evening
soirée *f.* evening *(taken as a unit)*, evening party; **par —,** an evening (every evening)
Soissons *m.* Soissons, *a city on the Aisne, midway between Compiègne and Reims*
soit [swa] *conj. or vb.* either... (or); **— distraction ou tout autre motif** *(MD)* whether through absentmindedness or (through) some other impulse; **—...—,** either... or; **— que...,— que** *(or* ou que) whether..., or; *vb. or adv.* [swat] (so be it!), well and good! all right!
soixante sixty
soixante-mille-sept-cent-quatorzième sixty-thousand-seven-hundred-and-fourteenth
soixante-quinzième seventy-fifth
sol *m.* soil, ground
solder pay, settle *(an account)*
soleil *m.* sun, sunshine, sunlight; **de l'or au —,** sunlit gold; **(tout hon-**

teux de montrer) au —, (*Élix*) ... in the full blaze of daylight; **sous le grand** —, in the hot sunshine; **une couronne de** —, (*AM*) a radiance of sunshine; *cf. Solomon's Song*, vi. 10
solennel, –le solemn, formal
solennellement solemnly, with proper solemnity
solennité *f.* solemnity
solide strong, substantial, stout, staunch, steady, firm, good
solitaire (living) alone, lonely
solitairement (living) alone
solitude *f.* living alone; **de** —, (*as adj.*) lonely; **—s** moments of solitude
solive *f.* joist
solliciter solicit, petition (for), request, try to get
solliciteu-r, –se person soliciting; petitioner
sollicitude *f.* solicitude, care
sombre gloomy, dark
sommairement summarily, without ado, speedily
somme (1) *f.* sum, amount; **en** —, to conclude
somme (2) *m.:* **faire un (petit)** —, take a (little) nap
sommeil *m.* sleep, sleepiness
sommeiller slumber, doze
sommer (de) call upon, summon (to)
sommes *see* **être**
somnambule *m.* (*or f.*) sleepwalker
son (1) *m.* sound, tone
son (2), **sa, ses** his, her, one's, its; **sur sa demande** (*F*) at his own request; **il avait son visage réfléchi** (*AM*) he was looking thoughtful, as usual
songe *m.* dream; **en** —, in a dream
songer (à) think (of), dream (of), wonder (about); **il songea que** ... (*AWS*) it occurred to him that ... ; **elle songeait aux grands salons** (*Par*) she would dream of, *etc.* (**songer** *refers to daydreams, not to literal dreams*)
sonnaille *f.* bell (*of mules, sheep, etc.*)
sonner ring, ring for; strike
sonnette *f.* bell, doorbell
sonore loud, sonorous
sont *see* **être**

sorcier *m.* wizard, sorcerer
sordide squalid, mean
Sorgue *f. a beautiful river* (*only* 36 *k. long*) *which rises at the* Fontaine de Vaucluse *and, after dividing itself into numerous branches, flows into the Rhone above Avignon*
sort *m.* fate, destiny, chance (one's lot); **tirons au** — **à qui** ... let's draw lots to decide who shall have ...; **tomber au** —, be drafted (*for military service*)
sorte *f.* kind, sort, manner, way; **de** (*or* **en**) — **que** so that, in such a way that; **de la** —, in that way, so; **en quelque** —, in a way; **de telle** —, in such a way
sortie *f.* going out, way out, exit, departure; end (*of*); **à la** — **de l'église** (*F*) to the people coming out of church
sortilège *m.* sorcery, witchcraft, spell
sortir (*aux.* **être**) go (*or* come) out, come forth, stick (bulge, be thrust) out; (*with or without* **de**) get out (of, away from); (*of tears*) begin to flow; **veuillez** —, (*CP*) kindly leave this room; **je sors (des Enfants-Trouvés)** (*VC*) I'm from ... ; **vous sortez (de votre première mue)** you're just out of ... ; (*trans., aux.* **avoir**) bring (lead, take, thrust) out; **nous sortons le troupeau** we take the flock out (*to pasture*); **il sortit sa tête** he thrust out his head
sot, –te silly, foolish
sou *m. a coin worth one twentieth of a franc; roughly (before* 1919) *one* cent *or* halfpenny; **des cigares d'un** —, halfpenny (*or* one-cent) cigars; (**ne pas avoir**) **un** — **vaillant** a red cent (a copper in the world)
souche *f.* (tree) stump, (vine) stock
souci *m.* worry, care, anxiety
soucier: se — **de** care (*or* worry) about, mind
soucieu-x, –se anxious, worried
soucoupe *f.* saucer (*the number of* **soucoupes** *before a customer indicates the number of glasses of*

liquor or cups of coffee that he has consumed)

soudain (1), –e sudden, unexpected

soudain (2) *adv.* suddenly

soudard *m.* (*satirical or contemptuous*) tough old soldier

souffert, –e *p.p. of* **souffrir**

souffle *m.* breath; (*AM*) whisper (of the breeze); **la maison n'avait plus un —,** (*AM*) in the house, now, not a breath could be heard

souffler blow (out), puff; breathe more freely, get (back) one's breath; **soufflant les noyaux** (*of cherries*) blowing off (*or* away) the pits

soufflet *m.* slap, box on the ear

souffleter box . . . on the ear, slap . . .'s face

souffrance *f.* suffering

souffrant, –e ill, ailing

souffrir suffer, stand (endure), feel ill

soufre *m.* sulphur

souhait *m.* wish

souhaiter wish

souiller soil, stain, smirch

soûl [su], **soûle** [sul] *mod. spelling of* **saoûl, saoûle** (*q.v.*)

soulagement *m.* alleviation, (feeling of) relief

soulager relieve, comfort, help

soulever raise, stir up, heave up; **se —,** rise, get up

soulier *m.* (low) shoe

soumettre: se —, submit (give way); **— à** undergo, *etc.;* **soumise à** (*R*) dependent on

soupçon *m.* suspicion; **un — d'espoir** a gleam of hope

soupçonner suspect

soupe *f.* soup, (*fig.*) meal(s); **— au café** (*VC*) *really coffee soup, for, at breakfast, the French usually drink a concoction made by pouring hot milk on extract of coffee; or by mixing black coffee and hot milk about equally;* **café au lait** *is the same drink;* **la —** (et le lit **sous l'escalier**) (*VC*) (my) meals . . . ; **faire la —,** get dinner ready, *or* (the) soup

souper (1) take supper, sup

souper (2) *m.* supper

soupière *f.* soup tureen

soupirer (**après**) sigh, pine *or* yearn (for)

souple lithe, flexible, supple

souplesse *f.* flexibility, suppleness

source *f.* spring

sourcil [sursi] *m.* eyebrow

sourciller: écouter sans —, listen without moving an eyelash (without wincing)

sourd, –e deaf; (*of sounds*) dull, muffled, faint, low, indistinct, smothered

souriant, –e beaming, cheerful

sourire (1) smile (**de** at); **en souriant** with a smile

sourire (2) *m.* smile

souris *f.* mouse

sous under; **— mon pistolet** (*CP*) within easy range of, *etc.;* **il la figurait — les traits,** *etc.,* he pictured her with, *etc.;* **— sa dictée** at, *etc.*

sous-chef *m.* deputy head clerk

sous-directeur *m.* assistant director

sous-directorial, –e of the assistant director

sous-lieutenant *m.* second lieutenant, sub-lieutenant

sous-marchand *m.* assistant merchant

sous-préfecture *f.* sub-prefecture (*district or office in charge of a* **sous-préfet** sub-prefect)

soutenir support, maintain, stand by; **se —,** (*R*) stand (*contrasted with* fall)

soutien *m.* support, mainstay

souvenir (1): **se — de** remember, recall, recollect; **il lui en souvient** he (she) remembers it (them)

souvenir (2) *m.* recollection, memory, experience; **recueillez bien vos —s** try to recall (everything)

souvent often

soy– *see* **être**

spacieu-x, –se roomy, spacious, with plenty of room

spahi *m.* spahee (*Algerian serving in French cavalry*)

spasme *m.* spasm

spécialement specially, particularly

spécifique *m.* specific (*remedy*)

spectacle *m.* show, display, sight

spectre *m.* ghost, spectcr

sphinx *m.* sphinx; (**un sourire**) **de —**, sphinxlike

spirituel, –le witty

stalle *f.* stall

staroste *m.* starost (*Polish nobleman owning a starosty, a domain granted him for life*)

statistique *f.* statistics, (*VC*) census records

strié, –e streaked, striated

stupéfaction *f.* amazement

stupéfié, –e astounded, amazed, dumfounded, aghast

stupéfier daze, astound, amaze

stupeur *f.* amazement, stupor; **avec —**, (as if) thunderstruck

stupide dull, nonsensical; stupefied, dazed

style *m.* style, language

su– *see* savoir

subalterne *m. or f.* subaltern, subordinate, inferior

subir undergo

subit, –e sudden

subitement suddenly

substituer (à) substitute (for)

subtil, –e subtle, fine-spun, artful

succès *m.* (great) success

succomber succumb, die

sucre *m.* sugar

sud [syd] *m.* south

suer perspire, sweat

sueur *f.* perspiration, sweat; **en avoir les —s** get into a cold sweat; **à la — de son front** (*J*) by the sweat of his brow (*cf. King James version of Genesis iii. 19:* "In the sweat of thy face shalt thou eat bread")

suffire (à, de, pour) be enough *or* suffice (to, for); **cela suffit** that will do, that's enough

suffisant, –e sufficient, adequate

suffoquer suffocate, stifle; (*F*) be speechless (choke) with indignation

Suisse *f.* Switzerland

suite *f.* sequel, consequence, outcome; **de —**, in succession; **tout de —**, immediately

suivant *prep.* according to

suivre follow; **elle tâcha de — Dominique** [*i.e., des yeux*] (*AM*) she strained her eyes to follow D.

sujet (1), –te (à) subject (to), liable (to)

sujet (2) *m.* subject, matter, cause, ground; **au — de** about, as to; **pipe à —s** carved pipe

superbe, superb, splendid

supérieur, –e upper, superior, higher, stronger; **officier —**, field officer

superposer add; **intérêts superposés** compound interest

superstitieu–x, –se superstitious

suppliant, –e suppliant, beseeching, in supplication

supplier entreat, beseech, beg

supplique *f.* petition

supporter bear, stand, endure

supposer suppose, infer, imagine; **on suppose aisément** you can easily imagine

supposition *f.* supposition, surmise; **mais, une — que,** *etc.* (*BM*) but suppose, *etc.*

suprême supreme; **un gémissement —**, a final (*or* dying) groan

sur on, upon, onto, up to, over, to, as to (concerning), toward, about, at, in; from, for; **sur-le-champ** then and there, forthwith; **debout sur sa porte** standing in his doorway; **la mort est sur nous** Death is close upon us; **[le] coup de fusil sur la tête barbue** [the] gunshot at, *etc.;* **elle leva les yeux sur lui** she looked up at him; **faire de terribles exemples sur les paysans** (*AM*) make terrible examples of, *etc.;* **nous sautions sur nos sabres** (*CP*) we were leaping for, *etc.;* **balle sur balle** bullet after bullet; **tirées l'une sur l'autre** (*of bullets*) fired in quick succession; **sur cette pensée** upon that reflexion; **sur un ton de fureur** in a furious tone

sûr, –e sure, certain, unerring, steady (*hand, aim*); trustworthy, safe; **bien sûr que** surely; **pour sûr** *adv.* certainly

sûreté *f.* safety, security; **en —**, safe

surexcité, -e greatly excited
surmonter surmount, rise above;
    surmonté de topped by
surnuméraire *m.* supernumerary
    (*ministerial employee working on
    small salary while awaiting a regu-
    lar appointment*); **un mince —,**
    (*S–N*) a petty government em-
    ployee
surpasser surpass, outstrip
surplis *m.* surplice, *a "loose full-
    sleeved white linen vestment...
    worn usually over cassock by
    clergy and choristers at divine
    service"* (Concise Oxf. Dict.)
surplus: au —, furthermore, more-
    over, however, after all
surpren– *see* **surprendre**
surprendre surprise, take by sur-
    prise, catch one off his guard,
    detect
surpri– *see* **surprendre**
surprise *f.* surprise, astonishment;
    une violente —, (*S–N*) amaze-
    ment; **avec —,** in surprise; **de
    —,** out of (with, for) surprise
sursaut *m.* (nervous) start; **nous
    eûmes un —,** we gave a start;
    en —, with a start, startled
sursauter give a start, be startled;
    il en sursauta de surprise (*BM*)
    he fairly leaped for surprise
surtout especially, chiefly
surveille: la —, two days before
surveiller watch (over), keep an
    eye on, see to
susdit, -e aforesaid
suspendre (à) hang (on, from),
    suspend (from), hold in suspense,
    stop for a time; **suspendu, -e**
    hung, swung
svelte [zvɛlt] slender
syllabe *f.* syllable
symétrie *f.* symmetry
sympathie *f.* sympathy, feeling of
    attachment
sympathiser sympathize
syndic *see* **procureur**
système *m.* system, plan

T

t' *see* **te**
ta *see* **ton** (1)

tabac [taba] *m.* tobacco; **marchand
    de —,** tobacconist
tabatière *f.* snuffbox
table *f.* table; (*fig.*) **toute la —,** (*F*)
    every one round the table; **—
    d'harmonie** sounding board; **—
    ouverte** open house
tableau *m.* picture; table, list,
    description
tablier *m.* apron
tabouret *m.* stool
tache *f.* spot, stain (*cf.* **tâche**)
tâche *f.* task (*cf.* **tache**)
tacher (de) spot (with), stain
tâcher de endeavor to, try to
taciturne persistently silent
taciturnité *f.* persistent silence
tafia (*W. Indies*) *m.* tafia, *kind of
    rum distilled from molasses*
taille *f.* figure, stature, height;
    waist; **la — sèche** (*F*) with a
    gaunt figure
tailler cut out, carve, deal (*cards*);
    — des bavettes (*lit.* cut bibs)
    gossip
tailleur *m.* tailor
taire: se —, cease speaking, be
    (*or* become) quiet; **tais-toi** hush,
    be quiet; **tout se tut** everything
    became silent; **faire — qqn**
    silence one
tais– *see* **taire**
talon *m.* heel; **[il] lui tourna les —s**
    [he] turned his heels upon him
Tamango *name given by Mérimée
    to an African negro chief*
tambour *m.* drum (*still used in
    many French towns by the town
    crier for official announcements*);
    le — roula (*F*) the beat of the
    town crier's drum was heard
tambourin *m.* (*MP*) tambourine,
    possibly a tabour (*Daudet was
    not an archeologist!*), *i.e., a shal-
    low medieval drum played with a
    single drumstick;* **ces enragés
    de —s** those mad tambourine
    (*or* tabour-)players; (*T*) tam-
    bourine
tandis que whereas, while
tanière *f.* den, lair
tant (de) so (*or* as) much, so (*or* as)
    many; so greatly, so well; **— et
    —,** so often; **— soit peu a** (a wee)

bit, ever so little; — **mieux** so much the better; — **pis** so much the worse; — **bien que mal** after a fashion, somehow; — le ciel était sombre so dark was the sky; — il avait bon air (*AM*) (because) he was so handsome; — **gaillardement** (*AM*) so efficiently; — que as long as; — que mes plumes tombèrent (*Mbl*) during my whole moulting time

tante *f.* aunt; — **Bégon** aunty Bégon

tantôt soon; — ..., — ... now ..., now...

tapage *m.* din, uproar, (noisy) row; **pour** s **nocturnes** (*VC*) *freely* for being drunk and disorderly at night

tapageu-r, -se noisy, riotous; *m.* noisy fellow, brawler

tape *f.* tap, rap, pat, slap

taper tap; — **du pied** stamp; **(un lapin) tapant du cul** stamping (*with its hind feet*)

tapir: se —, crouch (from fear), cower; **tapi (comme un lièvre)** cowering

tapis *m.* carpet, rug

tapisser hang with tapestry, paper (*a wall*)

tapisserie *f.* tapestry, hanging(s)

tarabin, taraban fol-de-rol (*or the like*)

Tarascon *m. a small town south of Avignon*

tard *adv.* late; **plus** —, later, afterward

tarder (à) delay (in), be long (in); **sans** — **d'une minute** without a moment's delay; **elle ne tardera pas à rentrer** she'll soon be back

tarir dry up; (*fig.*) **ne pas** —, talk incessantly

tas *m.* heap, lot, set (*of rascals*)

tasse *f.* cup

tâter feel (*by touch*), try (*by touch*); **tâtant le lierre du pied** feeling about in the ivy with her feet

tâtonner grope (feel) one's way

taudis *m.* filthy den, hovel

taux *m.* rate

te (t') you, yourself

té: tais-té (*F*) *Norman patois for* **tais-toi** (*see* **taire**)

teint *m.* complexion

teinte *f.* tint, tone, tinge

teinter tinge

tel, -le such (a), so great; **un (une)** —(-le) such a, So-and-So (*a person not named*); — **que je l'ai lu** just as I read it; — **que vous me voyez** (*Mbl*) just as I am now; (*advbly.*) — **que notre district m'en offrait quantité de modèles** (*CP*) like those of which our, *etc.*

télégraphe *m.* telegraph; **les Télégraphes** the (Government) Telegraph offices (*in France, a business wholly under govt. control*)

tellement so, so much

témoigner (de) testify (to), bear witness, show, express

témoin *m.* witness, (*in a duel*) second; **Dieu m'est** —, God is my witness

tempête *f.* storm, tempest

temps *m.* time, while; weather; **du** — **que je gardais les bêtes at the time when,** *etc.*; **à** — in time; **avec le** —, in (the course of) time; **de** — **en** —, *or* **de** — **à autre** from time to time; **par le** — **qui court** nowadays; **un** — **de neige** snowy weather

tenable bearable, possible to hold

tenante: séance —, forthwith, at once, then and there

tendre (1) tender, kindly, fond

tendre (2) stretch (out), hold out, crane (*the neck*); — **les mains** hold out one's hands; — **la main** beg alms; — **l'oreille (les oreilles)** listen intently

tendrement tenderly

tendresse *f.* tenderness, fondness, love

ténèbres *f. pl.* (deep) darkness, (deep) shadows, gloom

ténébreu-x, -se shadowy, dark

tenir (*with* **tien-, tin-**) (1) hold, grasp, cling to, keep; endure; occupy; **dont elle tenait le bord** (*F*) to whose side she was clinging; **le démon le tenait** the devil had him in his grip; ... **tenaient si peu de place** (*S-N*) (*fig.*) had so small a share; — **de qqn** have learned from ...; — **compte**

de allow for; **se —,** hold (keep, control) oneself, hold on, lie, sit, stand, stay; **tiens-toi tranquille** (*AM*) don't fret; **se — en sentinelle** stand like a sentinel; **se — debout** stand; **se tenant sur les mains** standing on his hands; **se — sur ses gardes** be wary; **s'en — à** stop at, rest satisfied with: **Tistet ne s'en tint pas là** Tistet didn't stop at that; **savoir à quoi s'en —,** know what to think *or* do about it; *intrans. uses:* **un trou où elle tient** (*AM*) a nook where it [*the boat*] has room; **il ne tenait pas en place** (*S–N*) he kept fidgeting; **je ne tiens plus sur mes jambes** (*MD*) I'm ready to drop (*from weariness*); **(pas une porte) qui tînt** (*Élix*) that was fast on its hinges; **il n'y put —,** (*VC*) he couldn't control himself; **il faut —,** we must hold out; **tenez bon** (*AM*) keep steady; **— à . . .** feel bound to, be anxious to, stick to (*an idea*); (2) *intrans. and with no expressed subject:* **qu'à cela ne tienne!** never mind that! don't let that stand in the way! [il] **tenait fortement pour un chef de chouans** (*R*) [he] firmly believed it must be a Chouan leader; **séance tenante** forthwith; **tiens, dit-il** (*Par*) "there," said he; **tiens!** attrape, bandit!** there! take that, you rogue! **tenez!** look (here)! see!

tentation *f.* temptation

tentative *f.* attempt, trial

tenter tempt; **— de** attempt to, try to

tenture *f.* hangings (*of any material*), drapery, tapestry; **papier de —,** wall paper

terme *m.* term, word, end

terminer end; **en terminant** in conclusion; **se —,** end

terne dull, gloomy, leaden

terrain *m.* ground; **céder le —,** give way, retreat

terrasser fell, knock down, floor (irk terribly), overwhelm

terre *f.* earth, ground, land; **un vent de —,** an off-shore wind;

(**un petit flacon) de — brune** of brown earthenware; **à —,** on the ground, on the floor, (*naut.*) on shore; **il prit, par —,** le morceau de corde** (*F*) he picked up, off the ground, *etc.;* **le nez par —,** with their noses down; **Dominique était par —,** D. was lying on the ground; **elle se coucha par —,** (*AM*) she lay down on the floor; **sous —,** under the earth (buried)

terreur *f.* terror; **la Terreur** the Reign of Terror (1793–4)

terreu-x, -se earthy, sickly, dull

terrible terrible, dreadful; **le —, c'est que . . .** the terrifying thing about it was (*or* is), *etc.*

terrier *m.* burrow

terrifier terrify

territoire *m.* territory

terroir *m.* soil; **cet accent de —,** (*S–N*) that accent of one's own birthplace; **avoir un goût de —,** have a homely flavor, smack of the soil

tête *f.* head, top; **la — me tournait** I was feeling dizzy; **la — en l'air** (*Ét*) looking upward; **un signe de —,** a nod; **dire non de la —,** shake one's head in negation; **calcul de —,** mental calculation; **homme de —,** man of brains; **en — de** (la liste) at the top of; **faire — à** face (*the enemy*), stand one's ground against; **histoire de rire en voyant sa —,** (*AWS*) just for a joke when they saw his expression

tête-à-tête *m. a* private interview (*or* private conversation); **en —,** by themselves

théologien *m.* (*MD*) *fam. for* **étudiant en théologie** divinity student, theologue

thésauriser hoard up money

Thrasybule *name of a friar* (*in Engl.,* Thrasybūlus) *in Élix. du R. P. Gaucher* (*also of two "tyrants" of ancient Greece and of a zealous partisan of the Athenian democracy which overthrew the oligarchical government of the* 400 *in* 411 B.C.)

tic tac *m.* clack(ing) *or* ticktack
tiède (*of water*) lukewarm, (*of air*) balmy
tiédir become lukewarm, cool off
tien, -ne (*with* le, la, les) yours, your own
tien– *see* tenir
tiers: le (*or* un) —, a third
tige (de fer, *etc.*) *f.* (iron) rod, (*MD*) blackjack
tigre *m.* tiger
tilbury *m. Engl. word used in France to designate a kind of* open carriage *or* (two-seated) gig
tillac [tijak] *m.* (*obsol. name of* le pont principal) (main) deck
timbre *m.* bell (*doorbell, bell in a clock, etc.*)
timide shy, bashful
timonier *m.* helmsman
tintement *m.* tinkling, jingle
tinter tinkle, jingle
tir *m.* firing; shooting gallery, rifle range
tirailler pull about, plague
tirailleur *m.* sharpshooter, skirmisher
tire-d'aile: à —, (very) swiftly
tirer draw, tug, pull, pull off (out, up, down), drag; shoot, fire; — les oreilles à qqn (*VC*) tweak . . .'s ears *as an evidence of affection* (*a familiar French gesture equiv. to our slapping on the back, or the like*); je tirai mes bottes I pulled off, *etc.;* — sa montre take out one's watch; le moyen de nous — tous de peine (*Élix*) a way to get us all out of our troubles; la — de là-haut (*MP*) get her down; — des rideaux draw curtains together; — vanité de pride oneself on; — le pistolet (*CP*) practice pistol shooting; — sur qqn fire at . . . ; ils lui tireraient dessus (*AWS*), *fam. for* ils tireraient sur lui, they would shoot at him; — au mur (*of a mule*) kick at the wall; — au sort draw lots
tireur *m.* puller, plucker; marksman, shot
tisonner stir (*the fire*)
tisser weave (in)

tisserand *m.* weaver
'tite (*pleb.*) = petite
titre *m.* title, title deed; mon — de pension (*S–N*) my pension-right (*which could be used as collateral to borrow money*)
t'nez (*coll.*) = tenez
toi you, yourself
toile *f.* cloth, canvas, web, cobweb; *pl. also* (*T*) toils, net(s); — cirée oilcloth; — de Guinée Guinea cloth (*blue cotton cloth formerly used in trading with negroes of Guinea*)
toilette *f.* toilet, dress; (elle n'avait pas de) —s (*Par*) fine gowns; faire sa —, dress
toit *m.* roof
toiture *f.* roofing, roofs; —s (*AM*) bits of roofing, roofs
tôle *f.* sheet iron
tombeau *m.* grave, tomb
tomber fall (off), drop, flag, wane; — sur come upon, meet by chance; faire —, let . . . fall, drop; faire — la cendre (de sa pipe) knock the ashes . . . ; [il] fit — sa crosse [he] pounded with his crosier; laisser —, let . . . fall, drop; . . . laissa — d'une voix légère comme . . . called down to him with a voice as faint as . . . ; se laisser —, drop [*wearily etc.*]; — en faiblesse (*MD*) suddenly grow faint; — en démence go mad; — dans la tristesse become sad; — au sort (*mil.*) be drafted; — d'accord come to an agreement; tout ce qui lui tombait sous la main (*AM*) anything that came to (his) hand; le jour tombant as daylight faded away
ton (1), ta, tes your; ta parente (*VC*) a relative of yours
ton (2) *m.* tone, voice, pitch; color, shade, hue; style, bearing; (huit cris poussés) sur huit —s différents (*AWS*) . . . in eight different tones
tondre shear; (son front) presque tondu almost featherless (cropped bare)
tonne *f.* (large) cask, hogshead

tonneau *m.* cask

tonner thunder, (*fig.*) roar

tonnerre *m.* thunder; **coup de —,** thunderstroke; **mille —s!** by thunder! **(une voix) de —,** thunderous

torche *f.* torch

torchère *f.* candelabrum, floor lamp

torchon *m.* dishcloth

tordre twist, wring; **se —,** (*of water*) swirl

torrent *m.* torrent, (*fig.*) flood, stream

tors, -e twisted; **les jambes —es crooked legs, (*F*) bow-legged

torse *m.* trunk (*of the body*)

tort *m.* wrong, harm; **à —,** wrongly, unjustly; **faire beaucoup de — à** (*CP*) put in a very bad light

tortiller twist (about)

tortue *f.* tortoise, turtle; **à pas de —,** at a snail's pace

torturer torture

tôt soon, early; **ne ... plus — que** (*Mbl*) hardly ... when

total *m.* total (consumption)

tôt-fait *m.* (*S–N*) *cake made of eggs, milk, and flour*

toucher (1) touch, stroke, graze; (*of a bullet etc.*) hit; ring (*a bell*); (*of a check*) cash, collect; touch or move (*emotionally*); (*with or without* à) feel, touch upon

toucher (2) *m.* touch

touffe *f.* tuft, bunch, clump

touffu, -e bushy, thick

toujours always, ever, still, all the while, meanwhile, constantly, without fail; **Silvio, — muet S.,** without a word; **elle demandait —,** she kept asking; **et — rien** and still nothing [could be seen]; **le père Merlier ne disait — rien** ... continued to say nothing

tour (1) *f.* tower

tour (2) *m.* turn, round (trip), trick; **faire un — de ville** take a stroll (*or* drive) about town; **faire le — de la ville** go round the town; **c'est à mon — de ...** it's my turn to ... ; **— à —,** by turns, in turn; **—s de force et d'adresse** feats of strength and (of) skill; **— (de faux cheveux)** (*S–N*) fringe ...

tourbillon *m.* whirl, whirlwind

tourbillonner whirl, eddy (round)

tourelle *f.* turret; **escalier en —,** winding turret-stairway

tourmenter plague, distress, worry, sorely puzzle

tournée *f.* round (of visits *etc.*); **se mettre en —,** start out on a round (*of the town*); **faire une — dans ...** go all about ...

tourner turn, turn round (over, down), revolve, spin, go round; turn out (*well, badly*); **faire — à son profit** (cause to) turn to one's own advantage; **tournant le dos** (*S–N*) with his back turned; **— autour du moulin** (*AM*) walk around the mill; **la tête lui tourne** he (she) is dizzy; **se —,** turn, turn about

tournoyer whirl about, turn round and round

tournure *f.* appearance, figure, shape, form

Tours *a small city in dept. of Indre-et-Loire*

tourtereau *m.* young turtledove; **je ne sais quoi de —,** (*Mbl*) something turtledoveish (*Note this sly allusion to the expression* **s'aimer comme deux —x,** *i.e.,* comme deux jeunes tourterelles; *also to La Fontaine's fable of* Les Deux Pigeons, *beginning:* Deux pigeons s'aiment d'amour tendre.) *Musset treats* **tourtereau** *as a true masc. of* tourterelle

tourterelle *f.* turtledove

tous *m. pl. of* tout

Toussaint: la —, All Saints' Day (la [fête de] tous [les] saints [1 *November*])

tousser cough

tout (1), -e, **tous** (*pron.* [tus]; *as adj.* [tu], [tuz]) *adj. and pron.* all, every, any, (the) whole, everything; **— le monde** everybody; **tous (toutes) les deux** both (of them); **tous les sept ans** every seventh year; **toute une masse sombre** (*AM*) a great dark mass; **— un Avignon fantastique** (*MP*) A. in a fantastic panorama; **— ce qui** (*or* que *obj.*) all that, whatever;

— ce qu'il y a en France de merles (*Mbl*) as many blackbirds as F. contains; — **Français** any (*or* every) Frenchman; **en tous** (*or* **en** —) cas in any case; **avant** —es **choses** whatever else may (might) happen; *as a pure pron.*: **avant** —, before everything else; **pas du** —, *or* (*absol.*) **du** —, not at all; (j'aurai l'air misère) **comme** —, as anything; **et** — **fut dit** (*CP*) and [for him] that settled it; —es **herbes de Provence** (*Élix*) [tut ɛrb] all of them being herbs from P.; **le** — **très propre** everything very neat; (**plus jolie que**) —es ... all the rest; **tout** (2) *adv.* (*even as an adverb* tout *becomes* toute(s) *before a fem. adjective beginning with a consonant: thus,* — **étonnée,** *but* —e **confuse**) quite, altogether, wholly, very, just; — **au bout** at the very rim; — **à coup** suddenly, all at once; — **à fait** quite, exactly, wholly; — **à l'heure** just now *or* presently; — **de même** all (*or* just) the same; — **de suite** immediately; — **d'un coup** (*see* **coup**); — **haut** aloud; — **là-haut** all the way up, away up there; — (–e) **seul**(-e) quite alone; — c **réjouie** fairly beaming with joy; **sa vie** — **entière** his whole life; —es **craquantes** (*S–N*) all crackling (*not* " all of them "); —e **grossière qu'elle était** gross though it was; — **en assurant le repos,** *etc.* (*S–N*) at the same time insuring ...; — **en exprimant** (une violente surprise) (*S–N*) even though expressing ...; — **en rêvant, je m'endormis** in the midst of dreams ...

toutefois however, nevertheless
toute-puissante [*m.* **tout-puissant**] all-powerful
toux *f.* cough
trace *f.* track, trail, footstep, tell-tale sign, clue
tracer trace, lay down (*or* out) a plan *etc.*; write, print
traduire translate

Trafalgar *m.* (Cape) Trafalgar *on S.W. coast of Spain; scene of Nelson's victory* (21 *Oct.*, 1805) *over the combined fleets of France and Spain, commanded by Villeneuve*
trafiquant *m.* dealer (de in)
trafiquer (de) trade *or* deal (in)
trahir betray, reveal
train *m.* (railway) train; activity, movement; — **de vie** course of life, way of living; **en** — **d'avaler** (une omelette) (*Mbl*) in the act of swallowing ...; **je suis en** — **de mourir de faim** (*Mbl*) I'm on the verge of starvation; **mettre en** —, set going, enliven
traîner drag, trail about; **se** —, drag oneself, creep along
traîneur *m.*: — **de sabre** swashbuckler (*military bully, usually an officer*)
trait *m.* feature; draught, gulp; **avaler d'un** —, swallow at a (single) gulp
traitable: rendre —, conciliate, mollify
traite *f.*: — **des nègres** slave trade; *outlawed by Great Britain and by the United States in 1808 and by France in 1818. In 1819 a treaty was signed by Great Britain and France according to which the two powers undertook to put a stop to the slave trade*
traité *m.* treatise, treaty, bargain
traiter treat, deal (de with); *but* **on le traitait vaguement de braconnier** (*AM*) they hinted that he was a poacher
trajet *m.* distance covered (*in a journey*), stretch, journey
tranchant, -e *adj.* sharp, trenchant, peremptory
tranche *f.* slice
trancher (*fig. of colors*) be in strong contrast, stand out sharply
tranquille quiet, easy, calm, undisturbed, peaceful; **laisser** —, leave alone (not bother); **nous ne sommes pas** —s we're a bit worried; **tiens toi** —, don't fret; **à pas** —s at an easy gait
tranquillement quietly, calmly, peacefully

tranquilliser calm

tranquillité *f.* calmness, serenity; **avec —**, tranquilly

transformer (en) transform *or* convert (into)

transir chill, benumb

transporter convey, carry away

trappe *f.* trap door

Trappe: la **—**, *name of an abbey* (Notre-Dame-de-la-Trappe), *ab.* 115 *k. W. by S. of Paris, and of the religious order* (les **Trappistes**) *founded there in* 1140

trapu, -e thickset

travail (*pl.* **-aux**) *m.* work, workmanship, labor, toil; job, duties

travailler work, be at work

travailleur *m.* worker

travaux *see* **travail**

travers: à —, *prep.* through, across; **à — bois** through the woods; **à — le monde** (*Élix*) over the wide wide world; **de —,** *adv.* the wrong way, askew, askance, awry; (**en me regardant) de —,** (*Mbl*) crossly; **en —,** crosswise, on the thwart; **en — de** across (*also* alongside)

traverse: un chemin par la —, a crossroad, a short cut

traversée *f.* crossing (*as of a sea or strait*), passage

traverser cross, walk across; pass (walk, fly, go) through; **le traversant de peurs soudaines** (*AWS*) sending through him sudden fears

trébucher stumble

tremblant, -e trembling; **Françoise un peu —e** (*here* **—e** *is an adjective and agrees*) F., a bit tremulous

tremblement *m.* trembling; **un —,** a fit of trembling

trembler quake, shake, quiver, shiver; (**écriture) tremblée** wavering, shaky

trémière (*f. adj.*) *occurs only in* **rose —,** hollyhock, rose mallow

tremper soak, steep; dip, temper; (**une robe) toute trempée** wet through; **trempés dans le courage** (*Peur*) tempered by daring deeds; *intrans.* **— dans l'eau** (*of branches*) trail in the water, (*of a*

bldg.) stand in, *or* be washed by, the water

trentaine: une — de about thirty

trente thirty

trépas *m.* (*poet.*) death

trépignement *m.* stamping (*of feet*), trampling

trépigner stamp (*with one's feet*), tramp

très very, greatly, very much, very well

trésor *m.* treasure; darling; **des —s** (**de mélodie,** *etc.*) a wealth, wealths

tressaillir start up (*nervously*), be startled; shudder; (*of muscles*) quiver; **— de joie** tremble with joy

tribunal (*pl.* **-aux**) *m.* tribunal, court (of law)

tribune *f.* gallery, organ loft

tricorne *m.* three-cornered hat

tricot *m.* knitting

trier sort out

trimestre *m.* quarter (*of a year*), three months' pay

trin, trin, trin (*Élix*) *onomatopoetic adv.; also a kind of refrain riming with* **jardin,** tum-tee-dum *or the like*

trinquer touch *or* clink glasses

triomphal, -e triumphal

triomphant, -e triumphant

triompher triumph; (*F*) be exultant

trique *f.* bludgeon

triste sad, sorrowful, dismal; **— temps!** dreary weather!

tristement sadly, mournfully

tristesse *f.* sadness, sorrow

trois three

troisième third; third story

trombe *f.* waterspout, tornado

tromper deceive, cheat, outwit; disappoint (*hopes*); **se —,** be mistaken, be wrong; **ma mère ne s'y trompait pas** (*Mbl*) ... was not deluding herself; **se — de chemin** take the wrong road

trompeu-r, -se misleading, unreal

Tronchin: le fameux —, (*R*) Théodore Tronchin, *a Swiss physician b. in Geneva,* 1709, *d. in Paris,* 1781; *enabled by his patron Lord Bolingbroke to study at Amster-*

dam, where he built up a brilliant clientèle and married a great-niece of John de Witt. T. became the most fashionable of Paris physicians, but Balzac regarded him as a quack

tronçon *m.* stump

trône *m.* throne

trop too, too much, too many, too often, too greatly; **over–** (**— en-combré** overcrowded); **— de...** too much (many)...; **le — de** the overdoing of, an excess of

trophée *m.* trophy, memento

troquer: — contre trade (*or* swap) for

trottiner skip, trip (*walk briskly, taking short steps*)

trottoir *m.* sidewalk, pavement (= sidewalk)

trou *m.* hole, (*AM*) deep hole (*in a stream*), hollow (*in the ground*), hiding-place; **ce — de verdure** this verdant nook; **les petits —s** (**de ses joues**) the dimples

trouble *m.* disturbance, turmoil, confusion of mind, distress

troubler disturb, agitate, upset (*the mind*), fluster; **— l'eau de son écume** (*AM*) cloud the water with its foam

trouer make a hole (holes) in, bore through; **troué, –e** full of holes; **ce tableau troué** this picture with the holes in it

troupe *f.* troop, band, flock, company, school (*of fish*); **aller en —,** go in a flock

troupeau *m.* flock, herd

troupier *m. used familiarly* (*before 1914*) *as a synonym of* **soldat** soldier (*Engl.* trooper *is used only of a cavalryman*)

trouvaille *f.* (lucky) find

trouver find, find out, discover, invent; think, regard ... as; **— mauvais** not like; **aller —,** go to, go and see, look for (*or* up); **venir —,** come and see; **je lui trouve un bouquet** (*Élix*) I find it has a fragrance; **se —,** be *or* happen to be, feel (*well, ill, etc.*), (*of a boat*) lie; **se trouva faire retour** happened to return; **il**

s'y trouvait bien quelques négligences there occurred in it, I admit, *etc.*; (*impers.*) **il se trouva que ...** it so happened that ...; **un enfant trouvé** a foundling

truite *f.* trout

tu *pers. pron. used normally only among intimate friends and by adults in speaking to little children, etc.* (*likewise* te, ton, ta, tes, *etc.*); *in living Engl., only* you (yourself, your, *etc.*); **comment te nommes-tu?** (*R*) *here a form of address officially required by the French Revolutionary Government,* 1789–94, *whatever the age or rank of the person addressed; translate:* what is your name?

tu– *see* **taire**

Tubingue Tübingen, *a mfg. town in Württemberg, Germany*

tuer kill; **se —,** kill oneself, get killed

tue-tête: à —, at the top of one's voice

tuile *f.* tile

tumulte *m.* uproar, din of voices, disorder, disturbance

tumultueusement tumultuously

tumultueu–x, –se tumultuous

tunique *f.* tunic, (*eccl.*) tunicle (*short vestment worn by bishops under chasuble, by deacons as outer garment at eucharist, etc.*); (short) frock coat (*worn by lycée students*), coat; (*mil.*) tunic, coat

tutoyer (*from* tu + toi + er; *cf.* "thee and thou" *a person*) use **tu** *when addressing a person;* (**c'était la première fois**) **qu'elle le tutoyait** (*AM*) ... that she had spoken to him with affectionate familiarity; **me —,** (*VC*), *freely,* call me daddy

tuyau *m.* pipe

U

ultérieur, –e later, subsequent

un, une one; a, an; **une heure** an hour *or* one o'clock; **une fois** once; **une idée lui parut** (*AWS*) one idea (the following idea), *etc.;* **un poème en un chant a**

poem in one canto; **l'aspect d'une créature vivante** (*Mbl*) the sight of any living creature; **avec une suffisante majesté** with adequate majesty; **une terreur le retenait** (*AWS*) a feeling of terror, *etc.;* **et l'un dit** (*Peur*) and one of them said; **l'un** (*or* **l'une**) **de** ... one of ... ; **un à un** one at a time; **l'un l'autre** *or* **l'un à l'autre** each other, to each other; **l'un et l'autre** both; **l'un ou l'autre** either (of them); **l'un pour l'autre** for each other; **les uns** ... **les autres** some ... others

unanime (à) unanimous (in)

uni, -e smooth, even

-unième (*only in compounds*) –first

uniforme *adj. and m. noun* uniform

union *f.* union, concord

unique only, single; **fils —,** only son

uniquement only, entirely

univers *m.* whole world

Ure *see* **Mont-de-l'Ure**

usage *m.* custom, use, practice

usé, -e *adj. or p.p.* worn-out, (*of garments*) threadbare

user wear out; **usant ses ongles** (*Par*) wearing her finger nails down to the quick; **— de** use, make use of, avail oneself of

usure *f.* usury; wearing out: **l'— des sièges** the shabbiness of the chairs

usurier *m.* usurer

utile useful

utiliser make the best use of

Utrecht *m., a city in Holland;* **velours d'—,** U. velvet (*a woollen velvet for tapestry and upholstery*)

V

va *see* **aller**

vacance *f.* vacancy; **—s** holiday(s), vacation; **aux —s** during holidays, at vacation times; **en —s** taking a holiday, on vacation

vache *f.* cow

vaciller be unsteady

va-et-vient *m.* motion to and fro

vagabond *m.* vagabond, vagrant, tramp

vague (1) *f.* wave, (*fig.*) **waves** (surge)

vague (2) vague, empty, idle

vaguement vaguely, dimly; **on le traitait — de (braconnier)** (*AM*) they hinted that he was ...

vaill- *see* **valoir**

vaillant: pas un sou —, not a penny in the world

vaincre overcome, vanquish, conquer, win

vaincu, -e *see* **vaincre**

vainqueur *m.* conqueror, victor

vais *see* **aller**

vaisseau *m.* vessel

vaisselle *f.* plates (and dishes); plate (*silver, porcelain, etc.*); **laver la —,** wash the dishes

valet *m.* footman, flunkey; **— de chambre** valet, (*R*) man servant (*of the countess*); **— de ferme** farm laborer

valeur *f.* worth, value

valise *f.* traveling-bag

vallée *f.* valley

vallonnement *m.* undulation

valoir be worth (as much as), be as good (*or* bad) as; **— la peine** be worth the trouble; **il vaut mieux mourir** it's better to die; **mieux vaut** 'tis better to ... ; **autant valait-il vendre chèrement sa vie** they might just as well sell their lives dearly; **— qqch à qqn** cause ... to have, win for; **cela lui avait valu un bon poste** that had brought her (him) a good position

valser waltz

valter (*dialect*) wander

vanité *f.* conceit; **tirer — de** pride oneself on

vantard, -e boastful

vanter boast of, extol; **se —,** boast

vapeur *f.* vapor, mist

vaquer à go about (*one's business*)

varier vary

vas *see* **aller**

vaste great, spacious

vaurien *m.* good-for-nothing, scamp

vaut *and* **vaux** *see* **valoir**

veau *m.* calf

vécu *see* **vivre**

véhicule *m.* conveyance

veille *f.* keeping awake, watching, vigil; la — (de) the eve (of), the day, evening *or* night (before)

veillée *f.* evening (*spent in chatting*), evening sewing party (*Ét*); la — de Saint-Nicolas (*S–N*) Christmas Eve (*but see* **Saint-Nicolas**)

veiller keep (*or* lie) awake, stay up, watch; — à be careful about, look after; — sur keep watch over

veilleuse *f.* night light (*in France, an oil cup with a wick*)

veine *f.* vein

vélin *m.* vellum (fine parchment, *orig. of calfskin*)

velours *m.* velvet

velouté *m.* (velvety) smoothness

Vendée *f.* Vendée, *a region on the coast of France* (*south of Brittany*), *notorious for the hostility of its population generally to the Revolution of 1789–94*

Vendéen, -ne Vendean, *an inhabitant of* la Vendée *and generally a supporter of royalty during the French Revolution*

vendeu-r, -se seller, vendor, dealer

vendre sell; que je vendrais au moins mille écus (*T*) whom I could sell for at least, *etc.*; se —, sell *or* be sold (for)

vendredi *m.* Friday (*a day when Roman Catholics are forbidden to eat meat*)

vengeance *f.* vengeance, revenge

venger avenge; se —, avenge oneself, be revenged, "get even"

venir (*with* vien-, vin-) come, come on, fall; happen; occur; d'où vient que ... how does it happen that ... ; [il] vint la prendre par le bras [he] came and took her, *etc.*; **vienne la Toussaint** come All Saints' Day *or* next All Saints' Day; faire —, cause ... to come, send for, fetch; la nuit venue after nightfall; mes forces venues having got back my strength; il me vint à l'esprit it occurred to me; — à bout de perdre ... (*CP*) manage to lose; il s'en venait à pied he was coming along on foot; j'attendis ...

qu'il vînt à faire un jour de pluie I waited ... for a possible rainy day; — de + *inf.* have (had) just + *p.p.*; qu'il (vient) venait de déployer which he (has) had just displayed; venaient de se creuser de nouveau had just deepened again; le nouveau venu the newcomer

vénitien, -ne (Vénitien) Venetian

vent *m.* wind; un — de terre an offshore (*or* land) wind; bannières au —, banners flying (in the wind)

vente *f.* sale

Ventoux: le mont —, Mt. V. (*i.e.,* "Windy Mountain"), *ab.* 45 *k. E. by N. of Avignon*

ventre *m.* abdomen, paunch, (*vulg.*) belly; hold (*of ship*); à plat —, (lying) flat on the ground; lui redonnait un peu de cœur au —, put some courage in her (inside of her) again

venu, -e (1) *p.p. of* venir

venue (2) *f.* coming

vêpres *f. pl.* (*eccl.*) evensong, vespers; les Vêpres Siciliennes (the) Sicilian Vespers, *massacre of French residents in Sicily in 1282, begun at stroke of V. bell; also title of a play (1819) by Casimir Delavigne*

ver *m.* worm; — de terre earthworm; mangé, -e des —s worm-eaten

verdâtre greenish

verdeur *f.* greenness, freshness

verdure *f.* verdure, green branches, greenery; ce trou de —, (*AM*) this verdant nook

vergue *f.* (*naut.*) yard

véritable true, genuine, real, out-and-out; un — personnage (*MD*) quite an important person

véritablement truly, really

vérité *f.* truth; à la —, in fact; en —, really

vermeil (1), -le vermilion *or* (*fig.*) rosy; (2) *m.* silver gilt

vernir varnish; le carreau verni the floor polished (well waxed); se serait-elle vernie pour abuser de moi? (*Mbl*) may she have varnished herself to hoodwink me?

verr– *see* voir

verre *m.* glass; un petit —, a glass of brandy; sous un —, (*VC*) under a glass bell

verrou *m.* bolt; pousser le —, bolt the door

vers (1) *m.* verse

vers (2) *prep.* toward, to, at, about; — le ciel skyward, upward; hurler — quelque chose d'invisible (*Peur*) howl at, *etc.*; du dehors — la forêt (*Peur*) outside, from the forest

Versailles *m.* Versailles, *a great park near Paris and site of the huge palace where thousands of courtiers and servants surrounded the French kings under the* Ancien Régime, *esp. during the reign of* Louis XIV

versant *m.* slope(s)

verse: pleuvoir à —, rain torrents, be pouring

verser pour (out), shed; — à boire pour out a drink

verste *f.* verst (*Russian word*) = 1076 *meters, ab.* 3550 *ft.*

vert (1), –e green; (2) *m.* green; les —s (*F*) green vegetables

vertement smartly, lustily, with plenty of vim, sharply

vertige *m.* dizziness, giddiness; des —s fits of dizziness; donner le — à make giddy

vertu *f.* virtue, virtuousness; en — de by virtue of

verve *f.* liveliness, raciness, spirit, vim; avec —, racily, spiritedly

veste *f.* waistcoat *or* jacket (*with sleeves but without a collar*); toujours en manches de —, (*VC*) always wearing his sleeved waistcoat

vestibule *m.* (entrance) hall

vêtement *m.* garment; *pl.* clothing, dress; —s pour la sortie wraps

vétérinaire *m.* veterinary (surgeon)

vêtir (de) dress *or* clothe (in); [les] grands salons vêtus de soie ancienne (*Par*) . . . upholstered with costly old silk

vêtu, –e *see* vêtir

veuf *m.* widower

veuill– *see* vouloir

veut *see* vouloir

veuve *f.* widow

veux *see* vouloir

vi– (vis, *etc.*) *see* voir

viande *f.* meat

vibrant, –e vibrant, loud; (*fig.*) thrilling

vibrer vibrate

vice *m.* vice, defect, weakness; les —s du capitaine the failings (*or* shortcomings) of the captain

victoire *f.* victory

victorieu-x, –se victorious, triumphant

vide (1) empty, vacant; — de devoid of; un espace —, (*T*) a free (*or* open) space; (2) *m.* empty space, void; se trouver dans le —, find oneself suspended in space

vider empty, unpack (*a trunk*), (*in drinking*) "drain," gulp; se —, be emptied

vie *f.* life, existence; elle croyait à la — de son fils (*R*) she believed her son must be alive; en —, alive

vieil, –le *see* vieux

vieillard *m.* (very) old (*or* agèd) man

vieille *see* vieux

vieillesse *f.* old age, (one's) declining years

vieillir grow old, age; vieilli de cinq ans who had aged five years; vieillie dans la maison (*AM*) who had grown old, *etc.*

vieillot, –te oldish

vien– *see* venir

vierge *f.* virgin; la Vierge, the Virgin (Mary); Sainte Vierge! Holy Virgin! un fil de la Vierge a gossamer thread; *as adj.* virgin, virginal, pure

vieux (1), vieil (*before vowels*), *f.* vieille old, elderly; du plus — roux (*Mbl*) of the dingiest reddish brown; vieux *occurs occasionally, in colloq. style, before a vowel:* un — homme (*Peur*) an old fellow

vieux (2), vieille *noun* old man, old fellow; old woman, old lady

vif, vive living, alive; lively, quick, bright, keen, (*of heat*) intense;

eau(x) vive(s) living (running) water(s)

vigilance *f.* watchfulness

vigne *f.* vine; vineyard

vigoureu-x, -se strong, sturdy, vigorous

vigueur *f.* strength, energy

viguier *m. formerly a* high judge *or* magistrate *having, in the South of France, duties like those of the* prévot (provost) *in the North*

vil, -e vile, low

vilain, -e villainous, low, wicked, naughty; **ce — tour** this mean trick

villageois, -e villager

ville *f.* city, town

vin *m.* wine; **— du Rhin** hock *or* Rhine wine

vin- *see* **venir**

vindicati-f, -ve vindictive

vingt twenty; **— fois a** score of times, time and again

vingtaine: une — de a score of, about twenty

vingtième twentieth

violemment violently

violence *f.* violence, violent temper

violent, -e violent, vehement; **une —e** surprise great astonishment; **de —s (coups de tonnerre)** heavy ...

violet, -te violet (*adj.*)

violon *m.* violin, fiddle; violinist, fiddler

violoncelliste *m.* 'cellist

virer turn; **— de bord** (*naut.*) come about, tack

visage *m.* face, countenance, look; *see* **réfléchi, -e**

vis-à-vis de facing, face to face with

viser aim (at), take aim; examine and sign (*or* visé) *a document*

visible evident, obvious

visiblement evidently, obviously

visière *f.* peak *or* visor (*of a cap*)

visionnaire visionary

visite *f.* visit, call; search, inspection; **faire** (*or* **rendre**) **— à** pay a visit to, call on

visiter visit, examine, inspect, (*fam.*) have a look at

visiteu-r, -se visitor, caller

vite quick(ly), fast; **au plus —, as** soon (quickly) as possible

vitesse *f.* speed, swiftness, rate (*of speed*)

vitrage *m.* (window)pane(s), windows

vitrail *m.* (*pl.* -aux) window (*made up of small panes*), *often* stained-glass window

vitre *f.* windowpane, pane (of glass)

vivacité *f.* liveliness, sharpness; **avec —, a** bit sharply, with some excitement

vivant (1), **-e** living, alive; (2) *m.:* **du — de** in the lifetime of; **de son —,** in one's (his, her) lifetime

vive *see* **vif** *and* **vivre**

vivement keenly, eagerly, hotly, quickly, hurriedly, smartly, earnestly, very much; **sortir —,** (*of tears*) well up suddenly

vivre (de) live (on, by), be living (alive), (*AM*) remain alive; fare; **âme qui vive** a living soul

vivres *m. pl.* provisions *or* stores (*of food*), victuals; **les — de campagne, enfin** (*VC*) campaign victuals, in a word (*i.e., the biscuit, salt meat, and dried vegetables carried by the army; commonly called* **petits vivres;** *but Coppée's* **pot-au-feu** *may imply fresh meat*)

v'là *coll. for* **voilà**

vociférer yell, shout, bawl

vœu *m.* vow, wish; **le — de la nature** the demands of nature

vogue *f.* popularity

voici (voi [see, look] + ci = ici [here]) here is, here are; **— le troisième jour** this is the third day; **et — que** and now, you see

voie *f.* way

voilà (voi [see, look] + là) *with no stated obj.:* **—! je louerais,** *etc.* (*VC*) well now! I might rent, *etc.;* **—!** that's all! *with obj.:* behold, there is (are); **— la mouche** (aplatie sur le mur) there's your fly ... ; **— un joli coup!** (*CP*) that was a fine shot! **— vingt francs** (*with implied gesture*) there are twenty francs; **— huit heures** (qui sonnent) that's eight o'clock ... ; **me —,** here I am; **comme**

te —effrayée ! how frightened you are! **et — que tout à coup...** (*Peur*) and all of a sudden ... ; **maintenant que vous — prévenu** now that you're warned; **— sept ans que je te le garde** for seven years I've been keeping it for you; **— qui n'est pas règlementaire** (*VC*) that is not according to regulations; **— qui est fort beau** that is all very beautiful; **— comment...** that is how ... ; **en — assez!** enough of this!

voile (1) *f.* sail; **sous —s** (*naut.*) under way

voile (2) *m.* veil

voilier *m.* sailing-ship

voir (*with* verr–, vi–, vu–) see, behold, look at; **aller —,** go and see; **faire —,** show; **nous verrons cela** (*CP*) we shall see about that; **a-t-on jamais vu!** (*MD*) who ever saw the likes? — **le jour** first see the daylight (*i.e.,* be born); **n'y voyant plus** (*Mbl*) no longer able to see (my way); **il n'y voyait pas bien** he couldn't see well; **voyons!** let us see! *or* come! **voyez-vous** (*expletive*) you see, you know; **voyez-vous ces musiciens** (*MD*) consider those musicians; **voyez-vous qu'un malin se fût présenté** (*BM*) what if (suppose) some "smarty" had turned up; **ni vu ni connu** (*F*) and no one's the wiser; **passe, je t'ai vu!** (*MP*) *freely,* presto change! **se —,** (*R*) find oneself

voire indeed, of a truth

voisin, –e near by, neighboring, adjoining; **les bois —s** (*AM*) the woods about here; *m. and f.* neighbor; **un — de cellule** a friend in a neighboring cell

voisinage *m.* neighborhood; **mon compliment de —,** my neighborly compliment

voiture *f.* carriage, vehicle, conveyance; **compagnie de petites —s** (*Par*) cab company

voix *f.* voice; **à — basse** in a low tone; **à haute —,** out loud, aloud; **éclat de —,** outburst, loud ejaculation; **sans —,** speechless; **d'une**

— sourde in a muffled tone; **une — lointaine** (*AM*) a sound from far away

vol *m.* flight; **prendre son —,** fly away; **des —s de corbeaux** flocks of ravens in flight

volaille(s) *f.* poultry, fowls

volatile *m.* winged creature; *pl.* fowls (of the air)

volée *f.* shower (*of leaves*); **à la grande —,** (*of bells*) in full peal, pealing loudly

voler (1) fly; (2) steal; rob, swindle

volet *m.* shutter

voleu–r, –se thief

volontaire voluntary; *noun m.* volunteer

volontairement of one's own free will, voluntarily

volonté *f.* will, pleasure (decision); *pl.* desires

volontiers readily, willingly, gladly, with pleasure

voltiger flutter, hover

volupté *f.* voluptuousness, bliss; **les —s du at home** the luxuries of home life

vont *see* aller

vos your, your own

Vosges [voːʒ]: **les —,** *m.* the Vosges, *a mountain range along the W. of Alsace and the S. end of Lorraine*

votre *adj.* [vɔtr(ə) *or, fam.* vɔt] your

vôtre *pron.,* *usually with* le, la; *pl.* les —s [voːtr *or* voːtrə] yours, your own

voudr– *see* vouloir

vouer vow, solemnly promise, devote, pledge

vouloir (*with* veu–, veuill–, voudr–) wish (to), desire (to), be willing (to), like (to), care (aim) to, will (would) ... ; decide to, try to; expect to; require; **— absolument que...** insist that ... ; **veuillez (bien)...** be so good (kind) as to ..., please ... ; **je veux bien** I am willing; **je ne veux plus** I am no longer willing; **comment voulez-vous trouver un homme là-dedans?** (*AM*) how do you expect, *etc.;*

vous voulez rire (Mbl) you must be joking; si elle veut crier? (AM) if he decides to give the alarm? (l'égoïsme de sa tendresse) le voulait vivant (AM) ... demanded that he should continue to live; d'autres voulaient un noble (R) others insisted it must be a noble; M. le maire voudrait vous parler... would like to speak to you; comme tu voudras as you please; c'est comme tu voudras manage it any way you like; il voulut protester (F) he tried to protest; on voulait dire they meant; en — à [i.e., — du mal à] have a grudge against, be vexed with; qui en voudra [de ma patte] (Mbl) who may care to have it; (ce sont les âmes) dont le bon Dieu ne veut pas chez lui (Ét) ... that God Almighty does not care to have about him

vous you (to you, for you), or (to supplement on and se) one, us; elle — lui détache un coup (MP) I can tell you, she let drive at him a kick

voûte f. vault, arch

voy– see voir

voyage m. journey, voyage; heureux —! a happy journey! godspeed; les —s (Mbl) travel (in general)

voyager travel

voyageu–r, –se traveler, wayfarer

vrai, –e true, genuine, real; c'est —, that's (it's) true; à — dire to tell the truth

vraiment truly, really, indeed

vraisemblance f. probability, likelihood

vu (vue) see voir

vue f. sight, view; garder à —, keep constantly under watch; à — d'œil manifestly, as was plain to see; perdre... de —, lose sight of ...

vulgaire popular, common; en langue —, in the vernacular (i.e., in French); le —, the mob; trop loin du —, too far from common things

W

wachtmann (German; MD) nightwatchman

whist [wist] m. whist

Y

y adv. there, thereat, therein, thereto, to it, to this, to that, or thither, thereby, etc. (cf. là, which localizes more emphatically); il y a there is (arc); y a rien (F) coll. for il n'y a rien there ain't anything; si on y [= dans cet état de jongleur] mangeait tous les jours (J) if it gave a man something to eat every day; il y sauta [dans la fosse] he jumped into it; y croire [i.e., croire à cela] believe it; y prendre garde notice it; s'y méprendre be mistaken (about it); (le service de Dieu) y perdait (Élix) ... was losing thereby; (malgré le danger qui l'attend ici, je voudrais bien cependant) l'y voir (R) [i.e., le voir ici] ... see him (of course, here); j'y compte (CP) I count on you; j'y pense I am thinking of it

ya (German ja) yes

yatagan m. yataghan, a long knife or short saber, often curved near the tip; common among Turks and Arabs

yeux pl. of œil

Ymauville Norman village ab. 5 k. E. of Goderville

yolof, –e: la langue —e the Yolof language, spoken by the Ouolofs, Wolofs, Yolofs, or Djolofs, a tall negro race inhabiting parts of Senegal

Ypsilanti: Alexandre —, Alexander Hypsilantis (1792–1828), a Greek who became a Russian general; in 1820 he accepted the command of the Greek hetairia (see hétairistes) to fight for Greek independence; but, disavowed by Russia and abandoned by the Roumanians (whose chief, Vladimiresco, he had caused to be executed), he was beaten by the pasha Widdin at Dragasani and fled to Austria, where he was

arrested and held in prison until
1827. *See* **Skouliani**
Yvetot *a Norman town W. of Le
Havre; Daudet alludes to a famous ditty by Béranger:*

Il était un roi d'Yvetot,
Peu connu dans l'histoire;
Se levant tard, se couchant tôt,
Dormant fort bien sans gloire,
Et couronné par Jeanneton
D'un simple bonnet de coton,
　　　　Dit-on.

Oh! oh! oh! oh! ah! ah! ah! **ah!**
Quel bon petit roi c'était là!
　　　La! la!

*These and additional stanzas, com-
posed by B. in 1813, were sung all
over France and* le roi d'Yvetot
thus came to mean jolly good king
or roi bon enfant. *Béranger's
song was translated into verse by
Thackeray*
　　　　　　Z

zèle *m.* zeal
zinc [zĕk] *m.* zinc

DATE DUE

DEC 18 '67			
APR 2 9 1983			